國家古籍整理出版專項經費資助項目
全國高等院校古籍整理研究工作委員會規劃項目
國家民委少數民族哲學思想與文化傳承創新研究基地資助項目（2017SZJD13）

道教典籍選刊

道德真經廣聖義校理

上

[唐]杜光庭 述
周作明 校理

中華書局

圖書在版編目(CIP)數據

道德真經廣聖義校理/(唐)杜光庭述;周作明校理. —北京:中華書局,2020.6(2024.5重印)
(道教典籍選刊)
ISBN 978-7-101-14565-6

Ⅰ.道…　Ⅱ.①杜…②周…　Ⅲ.①道家②《道德經》-研究　Ⅳ.B223.15

中國版本圖書館CIP數據核字(2020)第080251號

責任編輯:王　璇
責任印製:管　斌

道教典籍選刊
道德真經廣聖義校理
(全二册)
〔唐〕杜光庭 述
周作明 校理
*
中華書局出版發行
(北京市豐臺區太平橋西里38號　100073)
http://www.zhbc.com.cn
E-mail:zhbc@zhbc.com.cn
三河市宏盛印務有限公司印刷
*
850×1168毫米 1/32 · 27¾印張 · 4插頁 · 490千字
2020年6月第1版　2024年5月第2次印刷
印數:3001-4000册　定價:110.00元

ISBN 978-7-101-14565-6

道教典籍選刊緣起

道教是我國土生土長的宗教，歷史悠久，可以溯源到戰國時期的方術，甚至更古的巫術，而正式形成於東漢時期。它是我國傳統文化的重要組成部分，對我國人民的思維方式、生活方式，對古代科學、技術的發展，都産生過重大影響，並波及社會政治、經濟等各方面。

道教典籍極爲豐富，就道藏而言，有五千餘卷，是有待進一步發掘、清理和利用的文化遺産之一。爲便於國内外學術界對道教及其影響的研究，便於廣大讀者瞭解道教的概貌，我們初步擬訂了道教典籍選刊的整理出版計劃。其中既有道教最基本的典籍，也包括各種流派的代表作，有不少書與哲學、思想史關係密切。所有項目，都選用較好的版本作爲底本，進行校勘標點。

由於我們缺乏經驗，工作中難免有失誤之處，亟盼關心此項工作的專家和廣大讀者給以指導與幫助。

中華書局編輯部

一九八八年二月

目録

上册

下册

前言

一、唐代老學的興盛與發展

道教在唐朝盛極一時。在皇室的提倡與推動下，注疏和研究老庄的老學極爲興盛。唐朝尊奉老子，將老、莊、列、文等道家著作升格爲「經」，舊唐書玄宗本紀下載：「制兩京、諸州各置玄元皇帝廟，並崇玄學，置生徒，令習老子、莊子、列子、文子，每年准明經例考試。」甚至規定「道士通道德經者，給地三十畝」〔一〕，以經濟政策來促進道教繁榮。據舊唐書記載，唐太宗不僅令顏師古考訂、統一儒家五經的文字字義，而且還令傅奕和魏徵注老子。據杜光庭記載，「傅奕注二卷並作音義」，「魏徵作要義五卷」，都反映了唐太宗對道德經的重視。唐高宗在儀鳳三年（六七八）下詔：「自今以後，道德經並爲上經，貢舉人皆須

〔一〕釋道宣：集古今佛道論衡卷丙，大正藏第五十二册，第三八六頁。

兼通。」唐玄宗不僅讓道士司馬承禎刊正老子的文句，而且自己還親自爲道德經作注，頒令天下士人奉讀，甚至將其列爲崇玄館的教材，建立道舉制度。這樣，注疏道德經在唐代成爲由官方發起的一項文化運動，杜光庭道德真經廣聖義序所記載的書目中，唐代注疏就多達三十家。

大致來看，唐代老學的發展可以分爲幾個階段。唐初統治者出於治理國政的需要，首先推行「明理國之道」的河上公注，傅奕和魏徵的注本都以河上公注爲依據，著重闡發道德經中經邦治國的思想。這是唐代老學的第一個階段。

隨著唐代佛教的興盛，道教運用佛教中觀學「非有非無」的方法來注老，佛道的融合提升了唐代老學的思辨水準。第二個階段的代表作就是成玄英的道德經疏和李榮的道德真經注，他們將頗具思辨色彩的重玄學推向了高潮。

第三個階段以唐玄宗的道德經注疏爲代表。開元七年（七一九），唐玄宗向臣下詢問道德經注疏本應採用河上公注本還是王弼注本。劉知幾認爲「王弼所著，義旨爲優」，主張推行王弼注本；而司馬貞則認爲，河上公注「小足以修身潔誠，大可以寧人安國」，既具有養神修身的作用，又具有安邦治國的政治價值，故更優。司馬貞的意見雖然占了上風，但唐玄宗既不滿王弼注，也不滿河上公注，杜光庭記：「聖旨歎道德隱奥之文，上下玄妙之趣，未有了達解釋之人，自蜀嚴、河公之後，注疏者去聖越遠。」於是，唐玄宗親自作注，讓近臣做疏釋。從開元二年（七一四）到二十三年（七三五），這個注本花費了唐玄宗二十年的時間才得以完成。這樣，唐代雖然出現了衆多的老子注本，但真正有影響的主要是河上公注和唐玄宗注疏本。玄宗注疏强調内以修身，外以治國，用重玄學的方法進一步發揮河上公注的精神。杜光庭將唐玄宗的道德經注疏奉爲注老的最高典範，稱之爲「冠九流而首出，垂萬古而不刊」。新唐書選舉志云：「（玄宗）及注老子道德經成，詔天下家藏其書，貢舉人減尚書、論語策，而加試老子。」

第四個階段，注老著作的指歸意趣呈現出多向度發展的趨勢：有的講「清心養氣，安國保家之術」，如李約道德真經新注；有的將修身理國擴大到用兵之道，如王真道德經論兵要義疏；有的放棄以佛解老，轉而以儒解老，如陸希聲道德真經傳引用唐代儒家的「性情」思想去注老子，將老子之道歸結爲「性情」，從而塑造出一個披上儒服的老子；還有的依據清净無爲思想來講理身經國，如强思齊的道德真經玄德纂疏。

第五個階段以唐末杜光庭的道德真經廣聖義爲代表。杜光庭在彙集、評判各種老學思想的基礎上，不僅總結和推進了各家的注老方法，而且他在以道教的理念進一步發揮唐玄宗道德經注疏的義理時，既沿用老莊的思維方法，又引入玄學之思辨，還採用佛教之中觀思想來詮釋老子之道，融合儒佛道三教來發揮道教之學。道德真經廣聖義在歷代老學著作中篇幅最大，内容最豐，成爲唐代老學思想的集大成著作，在老學研究中有極其重要的地位。

二、杜光庭生平

杜光庭，唐末至五代道士，字賓聖（又作賓至或聖賓），號東瀛子，别稱廣成先生、華頂羽人、廣德先生等。據元趙道一歷世真仙體道通鑑卷四十載，杜光庭卒於後唐明宗長興四年（九三三），享年八十四，則其當生於唐宣宗大中三年（八五〇）。

杜光庭天資聰穎，熟讀經史，曾自述曰：「余初學於上庠，書笈皆備，一月之内分日而習，一日誦經書，二日覽子史，三日學爲文，四日記故事，五日燕習養志。一月卒五日始，不五七年經籍備熟。」〔一〕宣和書譜卷五載，唐懿宗時「設萬言科選士，光庭試其藝不中，乃棄儒衣冠入道。」歷世真仙體道通鑑卷四十載，杜光庭「賦萬言不中，乃奮然入道，事天台

〔一〕十國春秋第二册第六七四頁，中華書局一九八三年。

山道士應夷節」，成爲司馬承禎的五傳弟子。僖宗即位後，杜光庭由鄭畋推薦進京，「僖宗臨御，光庭始充麟德殿文章應制，一時流輩爲之斂衽，皆曰：學海千尋，辭林萬葉，扶宗立教，海内一人而已」。

僖宗廣明元年（八八〇）冬，黄巢義軍攻入洛陽，不久長安被破。是年十二月，唐僖宗棄京逃往鳳翔。次年春，杜光庭「從駕興元」（今陝西漢中），七月至成都避難。光啓元年（八八五）正月，僖宗駕回長安，杜光庭扈從還京，其在無上黄籙大齋後述中自述：「余屬兹艱會，漂寓成都，扈蹕還京。」道教靈驗記卷六三泉黑水老君驗曰：「時僖宗大駕還京，光庭獲備護衛。」卷六閬州石壁成文自然老君驗載：「光啓年，大駕還京，奏置玄元觀，寵詔褒允，至今郡中水旱祈祝，靈驗益彰矣。」期間，光庭繼續搜訪道經，太上黄籙齋儀卷五十二載：「扈蹕還京，淹留未幾，再爲搜捃，備涉艱難。新舊經誥，僅三千餘卷。」

光啓二年冬，李克用、王重榮進逼京城，僖宗再次出逃，杜光庭隨之逃至興元後離開僖宗，隻身前往成都。從光啓二年至天復七年，杜光庭隱居青城山白雲溪，歷世真仙體道通鑑卷四十載：「中和初，從駕興元……先生知國難未靖，上表乞遊成都，喜青城山白雲溪氣象盤礴，遂結茅居之。」

公元九〇七年，唐朝滅亡，中原諸侯並立。是年九月，王建在成都稱帝，前蜀立國。

王建謂杜光庭「非止善辭藻而已，有經國之大才」，命其爲太子元膺之師。資治通鑑卷二六八云：「光庭博學，善屬文，蜀主重之，頗與議政事。」王建曾贊曰：「昔漢有四皓，不如吾一先生足矣。」又加封其爲上柱國蔡國公，官至金紫光禄大夫、左諫議大夫，賜號「廣成先生」。王衍即位後，於乾德三年（九二一）尊杜光庭爲傳真天師，兼崇真館大學士。不久，杜光庭解官歸隱青城山白雲溪，自號登瀛子（或作東瀛子）。歷世真仙體道通鑑卷四十曰：「光庭八十四歲，一旦披法服作禮，辭天升堂，趺坐而化。顏色温晬，宛若其生，異香滿室，久之乃散。」

三、道德真經廣聖義的卷次與體例

杜光庭的主要著述就是在隱居青城山白雲溪時完成的，其中就有唐代道學名著道德真經廣聖義。關於廣聖義的成書年代，該書卷首序云：「天復元年龍集辛酉九月十六日序。」明焦竑老子翼之采摭書目亦載：「後蜀廣德先生天復辛酉著廣聖義五十卷。」由此可以推斷，廣聖義的撰成時期當不晚於天復元年（九〇一），時年杜光庭約五十二歲。

廣聖義以唐玄宗道德真經注疏爲底本，引經據典，間雜己見，闡發其玄旨，「廣聖義」

意即推廣並闡發玄宗老學義旨。道德真經廣聖義序即云：

雖諸家染翰，未窮衆妙之門；多士研精，莫造重玄之境。凝旒多暇，屬想有歸，躬注八十一章，製疏六卷。内則修身之本，囊括無遺；外即理國之方，洪纖畢舉。宸藻遐布，奪五雲之華；天光焕臨，增兩曜之色。固可以季仲十翼，輝映二南。若親禀於玄元，信躬傳於太上。冠九流而首出，垂萬古而不刊。則大風、朱雁之歌，誠難接武；典論、金樓之作，詎可同年。但以疏注之中，引經合義，周書魯史，互有發明，四始漆園，或申屬類。後學披卷，多嘗本源，輒採摭衆書，研尋篇軸，隨有比況，咸得備書，纂成廣聖義三十卷。

據上序，廣聖義成書時本爲三十卷，宋史卷二百五、通志卷六十七、文獻通考卷二一一及崇文總目卷五亦均著録爲三十卷。今道藏本爲五十卷，然日藏舊鈔本道德經廣聖義正爲三十卷。從卷帙看，日藏鈔本總體保留了原貌；島田翰在古文舊書考中對比日鈔本和道藏本的文字和相關避諱後認爲「道藏本亦自嘉定本出而分析卷帙也」〔一〕。與日鈔本對比，該書在編入道藏時書首只保留了天復元年龍集辛酉杜光庭序，而其主體部分在卷次調整

〔一〕島田翰古文舊書考卷第一，上海古籍出版社二〇一四年，第一〇六頁。

時則採取將原書一卷分爲兩卷等方式，而爲五十卷。

廣聖義卷首序引歷代道經述「老君降跡行教」故事，縷列六十餘家道德經著述，評估其得失成就。卷一叙經大意解疏序引，叙撰述此書緣由，並説明道德經的「總標宗意」，分三十八別，詳釋其義；卷二叙老君事蹟，包括釋老君事蹟氏族降生年代、釋老君聖唐册號兩篇；卷三、卷四爲釋御疏序上、下，詮釋玄宗道德經疏的釋題；卷五爲釋疏題明道德義，釋「道」、「德」、「道德」等字詞含義，辨析老君事蹟年代及歷代道德經注疏的理趣指歸。自卷六至卷五十，詳解道德經原文和玄宗道德經注疏。

在體例上，唐玄宗道德經注和疏對道德經原文的分合上並不一致，例如道德經注合「道可道，非常道」與「名可名，非常名」兩句而作注，但道德經疏則分此兩句而作疏。因此，若唐玄宗注分釋原文而唐玄宗疏合釋原文時，廣聖義則根據内容將注置於所對應的原文之下，然後引道德經疏，杜光庭義則置於疏文後。如視之不見章第十四：

視之不見，名曰夷；

【注】此明道也。夷，平易也。道非色，故視不可見。以其於無色之中能色，故名之曰夷。

聽之不聞，名曰希；

【注】希者，聲之微也。道非聲，故聽之不聞，以其於無聲之中獨能和焉，故名之曰希。

搏之不得，名曰微。

【注】搏，執持也；微，妙也。道無形，故執持不得，以其於無形之中而能形焉，故名之曰微。

【疏】此明道也。夫視之者以色求道，聽之者以聲求道，搏之者以形求道。……

【義曰】目之所視者，但見平易而不能見道，道無色也；耳之聽也，但惟希寂而不能聞道，道無聲也；手之搏也，但惟微妙不能得其形，道無形也。……

但更多的情況是唐玄宗注合釋而疏分釋原文，此時道德真經廣聖義則將注文置於經書原文末句下，分「疏」而述「義」。如上德不德章第三十八：

上德不德，是以有德。

【疏】上者，舉時也；德者，辯用也。謂上古淳樸，無爲而理，體道之主，任物自然，是上古之淳德，故云上德。……

【義曰】舉上古全德之君不以德爲德，而有德也。將明其次下衰，故舉上德爲首。夫至道之代，德亦不彰矣。……

下德不失德，是以無德。

【注】德者，道之用也。莊子曰：「物得以生謂之德。」時有醇醨，故德有上下。上古淳樸，德用不彰，無德可稱，故云不德。而淳德不散，無爲化清，故云是以有德。逮德下衰，功用稍著，心雖體道，跡涉有爲，執德可稱，故云不失。迹涉矜有，比上爲麁，故云是以無德也。

【疏】此言淳風漸散，德亦下衰。故聖人美無爲之風，而百姓尚無爲之跡。尚迹爲劣，故云下德。迹著則有德可稱，故云不失。稱德不失，跡涉矜有。矜有之弊，淳樸不全，故云是以無德。

【義曰】下德之君，體德而行。德既昭著，上配於天，下民知之，或見或聞。德及於物，物歸其德，可稱可顯，故不失其德矣。執而不失，矜德有爲，有矜有執，去道甚遠。以有跡處，比於上德之君，是無德矣。

上例中，「下德不失德，是以無德」後的注文是對「上德不德，是以有德；下德不失德，是以無德」全句的注，而「疏」和「義」則與道德經原文相對應，分疏而述義，這是道德真經廣聖義一書的基本體例。

然杜光庭述義偶也有在一句原文之下用兩個「義曰」的，或因分釋御注、御疏而起，或因從不同角度闡述而分述。書中共兩見，一處在孔德之容章第二十一：

道之爲物，惟恍惟惚。

【注】此明孔德所從之道，不有不無，沖用難名，故云恍惚。

【疏】此明虛極妙本爲物形狀，即孔德所從之道也。虛極妙本，强名曰道。道之爲物，其運動形狀若何？言此妙本不有不無，難爲名稱。欲謂之有則寂然無象，欲謂之無則湛似或存。無有難名，故謂之爲恍惚爾。

【義曰】恍惚者，不無不有，非有非無。謂之有焉，乃隨迎不得；謂之無也，乃應變多方。

【義曰】道者，虛無之稱也。以虛無而能開通於物，故稱曰道，無不通也，無不由也。若處於有，則爲物滯礙，不可常通。道既虛無爲體，無則不爲滯礙，言萬物皆由之而通，亦况道路以爲稱也，寂然無體也。而天覆地載，日照月臨，冬寒夏暑，春生秋殺，萬象運動，皆由道而然，不可謂之無也。及乎窮其動用，考彼生成，豈見其所營爲，豈知其所運化，不可謂之有也。乃是無中之有，有中之無，不得指而定名，故謂之爲恍惚爾。

另一處在治人事天章第五十九「莫知其極，可以有國」一句原文之下，不具引。杜光庭述義偶也有合二句而作的，如以道佐人主章第三十：

果而不得已，是果而勿强。

【注】前敵來侵，不得休止，故用兵以止之。如是，則果在於應敵，非果以取强。

【疏】夫果於止敵者，非好勝而凌人也。但前敵來侵，事不得已。故云果而不得已。已，止也。用兵應敵，是非求勝，能如此者，勝不恃强。故云果而勿强。

物壯則老，是謂不道。不道早已。

【注】物之用壯，猶兵之恃强。物壯則衰，兵强則敗，是謂不合於道。當須早止不爲。

【疏】凡物壯極則老，兵强極則敗。故兵之恃强，猶物之用壯。物用壯適足以速其衰老，兵恃强則不可全其善勝。兹二事者是謂不合於道。賢臣明主知其不合於道，爲須早止不爲。故云不道早已。已，止也。

【義曰】兵之恃强，必致死敗。符堅壽春之役，李密洛口之師，王尋昆陽之兵，煬帝征遼之衆，皆號百萬，信爲多焉。而非道恃强，敗不旋踵，兵强故也。亦如物壯則老，用壯必傷矣。昔秦吞七國，一統九州，力盛兵强，天下莫敵；土崩瓦解，曾不踰時。扶蘇死於長城，子嬰降於軹道。鷹揚鶚視，夫何足云？聖人以爲非道之基，不如早止。理身則嗜欲復性，亦猶兵焉。若制欲捐情，澡神滌慮，止其妄想，守彼虚玄，自無物壯之譏，可謂全和之要。師亦有老，春秋曰「師曲爲老」，謂出師無名，不以其理，理屈於敵，亦爲老焉。故曰師直爲壯，曲爲老也。

四、道德真經廣聖義的校理

在整理中，我們力圖獲得日藏手鈔本，但最終没能如願，深爲遺憾。但正如島田翰古文舊書考介紹，日鈔本正文偶有因避諱而致的文字差異，然「是書視道藏本間有異同，亦不甚多」。更幸運的是，島田翰在獲窺日本宫内廳所藏手鈔本道德經廣聖義後，將日鈔本和道藏本的主要差異在古文舊書考中詳細陳述，尤其是將日鈔本爲道藏本所無的多篇序言全部迻録，爲我們研究該書的版本流傳提供了重要材料。

總體來看，島田翰的介紹主要有以下三方面内容：第一，據日鈔本的多篇序言斷定日鈔本乃從南宋嘉定刻本傳抄。日藏本所存多篇序言有：新編連相搜神廣記（題淮海秦子晉編）、唐開元御贊太上老君（顏真卿書）、真宗皇帝之御製像贊并序、老君度關銘并序、孝宗皇帝之御製原道論辯、侍講程尚書大昌之易老通言撮要、嘉定甲申周觀復序、永平三年杜光庭進廣聖義狀(見附録)、永平三年癸酉杜光庭自序(見附録)、王洞應後序、永平三年眉州任知玄廣聖義印板後序等。據這些序言可以看出,「是書初由任知玄刻之,起武成已,終永平癸酉之春,共成四百六十餘板。宋布衣道士王洞應再刻之於宋初,崇福觀周觀復三刻於嘉定甲申。」〔一〕而日鈔本乃「從嘉定刻本所傳鈔」。第二,詳細比較了日鈔本和道藏本的文字異同。島田翰認爲二傳本文字總體相同,主要差别多因避諱而起,從比較所避唐諱和宋諱異同以及二者文字缺損等方面出發,認爲道藏本也當從嘉定刻本所出,只是在收入道藏時將前述多篇序言删掉,僅保留天復三年道德真經廣聖義完成時杜光庭所作序,且在編入道藏時卷次分爲五十卷。第三,島田翰詳細縷列了日鈔本所存三十卷的起迄,使我們可窺該書卷帙分合的原貌,爲瞭解道藏本五十卷的形成提供了最重要的參照材料。

島田翰在書中迻録的多篇序言其實可分爲兩類:一類是皇帝或名士所作用於讚頌或闡述道德經或道教的,如新編連相搜神廣記(題淮海秦子晉編)、唐開元御贊太上老君(顔

〔一〕島田翰古文舊書考卷第一,上海古籍出版社二〇一四年,第一〇五頁。

真卿書)、真宗皇帝之御製像贊并序、老君度關銘并序、孝宗皇帝之御製原道論辯、侍講程尚書大昌之易老通言撮要,這些序言乃刻印者爲道德真經廣聖義「造勢增色」而收入的,實則與道德真經廣聖義並無太大關係,故整理中不予收录。第二類是真正反映道德真經廣聖義刻寫流傳的,永平三年杜光庭進廣聖義狀、永平三年癸酉杜光庭自序、永平三年眉州任知玄廣聖義印板後序三篇序言反映了五代蜀国任知玄首先刊刻该书,而後序、嘉定甲申周觀復序兩篇序言反映了北宋王洞應、南宋周觀復先後刊刻此書。以上序言與道德真經廣聖義關係十分密切,整理中將這幾篇序言從古文舊書考中抄出,作爲本書附録,以饗讀者。

我們還據島田翰古文舊書考中對該書原三十卷卷次起訖的介紹編製表格(見附録日藏嘉定手鈔本與道藏本卷次分合對照表),展現兩傳本在卷次分合上的異同,使讀者知曉道藏本五十卷的形成過程。

至於因未獲得日鈔本而無法全面覈校文字的遺憾,則努力通過其他途徑來彌補。具體途徑主要有:

(一)將廣聖義中的唐玄宗注、疏分别與道藏所收唐玄宗御注道德真經(四卷)、唐玄宗御製道德真經疏(十卷)及敦煌道經中所保存的唐玄宗注、疏分别對校。玄宗注道德經成，下詔要求「士庶家藏一本，勸令習讀，使知指要」，並命各州縣鐫刻「道德經幢」，供人們頌讀。今河北易縣「玄宗御注道德經幢」就是在這種情況下鐫刻的。該石碑（書中簡稱「易縣唐碑本」）清楚記録了唐玄宗注解道德經的原貌，是校理道德經原文及御注的重要資料。

（二）唐玄宗注、疏及杜光庭義疏被同期或後世道學著作中徵引的，分别參校。

（三）廣聖義中徵引的歷代文獻，分别與傳世典籍參校。具體而言，以下典籍對整理該書大有幫助：

宋陳景元道德真經藏室纂微篇。該書卷一以「開元御注」及「杜光庭曰」存録唐玄宗注、疏及杜光庭廣聖義的多處文字。

宋李霖道德真經取善集。該書以「明皇曰」和「杜光庭曰」分别徵引唐玄宗注、疏和杜光庭廣聖義多處文字。

元劉惟永道德真經集義十七卷。該書就道德經前十一章全部存録唐玄宗注、疏及杜光庭所作廣聖義；殘存部分幾乎可視爲道德真經廣聖義相關篇章的别本。該書本爲三十一卷，可惜僅殘存十七卷。

元强思齊道德真經玄德纂疏二十卷，該書以「御注」和「御疏」全部存録唐玄宗的注和疏。

元王守正道德真經衍義手鈔二十卷(原缺卷一、卷二)。該書以「杜天師曰」存録杜光庭廣聖義中的多處文字。

道德真經廣聖義節略。該書原爲唐玄宗御製道德真經疏四卷,嚴靈峰輯成玄英道德經開題序訣義疏第一章校記及董恩林道藏四卷本唐玄宗御制道德真經疏辯誤[一],指出該書實當爲後蜀喬諷所撰道德經疏義節解。該經内容偶有唐玄宗注、疏,大多爲杜光庭廣聖義中所徵引的典籍史實,實乃摘節道德真經廣聖義而成,中華道藏定名爲道德真經廣聖義節略。

除了以上著作外,宋董思靖道德真經集解、宋賈善翔猶龍傳、元薛致玄道德真經藏室纂微篇開題科文疏、宋謝守灝混元聖紀、宋張太守道德真經集注、雲笈七籤、明焦竑老子翼對校理杜光庭道德真經廣聖義序及卷一至卷五的相關内容也多有幫助。

利用以上材料,我們在校理該書時主要做了以下幾方面工作:

(一)補全篇帙。

[一] 載宗教學研究二〇〇五年第一期。

如前所述，該書總體可謂完帙，但卷十「富貴而驕，自遺其咎」至卷末原缺。整理中據唐玄宗御注道德真經卷一、唐玄宗御製道德真經疏卷一、前蜀强思齊道德真經玄德纂疏卷三、元劉惟永道德真經集義卷十四引杜光庭廣聖義補全相關内容，並依道德真經廣聖義全書體例排列。

（二）補全闕文，調整次序，核校唐玄宗注、疏的文字。

道德真經廣聖義中所引道德經原文偶缺，且唐玄宗注、疏時或缺漏、錯位。道德經原文主要據唐玄宗御注道德真經及易縣唐碑本補全，如使我介然章第五十三補足「唯施甚畏」。卷四十二大國者下流章「天下之交，牝。牝常以静勝牡，以静爲下」，其中正文「以静爲下」原缺，且誤以疏文爲注文，整理中補出正文、注文，調整疏文。卷十九孔德之容章「杳兮冥兮，其中有精」後注文實疏文，注文實缺，據唐玄宗御注道德真經卷二補注。卷二十三善行無轍跡章「故善人，不善人之師」後原注文實疏文，故改「注」爲「疏」，而原疏文實當爲杜光庭廣聖義，故改「疏」爲「義」。卷三十一昔之得一章「侯王無以貴高，將恐蹶」後的注和疏錯位，原注文實乃「侯王無以貴高，將恐蹶」的玄宗疏，而原疏文實當爲道德經原文「天無以清，將恐裂……侯王無以貴高，將恐蹶」的玄宗注。

唐玄宗的注文有隔句錯位的情況，如卷四十四古之善爲道章「知此兩者，亦楷式」與

「常知楷式，是謂玄德」後的注文相互錯位。

另外，在唐玄宗注文與疏文相同的情況下，多有省略注文或疏文的情況。如卷四十七勇於敢章「繟然而善謀」後、卷四十九和大怨章「是以聖人執左契，不責於人」後等，整理中出脚註指出。

（三）核對杜光庭廣聖義引用文獻，諟正文字，指明用典。

杜光庭在作廣聖義時旁徵博引，所引典籍除尚書、周易、詩、春秋、禮記、禮斗威儀、射禮、投壺禮、論語、孟子、文選、逸書、管子、史記、白虎通、易略例、稽命徵、孝經援神契、師説、李氏大宗譜、大唐天潢玉牒、爾雅、字林等傳統文獻及小學字書外，還徵引通玄真經、沖虚真經、鶡冠子、陰符、素書、太平經、葛玄仙公序訣（仙公序）、西昇經、自然經、本相經、昇玄經、生神經、道學傳、拾遺記、老子本記、老君祠庭碑、樓觀先師傳、九疑山記、玄中記、靈寶經、天元經、上清隱書、列仙傳、業報經、步虚詞、九天經、天文録、本際經、海内十洲三島記、内觀經、老君悔過經、太上五厨經、三元經、定觀經等道家道教相關典籍。整理時儘可能將所徵引文句與傳世版本對照，諟正文字錯誤。另外，杜光庭博通經史，作義疏時有用典，在需要指明的地方也儘可能指出。

杜光庭對唐玄宗注及疏詳爲疏解，内容豐富，可謂詳盡備至。如卷三十四天下之至柔章第四十三「不言之教，無爲之益，天下希及之」後唐玄宗疏有「九流百氏」語，杜光庭詳引漢書藝文志的相關内容，並縷列近百部歷代典籍予以闡釋。又如，卷四十八天之道章第七十七「高者抑之，下者舉之，有餘者損之，不足者與之」後，杜光庭就弓箭選材及製作詳引周禮冬官考工記來予以闡釋。再如，卷二十五以道佐人主章第三十「果而勿矜，果而勿伐，果而勿憍」唐玄宗注有「安人和衆」語，杜光庭在疏解「安人和衆」時幾乎全引左傳邲之戰。

杜氏博聞强識，淹貫經史，所作廣聖義極大地拓展了該書的内容。但需要注意的是，在引用文獻時，杜氏往往不照録原文，而多節引、轉引，其中有兩種情況的處理須作説明：

第一，杜氏在引用文獻時往往將前人的注疏或自己的理解夾雜其中。我們在整理時，對杜光庭的註釋文字用括號（）獨立標出，且不與原文共用標點符號。例如卷七天下皆知章第二「音聲之相和」後杜光庭廣聖義引下段：

春秋：「晏子對齊景公曰：『先王之濟五味，以和五聲，以平其心，以成其政。聲亦如味矣。一曰氣，（須氣以動也。）二曰體，（舞象文武也。）三曰類，（風雅頌也。）四曰物。（以四方之物成器也。）五聲者，（宫商角徵羽也。）六律者，（黄鍾、太簇、姑洗、蕤賓、夷則、無射也。六吕者，夾鍾、林鍾、仲吕、應鍾、南吕、大吕也。律主於陽，吕主於陰也。）七音，（武王伐紂所製也。自午及子，製七日爲七音。）八風，（八方之風也。東方曰明庶，東南曰清明，南曰景風，西南曰涼風，西方曰閶闔，西北曰不周，北方曰廣漠，東北曰融風也。）九歌者，（六府三事，九功之歌也。）清濁小大、短長疾徐、哀樂剛柔、遲速高下，出入周疏，以相成也，以相濟也。君子聽之，以平其心，心平德和。（而後幾於道矣。）』」。

其實上段左傳昭公十九年的原文乃：

> 先王之濟五味，和五聲也，以平其心，成其政也。聲亦如味。一氣，二體，三類，四物，五聲，六律，七音，八風，九歌，以相成也。清濁大小、長短疾徐、哀樂剛柔、遲速高下、出入周疏，以相濟也。君子聽之，以平其心，心平德和。

可見，杜光庭在引述原文的同時借鑒左傳杜預注及其他文獻對有些文字作了闡釋，其中「六律」、「六吕」之名見吕氏春秋音律，「八風」見白虎通義卷六八風。

第二，杜光庭在引用文獻時多有節引或據原文轉述的情況，整理中一律視爲正常引用而置於引號內。這種情況在書中很常見，前舉杜光庭引用漢書藝文志、周禮冬官考工記、左傳邲之戰等都屬這種情況。如卷十一載營魄章第十「載營魄抱一，能無離乎」，唐玄宗注有「人生始化曰魄」語，杜氏引用左傳昭公七年子産的話予以解釋。原文如下：

人始化曰魄者，春秋昭公七年：「初，鄭伯有爲政，駟帶殺之。鄭人相驚曰：「伯有至矣。」或夢伯有介曰：「壬子，余將殺帶。明年殺段。」於是，壬子駟帶卒，明年公孫段卒。鄭人益懼，或問子産曰：「伯有猶能爲鬼乎？」子産曰：「人生陰曰魄，陽曰魂。用物精多，則魂魄强。匹夫匹婦强死，而魂魄猶能憑依於人，以爲淫厲，况伯有三世執其政柄，而强爲鬼神，不亦宜乎？」伯有乃穆公之胄，子良之孫、子耳之子，故曰三世。子産立其子良止以撫之，乃止。」

上文「初，鄭伯有爲政，駟帶殺之」乃對前文内容的概括，而「伯有乃穆公之胄，子良之孫、子耳之子，故曰三世」及「子産立其子良止以撫之，乃止」的前後文與左傳原文均不相同，該段實乃杜光庭據左傳節引並轉述而成。道德真經廣聖義中此類情況甚多，整理中一律視同原文，均放在引號内。

除此之外，還有兩點需要特别説明：

首先，道德經原文的斷句因爲理解不同而多有差異，道德真經廣聖義中徵引原文時的標點一律尊重道德經原文的邏輯，用其本身應該使用的標點符號，在判斷上則主要依據唐玄宗、杜光庭的理解來對道德經原文斷句，從而保證原文、注疏和杜光庭述義的對應統一。如道可道章第一「常無欲，以觀其妙；常有欲，以觀其徼」、古之善爲士章第十五「孰能濁以静之徐清？孰能安以久動之徐生」、天下之至柔章第四十三「天下之至柔馳騁，天下之至堅」等文句的處理。另外，本書在道德經原文的點斷上，對王卡點校之老子道德經河上公章句、任繼愈老子繹讀多有參考。

第二，從卷六開始，道藏本八十一章章題名後的唐玄宗注疏、杜光庭義云原均爲小字，整理中一律改爲大字。

儘管做出了很大努力，但書中錯誤在所難免，祈盼讀者多予賜正。

周作明

二〇一七年六月二十八日

參考文獻

道藏，文物出版社、上海書店、天津古籍出版社影印，一九八八年。
中華道藏，張繼禹主編，華夏出版社，二〇〇〇年。
敦煌道藏，李德範輯，中華全國圖書館文獻縮微複製中心，一九九九年。
俄藏敦煌文獻，上海古籍出版社，一九九六年。
十三經注疏（清嘉慶刊本），清阮元校刻，中華書局，二〇〇九年。
論語譯注，楊伯峻譯註，中華書局，二〇〇六年。
孔子家語通解，楊朝明、宋立林主編，齊魯書社，二〇一三年。
春秋左傳注，楊伯峻編著，中華書局，二〇一六年。
吕氏春秋集釋，許維遹集釋，中華書局，二〇〇九年。
戰國策註釋，何建章註釋，中華書局，一九九〇年。
文選，梁蕭統編，唐李善注，中華書局，一九九七年。
史記，中華書局點校本，一九八二年。

白虎通，東漢班固撰，中華書局，一九八五年。
漢書，中華書局點校本，一九六二年。
晉書，中華書局點校本，二〇一五年。
梁書，中華書局點校本，一九七三年。
三國志，中華書局點校本，一九八二年。
唐大詔令集，北宋宋敏求編，中華書局，二〇〇八年。
舊唐書，中華書局點校本，一九七五年。
新唐書，中華書局點校本，一九七五年。
老子繹讀，任繼愈著，商務印書館，二〇〇九年。
老子道德經河上公章句，王卡點校，中華書局，一九九三年。
唐明皇御注道德經，賈延清、李金泉主編，中央編譯出版社，二〇一三年。
莊子集釋，清郭慶藩撰，王孝魚點校，中華書局，二〇一二年。
淮南子，陳廣忠譯註，中華書局，二〇一二年。
太平經合校，王明編，中華書局，一九七九年。
太平經正讀，俞理明著，巴蜀書社，二〇〇一年。

抱朴子内篇校釋（增訂本），晉葛洪著，王明校釋，中華書局，一九八五年。
真誥校注，日吉川忠夫、麥穀邦夫編，朱越利譯，中國社會科學出版社，二〇〇六年。
真誥，梁陶弘景撰，趙益點校，中華書局，二〇一一年。
列仙傳校箋，王叔岷撰，中華書局，二〇〇七年。
神仙傳校釋，晉葛洪撰，胡守爲校釋，中華書局，二〇一〇年。
敦煌本太玄真一本際經輯校，葉貴良著，巴蜀書社，二〇一〇年。
雲笈七籤，宋張君房編，李永晟點校，中華書局，二〇〇三年。
道藏源流考（新修訂本），陳國符著，中華書局，二〇一四年。
道藏提要（修訂本），任繼愈主編，中國社會科學出版社，一九九一年。
道藏分類解題，朱越利著，華夏出版社，一九九六年。
杜光庭思想與唐宋道教的轉型，孫亦平著，南京大學出版社，二〇〇四年。
通志，宋鄭樵撰，中華書局，一九八七年。
郡齋讀書志，宋晁公武著，商務印書館，四部叢刊三編影印本。
文獻通考，元馬端臨撰，中華書局，二〇〇六年。

道德真經廣聖義序

序曰：珠韜玉札云：太上老君降跡行教，遠近有四。其一，歷刧稟形，隨方演化，即千二百號，百八十名，散在諸經，可得徵驗矣。其二，此刧開皇之始，運道之功，孕育乾坤，胞胎日月，爲造化之本，爲天地之根，播氣分光，生成品彙。自五太〔一〕之首，逮殷周〔二〕之前，爲帝王師，代代應見，即鬱華、録圖、廣成、尹壽〔三〕，因機表號是也。三皇迭往，五帝不歸，雲紀龍師，時遷數革，鳥官火運，川逝風移，步驟不同，澆淳漸變。雖揖

〔一〕「五太」，指「太虚、太無、太素、太質、太極」。前蜀强思齊道德真經玄德纂疏：「夫玄玄至道，肇居五太之先，窈窈真宗，貫出元和之首。」金劉通微太上老君説常清静經頌注：「五太初爲先，虚無道自然。混元權祖正，妙體契宗玄。演教明無上，知常假喻詮。因斯清静德，闡化立經篇。」

〔二〕「周」，元劉惟永道德真經集義大旨卷上作「商」。

〔三〕「即鬱華、録圖、廣成、尹壽」，三天内解經卷上：「此時六天治興，三道教行，老子帝帝出爲國師。伏羲時號爲鬱華子，祝融時號爲廣壽子，神農時號爲大成子，黄帝時號爲廣成子，顓頊時號爲赤精子，帝嚳時號爲録圖子，帝堯時再出，號務成子，帝舜時號尹壽子，夏禹時號爲真行子，殷湯時號錫則子。」

讓斯在，而干戈屢興，阪泉有翦戮之師，丹浦有專征之旅，智詐行而大樸隱，仁愛顯而孝慈生。玄默希夷，日以寖薄，陶唐以耄昏〔一〕飫位，虞舜以歷試登庸。憂軫萬方，服勤庶政。老君號尹壽子〔二〕，居于河陽，以道德真經降授于舜。經之旨也，道以無爲居先，德以有稱爲〔三〕次。亦猶三皇之書言大道也，五帝之書言常道也。其下薄裁非之〔四〕義，節兼愛之仁，損俯仰之禮，挫銛巧之智，斥用兵之暴，抑譎詐之謀，使人復朴還淳，以無爲無事爲理。舜雖力而行之，竄凶舉相，明目達聰，敦睦九族，平章百姓，而恬和清静〔五〕之道，莫能致也。故禹湯之後，天下爲家，各親其親，各子其子。大道既隱，玄化不流，禮樂滋繁，政刑大用矣。其三，老君以商陽甲之代，降神寓胎，武丁之年，誕生於亳，即今真源縣九龍井

〔一〕「昏」，道德真經集義大旨卷上作「期」。
〔二〕「老君號尹壽子」，太上老君開天經：「帝堯之後，而有帝舜。帝舜之時，老君下爲師，號曰尹壽子，作太清經。」
〔三〕「爲」，道德真經集義大旨卷上作「居」。
〔四〕「之」，道德真經集義大旨卷上無。
〔五〕「静」，道德真經集義大旨卷上作「淨」。

太清宮〔一〕，是其地也。或隱或顯，潛化群〔二〕方。當周昭王癸丑之年，以此二經授關令尹喜，傳於天下，世得而聞焉。其四，將化流沙，與尹喜期會於西蜀青羊之肆，示現降生，即昭王丁巳之年也。

此道德經自函關所授，累代尊行，哲后明君，鴻儒碩學，詮疏箋注六十餘家，則有：

節解上、下；老君與尹喜解。

内解上、下；尹喜以内修之旨解注。

想爾二卷；三天法師張道陵所注。

河上公〔三〕章句；漢文帝時降居陝州河濱，今有廟見存。

〔一〕「真源縣九龍井太清宫」，元杜道堅道德玄經原旨發揮：「老子按本紀，李姓，名耳，字伯陽，謚曰聃。亳苦縣瀨鄉曲仁里尹氏女感日精而孕，降生於商武丁二十四年庚辰二月十有五日。商以丑正爲歲首，二月建寅，即今正月上元節也。生而能言，指李爲姓，因其皓首，故號老子。誕世禎祥，備載紀傳。今亳之太清宫九龍井、白鹿檜，聖迹猶存。」

〔二〕「群」，道德真經集義大旨卷上作「萬」。

〔三〕「公」，道德真經廣聖義節略之道德真經疏外傳作「翁」。按，道德真經廣聖義節略，在道藏中也名爲「唐玄宗御製道德真經疏」，四卷，此書卷首外傳及正文内容，係據杜光庭道德真經廣聖義節略改編而成，中華道藏定名爲道德真經廣聖義節略，本書從其名。

嚴君平指歸十四卷：漢成帝時蜀人，名遵。

山陽王弼注：字輔嗣，魏時爲尚書郎。

南陽何晏：字平叔，魏駙馬都尉。

河南郭象：字子玄，向秀弟子，魏晉時人。

潁川鍾會：字士季，魏明帝時人。

隱士孫登：字公和，魏文、明二帝時人。

晉僕射太山羊祜：字叔子，注爲四卷。

沙門羅什：本西胡人，符堅時自玉門關入中國，注二卷。

沙門圖澄〔一〕：後趙時西國胡僧也，注上、下二卷。

沙門僧肇：晉時人，注四卷。

梁隱居陶弘景：武帝時人，貞白先生，注四卷。

范陽盧裕：後魏國子博士，一名白頭翁，注二卷。

草萊臣劉仁會：後魏伊州梁縣人，注二卷。

〔一〕「圖澄」，道德真經集義大旨卷上、道德真經廣聖義節略作「佛圖澄」。

吴郡徵士顧歡；字景怡，南齊博士。注四卷。

松靈仙人；隱青溪山，無名氏、年代。

晉人河東裴楚恩；注二卷。

秦人京兆杜弼；注二卷。

宋人河南張憑；字長宗，明帝太常博士，注四卷。

梁武帝；蕭衍，注道德經四卷，證以因果爲義。

梁簡文帝；蕭綱，作道德述義十卷。

清河張嗣；注四卷，不知年代。

梁道士臧玄静；字道宗，作疏四卷。

梁道士孟安排〔一〕；號大孟，作經義二卷。

〔一〕「孟安排」，據此處文意，當爲梁號爲「大孟」之孟景翼。孟景翼，三洞珠囊卷一救導品引道學傳第七曰「字輔明，平昌安丘人」，宋李昉等校編太平御覽中道部：「又曰：梁武帝天監二年，置大小道正。平昌孟景翼，字道輔，時爲大正，屢爲國講説。四年，建安王偉於座問曰：『道家經教，科禁甚重，老子二篇，盟誓乃授，豈先聖之旨，非凡所説耶？』景翼曰：『崇秘嚴科，正宗妙化。理在相成，事非乖越。』」可見其確有對老子的疏解。「孟安排」乃唐作道教義樞者，杜光庭當爲筆誤。

梁道士孟智周；號小孟，注五卷。

梁道士竇略；注四卷，與武帝、羅什所宗無異。

陳道士諸糅；作玄覽六卷。

隋道士劉進喜；作疏六卷。

隋道士李播；注上、下二卷。

唐太史令傅奕；注二卷，並作音義。

唐嵩山道士魏徵；作要義五卷，爲太宗丞相。

法師宗〔一〕文明；作義泉〔二〕五卷。

仙人胡超；作義疏十卷，西山得道。

道士安丘；作指歸五卷。

道士尹文操；作簡要義五卷。

〔一〕「宗」，明焦竑老子翼所引及道德真經廣聖義節略作「宋」。

〔二〕「泉」，明焦竑老子翼無。

法師韋録〔一〕；字處玄，注兼義四卷。

道士王玄辯；作河上〔二〕公釋義一十卷。

諫議大夫肅明觀主尹愔；作新義十五卷。

道士徐邈；注四卷。

直翰林道士何思遠；作指趣二卷、玄示八卷。

衡嶽道士薛季昌；作金繩十卷、事數一卷。

洪源先生王鞮；注二卷、玄珠三卷、口訣〔三〕二卷。

法師趙堅；作講疏六卷。

太子司議郎楊上善；高宗時人，作道德集注真言二十卷。

吏部侍郎賈至；作述義十一卷，金鈕一卷。

〔一〕「録」，一作「節」，宋陳葆光三洞群仙録、元趙道一歷世真仙體道通鑑均作「韋節」。宋董思靖道德真經集解、道德真經集義大旨卷上論及杜光庭該序都作「録」。

〔二〕「上」，道德真經集義大旨卷上無。

〔三〕「口訣」，道德真經廣聖義節略作「旨訣」。

道士車弼〔一〕，作疏七卷。

任真子李榮，注上、下二卷。

成都道士黎元興，作注〔二〕義四卷。

太原少尹王光庭，作契源〔三〕注二卷。

道士張惠〔四〕超，作志玄疏四卷。

龔法師，作集解四卷。

通義郡道士任太玄，注二卷。

道士沖虚先生殿中監申甫，作疏五卷。

岷山道士張君相，作集解四卷。

道士成玄英，作講疏六卷。

漢州刺史王真，作論兵述義上、下二卷。

〔一〕「車弼」，宋董思靖道德真經集解作「車惠弼」，明焦竑老子翼作「車若弼」。

〔二〕「注」，道德真經廣聖義節略無。

〔三〕「源」，道德真經廣聖義節略作「原」。

〔四〕「惠」，道德真經集義大旨卷上、道德真經廣聖義節略作「慧」。

道士符少明；作道譜策二卷。

玄宗皇帝所注道德上、下二卷，講疏六卷。即今所廣疏矣。

所釋之理，諸家不同，或深了重玄，不滯空有；或溺〔一〕推因果，偏執三生；或引合儒宗；或趣歸空寂。莫不並探驪室，競掇珠璣，俱陟鍾山，爭窺珪瓚，連城在握，照乘〔二〕盈懷。敷弘則光粲縑緗，演暢則彩文編簡。語內修，則八瓊玉雪雰靄於丹田，九轉琅膏晶熒於絳闕，盡六氣迴環之妙，臻五靈夾輔之功，忘之於心，息之於踵，得無所得，而了達化元矣。語品證也，則擺落細塵，超登上秩，遊八外而放曠，指三境而躋昇，蹈太一之位〔三〕矣。而總內外之要，兼人天之能者，未有其倫。我開元〔四〕至道昭肅孝皇帝，降神龍變，接統象先，戡內難以乘乾，咨中興〔五〕而御極。無爲在宥，四十五年，汾水襄城，靡勞轍跡，具茨大隗，自得朋遊。廓八溟爲仁壽之庭，普萬寓爲華胥之國。至道至德，超哉明哉，欽若尊經，

〔一〕「溺」，道德真經廣聖義節略無。

〔二〕「乘」，道德真經集義大旨卷上作「我」。

〔三〕「位」，道德真經集義大旨卷上作「任」。

〔四〕「開元」，道德真經集義大旨卷上作「玄宗」。

〔五〕「咨中興」，道德真經廣聖義節略作「啓中具」。

本朝家教。象繫不足以擬議，風雅不足以指陳，横亘古今，獨立宇宙。雖諸家染翰，未窮衆妙之門；多士研精，莫造重玄之境。凝旒多暇，屬想有歸，躬注八十一章，製疏六卷。内則修〔一〕身之本，囊括無遺；外即理國之方，洪纖畢舉。宸藻遐布，奪五雲之華；天光焕臨，增兩曜之色。固可以季仲十翼，輝映二南。若親禀於玄元〔二〕，信躬傳於太上。冠九流而首出，垂萬古而不刊。則大風〔三〕、朱雁〔四〕之歌，誠難接武；典論、金樓之作，詎可同年。但以疏注之中，引經合義，周書魯史，互有發明，四始漆園〔五〕，或申屬類。後學披卷，多昔本源，輒採摭衆書，研尋篇軸，隨有比況〔六〕，咸得備書，纂成廣聖義三十卷。大明在上，而爝火不休；巨澤溥天，而灌浸未息。誠不知量，粗備闕文。

天復元年龍集辛酉九月十六日甲子序

〔一〕「修」，道德真經集義大旨卷上作「循」。
〔二〕「玄元」，即老子。唐初追號老子爲「太上玄元皇帝」，簡稱「玄元」。
〔三〕「大風」，指漢劉邦大風歌。
〔四〕「朱雁」，古樂府歌名。漢書武帝紀：「行幸東海，獲赤雁，作朱雁之歌。」
〔五〕「四始漆園」，「四始」指詩經，「漆園」指莊子。
〔六〕「比況」，道德真經集義大旨作「所見」。

道德真經廣聖義卷之一

唐　廣成先生杜光庭　述

叙經大意解疏序引

將釋此經，大分二段。先明製疏，後解正文。今初述製疏之由者，我大唐玄宗皇帝垂衣之暇，鍾想妙門，以大道爲天地原根，老君乃玄元聖祖，二經敷演，綿歷歲年，說自舜朝，傳於周代，詮註疏解六十餘家。言理國，則嚴氏、河公揚鑣自得；述修〔一〕身，則松靈〔二〕、想爾逸軓難追。其間，梁武、簡文、僧肇、羅什、臧、陶、顧、孟霞舉於南

〔一〕「修」，道德真經集義大旨卷中作「循」。

〔二〕「松靈」，即前述六十家之「松靈仙人」，宋李霖道德真經取善集引有多條松靈仙對老子的解釋。

朝，任、黎、二張〔一〕星羅於西蜀。其餘祖述，互有否臧，未盡發揮，孰窺堂奥？以開元十一年躬爲註解，下詔曰：

在昔〔二〕元聖，强著玄言，

【義云】詔者，敕命之書也。在天子爲詔、爲誥、爲敕、爲制，在皇后、太子、諸王爲教、爲令，皆君命於臣、上命於下之詞也。曰者，字林云：曰者，從口，出言爲曰；亦云張口吐舌爲曰。説文云：曰，詞也；從口乙聲，象口出氣有聲，而成言詞也。故云曰。昔者，往也；在者，存也；元者，始也；聖者，靈通之德也，書曰「睿作聖」〔三〕是也。强者，力取也；著者，述作也；玄者，深妙也；言者，詞也。謂老君爲道化之宗，元弘睿聖之至德，闡微妙無名之道，爲强名演暢之詞，將以恢振玄風，化導於代，理深義奥，故謂玄言。居萬聖之先，故謂元聖矣。

〔一〕「二張」，據前文，當指「張道陵」和「岷山道士張君相」。

〔二〕「在昔」，唐玄宗御製道德真經序、易縣唐碑本、雲笈七籤卷一道德部引唐開元皇帝道德經序、宋張太守道德真經集注序作「昔在」。

〔三〕「睿作聖」，出尚書洪範。

詔曰：權輿真宗，

【義云】權輿，始也；真者，純正不雜也；宗，尊也。

詔曰：啓迪來裔。

【義云】啓，開也；迪，進也；通，達也；來，謂將來也；裔，嗣續也，邊也。謂此道德二篇垂於萬代，傳範後王，廣化人天，永敷秘妙也。

詔曰：遺文誠在，精義頗乖。

【義云】遺，留也。謂老君玄化既畢，上登九清，所著真經遺留於代，百王所仰，萬古常存。誠，信也，信爲不刊之典也；精者，純粹深奥也；義者，經之文理也；頗，甚也；乖，爽也。謂此經玄奥精純之理，世所未窮，雖百家詮註，尚甚乖爽，謂下句也。

詔曰：撮其指歸，雖蜀嚴而猶病。

【義云】撮者，採結之謂也；指者，趣向也；歸者，義理會聚也。蜀嚴者，仙人嚴君平居於蜀肆，作道德指歸一十四卷，恢廓浩瀚，爲時所稱。蜀都揚子雲昌言於漢朝曰：「蜀嚴道德沈冥。」言其識量深厚，玄德隱微，非常俗之所知，而猶病耳。當時以爲道德之説，文止五千，指歸之多，將及數萬，演之於世，謂爲富贍廣博，議之於理，傷於蔓衍繁豐。故云「雖蜀嚴而猶病」也。

詔曰：摘其章句，自河公而或略。

【義云】摘者，採擷分判也；章者，裁斷音句也；句者，言之所絶也；自，從也。河公者，河上公也。太極葛玄仙公道德經序訣〔一〕云：「河上公者，莫知其姓名也。漢孝文皇帝時結草爲庵于河之濱，常讀老子道德經。」即今陝州黄河之側，有河上公廟。路左有漢文帝望仙臺存焉。時人不知公之姓名，常見織履爲業，居於河上，故號河上公爾。或略者，聖旨以爲道德尊經并包萬法，圍制三才，理國理家之宗，修身修道之要，無所不攝，無所不周。而河上公分爲八十一章，局於九九之數，有失大聖無爲廣大之趣。故云「自河公而或略」也。

〔一〕「葛玄仙公道德經序訣」，見於宋張太守道德真經集注。然葛玄注道德經，不見前述六十家。唐史崇一切道經音義妙門由起和太平御覽道部均引及道德經序訣，但没指出作者，唐張萬福傳授三洞經戒法籙略説則用太極左仙公道德經序訣徵引，唐王松年仙苑編珠也引「葛仙公云：河上公者，莫知其姓名也。漢孝文皇帝時結草爲庵，于河之濱。常讀老子道德經」，與此處文字相同。然舊唐書經籍志、新唐書藝文志、通志均著録老子道德經序訣二卷，乃葛洪傳，而上引文字也與今葛洪神仙傳「河上公」條文字相同。葛玄乃葛洪從祖，道德經序訣或當確爲葛玄注，後傳葛洪。

詔曰：其餘浸微，固不足數。

【義云】其餘者，言自蜀嚴、河公之外五十餘家註義也。浸，遠也；微，細也；數，計也。嚴雖猶病，可以議於重玄；河雖或略，亦足明其至妙。自外諸家浸遠微細，不足比方，固非聖旨之所計數也。

詔曰：則我玄元妙旨，豈其將墜？

【義云】我者，皇帝自謂也。玄元妙旨，謂二經玄妙之旨也。聖旨歎道德隱奧之文、上下玄妙之趣，未有了達，解釋之人自蜀嚴、河公之後，注疏者去聖逾遠，述道益疏，豈可墜廢湮絶，而不弘暢於代矣。

詔曰：朕誠寡薄，常〔一〕感斯文，猥承有後之慶，恐失無爲之理。

【義云】朕，我也。古人相謂皆呼人曰卿，稱己爲朕，莊子云「雲將鴻蒙」，皆自稱朕〔二〕是也。自秦始皇制法，以天子一人自稱曰朕，其餘臣庶不得復僭而稱焉。寡者，道未廣也；薄者，德未豐也，聖旨自謙之詞也。每仰感此經，恐玄理抑絶，不得人皆開

〔一〕「常」，唐玄宗御製道德真經序、易縣唐碑本、宋張太守道德真經集注序作「嘗」。

〔二〕「莊子云『雲將鴻蒙』，皆自稱朕」，見莊子在宥。

悟，而我紹聖祖之玄蔭，居萬寓之至尊，安可使無爲之文壅而不流，道德之訓晦而不顯也？有後者，謂老君垂裕，光啓聖唐是也。且夫弓冶之子尚不失於箕裘〔一〕，折薪之家或慮曠于負荷，況睿德光於堯禹，聖文邁於古先。固當潤色玄玄之功，使炳焕于千古也。

詔曰：每因清宴，輒扣玄關，隨意所得〔二〕，遂爲箋註，豈成一家之説，但備遺闕之文。

【義云】聖旨以萬機之暇，深入玄關，扣寂求音，探真達妙，以契合希微之理。聖文釋沖寂之文，得自神襟，諧於祖訓矣。箋，表也，解也，註釋也。尚以謙德，不欲同吕氏、丘明自爲一家之述作，但備衆人所註解未了之義爾。

詔曰：今兹絶筆，是詢于衆。公〔三〕卿臣庶，道釋二門，

【義云】絶筆者，經理既暢，製述已周，釋筆罷書，是謂絶筆。如昔仲尼自衛反魯，因魯史而修春秋，自隱公訖哀公一十二公二百四十二年，褒貶行事，至哀公十四年戊午

〔一〕「弓冶之子尚不失於箕裘」，禮記學記：「良冶之子，必學爲裘；良弓之子，必學爲箕。」

〔二〕「隨意所得」，唐玄宗御製道德真經序、易縣唐碑本、雲笈七籤卷一道德部引唐開元皇帝道德經序、宋張太守道德真經集注序作「隨所意得」。

〔三〕「公」，易縣唐碑本該字前還有「諸」字。

春，西狩於大野，叔孫氏之車子鉏商獲麟，以爲不祥，以賜虞人焉。仲尼觀之，曰：「麟也。」然後取之。夫麟鳳五靈，王之嘉瑞也。今麟出非其時，虛其應而失其歸，此聖人所以爲感也。絶筆於「獲麟」之一句者，所感而起，固所以爲終也。今註經既終，乃下明詔，將以宣行聖作，博問群賢。絶筆之義雖同，非因感歎之事，是表聖德謙讓，問于王公卿佐，逮於道釋二宗，旁求辨博之才，更俟發明之理也。

詔曰：有能起予類於卜商，鍼疾同於左氏。渴於納善，朕所虛懷，苟副斯言，必加厚賞。

【義云】卜商字子夏，孔子弟子也。論語八佾篇云：「子夏問於夫子曰：『巧笑倩兮，美目盼兮，素以爲絢兮，何謂也？』子曰：『繪事後素。』子夏曰：『禮後乎？』」諸家所註，云此詩上二句在衛風碩人之二章，閔莊姜之詩也。其下一句逸也。比喻莊姜有盼倩之色，而能以禮自持，喻如繪畫絺繡，先以五彩分布，廕映成文，然後以白色分別其間，乃能一一彰顯分明也。夫絺刺之成文爲繡，畫之成文爲繪。此夫子喜子夏聞「繪事後素」之言，即知以盼倩美色須以禮自持，故云「禮後乎」。夫子乃曰：「起予者，商也。始可與言詩已矣。」蓋喜卜商明了夫子言詩之意，故云能起發我言詩之旨也。左氏者，左丘明也。夫子著春秋，丘明傳之。經有所誤，則丘明正之。或先經以始事，或後經以終義，春秋之得丘明，若良醫之鍼疾矣。聖旨延佇群才，共暢玄理，若仲尼之於子夏，春秋之侯丘明，不拒直言，唯在進善，以虚懷徯望，以厚賞訪求。明聖情採納之至也。賞以勸善，亦以報功也。

詔曰：且如諛臣自聖，幸非此流；

【義云】諛臣自聖者，尚書冏命篇云「僕臣諛，厥后自聖」是也。賢良在用，固無諛佞之臣。英叡垂乾，豈有自聖之失？誠非此流也。

詔曰：懸市相矜，亦云小道。既其不諱，咸可直言。

【義云】懸市相矜者，昔吕不韋爲秦丞相，封萬户侯，威望之盛，冠於海内。聚賓客著書。書成，懸於市曰：「有增減一字者，賞千金。」〔一〕號曰吕氏春秋，大誇於時。今聖旨註述既成，下訪才彦，開直言之路，垂不諱之恩。則懸市矜誇，誠爲小道矣。不韋後得罪始皇，竄之於蜀也。

詔曰：勿爲來者所嗤，以重朕之不德。

【義云】不德者，謂失無爲之德也。玄經奥旨，演暢既周，再垂博採之言，乃下獎延之詔。則九圍之外，八極之中，孰不仰感聖明，朝宗至道矣。暨明年，乃御書四石幢註

〔一〕「一字千金」事，見史記吕不韋傳。

經，立於左街興唐觀、右街金仙觀。又諸州節度使、刺史各於龍興觀、開元觀形勝之所，各立石臺，以傳不朽。又尋御製此疏，宣布寰瀛。敕曰：「道德五千，實惟家教。理國則致乎平泰，修身則契乎長生。包萬法以無倫，冠六經而首出。宜昇道德經居九經之首，在周易之上。」以道德、周易、莊子爲「三玄」之學，仍以莊子爲南華真經、文子爲通玄真經、列子爲沖虚真經、庚桑子爲洞靈真經，准明經例赴舉。其老君傳内，析出韓非，不令同傳。

上來述製疏之由已竟，向下入解正文於中。大分爲二，一者先解疏題，二者入文科判。今初也，先解疏題曰：

老子道德經疏者，疏題即經題也。向下當辯所言。疏者，疏決開通之義也，謂經含衆義，玄妙幽深，雖詮註已終，而文義未盡。故述此疏，開通幽賾，疏決玄微，分釋意義，令可會入，故謂之疏。亦云疏者，條也，條理經義，令人易曉。或云鈔，鈔以抄集爲名。或云記，記以紀録爲目。此蓋隨時立名，皆是包括義理之義也。疏釋題訓者，釋以銷解爲義，言將疏決經文，先當銷解經目。題者，訓視之首，凡經籍記傳、史策篇章，先標首目，視之可會，總以此義，名之曰題，即標舉綱領之意也。訓者，教言也，隨文訓解之義，謂「六書」不同也。大凡文字之興，雲篆初凝，傳於天上，倉頡象跡，興於人間，大體有六：一謂象形，日月字是也；二謂指事，上下字是也；三謂假借，行雖字是也；四謂形聲，江河字是也；五謂會意，止戈爲武，人言爲信，反正爲乏是也；六謂轉注，考老左右字是也。製文字六意不同，形聲、假借、轉注等意，以成文字，須以訓之，乃明其義理。爾雅有釋訓，毛詩有詁訓，即其類也。

疏御製者，向來已明。所作疏文，明御製述作之。聖即謂玄宗皇帝也，乃太上老君三十六代孫，睿宗第三子，大唐之第六帝也。龍文表聖，日角標奇，叶太平之符，應壬辰之運。母曰昭成順聖太后竇氏，以則天垂拱元年乙酉八月五日戊戌生於東都。生而聰明睿哲。及長，寬仁孝友，好學，善屬文，英武果斷，尤工楷隸，兼善騎射。三年閏月丁卯，封楚王。天授二年十月戊戌，出閣開府，置官屬。長壽二年，封臨淄王，居於興慶里。景龍二年，出爲潞州别駕。是時州境日抱戴，月重輪，逐鹿渡河，赤龍據按，嘉禾合穗，黄龍乘城，仙洞自開，童謡累應，黄龍再見，赤鯉騰波，李樹連理，神蓍翹立，寢堂瑞氣，壺口紫氣，伏龍疑山，巨人留迹，夏禹表氣，聖人金橋，及神人傳慶，凡一十九瑞，編於史策。唐隆元年入誅韋后，平内難，迎睿宗即位。至開元元年，自相國平王登極，在位四十四年。天寶十四年傳位皇太子。寶應元年壬寅崩，年七十八歲。御者，臨制之稱，如御寓、御天義也；製者，作造之謂，如制禮作樂之言也。

上來釋疏題已竟，次入正文。將釋下文，約疏大料〔一〕二段。一曰總標宗意，二曰開章釋文。總標中，又分爲二，一者所詮之法，即指「道」「德」二字也；二者能詮之教，即「經」之一字也。解釋具在，向下經題中當辨。

夫此「道」「德」二字者，宣道、德生畜之源，經〔二〕國理身之妙，莫不盡此也。昔葛玄仙公謂吴王孫權曰：「道德經者，乃天地之至妙，有天道焉，有人道焉，有神道焉。大無不包，細無不入，宜遵之焉。」就此門中大略宗意，有三十八別。

第一，教以無爲理國。經云：「絶聖棄智，人利百倍；絶仁棄義，人復孝慈；絶巧棄利，盗賊無有。」又云：「愛人理國，能無爲乎？」又云：「我無爲而人自化。」

第二，教以修道於天下。經云：「修之於天下，其德乃普。」又云：「執古之道，以御今之有。」又云：「執大象，天下往。」

第三，教以道理國。經云：「以道莅天下，其鬼不神。非其鬼不神，其神不傷人。」又云：「天下無道，戎馬生於郊。」

〔一〕「料」，道德真經集義大旨卷中作「科」。

〔二〕「經」，道德真經集義大旨卷中作「理」。

第四，教以無事法天。經云：「人法地，地法天。」又云：「道常無爲而無不爲。侯王若能守，萬物將自化。」

第五，教不以尊高輕天下。經云：「貴以身爲天下，若可寄天下。愛以身爲天下，若可託天下。」又云：「奈何萬乘之主，而以身輕天下。輕則失臣，躁則失君。」又云：「聖人不爲大，故能成其大。」

第六，教不尚賢、不貴寶〔一〕。經云：「不尚賢，使人不争；不貴難得之貨，使人不爲盜。」又云：「欲不欲，不貴難得之貨。」

第七，教化人以無事無欲。經云：「常使人無知無欲，使夫知者不敢爲也。爲無爲，則無不理矣。」又云：「我無事而人自富，我無欲而人自樸。」又云：「不欲以静，天下將自正。」

第八，教以等觀庶物，不滞功名。經云：「天地不仁，以萬物爲芻狗。聖人不仁，以百姓爲芻狗。」又云：「行不言之教。」又云：「爲而不恃，功成不處。」

第九，教以無執無滞。經云：「爲者敗之，執者失之。」又云：「去甚、去奢、去泰。」

〔一〕「寶」，道德真經集義大旨卷中作「貨」。

又云：「聖人無常心，以百姓心爲心。」

第十，教以謙下爲基。經云：「貴以賤爲本，高以下爲基。」又云：「江海所以能爲百谷王者，以其善下之。」又云：「受國之垢，是謂社稷主。受國不祥，是爲天下王。」又云：「大國宜爲下。」又云：「善用人爲下。」又云：「大國以下小國，則取小國」以上皆本天子而言。

第十一，教諸侯以正理國。經云：「以正理國。」又云：「以智理國，國之賊；不以智理國，國之福。」又云：「民之難理，以其智多，是以難理。」

第十二，教諸侯政無苛暴。經云：「理大國若烹小鮮。」又云：「朝甚除，田甚蕪，倉甚虚。」又云：「其政察察，其民缺缺。」

第十三，教諸侯以道佐天子，不尚武功。經云：「以道佐人主，不以兵强天下。」又云：「兵强則不勝。」又云：「善勝敵不争。」又云：「雖有甲兵，無所陳之，使人復結繩而用之。」又云：「兵者不祥之器，不得已而用之。」又云：「勝而不美。」

第十四，教諸侯〔一〕守道化人。經云：「古之善爲士者，微妙玄通。」又云：「其政

〔一〕「侯」，原作「使」，據前後文及文意改。

悶悶，其民淳淳。」

第十五，教諸侯不翫兵黷武。經云：「用兵有言，吾不敢爲主而爲客，不敢進寸而退尺。」又云：「抗兵相加，哀者勝。」又云：「禍莫大於輕敵。」又云：「善爲士不武。」又云：「攘無臂，執無兵。」又云：「不争之德。」

第十六，教諸侯不尚淫奢，輕徭〔一〕薄賦，以養於人。經云：「民之飢，以其上食税之多，是以飢。」又云：「人多伎巧，奇物滋起。」

第十七，教諸侯權器不可以示人。經云：「魚不可脱於泉〔二〕，國有利器不可以示人。」又云：「古之善爲道者，非以明民，將以愚之。」

第十八，教以理國、修身、尊行三寶。經云：「我有三寶，保而持之。一曰慈，二曰儉，三曰不敢爲天下先。」

第十九，教人修身，曲己則全，守柔則勝。經云：「曲則全。」又云：「柔勝剛，弱勝强。」又云：「柔弱勝剛强。」又云：「柔弱者生之徒，剛强者死之徒。」又云：「强梁者不

〔一〕「徭」，道德真經集義大旨卷中作「繇」。
〔二〕「泉」，道德真經集義大旨卷中作「淵」。

得其死。」

第二十，教人理身，無爲無欲。經云：「常無欲，觀其妙。」又云：「不見可欲，使心不亂。」

第二十一，教人理身，保道養氣，以全其生。經云：「致虚極，守静篤。」又云：「專氣致柔。」又云：「爲腹不爲目，去彼取此。」又云：「知其白，守其黑。」又云：「知其子，守其母。」又云：「我獨異於人，而貴求於食母。」又云：「綿綿常存，用之不勤。」

第二十二，教人理身，崇善去惡。經云：「天下皆知美之爲美，斯惡已；皆知善之爲善，斯不善已。」又云：「常善救人，故無棄人。常善救物，故無棄物。」又云：「善人，不善人之師。」又云：「挫其鋭，解其紛。」又云：「上善若水。」

第二十三，教人理身，積德爲本。經云：「含德之厚。」又云：「上德若谷。」又云：「大丈夫處其厚，不處其薄。居其實，不居其華。」又云：「君子終日行，不離輜重。」

第二十四，教人理身，勤志於道。經云：「上士聞道，勤而行之。」又云：「勇於不敢則活。」

第二十五，教人理身，忘棄功名，不耽俗學。經云：「絶學無憂。」又云：「功成名遂身退。」又云：「成功不居。」又云：「爲道日損。」又云：「名與身孰親。」

第二十六，教人理身，不貪世利。經云：「身與貨孰多，得與亡孰病。」又云：「甚愛必大費，多藏必厚亡。」又云：「難得之貨，令人行妨。」

第二十七，教人理身，外絶浮競[一]，不衒己能。經云：「不自見，故明；不自伐，故有功；不自矜，故長。」又云：「大辯若訥，大巧若拙。」又云：「廣德若不足。」又云：「大音希聲。」又云：「自知者明，自勝者强。」

第二十八，教人理身，不務榮寵。經云：「寵辱若驚。」又云：「富貴而驕，自遺其咎。」又云：「持而盈之，不如其已。揣而鋭之，不可長保。」

第二十九，教人理身，寡知慎言。經云：「知不知上，不知知病。」又云：「多言數窮，不如守中。」又云：「輕諾必寡信，多易必多難。」又云：「塞其兑，閉其門，終身不勤。」

第三十，教出家之人，道與[二]俗反。經云：「俗人昭昭，我獨若昏。俗人察察，我獨悶悶。」又云：「明道若昧，進道若退。」

〔一〕「競」，道德真經集義大旨卷中作「境」。
〔二〕「與」，道德真經集義大旨卷中作「爲」。

第三十一，教人出家，養神則不死。經云：「谷神不死，是謂玄牝。」又云：「深根固蒂，長生久視之道。」又云：「善建不拔，善抱不脱。」

第三十二，教人體命，善壽不亡。經云：「死而不亡者壽。」

第三十三，教人修身，外身而無爲。經云：「後其身而身先，外其身而身存。」

第三十四，教人理心，虚心而會道。經云：「虚其心，弱其志。」

第三十五，教人處世，和光於物。經云：「和其光，同其塵。」又云：「大道汎兮，其可左右。」又云：「被褐懷玉。」

第三十六，教人理身，絶除嗜欲，畏慎謙光。經云：「五色令人目盲，五音令人耳聾，五味令人口爽，馳騁畋獵令人心發狂。」又云：「民不畏威，則大威至。」

第三十七，教人裒多益寡。經云：「以有餘奉不足。」又云：「既以與人己愈有，既以與人己愈多。」

第三十八，教人體道修身，必獲其報。經云：「陸行不遇兕虎，入軍不被甲兵。」又云：「以其無死地。」

舉此三十八别，以明經之大意、所詮之法。然則此經大則包羅無外，細則入於毫間，豈止三十八門便盡其要？爲存教義，汎舉大綱，比之秋毫，萬分未得其一也。禮記云：「道也者，不可須臾離，可離，非道也。」若爲君之無道德，如瞻視之無兩目；若爲臣之無道德，如胸腹之無五藏；理家之無道德，如尸殭〔一〕而無氣。由是論之，道之於人，不可闕矣。其若離言教，絶指陳，玄之又玄，妙之又妙，斯可以神照，不可以言傳，道之極矣。

上來總標已竟，向下開章釋文。

〔一〕「殭」，道德真經集義大旨卷中作「僵」。

道德真經廣聖義卷之二

唐　廣成先生杜光庭　述

釋老君事跡氏族降生年代

疏〔一〕：**老子者，太上玄元皇帝之内號也。**

【義曰】前明所説之教，次釋能説聖人。能説聖人，所謂老子。老子，即太上老君也。太上，謂證果尊位。玄元皇帝，謂顯册鴻名，内號謂真經共所標載。今就老君位號之中，分爲三十段，以解名號之由起也。

第一，起無始者。所言老君也，老君生於無始，起於無因，爲萬道之先，元氣之祖

〔一〕「疏」，此句及卷三釋御疏序上、卷四釋御疏序下所引文字均源於唐玄宗御製道德真經疏前的序文，故此處的「疏」和從卷六開始唐玄宗針對道德經正文所作「疏」是不同的，故頂格用黑體。

也。無光無象、無音無聲、無色無緒，幽幽冥冥，其中有精，其精甚真，彌綸無外，故稱大道。大道之身，即老君也。萬化之父母，自然之極尊也。

第二，體自然〔一〕者。大道元氣，造化自然，强爲之容，即老君也。虚無爲體，自然爲性，莫能使之然，莫能使之不然。不知其所以然，不知其所以不然。故曰自然而然。葛玄仙公序訣云「老子體自然而然，生乎太無之先，起乎無因，經歷天地終始，不可稱載」是也。

第三，見真身者。老君乃無生之至精，兆形之至靈也。昔於空洞之中，結氣凝真，强爲之容，體大無邊，相好衆備，自然之尊。上無所攀，下無所躡，處虚空之中，如日月之光也。

第四，應法號者。老君挺生空洞，變化自然，智慧無窮，聖德周備。形既莫測，號亦無邊。在天爲萬天之主，在聖爲萬聖之君，在仙爲萬仙之總，在真爲萬真之先，在星爲天皇大帝，在教爲太上老君。或垂千二百號，或顯百八十名，或號無爲父，或號萬物母，與大道而輪化，爲天地而立根。浩浩蕩蕩，不可名也。約而言之，凡有十號，

〔一〕「體自然」，宋賈善翔猶龍傳卷一作「禀自然」。

即降生之後，空中十方聖人讚十號是也。具降生段中所解。

第五，啓師資者。老君將顯明大教，布化萬方，乃曰「道不可無師尊，教不可無宗主」，乃師事太上玉晨大道君焉。大道君即元始天尊弟子也。道君審道之本，洞道之元，生於億劫之前，爲道氣之祖也。天尊爲五億天之主，億萬聖之君〔一〕，亦生億劫之前，爲道氣之根本也。所以道君爲老君之師，天尊爲道君之師。二聖既立，乃曰老者，處長之稱，君者，君宗之號。以老君天上天下，歷〔二〕化無窮，先億劫而化生，後億劫而長存，天天宗奉，帝帝師承，故賜以太上老君之號。三聖相師，乃垂教尊卑之本矣。莊子曰「吾師乎，吾師乎。𩐈萬物而不以爲義，澤及萬世而不以爲仁，長於上古而不以爲老，覆載天地、雕刻衆形而不以爲巧。在太極之先而不以爲高，居六極之下而不以爲深，先天地生而不以爲久〔三〕」是也。

第六，歷劫運者。老君生於萬物之首，起於無始之前，經歷劫運，甚爲久遠。劫

〔一〕「天尊爲五億天之主，億萬聖之君」，元薛致玄道德真經藏室纂微篇開題科文疏卷四引杜光庭廣聖義作「元始天尊者，爲億萬天之主，億萬天之君」。

〔二〕「歷」，道德真經藏室纂微篇開題科文疏卷四引杜光庭廣聖義作「應」。

〔三〕「吾師……不以爲久」，乃綜合莊子天道篇和大宗師的兩處文字而成。

者，天地成壞之名，陰陽窮盡之數。陽盡則生陰，故爲大水。陰盡即生陽，故爲大火。陽極於九，故云陽九；陰極於六，故云百六。小則三千三百年，次則九千九百年，大則九九大數八十一萬年，爲劫終。老君長生行化，經此劫運不知其數矣。西昇經云「上世始以來，所更如沙塵。動則有載劫，自惟甚苦勤[一]」是也。

第七，造天地者。老君乃天地之根本，萬物莫不由之而生成。故立乎不疾之途，遊於無待之場，御空洞以昇降，乘陰陽以陶埏。分布清濁，開闢乾坤，懸三光，育群品，天地得之以分判，日月因之以運行，四時得之以代謝，五行得之以相生。故於九萬九千九百九十九億萬氣之初，運玄[二]、元、始三氣而爲天，上爲三清三境。即始氣爲玉清境，元[三]氣爲上清境，玄[四]氣爲太清境是也。又以三清之氣，各生三氣三境，合生九氣，爲九天。第一鬱單無量天，第二上上禪善無量壽天，第三梵監須延天，第

[一]「勤」，宋王希巢洞玄靈寶自然九天生神玉章經解、宋賈善翔猶龍傳卷一歷劫運、元薛致玄道德真經藏室纂微篇開題科文疏引西昇經作「辛」。

[二]「玄」，猶龍傳卷二造天地作「真」。

[三]「元」，猶龍傳卷二造天地作「真」。

[四]「玄」，猶龍傳卷二造天地作「元」。

四寂然兜術天，第五波羅尼密不驕樂天，第六洞元〔一〕化應聲天，第七靈化梵輔天，第八高虚清明天，第九無想無結無愛天。此之九天各生三氣，氣爲一天，合二十七天。通此九天爲三十六天〔二〕。則四民三界，上極三清，是其數也。初下六天爲欲界。第一太黄天，二太明天，三清明天，四玄〔三〕胎天，五元明天，六七曜天是也。次十八天爲色界。一虚無天，二太極天，三赤明天，四恭華天，五曜明天，六皇笳天，七虚明天，八端靖天，九玄〔四〕明天，十極瑶〔五〕天，十一元載天，十二太安天，十三極風天，十四始皇天，十五太黄天，十六無思天，十七上揲阮樂天，十八無極曇誓天是也。次四天爲無色界。一霄度天，二元洞天，三妙成天，四禁上天是也。此二十八天名爲三界。劫運所及，陰陽所陶，氣有窮極，人有歲數。則初第一太黄皇曾天人壽九百萬歲。一

〔一〕「元」，猶龍傳卷二造天地作「玄」。

〔二〕「三十六天」，除猶龍傳卷二外，「三十六天」的内容還見於元始無量度人上品妙經、太上洞玄靈寶天關經等經書，具體内容多有不同。

〔三〕「玄」，猶龍傳卷二造天地作「元」。

〔四〕「玄」，猶龍傳卷二造天地作「元」。

〔五〕「瑶」，猶龍傳卷二造天地作「摇」。

天加一倍，凡二十八天，年壽之數極於一千二百七萬九千七百七十五萬五千二百萬歲。下至日月所交，四千四百四十四萬四千四百四十四億氣，一氣三千里也。此上又四天，名爲四種人天。一常融天，二玉隆天，三梵度天，四賈奕天。此四天，超出三界，不生不滅，無年壽之數，無淪壞之期，大劫之交，災所不及。向下諸天諸地，隨劫淪滅，劫運再開，混沌復判，則此天之人承太上所命，下化人間，教世行法，一如此劫之初，三皇繼理矣。又上三天爲三清境，一曰大赤天，二曰禹餘天，三曰清微天。最上曰大羅天，包羅諸天，極高無上，玄都玉京鎮於其巔，三尊所處，萬聖朝軒，爲極道之域，成化之根也。既分諸天，即以三十六天滓陰之氣下爲三十六地〔一〕。每天立一天帝，每地立一地皇，七十二君同禀命於老君矣。其諸天境域，分布凡有五億之殊，皆三十六天之氣所生也。地中有三十六洞天，亦與上天相應。日月分精，玄照其間，則天文地理、六甲五行、陰陽變化，皆老君運玄妙之機，生之成之，行之化之矣。故曰「道者萬物之宗元，天得以清，地得以寧，物得以生，神得以靈，海嶽得之以安鎮，王侯

〔一〕「即以三十六天滓陰之氣下爲三十六地」，猶龍傳卷二造天地作「次以純陰之炁下爲三十六地」。

得之以太平，道士得之以神仙，枯朽得之以發榮」也。太上老君乃陰陽之主首〔一〕，萬神之帝君，元氣之父母，天地之本根，先王之師匠，品物之魂魄〔二〕。陶冶虛無，造化應因〔三〕，衿帶八極，載地懸天，遊馳日月，運走〔四〕星辰，呼吸六甲，吒〔五〕御乾坤，改易四時，推移寒温，驅使〔六〕風雨，奮鼓雷雲〔七〕，分別玄黄，歷〔八〕數虛盈，君臣父子，禮義備矣。是知陰陽雖廣，天地雖大，非道氣所育，大聖所運，無由生化成立矣。

第八，登位統者。老君〔九〕大聖之功，生化天地，運育萬物，豈復有品位名稱哉？然上有元始之尊，次有道君之聖。老君次道君之位，演化立功，既以三氣運行，萬天

〔一〕「主首」，猶龍傳卷二造天地作「主宰」。
〔二〕「魂魄」，猶龍傳卷二造天地作「橐籥」。
〔三〕「應因」，猶龍傳卷二造天地作「萬有」。
〔四〕「走」，猶龍傳卷二造天地作「斡」。
〔五〕「吒」，猶龍傳卷二造天地作「制」。
〔六〕「使」，猶龍傳卷二造天地作「役」。
〔七〕「奮鼓雷雲」，猶龍傳卷二造天地作「奮赫雷電」。
〔八〕「歷」，猶龍傳卷二造天地作「定曆數之虛盈」，「曆」是。
〔九〕「君」，該字在猶龍傳卷二登位統後還有「以」字。

周布，衆法顯著，玄功克明，乃登證極道之果，居三尊之位，紹嗣太上之任，爲法王之尊。上總群聖，中理衆真，下制諸仙，而統攝三十六天、三十六地、七十二君、星辰日月、嶽瀆萬靈、陰陽變化，一切神明，主領天上天下、地上地下、五億天界、有情無情、有識無識、有形無形，皆太上老君之所制御焉。由是常在太清境太極宫丹臺紫闕玉堂之中，有三大仙、九太帝、二十七天君、八十一卿大夫、千二百仙官、二萬四千靈司、七萬仙童玉女、五億天丁神王，並羅衛雲街〔一〕、巨虬師子、金翅孔雀、鳳凰靈獸、天馬麒麟，備衛左右。老君時亦上朝元始，疏奏罪福，中謁玉宸〔二〕，賞校九宫，下統三界生死之簿，一切神官鬼僚，考察之司，仙官〔三〕靈洞，福食之曹，無幽無隱，莫不仰隸之焉。或下理九天，在太微勾陳六星中，號天皇大帝曜魄寶所，以乘〔四〕三使六、把九樞機，統攝萬一千五百二十物〔五〕，秉持仙籙，主領神人、真人、仙人、聖人、賢人、行人，悉係之

〔一〕「羅衛雲街」，猶龍傳卷二登位統作「列侍雲衢」。
〔二〕「宸」，猶龍傳卷二登位統作「晨」。
〔三〕「官」，猶龍傳卷二登位統作「宫」。
〔四〕「乘」，原作「秉」，據猶龍傳卷二登位統改，老君變化無極經曰：「乘三使六萬神崇，真列三師有姓名。」
〔五〕「物」，猶龍傳卷二登位統作「名件」。

焉。但見百億天王拜手在前，諮[一]求風雨水旱、豐儉逆順、生死善惡之事焉。遊行萬方，以玄[二]道化，而一老君常在太清太極之宮也。

第九，隨機赴感者。老君極聖洞真，總領萬化。化隨方出，降德屈身。自億劫之初至混沌之始，歷羲、媧一十八氏、三紀、五十八統、一百八十九代，代爲國師[三]。及神農之後，或爲國主，或爲師君，或爲賓友，或爲人臣，乃有鬱華、録圖等號，以道德妙旨更相發明。所謂應物無擇者，道也；赴感隨機者，聖也。常以經圖戒律應化一切，分形應感，無量無邊。而老君之體端寂無爲，凝然常住於太清之宮也。

第十，演上清者。老君於上三皇時，人尚淳樸。以龍漢元年號玄中法師，以上清聖教一十二部大乘之道，開度人天[四]也。

第十一，傳靈寶者。中三皇時，老君以赤明元年號有古先生，降靈寶真經一十二

〔一〕「諮」，猶龍傳卷二登位統作「懇」。

〔二〕「玄」，猶龍傳卷二登位統作「洪」。

〔三〕「代爲國師」，下所述爲伏羲至殷湯爲帝師，與三天内解經總體同，史崇一切道經音義妙門由起述老子爲十四帝師或國師，與此稍異。

〔四〕「人天」，猶龍傳卷二傳經藴作「天人」。

部中乘之法，開化一切，救度兆人也。

第十二，出洞神者。下三皇時，人心樸散。老君以開皇元年號金闕帝君，出洞神經一十二部小乘之法，開度萬品也。

第十三，垂文象者。伏羲之時，人已澆漓，未有法度。老君以清濁元年號鬱華子，下爲師，説元陽經，教伏羲畫八卦，以通神明之德，以類萬物之情，仰則觀象於天，俯則取法於地，制嫁娶，叙人倫焉。

第十四，示好生者。神農之時，人食〔一〕禽獸，茹毛飲血。老君以清漢元年號大成子，下爲師，説太上元精經，教以化生之道，播百穀以代烹殺，和百藥以救百病，嘗桑得禾、柳得稻、榆得黍、槐得豆、桃得小麥、杏得大麥、荆得麻。五穀既登，禽獸免害止殺，所以長善除〔二〕惡，所以全生。不食血肉，人無疾苦，五穀養性，人無宿業，其利人也大矣。

第十五，教陶鑄者。祝融之時，人食生冷，未知火食。老君以天漢元年號廣壽

〔一〕「食」，猶龍傳卷二爲帝師作「捕」。
〔二〕「除」，猶龍傳卷二爲帝師作「遏」。

子，下爲師，説按摩通精經，教陶鑄爲器，以變生冷，人保其壽焉。

第十六，制法度者。自下三皇以後，伏羲以前，未有典禮，鳥獸同群。老君以道開化，漸漸生心，辯形食味，參以五行，廣施經法，勸化兆人矣。

第十七，作形器者。自伏羲之後，老君示以世法，制禮樂以叙尊卑，造衣章〔一〕以明貴賤，作宫室以代巢穴，爲舟車以濟不通，置棺椁以代〔二〕衣薪，造弧矢以威不順，立刑獄以戒兇暴，造書契以代結繩。服牛乘馬，引重致遠，日中爲市，交易而退，耒耜杵臼之利，重門擊柝〔三〕之規，並老君教於時君，以化於物也。

第十八，崆峒演道者。黄帝時，老君號廣成子，居崆峒山。黄帝詣而師之，爲説道戒經。教以理身之道。黄帝修之，白日昇天。

第十九，衡嶽授經者。顓頊時，老君下爲師，號赤精子，居衡山。授帝微言經，教以忠順之道。

〔一〕「章」，猶龍傳卷二爲帝師作「裳」。

〔二〕「代」，猶龍傳卷二爲帝師作「免」。

〔三〕「柝」，原作「析」，據猶龍傳卷二爲帝師改。

第二十，江濱應化者。帝嚳時，老君下爲師，號録圖子，居江濱，授帝黄庭經，教以清和之道。

第二十一，姑射宣真者。唐堯時，老君下爲師，號務成子，居姑射山。授帝政事離合經，教以廉謹之道。

第二十二，傳道德者。帝舜時，老君下爲師，號尹壽子，居河陽。授舜道德經，説孝悌之道〔一〕。此上下二經，出於兹焉。

第二十三，教理水者。夏禹時，老君下爲師，號真行子，居商山。授禹戒德經〔二〕，説勤儉之道。又授靈寶五符，檄召神鬼，濬九江，通河海，决百川矣。

第二十四，述長生者。殷湯時，老君下爲師，號錫則子，居灊山。授長生經，説恭愛之道。

第二十五，寄胎慧者。老君愍時凋弊，欲反神降生。以殷第十八王陽甲十七年庚申之歲，託孕於玄妙玉女。就此門中，分爲五别。一曰大道應化，託孕人間，乘日

〔一〕「説孝悌之道」，猶龍傳卷二爲帝師作「無爲清静之道」。

〔二〕「戒德經」，猶龍傳卷二爲帝師作「德戒經」。

精爲五色之象〔一〕，以明陽德也。二曰乘九龍之車，凝結變化，五色玄黄〔二〕，入玄妙玉女口中，又明九龍陽精〔三〕之華也。三曰處胎寄慧，與俗不同〔四〕，八十一年，極太陽九九之數，然後乃生。四曰玄妙玉女感夢之後，因而有孕，容顏益少，神氣安閑，八十餘年，悦豫無比，以明聖人降跡之異也。五曰玄妙玉女所居之室，四時和暢，六氣調平，冬無凝寒，暑無煩燠〔五〕，祥光照室，靈風滿庭，衆惡不侵，萬靈潛衛。八十一年，不覺爲久，當殷二十二王武丁九年庚辰之歲降生也。

第二十六，顯降生。就此門中，又分一十七段。一曰老君降生，迥異凡品。雖依聖母之孕，乃剖左腋而生也。二曰老君生，登行九步，步生蓮華，陸地開敷〔六〕，大彰神

〔一〕「乘日精爲五色之象」，猶龍傳卷三降生年代作「化日精爲五色之珠」。

〔二〕「玄黄」，猶龍傳卷三降生年代作「交輝」。

〔三〕「精」，猶龍傳卷三降生年代作「清」。

〔四〕「處胎寄慧，與俗不同」，猶龍傳卷三降生年代作「託胎寄慧，與前聖不同」。

〔五〕「暑無煩燠」，猶龍傳卷三降生年代作「夏無煩暑」。

〔六〕「開敷」，猶龍傳卷三降生年代作「芬芳」。

異。三曰老君降生之時，日童揚輝，月妃散華，七元流景，祥雲蔭真〔一〕，四靈翊衛，玉女捧接。聖母因攀李樹，忽爾降生矣。四曰老君降生之時，九龍吐水，以浴聖姿。龍出之地，因成九井。于今見在亳州真源縣太清宫中也。五曰老君降生之後，即行九步，左手指天，右手指地曰：「天上天下，唯吾獨尊〔二〕。代〔三〕間之苦，何足樂聞。」六曰老君降生者，爲念時澆樸散，大道不行，委迹生神，以救於世。七曰老君以衆迷難曉〔四〕，正道難宣，降生之時，故顯現禎祥，令物〔五〕信悟。八曰老君欲明妙道，須在修功，示有鍊丹〔六〕，以勸修習，今亳州宫中有鍊丹井、鍊丹檜並存焉。九曰老君教人習道，内外俱修。既鍊金丹，又習真氣。今有虚無堂在亳州宫中，乃習氣之所也。十曰老君明此妙道，修之必得昇天，示彼功成，輕舉而去。今亳州宫中有鹿跡檜，即老君

〔一〕「真」，猶龍傳卷三降生年代作「庭」。
〔二〕「唯吾獨尊」，猶龍傳卷三降生年代作「唯道爲尊」。
〔三〕「代」，避唐太宗諱，元薛致玄道德真經藏室纂微篇開題科文疏即作「世」。
〔四〕「衆迷難曉」，猶龍傳卷三降生年代作「愚迷難化」。
〔五〕「物」，猶龍傳卷三降生年代作「人」。
〔六〕「須在修功，示有鍊丹」，猶龍傳卷三降生年代作「悟即長生，故鍊金丹」。

乘白鹿昇天之所，其樹見在。十一曰老君降生年代，即殷武丁九年庚辰歲二月十五日也。今詳殷周以子月爲歲首，二月即今之十二月丑月也。十二曰老君降生郡國，即古之楚國之分，苦縣因城爲名，瀨鄉因水爲名，曲仁里，九井之西、靈溪之側〔一〕。其縣本名苦縣，漢魏以來名谷〔二〕陽縣。乾封元年，改爲真源縣。中和二年，昇爲赤縣。十三曰老君降生之後，九日之中，身長九尺，七十二相，八十一好，蹈五把十，美眉方口，雙柱三漏，日角月淵，具大聖之相也。十四曰聖母玄妙玉女，老君降生之後，聖母乘八景玉輿，群仙侍衛，白日昇天。大唐追尊爲先天太后。今有宫在真源縣太清宫之北，一宫在樓觀昇天臺上。十五曰老君昇天之後，歷代帝王欽慕真迹。漢桓帝、隋文帝皆崇修宫廟，命文臣刊碑以旌道德。故漢有邊韶碑，隋有薛道衡碑，于今並在。十六曰聖唐受命之年，亳州舊宅枯檜再生，以彰子孫興昌，享無疆之祚。其樹見在，號再生檜。十七曰真源舊里累降樹祥，甘露乍垂，卿雲時布，或真容顯現以弭妖兇，或雲霧凝空以護宫宇，或神鳥銜箭，或瑞雪驟飛，或神龍躍九井之中，或文字顯三檜

〔一〕「曲仁里，九井之西、靈溪之側」，猶龍傳卷三降生年代作「曲仁里在九井之西、靈溪之側」。

〔二〕「谷」，猶龍傳卷三降生年代作「穀」。

之上。代代昭驗，載在簡書。漢桓帝時感夢老君，修祠宇之日，卿雲見在其上。隋文開皇五年，卿雲白鹿，現於祠庭，帝遂修崇庭宇。武德三年，枯檜再生，其年卿雲現於其上。上元元年，枯檜樹於木枝上有朱書「乾元亨利貞」字，重重分明。太極元年，卿雲現於其上。天寶七年，鳳凰集於虛無堂上。寶應元年，有紫雲屬天，神光夜照。明日，龍見九井之上。大曆三年，卿雲現於宮上，甘露降於檜樹。會昌二年，甘露降於庭樹。咸通十年，徐州逆賊龐勛欲領徒據太清宮，老君應現，有黑氣遍川，賊徒迷失道路，其日敗滅。中和、廣明之際，黄巢侵逼宮宇，縱火焚燒，陰雲升現，雨降火滅，賊徒奔潰。又逆賊遍地，白刃圍逼亳州，其日黑氣大雪，賊徒殞仆凍死，解圍而去。又黄巢餘黨攻圍亳州，神鳥遶城銜箭，有黑氣自宮中而來。賊黨驚奔，解圍而去。中和二年，敕吏潘稠奏，自黄巢入關之後，一十八度凶徒侵逼宮宇，攻圍州城，皆有祥異，賊遂奔散。遠近户口，多就宮避難，並獲安全，請移縣就宮安置。敕旨不允，遂昇爲赤縣。光啓元年七月，九龍井中五雲成蓋，高千丈以來。如此現者三度，汴州畫圖聞奏，此之符瑞，皆載於國史矣。

第二十七，彰聖號者。老君瓊胎寄慧，八十一年誕聖之辰，生而白首，聖母爲之立號，以示世人。於此門中又分五段。一曰聖人降迹，與俗不同。聖母欲謂爲「老」，又是初生，欲謂爲「子」，又乃白首。兩字兼稱，因立老子之號焉。二曰道與俗反。夫老者，長年之稱；子者，幼稚之號。世人先幼而後老，老君先老而後幼，欲明攝迹還本也。三曰老者考校衆聖爲名，子者以孳生萬物爲義。所以老君爲萬物父母，衆聖祖宗，故有考校孳生之名，以爲老子之號。「老子」二字起於此時，老君之號先於億劫，非此一時。四曰聖人垂名，反終歸始，老者終也，子者始也。世人先始而後終，老君先終而後始，欲令世人修道，反老還嬰，故號老子。五曰委迹和光，以循於世者。老君以生而白首，故號爲老。子者，男子之通稱，亦如孔子、孟子、莊子、列子等以姓爲號，老子、鶡冠子、抱朴子、淮南子因事爲號。序訣云：「老子之號，始於無數之劫，杳杳冥冥，眇邈久遠矣。」斯乃不以降生而老爲號，乃以長於億劫之前，故以老爲號爾。夫託神李母，剖左腋而生，生即皓然，號曰老子。老子之號，因玄而出，在天地之前，無衰老之期，故曰老子。此序訣所證也。今考詳衆説，既不以因生立號即是老君，歷劫垂教，應代表形，常現老容，故有老子之號爾。

第二十八，明胄胤。老子本記及諸家史册皆云生於李樹之下，指樹以爲姓，斯理爲當矣。今按大唐天潢玉牒即云顓頊之後，生大業，大業生媧，媧娶有喬氏之女，感月光貫昴而生咎繇，咎繇生伯翳，伯翳之後，代爲士師。至理徵〔一〕避桀之亂，遁居伊侯之墟，食李實乃改爲李氏。此言咎繇之後，以理獄爲功，遂姓理氏。其後子孫或改里氏，至伊侯之墟避難，遂改里爲李，徵生利貞〔二〕，當殷湯之時也。利貞〔三〕生昌祖，昌祖仕陳爲大夫，因居苦縣。昌祖生明，明爲陳相，葬瀨鄉之北，立廟，因有相城。明生慶賓，慶賓生靈飛，一名虔會。慶賓、靈飛皆白日昇天。所言陳國，乃古之陳國，非周時所封胡公滿之國也。今按湯至陽甲一十八王，二百五十餘年。自李徵〔四〕至虔會，五世相承，年代相類，當此之時，太皞之時已爲陳國。及周封舜後，當是此陳。既滅，乃封胡公而王其地也。靈飛之妻玄妙玉女，感日精之夢而生老君，此一說也。又按本記云：「老君生而能言，指李樹曰：『此我姓也。』因遂姓李。」故隋内史舍人薛道衡老君祠庭碑云「感日載誕，莫測受氣之由；指樹爲姓，未詳吹律之本」是也。又樓觀先師傳云：「老君既因聖母攀李樹，曰：『此汝姓也。』」三家之説，經傳備載，今並明

〔一〕「理徵」，猶龍傳卷三明宗緒作「里成」。
〔二〕「徵生利貞」，猶龍傳卷三明宗緒作「成生利正」。
〔三〕「利貞」，猶龍傳卷三明宗緒作「利正」。
〔四〕「李徵」，猶龍傳卷三明宗緒作「李成」。

之，以彰國姓宗緒矣。聖母者，按玄中記云：「李靈飛當殷之時，父子相承，得修生之道。父慶賓年百餘歲，常有少容，周遊五嶽諸山。一旦於所居，雲龍下迎，白日昇天。靈飛感父飛昇之異，深隱不仕，内修其道，以天水尹氏之女爲妻，居於瀨鄉。其妻嘗因晝寢，夢天開數丈，衆仙人捧日出於其處。良久見日漸小，從天而墜，化爲五色之珠，大如彈丸。夢中得而吞之，因即有孕。八十一年，容色益少，常若處女。靈飛亦百餘歲而昇天。既誕生老君之後，即有五色雲輿迎之昇天而去。」又李氏大宗譜云：「李氏之姓，其先黄帝之後，姓公孫，曰軒轅。元妃西陵氏生昌意，昌意之妃方雷氏曰女節，感台光貫日而生少昊，曰青陽氏。少昊次妃名脩房，生大業。大業之妃名扶始，感白雲覆己而生臯繇。臯繇生伯益。伯益一名翳，帝舜封之於嬴，因姓嬴氏。翳妃姚氏生若水，若水生昌貴，昌貴生景僕，景僕生仲行。仲行爲周成王諸侯，謚曰非公。至宣王賜姓裴氏，裴氏之孫庭堅有女，貞潔不嫁，居楚國瀨鄉曲仁里，因食李實而有孕。歷八十一年，安愈無苦，常有神明潛衛其身，以周惠王之時二月十五日，因攀李樹，生於左脇。生而髮白，左掌中有玉印字，右掌中有七十卷經字，左脚下有「救」字，右脚下有「治」字。生而能言，問父何在。母曰：『吾貞潔不嫁，今則老矣。吾因食李實而孕，汝無父也。吾以處女而孕於汝，恐爲鄉里所笑。欲飲藥而去之，神人告吾，不令吞藥，及今八十一年矣。因食李而生，李即汝姓也。』既生而老，號曰老子。老子作七十二經以記天地鬼神之名，述無爲長生之道。娶天水尹氏之女，生子名貞利，當定王之時。」此一説也。今詳尹喜是康王大夫，昭王時爲關令。老君已度關授經，此即年代縣殊，先後差爽。雖譜書所載，恐非真的。然李姓所起，今亦載得姓之由也。又玄妙玉女元君傳云：「老君在天爲衆聖之尊，先億劫而行教，以無爲常存之道化於天人。長於億劫之前，爲萬聖之君長。故天尊、道君賜其真號，號曰老君。」即在五太之前，歷劫有此號矣。雖代代應見，爲帝王師，而未有降世誕生之迹。乃於九清之上，命玄妙玉女降於人間，爲天水尹氏之女，嫁李靈飛爲妻。老君乃乘日精，駕九龍，化爲五色流珠，下入玄妙玉女口中，而寄胞託孕，歷八十一年。因攀李樹而生老君，誕於左脇。當孕之時，神靈衛聖母之身。既生之後，玉女捧接，祥雲滿庭，日童散暉，月妃擲華，衆聖來集。老君乃指李樹曰：「此吾姓也。」在代凡有九名。一名耳，字伯陽。二名雅，字伯宗。三名忠，字伯光。四名石，字孟公。五名重，字子文。六名定，字元陽。七名元，字伯始。八名顯，字元生。九名德，字伯文。或云三十六號，或云七十二名，或云姓字眇眇〔一〕，

〔一〕「眇眇」，元薛致玄道德真經藏室纂微篇開題科文疏引廣聖義作「渺邈」。

從劫至劫，非可悉記。老君有九變，以法太陽變化生育之功。有七十二相、八十一好，故爲聖中之聖、真中之真矣。聖母在天，即號玄妙玉女。既降育大聖，即爲太一元君。元君乃授老君化世行教之旨，内修九室三一之門、萬善萬惡之戒、百病百藥之訣、虛無清浄〔一〕之規、九丹〔二〕餌鍊之品，將以示世人，有師資授受之法。而太上大聖爲萬化之主，豈復待師受稟學乎？受道既畢，即有天樂駭空，流雲靄野，千乘萬騎、五帝上真，擁九光八景之輿，迎聖母元君歸于玉清之上，至今爲太一元君，國朝尊爲先天太后。具在前解，詳諸家所載。聖母本起，即玄妙玉女，爲老君之母，證太一元君事跡爲勝。國朝所尊，云母益壽氏爲先天太后，是宗譜所明，道經之中未覩其事，所言降生年代，以殷武丁時爲是。自餘諸説，舛誤不同，前後差謬，今則載而不取也。

第二十九，興帝業者。老君道包萬有，澤被諸天，貽厥孫謀，光膺大寶。是以三十一代孫高祖神堯皇帝光宅天下，奄啓我唐矣。所以天潢流瑞，源出於上清，瓊海澄瀾，潤涵於萬寓。德明皇帝佐堯翊舜，興聖皇帝握紀乘時。始輝映於唐虞之間，復恢

〔一〕「浄」，猶龍傳卷三明宗緒作「静」。
〔二〕「丹」，猶龍傳卷三明宗緒作「井」。

拓於秦梁之野。比夫后稷古公之德、文昌武發之興，卜代卜年，帝枝帝葉，固無讓於姬周矣。

第三十，册鴻名者。乃向下明。乾封元年，册尊號也。

向來所解「老」「子」兩字，汎舉三十門，以彰應跡垂號也。

釋老君聖唐册號

夫所言太上者，統教之尊名，證聖之極果也。太者，大也；上者，高也。太者，大也，無大於太上者；高也，無高於上。乃修因證果，極位之稱也。世人修行，自凡而得道，自道而得仙，自仙而得真，自真而得聖，聖之極位，昇爲太上。太上者，六通萬德，無不畢備，紹法王位，統臨萬聖，即得居此尊。名亦如代間皇帝，代代紹位，皆得稱之。自元始天尊之後，即有太上大道君、太上老君、太上丈人、太上高皇帝皆極此位。而太上丈人、高皇帝雖兼有尊極之名，而不行教。其傳祚行教，爲萬天之主，唯道君、老君耳。玄者，深也，妙也，亦云道也，天也。至道高妙，不可言詮。約妙與深，以玄爲證，言深妙玄遠，以明道體，故謂之玄。元者，初也，始也，祖也。爾雅云：「肇道根源，萬物宗祖。」處世出世之法，皆爲之本始。故謂之元皇者，大也，謂大道也，道大曰皇。尚書序曰：「三皇之書謂之三墳，言大道也。」帝者，天也，其德配天，次於道也。德大曰帝，道德兼稱，故云皇帝。又云：法道法天，謂爲皇帝。秦始皇既一統天下，垂法後代，上採三皇之尊名，下取五帝之美號，兼而稱之曰皇帝焉。尚書序曰：「五帝之書謂之五典，言常道也。」内號者，隱號也。老君千名萬號，不可備窮。以當時天下所稱，謂之老子。亦乃道尊德貴，不可斥名，天上人間咸稱曰老子，是則以老子之内號也。我大唐高宗天皇大帝，乃老子三十三代聖孫，大唐之第三帝太宗文皇帝之第三子也，承平嗣極，握紀垂衣，耀仙李之靈葩，展昇平之盛禮，迴鑾苦縣，謁聖真源。表大孝於奉先，贊玄元於聖號。以乾封元年太歲丙寅二月二十八日下詔曰：

「東臺：大道混成，先二儀而立稱。至人虛己，妙萬物以爲言。粤若老君，朕之本系。爰自伏羲之始，暨乎姬周之末，靈應無象，變化多方。遊元氣以上昇，感日精而〔一〕下降，或從容宇宙，吐納風雲；或師友帝王，丹青神〔二〕化。譬陰陽而不測，與日

〔一〕「而」，宋謝守灝混元聖紀卷八作「以」。

〔二〕「神」，混元聖紀卷八作「妙」。

月而俱懸。屬交喪在辰，晦迹柱下，大弘雅訓，垂範將來。雖心齊於太虛，而理歸於真宰。若夫絶聖棄智，安神〔一〕寡欲，寂寞杳冥之際，希夷視聽之表，澹爾無爲，宛然自得，酌之不竭，用之不盈，執大象而還淳，滌玄覽而遺累，邈乾坤以長久，跨陶鈞而亭育。至矣哉！固無得而名也。況復大聖所資，克昌寶祚。上德所履，允屬休期。朕嗣膺靈命，撫臨億兆。總三光之明而夙宵寅畏，居四大之重而寢興祗惕。盡孝敬於宗祧，罄懷柔於幽顯。行清淨之化，承太平之業。登介丘而展采，坐明庭而受記。飛烟結慶，重輪降祥，鶴應九皋，山稱萬歲。越振古而會休徵，冠帝先而爲稱首。大禮云畢，迴輿上京，迂駕瀨鄉，躬奠椒糈，仰瑞栢以延佇，挹神泉而永歎。如在之思既深，敬始之情彌切。宜昭元本之奥，以彰玄聖之功，可追上尊號曰玄元皇帝。仍改谷陽縣爲真源縣，當縣宗姓特給復一年。冀敦崇遠之情，用申尊祖之義。布告中外，咸使聞知。主者施行。」

又永淳二年癸未十二月四日，下詔曰：

「君崇於道，宅紫微以垂衣；臣修於德，罄丹心而作礪。若使上守於義，下尊於

〔一〕「神」，原經及唐大詔令集均作「排」，據混元聖紀卷八改。

禮，名教所以乖淳，忠信由其漸薄。在昔胥庭連陸，媧燧伏羲不宰而天下化。軒頊堯舜禹湯文武，至公猶行，深仁尚積。及秦居潤位，奢泰之漸聿興；漢襲霸圖，玄默之風已替。遐觀魏晉，近鑒周隋，代益囂浮，人踰僭侈。窮百王之弊俗，極千年之否運，以承大亂之後，方開大聖之期。既逾交喪之辰，必興交泰之緒。我高祖神堯皇帝受鑣宮之景命，蕩轡野之妖氛，重懸日月，一匡宇宙。太宗文皇帝披圖汶水，杖鉞參墟。降斗極之神兵，滌懷襄之巨浸。張四維而安赤縣，勞百戰而徇蒼生。聲教遐覃，隄封遠亘，緬惟洪業，無得而稱。朕以寡昧，忝膺丕緒，未嘗不孜孜訪道，戰戰臨人，日慎一日，三十四載於今矣。況下安則上逸，時弊則君憂，雖身處九重而情周萬姓。建本之懷愈切，抑末之念遽深，今庶績雖凝，而淳源未洽。朕之綿系，兆自玄元。常欲遠叶先規，光宣道化，變率土於壽域，濟蒼生於福林。屬想華胥，載勞寤寐，所冀內外寮寀，各竭乃誠，敦勸梨萌，俱崇簡質，舊染薄俗，咸與惟新。憑大道而開元，共普天而更始。宜申霈澤，廣被紘埏，可大赦天下，改永淳二年爲弘道元年。仍令天下諸州置道士觀，上州三所，中州二所，下州一所，每觀度道士七人，以彰清淨之風，佇洽無爲之化。主者施行，是則奉先尊祖，復朴還淳之旨也。」

道德真經廣聖義卷之三

唐　廣成先生杜光庭　述

釋御疏序上

疏：玄玄道宗，降生伊亳：

【義曰】玄，深妙也，亦不滯也；宗，主也，尊也。言太上老君爲深妙道之主也。老君既不滯有，亦不滯無，因果兩遣，麤妙雙遣。先天後劫，尊爲教主，故云「玄玄道宗」也。降生伊亳者，自上而下曰降。言老君居三境之天，爲大道之主，愍鑒下土，降化人間，運大慈心，分形表瑞，乘九龍之駕，化旭日之精，下入玄妙玉女夢中，因而託孕，寓生於世。示見同凡，有出生之相，爲立化之首，故曰「降生」。此明表應化迹也。伊亳者，亳，伊即伊侯之墟，是老君祖徵避桀難之所。其地在苦、相二城之間也。亳者，亳社之地，古謂之亳，後乃殷墟。殷自湯受命，至第十九王盤庚，八度遷都，方都於亳，即殷之都也。或云陳國者，即太皞之後所居，謂之陳墟，在宛丘之側也。按禹別九州，苦縣是豫州之分。武王伐紂，既有天下，乃封舜之後胡公滿於陳。此即古有太皞之子孫已爲陳國。舜後亦已爲胡國。胡小而陳大，胡在沈、蔡之間。陳在今潁川，武王尊舜之德，追獎其後，故遷之於陳。此陳國自胡公滿之後，歷春秋時，凡四十餘世，爲楚子所滅。漢祖滅秦，改陳爲淮陽郡。郡大縣小，郡管於縣，故有陽夏、寧平、若、柘四縣隸爲淮陽。後漢章帝改淮陽爲陳郡。或云楚國者，楚以熊繹爲始封之君，都於荆。陳自淮之阻，其地連楚。春秋，楚子滅陳，因而縣陳，故亦屬楚，遂爲楚地。或云楚國，或云楚縣，或云陳郡。春秋之日，郡小縣大，以郡屬縣，故云楚縣。秦并楚縣，置三十六郡，郡大縣小，以縣屬郡。或云譙國者，今老君舊宅太清宫東北四十里有譙城是也。或云相人者，宫側有古相城也。或云苦縣亦春秋統郡之縣也。故苦縣城在瀨水東，基址存焉。其苦縣後改爲谷陽縣。大唐乾封元年，高宗皇帝封禪東嶽，迴駕幸老君舊宅，封册尊號，改爲真源縣。中和三年癸卯，亳州刺史潘稠上表於成都行在，以太清宫累有應見，自黄巢大寇之後，一十八度寇孽侵犯，皆有迅雷烈風震擊其賊，或顛沛而失道，或因至敗亡，侵宫宇不得，遠近居人就宫避難者數千户，皆保安全。請移縣就宫安置。奉敕移縣就宫，必恐褻瀆，所奏宜不允。遂昇真源縣爲赤縣，以太清宮在部内故也。仍差使臣齋御詞，修齋告謝。雖時代遷貿，名號不同，其於處所由來一耳。後漢桓帝夢見老君，特詔陳相邊韶，於生處舊宅修祠立碑，祠側有李母廟，祠内古有虛無堂，堂之前有三檜及餘檜千株、九龍井、錬丹井、昇天鹿跡樹，古跡依然。左帶靈溪，右環渦水，其地顯敞，寔惟勝所。又瀨水在宮西，以水爲鄉名，故爲瀨鄉。或爲厲鄉，文字訛也。其宅累代帝王每加修飾。隋開皇六年，文帝敕内史舍人薛道衡立碑修廟。唐天寶七年戊子，改爲太清宮，以汴州節度使爲宮使，亳州刺史爲副使。國朝高祖、太宗、高宗、中宗、睿宗、玄宗六聖真容，並列侍於老君左右焉。

疏：肅肅皇祖，命氏我唐。

【義曰】肅肅，尊嚴莊敬也。皇，大也。祖，初也。老君乃大唐尊嚴之祖也。命氏者，氏族也，言得姓之由也。我唐者，言唐之立極，自聖祖垂裕，乃老君裔孫也。始因老君誕生，指李樹而爲姓，李氏之姓始於指樹，已具在前解義中。故云「命氏我唐」也。薛道衡碑云：「感日再誕，莫測受氣之由。指樹爲姓，未詳吹律之本。」昔京房吹律而定其姓也。

疏：垂裕之訓，無疆之祉，

【義曰】裕，福善也。無疆者，無邊廣遠之貌也。祉，福也。老君垂善應之福，流廣遠之裕，光啓帝業，聿興我唐也。訓，教也。

疏：長發遠祥，系本瓜瓞。

【義曰】長發，商詩篇名也，「濬哲維商，長發其祥」。祥，善也。言商家之德，久發見其禎祥，契布五教，寬大之德，始有王天下之萌兆。歷虞夏之世，而湯有天下也。系，本也，系者，單絲聯續之貌，不絕之象也。言聖系天枝，長發不絕也。瓜瓞者，文王之什綿綿篇也。綿綿者，瓜紹也，瓞瓟也。瓜本實繼先，一歲之瓜，必小狀似瓟，故謂之瓞，綿綿然，若將無長大時。興者，以喻后稷矣。后稷，帝嚳之胄，封於邰。其後公劉失職，遷居豳，于漆、沮之地，歷世亦綿綿然。至大王而益盛，得其民心而成王業。舉殷周之二代興業久遠之事，以明老君垂裕久遠。方興我唐業，將明受命建國，非一朝一夕人事之所能，乃積德傳裕，其來甚遠，乃能奄有天下，如殷周之興也。

疏：其出處之跡，方册備記。

【義曰】方，謂方所也；册者，編竹爲之，長尺有二寸，以記邦國之事。春秋序曰「大事書於册，小事簡牘而已」是也。出處者，出謂在朝，即老君伏羲之後代爲國師，或爲藏史，或爲柱史，或爲太史儋，或云伯陽父，咸顯明於朝廷也；處謂隱逸，即老君西導流沙，東巡碧海，幽演傳經等是也。雖晦名隱世，其行藏之迹，化導之事，國家正史簡册之中，及諸子史道經之内，無不具紀也。易曰「或出或處」是也。

疏：道家以爲玉晨應號，

【義曰】道家者，按太史司馬遷著六家之説，先黄老而後六經，道家居先，最爲通美。馬遷曰：陰陽者，繁而致惑；儒者，博而損慮；墨者，苦而傷性；名者，華而少實；法者，酷而少恩。唯道家之教爲大道焉。以其清虚無爲，使人精神專一，動合無形，贍足萬物。其爲術也，因陰陽以大順，與時推遷，應物變化，無所不宜。指約而易操，事少而功多。其實易行，其辭難知。以虚無爲本，以因循爲用。無成勢，無常形，故能究萬物之情；不爲物先，不爲物後，故能爲萬物之主。此所謂道家也。淮南子曰：道家者，理性情，理心術，養以和，持以適，樂道而忘賤，寧德而安貧。聖賢之所貴，家國之所賴。故曰道家也。玉晨者，即太上大道君之别號也。老君本紀云：或號天尊，或號太上，或號大道，或號老君。即明玉晨君亦老君之應號也。太上虚皇常居紫瓊宫，在玄都玉京之上，亦名紫晨宫，亦名玉晨宫，即玉晨道君，乃老君之應號爾。

疏：馬遷謂之隱君子，

【義曰】〔一〕馬遷者，司馬遷也。遷字子長，河内温人，中山王相司馬喜之孫、太史令談

〔一〕此段杜光庭義中有關司馬遷的疏解多見於漢書司馬遷傳。

之子，顓頊之裔。生于龍門，年十歲誦古文尚書，年二十，遊江淮、九疑、禹穴之間。仕漢爲郎中，使西蜀。父卒歲餘，爲太史令而作史記。遷嘗因言李陵非罪，枉害其妻子，遂爲人所譖，下獄受腐刑。西京雜記云「遷發憤而作史記，先達稱有良史之才」，敘屈原、賈誼，詞旨抑揚，蓋一代之偉才也。桓譚新語〔一〕曰：「遷修史記未行於代，其後外孫楊惲題爲太史公。」或爲談爲太史令，遷繼爲世官，而身受腐刑，恐辱先人，我同太史家走使之人耳，故題爲太史公也。遷爲中書令，卒，有集二卷。史記云：「老子或隱或顯，二百餘年，西入流沙，不知其終，蓋隱君子也。」子者，有道之稱。古人稱師爲子，如孔子、列子是也。君子者，君師也。禮記云：「爲學者能博喻，然後能爲師；能爲師，然後能爲長；能爲長，然後能爲君。」爲君爲師，其德光大。故謂之君子。又解云：有德有道，雖在衆庶之中，爲人所敬，則爲君子；寡道鮮德，雖居高位，亦謂之小人。故道比於君，德比於師，然後謂爲君子。凡世之人，理猶若此，况玄元老君爲道德之主、帝王之師，號曰君子，不亦宜乎？潛龍卑秩，故謂之隱也。

〔一〕「桓譚新語」，據史書記載，桓譚所著乃新論，然該書已佚，今輯佚各篇不見記録。

疏：而仲尼師之。

【義曰】〔一〕仲尼者，孔子也。孔子名丘，字仲尼。其先殷之後也。按史記殷本紀云：帝嚳之妃呑燕卵而生契，爲堯司徒。有功，封於商，賜姓曰子。契裔孫湯名天乙，亦名履，滅夏而爲天子。至湯孫三十七代，其王名帝辛，號之曰紂，無道，周武王起兵滅之，封其庶兄微子之子啓於宋，宋閔公有子弗父何，長而當立，讓其弟厲公。何生宋父周，周生勝，勝生正考父。考三命爲宋正卿，故其鼎銘云：「一命而僂，再命而傴，三命而俯。循墻而走，莫敢余侮。」三命益恭，故春秋美其德焉。考父生孔父嘉，別爲公族，遂以孔爲氏。或云：呑乙卵而生，後賜姓子，以子配乙，爲孔字，乙即燕也。此兩存焉。或以滴溜穿石而爲孔姓。此尤不經，今所不取。孔父嘉爲宋司馬，生木金父，木金父生臯夷父，臯夷父生防叔，防叔奔魯，生伯夏，伯夏生叔梁紇，即孔子之父也。孔子居魯國闕里鄹鄉。周靈王二十一年，魯襄公二十二年戊申十月十三日庚戌生，至魯哀公十六年，周敬王四十一年庚申歲四月十八日卒，年七十三。初，昭公七年，

〔一〕「義曰」，下段杜光庭的疏解源於史記之孔子世家、孔子家語卷九本姓解、春秋左氏傳之昭公、孔子家語卷四觀周等文獻。

楚子成章華之臺，欲與諸侯落之，召昭公，孟僖子、仲孫貜爲介，遂如楚。三月，過鄭。鄭伯勞之，僖子不能相儀。及楚，不能答郊勞。四月，楚子享公于新臺。九月，至自楚，僖子病不能相禮。乃講學，苟能禮者從之。二十四年，僖子將死，召其大夫曰：「禮者，人之幹也。無禮，無以立。吾聞將有達者曰孔丘，聖人之後也，而滅於宋。其祖弗父何以有宋而授厲公，及正考父佐戴〔一〕、武、宣，三命兹益恭，其恭也如是。臧孫紇有言曰：『聖人有明德者，若不當世，其後必有達人。』今其將在孔丘乎？我若獲殁，必屬説南宮敬叔也與何忌孟懿子也，皆僖子之子於夫子，使事之而學禮，以定其位。」故何忌、敬叔師仲尼。仲尼謂敬叔曰：「吾聞老聃博古而達今，通禮樂之原，明道德之歸，則吾師也。」敬叔言於魯君曰：「孔丘，聖人之後，將達者也。受先臣之命，屬臣必師之。今孔子將適周，觀先王之遺制，考禮樂之所極，斯大業也。君盍以車乘賁之，臣請與往。」魯君與車一乘二馬，二〔二〕竪子、敬叔俱至周，問禮於老聃，訪樂於萇弘，歷郊社之所，考明堂之則，察朝廷之度，觀明堂四門之墉，有堯舜桀紂之象，而各有善惡之

〔一〕「戴」，原作「載」，據傳世史書改。

〔二〕「二」，史記孔子世家作「一」。

狀、興廢之戒焉。又有周公相成王，抱之而負斧扆，南面以朝諸侯之國。歎曰：「吾乃今知周公之聖與周之所以王也。」將去周，老君送之曰：「富者送人以財，仁者送人以言。吾竊仁者之號，送子以言。凡當世之士，聰明深察而近於死者，好議人之非也；博辨閎大而危其身者，好發人之惡也。爲人臣者，無以有己；爲人子者，無以惡己。」自周反魯，道彌尊，遠方弟子之進者蓋三千焉。孔子歎曰：「自南宫敬叔之乘吾車也，吾道加行。不然，吾道幾廢矣。」今禮記所引「吾聞諸老聃」，皆是孔子師老君，得禮之要也。

疏：繙經中其太謾，

【義曰】〔一〕繙，絜亂取也。孔子西藏書於周室，以老君曾爲藏史，因而問焉。老君不許。於是繙六經以悦老君，老君曰：「太謾，願聞其要。」孔子曰：「要在仁義。」老君曰：「仁義，人性耶？」孔子曰：「然。君子不仁則不成，不義則不生。仁義，真人之性也。」老君曰：「噫！幾乎後言。夫蚊蝱噆膚，則通夕不寐。今仁義憯然，乃憒吾心，亂莫大焉。」此斥孔子不宗大道，而循有爲也。

〔一〕此段杜光庭的疏解見於莊子天道篇。

疏：問禮歎乎龍德〔一〕。

【義曰】〔二〕孔子問禮於老君，而語老君以仁義。老君曰：「夫鳥不日黔而黑，鶴不日浴而白。黑白之別，不足以爲辯；名譽之勸，不足以爲廣。泉涸，魚相與處於陸，相呴以濕，相濡以沫，不如相忘於江湖。子之所言，其人骨已朽矣，獨其言在耳。良賈深藏若虚，君子盛德，容貌若愚。去子之驕氣與多欲，態色與淫志，是皆無益於子之身。吾所以告子者，若是也。」孔子歸，三日不譚。弟子怪而問曰：「夫子見老聃，亦將何規哉？」孔子曰：「吾與汝處於魯之時，有人用意也，浩如飛鴻者，吾飾意以爲弓弩而射之，未嘗不及而加之也。有人用意，悠然如遊鹿者，吾飾意以爲走狗而逐之，未嘗不及而頓之也。有人用意，若井魚之没於九重之泉者，吾飾意以爲鈎繳而投之，未嘗不得而制之也。及吾見龍，則不能知也。夫龍者，合則成體，散則成章，乘乎雲氣，養乎陰陽，遊乎泰清，吾不能逐也。吾今見老君，其猶龍乎？使子口張而不能噏，舌出而不能縮，形窮神錯而不能知所居。余又何規老聃哉！」

〔一〕「問禮歎乎龍德」，此句唐玄宗御製道德真經疏之釋題後還有「是孔丘無間然矣」句。

〔二〕「義曰」，此段疏解見史記老子韓非列傳及莊子天運篇。

疏：在周室久之，

【義曰】老君自殷武丁九年庚辰生於楚國苦縣，至紂二十一年丁卯居岐山之陽，號燮邑子，風伯前驅，彭祖爲從，以觀西伯之化。西伯聞之，徵爲守藏史。作赤精經，教以仁信之道。西伯行之，禮賢好義，鳳集岐山。故禮記云「周之興也，鸑鷟鳴於岐陽」，即此時也。遂以岐山爲州之名，鳳翔爲府之號，乃其事矣。老君所居去鳳翔城北一十八里。唐既受命於其舊所，置啓聖宫也。武王克殷，老君號育成子，作璇璣經，武王師之。成王時號經成子，康王時號郭叔子，仍爲柱下史。潛龍卑秩，以佐於周，至昭王二十五年，度關西化流沙。自武丁庚辰年，至昭王癸丑年，二百一十五年，即司馬遷所言「老君在周二百餘年」是也。

疏：將開道〔一〕西極，

【義曰】本相經云：昔妙梵天王爲貪快樂，不修功德，下生罽賓爲煩陁力王。復好畋獵，殺害無道。故老君以昭王時西入流沙，授以浮屠之術，而度之焉。又西戎雜俗，好淫多殺，皆學邪幻之法，好事邪神。老君乃往，歷化八十一國胡王，及九十六種邪

〔一〕「開道」，唐玄宗御製道德真經疏之釋題作「導」。

法外道等也〔一〕。故云開導。開即開悟，導即化導也。西極者，在中國之西，乃流沙八十一國等也。

疏：關令尹喜請著書，

【義曰】尹喜者，天水人也，明習五經、天文緯候、陰陽之書，無不恢博。仕周，康王時爲大夫。至周昭王二十四年，知有聖人西度，請出爲函谷關令，遂遇老君傳經。就此門中分爲八別。一曰示見禎祥者。昭王之時，天理星西行，入昴東南，真氣狀若龍蛇，而西度漢，融風三至，紫雲浮關。尹喜見之，請出爲關令，以候老君也，仙公序曰「尹喜宿命合道，預占見紫雲西邁，知有聖人當度」是也。二曰託試尹喜者。昭王二十四年壬子十二月二十五日，老君乘青牛薄板車，徐甲爲御，以來度關，云：「吾家在關東，田在關西，明日當臘，天寒取薪耳。」喜再拜稱弟子，曰：「今日見君，乃聖人也。願少留焉。」又謂之曰：「竺乾之國有古先生，吾欲昇就。」皆寓託他事，以試尹喜。三曰傳授道德者。道德序訣云：「老君謂尹喜曰：爾應爲此宛利天下棄賢世界傳弘大

〔一〕本相經所記「妙梵天王」事，見敦煌文書斯二一二二太上妙法本相經廣説普衆捨品第二十一，李德範輯敦煌道藏第四冊一七九三頁至一七九六頁。

道，子神仙者矣。」以其月二十八日中時授太上道德經，則是以昭王癸丑年五月壬午去周，十二月二十五日度關，二十八日授經。自殷武丁庚辰年生，至紂二十一年丁卯文王受命，凡一百八年。至昭王二十五年癸丑，又一百七年。通前二百十五年，乃西度關，史記云「老子在代二百餘年，乃入流沙」是也。四曰示見神通者。老君御車人徐甲本是枯骨，曝露草中，老君因見哀之，以太玄生符投之，遂化爲人，隨老君周遊二百餘年。老君約云：「日雇百金，往至大秦、安息，以黄金併償之。」甲至關，悦一婦人，不欲隨老君西去，遂作牒詣喜，以訟老君，索日雇之直。老君謂甲曰：「爾本枯骨，我以太玄生符救爾，所以爲人。今還我符，當償爾金也。」言訖，符從甲口中出，甲復化爲枯骨。喜見之驚怖，爲叩頭請謝，願乞恕之。老君又以符投之，甲乃復舊。尹喜見此神變，彌加勤敬也。五曰同還樓觀者。喜爲關令，即函谷關也。在陝州桃林縣南十二里，今有故關墟。大唐天寶元年壬午正月七日，老君於丹鳳樓降見，告陳王府參軍田同秀，出天寶靈符，云在函谷古關尹喜舊宅。敕道士及内臣往求之於枯桑下，有紫雲白兔之瑞，掘獲石函，得天寶靈符於其地，大赦天下，改桃林縣爲靈寶縣。於其地置靈符觀，御製御書碑銘，今存焉。尹喜以二十八日受道德二經，後乃與老君同自函關歸盩屋終南山之陰尹喜所居之宅，宅即喜結草爲樓，觀星望氣之所。其宅尹喜昇天之後，相傳謂之樓觀。周穆王招隱士杜沖與喜弟軌居之，有老君車板及支革樹。秦漢累朝謁板，始皇墨跡皆存焉。六曰昇入太微者。老君與尹喜說經，及授九丹諸訣畢，以昭王二十六年甲寅四月於喜宅南山上，昇入太微。西昇經云〔一〕：「說經畢，忽失老君所在。斯須館舍光炎，五色玄黄，喜出中庭叩頭曰：『願神人復一見，示以一要，得以守元。』忽見金人存亡怳惚，老少無常，重謂喜曰：『除垢止念，靜心守一；衆垢除，萬事畢。吾道之要也。』」七曰約會青羊者。老君將昇太微，謂尹喜曰：「千日功成，求我於蜀青羊之肆也。」喜遂稱疾棄位，除垢止念，靜心守一。至昭王二十九年丁巳入蜀，見老君於青羊之肆也。其青羊肆在成都縣西南五里，前臨大江，古老所傳，常有靈應。以中和二年壬寅，僖宗皇帝駐蹕在蜀，因獲靈甎古篆。符瑞喜動行朝，皇帝駕幸其所，致禮瞻敬，敕置青羊宫。其甎篆文曰「太上平中和災」六字。自獲甎之後，明年收復長安，後年駕迴京闕矣。八曰俱化西極者。尹喜三年之後，千日功成，以丁巳年入蜀，於青羊肆見老君。老君與喜自蜀川乘雲駕，遊天水，昇三洞，歷九天，然後西化流沙八十餘國矣。中和二年九月十二日，以獲甎符瑞，下敕曰：「昔者，聖祖

〔一〕「西昇經云」，内容見於今西昇經卷下。

玄元皇帝與弟子文始先生講真經於樓觀之臺，約後會於青羊之肆，共乘雲駕，俱化流沙，仙記傳聞，地圖標載。自周昭洎于此日，曆數約二千年，景象寂寥，蹤基牢落〔一〕。今因翠華巡幸，玄〔二〕既昭彰，珠〔三〕光跳躍於庭前，靈篆申明於樹下，甎含古色，字驗休徵。中和之災害欲平，厚地之禎符乃見。足表玄穹降祉〔四〕，太上垂祥，將殲大盜之兵戈，永耀中興之事業。宜模〔五〕勒文字，告示諸道及軍前，仍於其地賜内外行庫錢。置青羊宫，以旌符瑞。編付史館者，即流沙西化，益彰明驗矣。」著者，表記也，亦述作之謂也。今詳此經，乃帝舜時説，已曾授舜，今重授喜，非時著述也。

〔一〕「蹤基牢落」，宋謝守灝混元聖紀卷九作「基蹤牢落」。

〔二〕「玄」，混元聖紀卷九作「靈」。

〔三〕「珠」，混元聖紀卷九、猶龍傳卷六大唐聖祖下作「殊」，混元聖紀述：「八月二十九日戊辰，宗室李特立命道士李無爲於成都青羊肆玄中觀設醮，忽見紅光如毬，出於殿基東南竹林中，跳躑入殿西梅樹下，忽不見。遂穿其地，入三尺許，乃得甎一口，長一尺一寸五分，闊七寸四分，一邊厚一寸三分，有花紋，一邊厚一寸八分，重一十二斤，有古篆六字，各方二寸，深三分，鐫刻瑩潔，迨非人工。其文曰：太上平中和災。」據此，「殊」字似更恰。

〔四〕「祉」，混元聖紀卷九作「佑」。

〔五〕「模」，原作「摸」，據混元聖紀卷九、猶龍傳卷六大唐聖祖下改。

疏：於是演二篇焉。

【義曰】於是者，發句之端也。演者，廣暢之理也。二篇者，指道德二經也。王子年拾遺記曰：「老君居景室之山，與世人絶迹。唯老叟五人，或乘鳴鶴，或著羽衣，共譚天地之數。所撰書經垂十萬言。有浮提國獻善書二人，乍老乍少，隱形則出影，聞聲則藏形。時出金壺器中有黑汁，狀若淳漆，灑木石皆成篆隸科斗之字，記造化人倫之始。老君所撰經，皆寫以玉牒，級以金繩，貯以玉函。及金壺汁盡，二人乃欲刳心瀝血以代墨焉。」此乃洛州景山太室、少室也。所説九變、長生等經，有百萬篇，多藏名山石室，秘而未行。今所出者，約六千卷，皆經國之微言，濟生之大用，則非止道德二篇而已。今明此二經，是函谷間所授尹喜之經耳。

疏：明道德生畜之源，罔不盡此，

【義曰】道生德畜，爲化之本也。一切之法，因道而生，故云源也。亦喻泉源能流其水，無有窮竭。罔，無也。言此經所載法源化本，無所不盡而無窮也。

疏：其要在乎理身理國。

【義曰】文子通玄真經曰：「道德者，匡邪以爲正，振亂以爲理〔一〕，化淫敗以爲朴，淳

〔一〕「匡邪以爲正，振亂以爲理」，通玄真經卷五作「匡衰以爲正，振亂以爲治」。

德復生，天下安寧。」此道德之理國也。道德務者，百禍不能罹，險阻不能危，刑罰不能加，謗讟不能隨。代悖而不謬，代泥而不污，人惑而不疑，人欺而不詐，人善而不悦，人懼而不怖，内存其真，外和其人，享無窮之壽，而上賓于天。此道德理身也。

疏：理國則絶矜尚，棄〔一〕華薄，以無爲不言爲教：

【義曰】〔二〕文子問老君曰：「理國之本如何？」老君曰：「本在理身也。未聞身理而國亂，身亂而國理者。夫理國者静以修身，全以養生，則下不擾。下不擾則人不怨。爲理之本，在於足用；足用之本，在於勿奪；勿奪之本，在於省事；省事之本，在於節用之本，在於去就；去就之本，在於無爲。」夫天致其高，地致其厚，日月照，星辰期，陰陽和，非有爲也。正其道而物自然化也，此乃絶矜尚，棄華薄，無爲不言之旨也。」下經首章曰「大丈夫處其厚不處其薄，居其實不居其華」是也，上經第二章曰「是以聖人處無爲之事，行不言之教」是也。教者，訓教於人，可以垂訓於永久也。論語云「子以四教」，詩序云「教以化之」是也。易云「聖人以神道設教」，言教者，以教於人。而世之衆教皆以有執有爲爲本，今老君此教以無爲不言爲化，故爲衆教所尊、理道所貴也。

〔一〕「棄」，唐玄宗御製道德真經疏之釋題無。

〔二〕「義曰」，本段中文子和老子的對話也見於宋謝守灝編混元聖紀卷六。

道德真經廣聖義卷之四

唐　廣成先生杜光庭　述

釋御疏序下

疏：理身則少私寡欲，以虛心實腹爲務。

【義曰】少私寡欲、虛心實腹者，上經第十九章云「見素抱朴，少私寡欲」，上經第三章云「虛其心，實其腹」也。及上所引經文，並解在正經中，向下當辯。務者，總事之名也。君子有常務，論語云「君子務本」是也。

疏：此其要旨，可得而言也〔一〕。

【義曰】要謂機要，旨謂指歸。此經乃理身之指歸，理國之機要。可以言述，固得而

〔一〕「此其要旨，可得而言也」，唐玄宗御製道德真經疏釋題作「此其大旨也」。

言也。

疏：及乎窮理盡性，閉緣息想，

【義曰】易云「窮理盡性，以至於命」，窮者，窮極萬物深妙之理，究盡生靈所禀之性。物理既窮，生性又盡，以至於一也。又解云：窮理者，極其玄理。盡性者，究其真性。玄理真性，考幽洞深，可以神鑒，不可以言詮也。閉緣息想者，隨境生欲，謂之緣；因心繫念，謂之想。於此門中分爲四別。一曰意隨善境而生善欲，謂之善緣；二曰意隨惡境而生惡欲，謂之惡緣；三曰心繫善念而生善想；四曰心繫惡念而生惡想。雖同因境所起，分爲善惡。夫初修道者既閉惡緣，又息惡想，以降其心，心澄氣定，想念真正，稍入道分，善緣善想，亦復忘之。窮達妙理，了盡真性，想緣俱忘，乃可得道。故云「窮理盡性，閉緣息想」也。

疏：處實行權，

【義曰】處者，居也。實者，真諦、玄微，所謂妙本之道也，大乘之趣也。權者，因事制宜，隨俗立教，謂中乘之道以誘開悟，亦猶理國理身之旨。先資權教，後入大道。實教者，上經第三十五章云「執大象，天下往」，又云「吾將鎮之以無名之樸」，又云「自古及今，其名不去」是也。權教者，上經第三十六章云「將欲歙之，必固張之；將欲廢之，必固與之」是也。

疏：坐忘遺照，

【義曰】坐忘者，隳肢體，黜聰明，遺形去智，以至乎大通。謂之坐忘。至道深微，不可以言宣，止可以心照。既因照得悟，其照亦忘，故曰「坐忘遺照」。此皆大乘之道也。

疏：損之又損，玄之又玄，殆不可得而言傳者也。

【義曰】爲道之人遺麤達妙，損之又損，漸入玄微。玄之又玄，即階真趣。下經第四十八章云「損之又損之，以至於無爲」，上經首章云「玄之又玄，衆妙之門」是也。此乃得之於玄會，契之於無爲，非文字能詮，非言句能述。老君曰：「道若可獻，則臣獻於君。道若可傳，則父傳於子。」斯固非可言傳也。損者，毁滅之謂也。玄者，深微之謂也。

疏：其教圓，

【義曰】行有五教，分爲五別。一曰挫鋭解紛，和光同塵，初教也。二曰見素抱朴，虚心實腹，漸教也。三曰外其身而身存，後其身而身先，半教也。四曰損之又損之，以至於無爲，無爲而無不爲，則無不理，滿教也。五曰澹然常存，用之不勤，天地有終，大道無變，圓教也。合此爲教，五者俱備，萬行總包，故曰「其教圓」。圓者，圓通一切，道無不在之謂也。

疏：其文約，

【義曰】約，限也，省也。不出二篇，包羅萬法，不曰約乎？

疏：其旨暢，

【義曰】暢，通也。「吾言甚易知，甚易行，言有宗，事有君」，不曰暢乎？

疏：其言邇。

【義曰】邇，近也。「以身觀身，以家觀家，不出户知天下，不窺牖見天道」，不曰邇乎？

疏：故遊其廊廡者，自以爲昇堂覩奥，

【義曰】廊，步廊也；廡，堂下也；奥，内也，西南隅謂之奥。言世儒之士、習道之人，始覩此經，自謂窮理盡性，以極玄微耳。

疏：及其研精覃思，然後知其於秋毫之端，萬分未得其一也。

【義曰】沉研鑽極，考情運思，探道之奥，極道之源，箋註詮疏，以求聖人之旨，所得之理逾少，聖人之意逾深。郭象曰：「秋毫之端細矣，又未得其萬分之一也。」秋毫者，兔秋所生之毛也。端者，末也。

疏：經曰「有物混成，先天地生。吾不知其名，字之曰道，强爲之名曰大」，

【義曰】此引上經第二十五章，以證妙道之名也。有物者，無中之有，恍惚之物也。混成者，天地未分，謂之混沌。天包於地，混混無端，天地浮載於水中，積聚於氣内，謂曰混元，以其道氣化生，分布形兆，乃爲天地。而道氣在天地之前，天地生道氣之後。故云「有物混成，先天地生」也。莊子曰：「大道者，未有天地，自古以固存。」吾者，老君自稱也。混成之狀，怳惚之象，先天先地，混然獨立，名號未彰，言語路絶。所以老君强爲立字，字之曰道，强爲立名，名之曰大。其道廣博，包裹天地，貫穿萬物，故名大道也。

疏：故知大道者，虚極妙本之强名，語〔一〕其通生也。

【義曰】夫道有情有信，無爲無形，可傳而不可授，可得而不可見，在太極之表而不爲高，在六極之下而不爲深。故謂爲虚極之妙本也。以其生天生地，神鬼神帝，故言其通生也。道者，通也；虚者，至無也；極者，至高也；妙者，至玄也；本者，化源也。

〔一〕「語」，唐玄宗御製道德真經疏之釋題作「名」。

疏：莊子曰「太初有無，無有無名者」，未立强名也。故經曰：「無名，天地之始。」

【義曰】莊子姓莊，名周，宋國蒙邑人也。當趙文王、齊宣王、梁惠王時，師長桑公子，受其微言，隱於抱犢山，服大丹昇天，署位爲太極韋編郎，入侍帝晨。嵇康云：「又師涓子，居世時爲漆園吏，著書三十三篇，皆言大道放曠無爲之理。」大唐天寶四載四月，封爲南華真人，所著書爲南華真經。此則引第十二天地篇也。太初者，未見氣也。有無無有無名者，無有故無名號也。此名未立强名之道以前，大道無名，强而名之，謂之道。强名之初，天地之始也。

疏：强名通生曰道，故經曰：「有名，萬物之母。」

【義曰】道，通也。通以一氣生化萬物，以生物故，故謂萬物之母。母，茂養之稱也。經云者，指此經首章之詞也，引此首章以證大道之名爾。

疏：莊子又曰：「物得以生謂之德。」

【義曰】莊子天地篇之文也。虚無不能生物，明物得虚無微妙之氣而能自生，是自得也。任其自得，故謂之德也。

疏：德，得也。言天地萬變，旁通品物，皆資妙本而以生成，得生爲德。

【義曰】德者，人之所得是也。夫三才萬物資道妙用各得生成，無不遂性，故謂之德。

旁通者，周遍之謂也；品物者，衆物也；資者，取也，用也；妙本者，道也。

疏：故經曰「道生之，德畜之」，

【義曰】此下經第十四章文也。引此正文，重明道德生畜之義，用合莊子「物得以生」之理。此明有以無爲本，無以有爲用。道德相須，爲上下二經之目也。

疏：則知道者德之體，德者道之用也。

【義曰】真實凝然之謂體，應變隨機之謂用，杳冥之道，變化生成，不見其迹，故謂之體也。言妙體也，莊子曰「其來無迹，其去無涯，無門無旁〔一〕，四達之皇皇」是也。因此妙體，展轉生死，生化之物，任乎自然，有生可見而不爲主，故謂之用。此妙用也，莊子曰「昭昭生於冥冥，有倫生於無形」是也。

疏：而經分上下也，

【義曰】冥冥之道，上也；昭昭之德，下也。大聖説經，本無道上德下之别。而詮釋之家，强爲箋解，言道非德無以顯，德非道無以明。道無爲無形，故居化物之先；德有用有爲，故在生化之後。道居先，故處於上；德居後，故處於下。由是分上下二經，亦猶

〔一〕「其去無涯，無門無旁」，莊子外篇知北遊作「其往無涯，無門無房」。

天清而居上，地濁而處下爾。

疏：先明道而德次之。

【義曰】妙無生妙有，由精以至麤。次者，亞也，先後之謂也。

疏：然體用之名可散也，

【義曰】精麤先後，可兩言之。體精而爲本，樸也；用麤而爲末，器也。故言散爾。

疏：體用之實不可散也。

【義曰】同契乎無，故不可散。散者，分別之謂也。雖因用而有分別，在生化終始，倚伏相須，詣理源實，故不可散。言萬形之殊，含妙道也。

疏：故經曰：「同出而異名，同謂之玄。」

【義曰】妙體妙用生於妙無，是同出也。由精而麤，是異名也。混而爲一，是同謂之玄也。

疏：語其出則分而爲二，咨其同則混而爲一，

【義曰】分而爲二者，體與用也；混而爲一者，歸妙本也。莊子曰：「巍巍乎，其終則復始也。」

疏：故曰可散而不可散也。

【義曰】體用雖異，是何〔一〕散也；相資而彰，不可散也。

疏：則上經曰「是謂玄德」，又曰「孔德之容」，又曰「德者同於德」，又曰「常德不離」，

【義曰】道經之中明此德者，則明道資於德也。

疏：下經曰「失道而後德」，又曰「反者道之動」，又曰「道生一」，又曰「大道甚夷」。

【義曰】德經之中明此道者，則明德宗於道也。

疏：是其體用互陳，遞明精要，

【義曰】道資於德，德宗於道，是互陳也。互者，交也，差也；陳者，布也。互觀其理，皆達精微，斯所謂不可散也。

疏：不必定名於上下也。

【義曰】外分道德之殊，而經有互陳之義，不可以道經爲上，德經爲下。今異之者，强而異之，非玄理精要之旨也。

疏：經者，徑也；

〔一〕「何」，即「可」。左傳襄公十年「則何謂正矣」陸德明釋文：「何或作可。」昭公七年「嗣吉何建」陸釋文：「本或作可建。」史記陸賈傳「王何乃比於漢」，説苑奉使篇「何」作「可」。

【義曰】習道之蹊路，登真之徑門。左丘明曰：「經者，不刊之書也。」精要之道，由徑而通。

疏：又常也，言通徑常行之道也。

【義曰】因經通道，斯道常明。故曰常也。因凡悟仙，自仙極果，垂文永劫，普度無窮，太平長生，皆由兹教。故云「通徑常行之道」也。

疏：每惟聖祖垂訓，貽厥孫謀，

【義曰】每，數也；惟，思也；訓，教也；貽，與也；厥，其也；謀，圖也。數思者，虔奉之義也。虔奉聖祖老君垂教之旨，與及聖孫，詩文王之什文王有聲篇云「貽厥孫謀，以燕翼子」，言武王能廣文王之聲，大其成功，而傳國於子孫。言玄元聖祖垂此無爲清静之訓，以及我唐子孫，與此帝圖，傳弘道化也。

疏：聽理之餘，伏勤講讀。

【義曰】天子垂拱南面，以聽天下之政。理亦政也。聽政之暇，講讀一經，亦猶乙夜觀書之義爾。臨文曰讀，演義曰講。既宣其文，復講其義，遂爲註疏焉。伏勤者，尋繹不輟之義也；餘，暇也。

疏：今復一二詮疏，

【義曰】詮，評也。講暢真義，評考玄微，一一敷陳，蓋得其理國修身、無爲清静之旨也。

疏：其要妙者，書不盡言，

【義曰】要，精要也；妙，玄妙也。精要玄妙，非書可傳。理絶於言議之間，故云「書不盡言」矣。易曰「書不盡言，言不盡意」，蓋無言之言，窮理之理，庶乎神洞幽賾，了悟忘言，此故非文字可詮評也。

疏：粗舉大綱，以裨助學者爾。

【義曰】粗，不精也，麤也，略也；裨，益也；助，佐也；綱，紘繩也。綱之上下有紘繩以總之，故張羅網者整其綱，猶衣之舉領耳。淮南子曰「舉其綱，萬目張」，斯乃總衆目之稱也。舉其大綱，衆目可見矣。言此疏可以佐益講學之人，開廣其聞見耳。竊惟天章焕赫，揭日月以齊光，聖藻精微，與乾坤而並運，深入自然之室，宏開衆妙之門。竦崑閬於詞峰，濬滄瀛於義海。滯邪者望風而懸解，忘返者悟教而知歸。真祖闡至妙於前，睿孫讚玄微於後。二聖垂作，萬古無倫，而猶申裨助之言，示謙沖之訓，益明聖旨矣。

疏：凡六卷。

【義曰】凡者，凡例之言，汎舉之謂也，春秋序曰「發凡以言例」也。上下二經，疏各三卷，亦粗明一生三之意。六者，陰數也；三者，陽數也。三以象乾，合乾爲坤，離之則爲陽，合之則爲陰，言此疏包天地乾坤之要，窮陰陽變化之微，故成六卷爾。又凡者，生上起下之名也。

道德真經廣聖義卷之五

唐　廣成先生杜光庭　述

釋疏題明道德義

【義曰】老子者，太上老君之内號也。釋解已具前篇。道經者，此經兩卷，上經以道爲目。夫化導群生，貫穿萬法，居衆法之首，故三皇尊其道焉；爲萬教之先，故大演虚其一焉。故一者道之數，道者一之本，下經云「道生一」是也。夫其道也，極虚通之妙致，窮化濟之神功，理貫生成，義該因果。縱之於己則物我兼忘，蕩之於懷則有無雙絶。道與德有相資相禀之義，故云道德經也。

今於道德義中分三門解釋。一者釋名無名，方了玄教。故經云「虚無常自然，强名字大道」。所以道義主無，理物有病，德義主有，理世無惑。故臧玄静云：「道者通物，以無爲義。」今就明之。道有三義，一理也，二導也，三通也。理者，理實虚無，以明善惡。導者，導執令忘，引凡入聖。通者，通生萬法，變通無壅。上經法陽象天數奇，故三十七章也。老君説經，本亦不執上經爲道，下經爲德。昔賢相承分判，故有道先德後。其間經文互相明證，具如序中矣。次道衰而後有德，德衰而後有五常，是明道德爲衆行之先、五常之本。故道經居先，而德經次之也。今依名釋道，即前序所謂「導也，通也，理也」。夫道德雙釋分三門者，一釋名，二明體，三明用。

釋名第一。道德玄絶，自應無名。開教引凡，强立稱謂，故寄彼無名之名者，宣彼正理，令識名之無名，方可了達玄教。强名道德，其義者何？臧玄静曰：「道以通物，以無爲義。德者不失，以有爲功。道無則能遣物有累，德有則能祛世空惑。」今明道三義者，理也，通也，導也；德三義者，得也，成也，不喪也。所謂理者，理實虚無，言一切皆無，故云道在一切有。解云理者，兼通善惡。善道亦名道，惡道亦名道，善惡性空，不乖此義。但惡道稱道，其意不然，正以徒類稱道，非關就理爲釋。若言隨事近理，此説不妨。所謂通者，謂能通生萬物，變通無壅。河上公云：「道，四通也。」所謂導者，導執令忘，引凡入聖。自然經云：「導末歸本。」本即真性，末即妄情也。德有三義，所謂德者，得於道果。太平經云：「德者，正相得也。」所謂成者，成濟衆生，令成極道。此就果爲名，亦資成空行就因者，經云「孰成之」。所謂不喪者，謂德不失也，故云不喪，太平經云「常德不喪」是也。此六義者，互可相通。西昇經云：「道德混沌，玄妙同也。」道中有德義者，昇玄經云：「德等無等等，無等是道也。」故云道有得義。道有成義者，河上公云：「非但生之，乃復長之成之。」道有不喪義者，既言常道，常即不喪也。德中又有理義者，生神經云「感應理常通」，應既是德，故得有理義也。德有通義者，河上公云：「德，一也。一至布氣而畜養之。」德有導義者，謂有開導之德，論語云「道之以德」是也。此就通門，則如前解矣。但道之言通，通無所通而無所不通；德之言得，得無所得而無所不得。故能忘己忘功，生物成物。今就此科更分五别：一依名釋者。前義也。二因待釋者。明非德無以言道，非道無以言德。道德相待，强立假名，故離道無德，離德無道，道是德義，德是道義。經云「長短相形」是也。三所表釋者。道德爲教，正表不道不德之理，所以説道則言「可道非常道」，明德則言「上德不德」，故不道不德爲道德之義。四無方釋者。正一德名有無量義，如因迹有成，並其義也。道無不在，名何言屬，故謂無方以釋其義。五無釋爲釋者。既以不爲名，亦以無義爲義。故自然之義，名無所有，原其所由，即是無義。

【義曰】〔一〕道者，因生以立稱；德者，從教以言名。道者德之通，德者道之功。有德故稱道，有道故稱德。德義取有體無爲言，道義取無通有爲說。陸先生經云「虛寂爲道體」，謂虛無不通，寂無不應也。臧玄静云「智慧爲道體，神通爲道用」也。又云：道德一體而具二義，一而不一，二而不二。二而不二，由一故二；一而不一，由二故一。不可說言，有體無體，有用無用。蓋是無體爲體，體而無體，無用爲用，用而無用。然則無一德非其體，無一用非其功。尋其體也，離空離有，非陰非陽，視聽不得，搏觸莫辯。尋其用也，能權能實，可左可右，以小容大，以大容小。體既無已，故不可思而議之；用又無功，故隨方不示見。今不異此，但知道德不同不異，而同而異，不異而異。用辯成差，不同而同，體論惟一。不異異者，經云「道生之，德畜之」也。不同同者，西昇經云「道德混沌，玄妙同」也。知不異而異，無所可異；不同而同，無所可同。無所可同，無所不同；無所可異，無所不異也。今更舉七義以通釋：一、本迹者。本則爲道，迹則爲德。本爲道者，以大智慧源常寂真身爲體；迹爲德者，以上德之君太上應身爲體。二、理教者。理則爲道，教則爲德。理爲道者，悟說正性爲體；

〔一〕按從「義曰」開始至本段結束，據文意應爲「明體第二」相關内容。疑文字有脱落。

教爲德者，悟説正經爲體。三、境智者。境則爲道，智則爲德。智理爲道體，理智爲德體。四、人法者。人則爲道，法則爲德。人爲道者，以本迹二身爲體；法爲德者，以理教二法爲體。五、生成者。生則爲道，成則爲德。道以應氣化生萬物，以應氣爲體。成爲德者，德以成就衆生，法教爲體。六、有無者。無則爲道，有則爲德。無則爲道，以因地空觀、果地空智爲體。有爲德者，以因地有觀、果地有智爲體。七、因果者。果則爲道，因則爲德。果爲道者，以果地萬德爲體；因爲德者，以因地萬行爲體。以上七義，互相交絡。二而不二，一而不一。是知道德爲正體，非果非因，非本非迹。不本不迹，而開本迹，欲明顯本由迹；不果不因，而開因果，欲令修因趣果。其餘五雙，不言自顯。

明義用第三。德是不有之有，既能理無，亦能理有；道是不無之無，既能理有，亦能理無。惑者謂玉貌金容，道爲實有。今明道是虚無，此即理於有惑。河上公云：「道者，空也。」王輔嗣云：「道者，無之謂也。」惑者或謂常道乃至上德，實是虚無。今明是以有德，此則除其無病，故經云「杳冥中有精」。此是一往相麤，聞名遣病，及其進悟，義則更深。明道之爲無，亦無此無，德之爲有，亦無此有。斯則無有無無，執病都盡，乃契重玄，方爲雙絶，故經云「仙道無不無、有不有〔一〕」也。此則道必資於德，德必稟於道。老君説經，亦不執言上卷爲道，下卷爲德。二經文義互相包含，後賢相傳，强分其義，是則道經含德，德經含道，聖旨序内已具舉明。至於五千餘言，亦不確定其數。文質相半，義理兼通，不可局字數而妨文，剪文勢而就數，皆失其大旨也。司馬遷云「五千餘言」，則不定指五千字矣。其有删文約數，俯就四千九百九十九言，而云析「三十輻」字爲三十以滿五千字，此又膠柱刻舟，執迷不通也。

經字諸家所解，凡有四義：一由、二徑、三法、四常。一由者，三世天尊、十方大聖因由經教，證聖成真也。二徑者，開通道理，導達衆生，爲學者津梁，登真徑路也。三法者，真趣玄妙，至理精微，可以軌法群生，楷模衆聖也。四常者，妙理深遠，冥寂玄通，萬代百王不刊之典也。具兹四義，總稱爲經。或結氣成文，凝雲作篆，字方一丈，八角垂芒；或紫字瓊章，龍書鳳札，劫初降世，劫末歸天；或刻玉鎸金，竹木縑紙，流傳演化，篆隸隨時。雖復麤妙不同，皆玄聖之真訣，爲理病之良藥，乃出世之妙門。假使代變時移，金銷石化，而此經垂教，常布於人天，萬劫長存，故云經也。故題曰老

〔一〕「仙道無不無、有不有」，乃升玄經語，道教義樞卷八理教義引有該句，謂出自升玄經。

子道德經疏卷上之上。夫此二篇玄微，五千幽奥，統包萬法，冠冕衆經。而所説年代及過關時日、降生先後、宗趣指歸，諸家所説未爲準的。今别演四門，以祛所惑。

第一，重明降生者。老君至道之祖，元化之宗。長於上古而不爲先，生於末代而不爲後，況億劫之前即弘道化，豈復待胞胎誕孕而謂之生邪？今言降生者，蓋表跡人間，示有始也；託形聖母，示有生也；母事元君，示有尊也。今此按經誥前後，降生有三：一以上和七年庚寅之歲九月三日甲子，生於北玄女國天岡靈鏡山李谷之間，聖母曰玄虚之母。當生之時，三日出於東方，九龍吐水以浴其形。因李谷而爲姓，名玄元字子光，乃高上之胄，玉皇之胤，位爲長生大主太平正真太一君金闕後聖九玄帝君。今詳考其時，亦是劫運之前，朱靈、上和，前劫之年號也。二以殷武丁庚辰歲二月十五日卯時生於陳國苦縣瀨鄉，聖母曰玄妙玉女，乃上帝之師，後位爲元君。詳此，即是亳州降生年月也。據皇甫士安長曆所證甲子，仙公云「太歲丁卯下爲周師」，此即紂元年丁未二十一年丁卯，老君居岐山，爲周西伯之師，自武丁九年庚辰至紂丁卯，凡一百八年。又至昭王二十五年癸丑出關，一百七年。通計二百一十五年，司馬遷云「二百餘年」是也。惑者妄云平王、定王、幽王、厲王時老君降生，此皆曲説，信爲謬矣。何者？若幽厲平定時生，即不得與文王武王相見矣。三以老君自樓觀與尹喜辭訣，當昭王二十六年甲寅，約會於蜀青羊之肆，遂即降生於蜀，乃昭王二十九年丁巳。尹喜千日之後到蜀，重見老君之時也。三度降生，此義爲定。

第二，過關年代者。老君以周昭王二十五年癸丑度關西化，與關令尹喜相遇，因授以道德二經。授經既畢，即以二十六年甲寅四月於樓觀與喜相別，昇入太微。二十九年丁巳，尹喜入蜀，訪尋老君，乃於青羊肆相見。戊午年入流沙，即此過關年月也。何者？尹喜爲康王大夫，至昭王時爲關令，與老君相見。若據臧玄静云，幽王時西出隴關，即與出天寶靈符，故關處所不同矣。況幽王元年庚申、十一年庚午已滅，年内又無癸丑，此爲誤也。又文如海云，成王二十二年癸丑度關，此又與尹喜不得相見，亦爲誤矣。又云平王四十三年癸丑度關，此又在尹喜之後，年代懸遠不同，皆誤説耳。今詳按今古，以昭王二十五年癸丑度關爲定，年代相合，可無疑焉。

第三，説經時節者。葛仙公内傳云：黄帝時，老君爲廣成子，爲帝説道德經及五茄之法。又應號五聖圖及紀聖老君内傳云：老君舜時號尹壽子，居河陽，説道德經，教以孝悌之道。舜行之，退身讓物，尊道貴德，天下之人從而化之。所以舉十六族，竄四兇，達四聰，明四目，外撫百姓，内親九族，得道於蒼梧之野、九疑之山。又諸家所引皆言周昭王時癸丑之歲，於函谷關爲尹喜作道德二篇上下經焉。史記亦云老君爲關令尹喜著書五千餘言。又王子年拾遺云：老君周時居景室之山，常與五老人譚天地造化之事，著書十萬言，後删其繁蕪，作五千言矣。今按河上公授漢文帝上下二經章句，謂帝曰：余注是經以來千七百餘年，凡傳三人，連子四矣。勿示非其人。成玄英法師解曰：傳三人者，務光、羨門子、高丘子是也。以此詳之。莊子云湯伐桀，後讓位務光，務光不受，抱石自沈於清泠之泉。湯時務光既死，即授經在桀之前也。足明此經非是周昭王癸丑年及景室山中所著。又按黄帝書云「谷神不死，是謂玄牝」，全載此一章，則是黄帝時説經，所以黄帝著書，引此一章爾。又按年代推之，若是昭王時函關著經，至漢文帝時，未及一千年，則與注經以來數不同，益明此經是黄帝時及帝舜時説爲定矣。且帝舜在位六十餘年，一百一十二歲傳位於禹，禹子孫相承十七帝，四百七十一年，爲湯所伐。湯子孫相承二十一代，三十王六百四十四年，爲周所滅。周自武王至赧王，子孫相承四十一代，三十七王，八百六十九年，爲秦所并。秦昭襄王四十九年丁未，滅周，歷始皇，終子嬰，共四十五年，爲漢所伐。漢自高祖、惠帝、吕后至文帝元年，相繼二十八年。自舜至此凡計一千七百六十九年，則明説經在黄帝時，注經在舜時，非是函關特爲尹喜著此五千文明矣。穎鑒之士，宜詳之焉。

第四，宗趣指歸者〔一〕。道德尊經，包含衆義，指歸意趣，隨有君宗。河上公、嚴君平皆明理國之道，松靈仙人、魏代孫登、梁朝陶隱居、南齊顧歡皆明理身之道。符堅時羅什、後趙圖澄、梁武帝、梁道士竇略，皆明事理因果之道。梁朝道士孟智周、臧玄静、陳朝道士諸糅、隋朝道士劉進喜、唐朝道士成玄英、蔡子晃、黄玄賾、李榮、車玄弼、張惠超、黎元興，皆明重玄之道。何晏、鍾會、杜元凱、王輔嗣、張嗣、羊祐、盧氏、劉仁會，皆明虚極無爲、理家理國之道。此明注解之人意不同也。又諸家禀學立宗不同，嚴君平以虚玄爲宗，顧歡以無爲爲宗，孟智周、臧玄静以道德爲宗，梁武帝以非有非無爲宗，孫登以重玄爲宗。宗旨之中，孫氏爲妙矣。又此經以自然爲體，道德爲用。修之者於國則無爲無事，自致太平；於身則抱一守中，自登道果。得之者排空駕景，久視長生。於國失道德則必敗亡，於身喪道德則致淪滅。故在乎上士勤人抱之爲式也。又道德玄序開元二十一年〔二〕頒下，其所分別，上卷四九三十六章，法春夏秋冬，下卷五九四十五章，法金木水火土。則上卷從第一訖第九章以無形無名爲宗，明

〔一〕「宗趣指歸者」，該段部分内容元薛致玄道德真經藏室纂微開題科文疏卷五引及，文字總體同。

〔二〕「開元二十一年」，本經卷一叙經大意解疏序、道德真經疏外傳序均謂「以開元十一年躬爲注解」，故歷經十年。

春道；從第十訖第十八章，以〔一〕無知惚恍爲宗，明夏道；從十九訖第二十七章，以有精〔二〕有信爲宗，明秋道；從二十八訖三十六章，以凝重清静爲宗，明冬道。其下卷自第一盡第九章，明仁德；次第十盡十八章，明禮德；從第十九盡二十七章，明義德；從第二十八至三十六章，明智德；從三十七盡四十五章，明信德。仁以履虚抱一，禮以不恃不宰，義以柔弱和同，智以無識不肖，信以執契不争。其大旨亦以玄虚恢廓、沖寂希微爲宗體，强名則有五有四，契理則無執無爲。而譚講之家執文則多舛謬，古今所釋，獨學則或不周。今廣引衆文，窮其指當，明者詳採，則可明年代先後、宗趣是非矣。

〔一〕「以」，原無，據道德真經廣聖義節略之道德真經疏外傳序及前後文意增。
〔二〕「精」，道德真經疏外傳序作「情」。

道德真經廣聖義卷之六

唐　廣成先生杜光庭　述

道可道章第一

【疏】此章明妙本之由起、萬化之宗源。

【義曰】此者，斯也。章，明也，分判科段，使義理彰明。説文曰：「樂歌竟爲一章。章字從音從十，謂一至十，數之終。」謂書言章，蓋因風雅凡有件段，皆謂之章焉。明者，皎净之義，顯出之謂也。妙本者，道也。居經之首，明道之由。由，從也；起，興也。萬者，數之大也。化者，應變之謂也，言萬有變化，從道而興也。宗，主也；源，本也。萬化既從道而興，則知道爲萬化之宗本也。起自此章，出生諸法，如水之源，流注無竭也。

【疏】首標虚極之强名，將名衆妙之歸趣。

【義云】首者，元也，始也。爾雅云：「初、哉、首、基，始也。」標者，舉也。虚極，妙本也。强名，道也。此章先標可道爲體，可名爲用；末篇歸衆妙之門，攝迹歸本。趣，向也，復歸向於大道之本也。就此門中分爲七別。

一曰可道可名者，明體用也。

【義云】體用者，相資之義也，體無常體，用無常用，無用則體不彰，無體則用不立。或無或有，或實或權，或色或空，或名或象，互爲體用，轉以相明，是知體用是相明之義也。體者，形也，膚也；用者，資也，以也。

二曰無名有名者，明本迹也。

【義云】本迹者，相生之義也。有本則迹生，因迹以見本，無本則迹不可顯，無迹則本不可求，迹隨事而立，以爲本迹。本者，根也；迹者，末也。老君謂仲尼曰：「六經者，先王之陳迹也。」迹者，履之所出，而迹豈履哉？迹出於履，以迹爲履而復使人履之，愈失道矣。明迹爲末也。

三曰明有欲無欲者，明兩觀也。

【義云】觀者，所行之行也。以目所見爲觀，音官；以神所鑒爲觀，音貫。悉〔一〕見於

〔一〕「悉」，元劉惟永道德真經集義卷一引杜光庭廣聖義作「息」，當以「息」爲本字。

外，凝神於内，内照一心，外忘萬象，所謂觀也。爲習道之階，修真之漸，先資觀行，方[一]入妙門。夫道不可以名得，不可以形求，故以觀行爲修習之徑，謂有欲歸於死，無欲契於生也，是觀其生死歸趣不同矣。

四曰同出異名者，明樸散而爲器也。

【義云】大樸者，道也。道散爲神明，流爲日月，分爲五行，生爲萬物。器者，有形用也。易曰：「形而上者曰道也，形而下者曰器也。」

五曰同謂之玄者，明成器而復樸也。

【義云】神明、日月、五行、萬物，有形有器，皆合於道，故云復樸也。

六曰玄之又玄者，辯兼忘也。

【義云】爲器之時，必存[二]其樸，復樸之後，此樸亦忘，乃契於道爾。故謂玄之又玄也。兼忘者，器樸俱忘也。

[一]「方」，道德真經集義卷一引杜光庭廣聖義作「萬」。

[二]「存」，道德真經集義卷一引杜光庭廣聖義作「在」。

七曰衆妙之門者，示人〔一〕行了出也。

【義云】器樸兩忘，了然契道，復歸生化之始、衆妙之門也。人與萬物同禀於道，有爲有欲則失道傷生，除欲守和則歸根復本，是謂知〔二〕道要之門户也。了出者，出世也。

道可道，非常道；

【疏】道者，虚極妙本之强名也，訓通，訓徑。

【義曰】道者，至虚至極，非形非聲，後劫運而不爲終，先天地而不爲始。圓通澄寂，不始不終，聖人以通生之用可彰，尋迹而本可悟。故以通生之德，强名爲道也。

【疏】首〔三〕一字，標宗也。

【義曰】經首「道」之一字，標舉爲宗也。

【疏】可道者，言此妙本通生萬物，是萬物由徑，可稱爲道，故云可道。

【義曰】標宗一字，是無爲無形，道之體也；「可道」二字，是有生有化，道之用也。三

〔一〕「人」，唐玄宗御製道德真經疏卷一無，道德真經集義卷一引唐明皇疏也有「人」字。

〔二〕「知」，道德真經集義卷一引杜光庭廣聖義作「之」。

〔三〕「首」，原作「道」，據唐玄宗御製道德真經疏卷一、道德真經集義卷一引唐明皇疏改。

字之中，自立體用，體則妙不可極，用則廣不可量，故爲虚極之妙本也。

【疏】非常道者，妙本生化，用無定方，强爲之名，不可遍舉，故或大或逝，或遠或返，是不常於一道也，故云非常道。

【義曰】散爲萬物，不拘一方，故用無定方也。但宗一道，故明萬物皆資道化，故不在遍舉。高而無上，無不包容，大也。高而無上，不滯於上，大而無外，不滯於外，逝也。逝，往也。窮於無窮，無所不通，遠也。虚心守一，道復歸之，返也。返，還也。此引道經第二十五有物混成章，以證此義。以此推之，不常厥所，是謂非常道也。

名可名，非常名。

【注】道者，虚極之妙用；名者，物得之所稱。用可於物，故云可道；名生於用，故云可名。應用者〔一〕無方，則非常於一道；物殊而名異，故非常於一名。是則强名曰道，而道常無名也〔二〕。

〔一〕「者」，唐玄宗御注道德真經卷一、易縣唐碑本、道德真經集義卷一引唐明皇注作「且」。

〔二〕「道者，虚極之妙用」至「道常無名也」，在玄宗注中是對「道可道，非常道；名可名，非常名」整句的注。後文類似。

【疏】名者，稱也〔一〕，謂即物得道，用之名也。首一字，亦標宗也。

【義曰】名者，正言也。標宗一字，爲名之本；「可名」二字，爲名之迹。迹散在物，稱謂〔二〕萬殊，由迹歸本，乃合於道。是知道爲名之本，名爲道之末。本末相生，以成化也。

【疏】可名者，言名生於用，可與立名也。非常名者，在天則曰清，在地則曰寧，在神則曰靈，在谷則曰盈。得一雖不殊，約用則名異。是不常於一名，故云非常名也。

【義曰】無用則道凝，有用則名立。天得道垂象清明，地得道確然安靜，神得道變化不歇，谷得道盈滿無虧。此引下經第二章以明其義。名散無極，是爲非常名也。

無名，天地之始；

【疏】無名者，虛極妙本，未立强名也〔三〕。妙本之始，無有無名，從本降氣〔四〕，開闢天

〔一〕「也」，唐玄宗御製道德真經疏卷一、道德真經集義卷一引唐明皇疏無，故前後文作「名者稱謂」。

〔二〕「謂」，道德真經集義卷一引杜光庭廣聖義作「爲」。

〔三〕「虛極妙本，未立强名也」，唐玄宗御製道德真經疏卷一、道德真經集義卷一引唐明皇疏作「萬化未作，無强名也」，據道德真經集義卷一「虛極妙本，未立强名也」乃杜光庭廣聖義語。

〔四〕「從本降氣」，唐玄宗御製道德真經疏卷一作「但其妙本降氣」，道德真經集義卷一引杜光庭廣聖義作「從本降跡」。

地。天地相資以爲始〔一〕，故曰「無名，天地之始」。

【義曰】大道吐氣，布於虚無，爲天地之本始。無有無名者，莊子天地篇曰：「泰初有無，無有無名。」言泰初者，無之始也。無既無名，不可詰之以名〔二〕，混漠寂寥，邈爲化主，元氣資之以爲始，玄化禀之而得生，故曰「無名，天地始」。無名無氏，然後降迹，漸分〔三〕兆形，由此而天地生，氣象立矣。

【疏】易之「太極生兩儀，兩儀生三才，三才生萬物」。按爾雅云：「權輿，始也。」

【義曰】太極者，形質已具也。形質既具，遂分兩儀，人生其中，乃爲三才也。爾雅者，周公所造，以教成王多識鳥獸草木之名，通詁訓之指歸，辯同實而殊號者也。成九流之津梁，涉六藝之鈐鍵，學覽者之潭奥，擒翰者之華苑也。蓋興於中古，隆於漢氏。言中古者，亦五帝之後，三王之間。故易繫曰「作易者其在中古乎」。

〔一〕「始」，道德真經集義卷一引唐明皇疏作「本始」。
〔二〕「不可詰之以名」，道德真經集義卷一引杜光庭廣聖義此句前還有「不可詰之以道」句。
〔三〕「分」，原作「令」，據道德真經集義卷一引杜光庭廣聖義改。

有名，萬物之母。

【注】無名者，妙本也。妙本見氣，權輿天地，天地資始，故無名也。有名者[一]，應用匠成，茂養萬物，物得其養，故有名也。

【疏】有名者應用[二]，應用匠成，有强名也。萬化既作，品物生成，妙本旁通，以資人用，由其茂養，故謂之母也。母以茂養爲義，然則無名有名者，聖人約用以明本迹之同異，而道不繫於有名無名也。

【義曰】萬化者，舉其多也；品物者，衆物也。衆物之中，道無不在，秋毫之細，道亦居之。故能生三才，母萬物。萬物道存則生，道去則死，含養之至，不曰母乎？大道無異無同，無本無迹，强立言教，而本迹彰矣。

常無欲，以觀其妙；常有欲，以觀其徼。

【注】人生而静，天之性；感物而動，性之欲。若常守清静，解心釋神，反[三]照正性，

[一]「者」，易縣唐碑本該字後還有「應用也」三字，故前後句子爲「有名者，應用也。應用匠成，茂養萬物，物得其養，故有名也」更恰。

[二]「應用」，道德真經集義卷一引唐明皇疏作「無」。

[三]「反」，唐玄宗御注道德真經卷一、易縣唐碑本作「返」。

則觀乎妙本矣。若不性〔一〕其情，逐〔二〕欲而動，性失於欲，迷乎道源〔三〕，欲觀妙本，則見邊徼矣。

【疏】欲者性之動，謂逐境而生心也。言人常無欲，正性清静，反照道源，則觀見妙本矣。若常有欲，逐境生心，則性爲欲亂，以欲觀本，既失沖和，但見邊徼矣。徼，邊也〔四〕。

【義曰】夫機械之心藏於胸中，即純白不粹，神德不全，存身者不和，此有欲也。若欲害之心忘於中，即虎尾可履，而況於人乎？此無欲也。有欲者任耳目以視聽，勞心

〔一〕「性」，唐玄宗御注道德真經卷一作「正性」，道德真經玄德纂疏卷一作「静」，然易縣唐碑本、道德真經集義卷一引唐明皇注也作「性」。

〔二〕「逐」，原作「遂」，據唐玄宗御注道德真經卷一、易縣唐碑本、道德真經玄德纂疏卷一、道德真經集義卷一引唐明皇注改。「逐欲」在全經中多次出現。

〔三〕「源」，唐玄宗御注道德真經卷一作「原」。

〔四〕「邊也」，唐玄宗御製道德真經疏卷一及道德真經集義卷一引唐明皇疏該語後還有「又解曰：欲者思存之謂，言欲有所思存而立教也。常無欲者，謂法清静，離於言説，無所思存，則見道之微妙也。常有欲者，謂從本起用，因言立教，應物遂通，化成天下，則見衆之所歸趣矣。徼，歸也」。

慮以爲理，視聽逾[一]迷，爲理愈亂，可謂見邊徼矣；無欲者神合於虚，氣合於無，無所不達，無所不通，與天地同功，乃合乎大通[二]，可謂觀其妙矣。觀者，外以目周覽，内以神照微，目覽則辯乎有無，神照則契乎冥寂矣。「人生而静，天之性」者，樂記篇之詞也。言性本清静，無欲無營，爲物所感，因境生欲，感於外而動於内，得不慎其所感哉？故聖人制法以檢其邪，制禮以檢其亂，制刑以檢其過，制樂以檢其淫。以道制欲，所以教民之崇德務善也。

此兩者，同出而異名。

【注】如上兩者，皆本於道，故云同也。動出應用，隨用立名，則名異矣。

【疏】此，指上事也。兩者，謂可道可名、無名有名、無欲有欲，各自其兩，故云兩者。俱禀妙本，故云同出。自本而降，隨用立名，則名異也。

【義曰】夫一氣分而萬化生，形兆立而萬有作。三者之變，各而兩之，有出於無，斯之謂矣。道顯而名立，名立而欲生，此乃有道可言，有名可謂。有欲之機，興於此矣。

〔一〕「逾」，道德真經集義卷一引杜光庭廣聖義作「愈」。

〔二〕「通」，道德真經集義卷一引杜光庭廣聖義作「道」。

是迹從本而生也。若攝迹者棄欲忘名，復歸妙本，於道忘道，於名忘名，是謂還本矣。徇情者，逐欲忘本，以至淪滑，能返乎物初，可與言乎至道矣。

同謂之玄，

【注】出則名異，同則謂玄。玄，深妙也。

【疏】玄，深妙也。自出而論則名異，是從本而降迹也；自同而論則深妙，是攝迹以歸本也。歸本則深妙，故謂之玄。

【義曰】有欲無欲之人，同受氣於天地。禀中和滋液則賢聖而無爲，禀濁亂之氣則昏愚而多欲。苟能洗心易慮，澄欲含虛，則攝迹歸本之人也。人能修鍊，俗變淳和，則返樸之風可臻太古矣。

玄之又玄，衆妙之門。

【注】意因不生，則同乎玄妙。猶恐執玄爲滯，不至兼忘，故寄又玄以遣玄，示明無欲於無欲。能如此者，萬法由之而了〔一〕出，故云衆妙之門。

【疏】攝迹歸本，謂之深妙。若住斯妙，其迹復存，與彼異名，等無差別，故寄又玄以

〔一〕「了」，唐玄宗御注道德真經卷一作「自」。

遣玄，欲令不滯於玄，本迹兩忘，是名無住。無住則了出矣。注云意因者，西昇經云「同出異名色，各自生意因」，令〔一〕不生意因，是同於玄妙。無欲於無欲者，爲生欲心，故求無欲。欲求無欲，未〔二〕離欲心。既無有欲，亦無無欲，遣之又遣，可謂都忘。

【義曰】夫攝迹忘名，已得其妙，於妙恐滯，故復忘之，是本迹俱忘。又忘此忘，胳合乎道。有欲既遣，無欲亦忘，不滯有無，不執中道，是契〔三〕都忘之者爾。

【疏】正觀若斯，是爲衆妙。其妙雖衆，皆〔四〕出此門。故云衆妙之門也。

【義曰】衆妙門者，天門也。天門者，萬法所生之總名也。無有也，言萬物出乎無有，入乎無有，聚散隱顯，故有出入之名爾。徒有其名，實無其門，故謂之無爲之門，則無門也。「無門無房，四達之皇皇〔五〕」，是歸於妙道矣。正觀者，因修之漸，證道之階也。

〔一〕「令」，唐玄宗御製道德真經疏卷一、道德真經集義卷一引唐明皇疏作「今」。

〔二〕「未」，道德真經集義卷一引唐明皇疏作「本」。

〔三〕「契」，道德真經集義卷一引杜光庭廣聖義作「以」。

〔四〕「皆」，唐玄宗御製道德真經疏卷一作「若」。

〔五〕「無門無房，四達之皇皇」，見莊子外篇知北遊。

前所謂目見者，爲觀音官覽之觀也。神照者，觀音貫行之觀也。道以三乘之法，階級化人，從初發心，至于極道，捨凡證聖，故有一十四等觀行之門。小乘初門有三觀法：一曰假法觀，謂對持〔一〕也；二曰實法觀，謂心照也；三曰遍空觀，入無爲也。中乘法門觀行有四：一曰無常觀，二曰入常觀，三曰入非無常觀，四曰入非常觀。大乘門中觀行亦四：一曰妙有觀，二曰妙無觀，三曰重玄觀，四曰非重玄觀。聖行〔二〕門中復有三觀：一曰真空觀，二曰真洞觀，三曰真無觀。以此觀行，修錬其心，從有入無，階麤極妙，得妙而忘其妙，乃契於無爲之門爾。無爲有爲，可道常道，體用雙舉，其理甚明。今於體用門中，分爲五別。一曰以無爲體，以有爲用。可道爲體，道本無也；可名爲用，名涉有也。二曰以有爲體，以無爲用。室車器以有爲體，以無爲用，用其無也。三曰以無爲體，以無爲用，自然爲體，因緣爲用，此皆無也。四曰以有爲體，以有爲用，天地爲體，萬物爲用，此皆有也。五曰以非有非無爲體，非有非無爲用，道爲體，德爲用也。又於本迹門中，分爲二別。以無爲本，以有爲迹，無名有名也。以有爲

〔一〕「持」，道德真經集義卷一引杜光庭廣聖義作「待」。
〔二〕「行」，原作「何」，據道德真經集義卷一引杜光庭廣聖義改。

本，以無爲迹，互相明也，萬物自有而終歸於無也。夫以玄源澄寂，妙本杳冥，非言象可求，非無有可質，固亦討論理絶，擬議道窮，而設教引凡，示兹階級。然在於冥心感契，漸頓隨機，不可滯教執文，拘於學相。澡心浴德之士，勤乎勉哉。

道德真經廣聖義卷之七

唐　廣成先生杜光庭　述

天下皆知章第二

【疏】前章明妙本生化，入兩觀之不同；此章明樸散異名，因萬殊而逐境。逐境則流浪，善化則歸根，故首標美善妄情，次示有無傾奪，結以聖人之理，冀速還淳之由。

【義曰】夫悠悠衆趣，蠢蠢群生，涉境起情，去道逾遠。聖人憫其忘返，啓此妙門。前明兩觀之殊，自無而入有；此標六者之惑，因事以相傾。能知逐境之非，不隨流浪之變，則可以言虛心實腹之漸已矣。

天下皆知美之爲美，斯惡已；皆知善之爲善，斯不善已。

【注】美善者，生於欲心。心苟所欲，雖惡而美善矣。故云皆知己之所美爲美，所善

爲善。美善無主，俱是妄情，皆由分〔一〕執有無，分别難易，神奇臭腐，以相傾奪。大聖較量，深知虚妄，故云惡已。

【疏】天下者，舉大凡，言凡在天覆之下也。美者，心所甘美也；善者，身所履行也。言天下之人皆知己心所甘美者爲美，己身所履行者爲善。故論甘則忌辛，好丹則非素，共相傾奪，競〔二〕起是非，皆由興動於欲心，所以遞成乎美惡。聖人知美惡無主，俱〔三〕是妄情，妄〔四〕則不常，故云惡已。已，語助也。注云「神奇臭腐」者，莊子云「所美爲神奇，所惡爲臭腐」是也。

【義曰】天下之人知道者稀，常俗者衆；知修身者寡，徇物者多。皆知美善爲是，而莫能爲；皆知不善與惡爲非，而莫能改〔五〕。聖人歎之，故云惡已、不善已。夫戴仁仗

〔一〕「分」，唐玄宗御注道德真經卷一、易縣唐碑本、道德真經玄德纂疏卷一作「封」，道德真經集義卷五引唐明皇注作「對」。

〔二〕「競」，道德真經集義卷五引唐明皇疏作「竟」。

〔三〕「俱」，唐玄宗御製道德真經疏卷一、道德真經集義卷五引唐明皇疏作「但」。

〔四〕「妄」，唐玄宗御製道德真經疏卷一作「妄情」。

〔五〕「改」，道德真經集義卷五引杜光庭廣聖義作「革」。

義[一]，抱道守謙，忠孝君親，友悌骨肉，乃美善之行也，皆知之矣，而不能爲。反於此者乃不善之行也，皆知之矣，而不能革。況於修無爲之道乎？故可歎也。妄者，非真實之義也。因境起念，隨物生情，不守道循常，即爲妄矣。神奇臭腐者，莊子知[二]北遊篇：「黄帝謂知曰：萬物一也。是其所美者爲神奇，所惡者爲臭腐。臭腐復化爲神奇，神奇復化爲臭腐，故曰『通天下[三]之一氣』耳，聖人貴一也。」此明神奇臭腐，物之偏性，百氏殊學，九流異名[四]，遞執是非，互生臧否。理身理國者，能無爲任物，一以貫之，臭腐神奇，自然無二矣。

故有無之相生，

【疏】此明有無性空也。夫有不自有，因無而有，凡俗則以無生有；無不自無，因有而無，凡俗則以有生無。故云相生。而有無對法，本不相生，相生之名由妄執[五]，亦如

[一]「戴仁仗義」，原作「載仁伏義」，據道德真經集義卷五引杜光庭廣聖義改。
[二]「知」，原無，據道德真經集義卷五引杜光庭廣聖義及傳世文獻增。
[三]「下」，道德真經集義卷五引杜光庭廣聖義作「地」。
[四]「名」，道德真經集義卷五引杜光庭廣聖義作「門」。
[五]「執」，唐玄宗御製道德真經疏卷一、道德真經集義卷五引唐明皇疏該字後有「起」字。

美惡非自性生，是皆空。故聖人將欲救〔一〕其迷滯，是以歷言六者之惑。

【義曰】老君歎彼常徒迷乎正道，妄生封執，滯此幻情，故明此義，以袪其執。夫執者，着也。執有即斥無，執無即斥有，執難即斥易，執易即斥難，執短即斥長，執長即斥短，執高即斥下，執下即斥高，執後即斥前，執前即斥後。有此執故皆非究竟，故經云「執者失之」。但無偏執，自契中道，便入玄妙正觀之門矣。

難易之相成，

【疏】此明難易法空也。此以難，故彼成易；此以易，故彼成難。亦如工者易於木而難於埴，陶匠易於埴而難於木。故云難易之相〔二〕成。若同其所難則無易，同其所易則無難，難易無實，妄生名稱，是法空。故能了之者，巧拙兩忘，則難易名息，亦如美惡無定故也。

【義曰】夫難因於易，非易無以知其難；易因於難，非難無以彰其易。循環倚伏，遞爲之用。審而明之，於難無滯，於易無執，即可以語其齊物，通乎中道矣。工者，巧伎之

〔一〕「救」，道德真經集義卷五引唐明皇疏作「究」。

〔二〕「之相」，原作「於」，據唐玄宗御製道德真經疏卷一改，道德真經集義卷五引唐明皇疏也作「相」，也符合前後文體例。

稱也；陶者，和土爲器也。各擅其伎則爲易，更而使之爲難也。

長短之相形，

【疏】此明長短相空也。以長故形短，以短故形長。故云長短之相形。亦如鳬脛非短，以鶴之長，故續之則憂；鶴脛非長，因鳬脛之短，故斷之則悲。見短長相形，猶如美惡，既無定體，是皆妄情〔一〕。形相既空，名亦空，故特未定也〔二〕。

【義曰】夫物之形也，有短長之相；事之興也，有難易之法；化之起也，有有無之變。俱自然也。若拘常俗之見，則長者不得不長，短者不得不短。有無難易，亦在兹乎。滯之則爲執，通之則爲道。惟有道者能無滯爾。鳬鶴之喻亦莊子駢拇篇之辭也。謂各自有正，不可以此正彼而損益也。此斥世人不任自然之旨也。

高下之相傾，

【疏】此明高下名空也。高下兩名，互相傾奪。故稱高必因於下，又有高之者；稱下必因於高，又有下之者。又高則所高非高，又下則所下非下。如彼代間，凡諸名位，

〔一〕「情」，道德真經集義卷五引唐明皇疏作「生」。
〔二〕「形相既空，名亦空，故特未定也」，唐玄宗御製道德真經疏卷一無，道德真經集義卷五引唐明皇疏有。

遞爲臣妾，亦復無常，是皆空故，故無定位。

【義曰】夫高下之設，名形勢位，性智才業，萬殊之中，皆有高下，則不獨拘於名位也。但高忘其高，下忘其下，各安其分，守以天常，則無傾奪之事矣。臣者，男子之卑稱；妾者，女子之卑稱。卑伏於人，故稱臣妾。疏指名位之説，蓋以廣戒群情也。言尊卑之道，各安其分，不相傾奪，則保其始終，若棄卑而慕其尊名，厭下而圖其高位，不安素分，禍敗隨之。故經曰「知足不辱，知止不殆，可以長久」，可不戒乎？

音聲之相和，

【疏】此明和合空也。五音相和成曲者，誰總彼衆聲，則能度曲。如代間法皆和合成，即體非真，是皆空故。將欲定其美惡，豈云達觀之譚？

【義曰】夫天地噫氣而衆籟作焉，律吕合和而衆樂生焉。聲之作也，美惡隨之，故有安樂怨怒、哀思沾懘之别也。然此别者，人事强而隨之，政化因而應之。於達觀之士，忘其善惡矣。隨變責實，謂之妄情。美惡都忘，方爲達道。達道之士，雖天地之大，萬物之殷，猶無有也。樂記曰：「凡音之起，由人心生，心感於物，而形於聲，聲相應故成〔一〕變，變成方謂之音。比音而樂之，及干戚羽旄，謂之樂。故哀心感者，其聲

〔一〕「成」，禮記樂記作「生」。

噍以殺；樂心感者，其聲嘽以緩；喜心感者，其聲發以散；怒心感者，其聲粗以厲；敬心感者，其聲直以廉；愛心感者，其聲和以柔。是以先王慎其所以感，故禮以導其志，樂以和其心，政以壹[一]其行，刑以防其姦。禮樂刑政，其極一也。聲音之道，與政通矣。宫爲君，商爲臣，角爲民，徵爲事，羽爲物。五者不亂，則爲沾懘之音也。理世之音安以樂，其政和；亂世之音怨以怒，其政乖；亡國之音哀以思，其民困。宫亂則荒，其君驕；商亂則陂，其官壞；角亂則憂，其民怨；徵亂則哀，其事勤；羽亂則危，其財匱。五者皆亂，遞相凌，謂之慢。鄭衛者，亂世之音，比於慢。桑間濮上者，亡國之音，其政散，其民流。夫知聲而不知音者，禽獸也；知音而不知樂者，衆庶也。唯君子能知樂。審聲以知音，審音以知樂，審樂以知政；不知聲者不可以言音，不知音者不可與言樂。知樂者，幾於禮矣。子夏對魏文侯曰：「鄭音好濫淫志，宋音燕安溺志，衛音趣數煩志，齊音傲僻[二]驕志。四者害其德，非正聲也。」春秋：「晏子對齊景公曰：『先王之濟五味，以和五聲，以平其心，以成其政。聲亦如味矣。一曰氣，須氣以動

[一]「壹」，道德真經集義卷五引杜光庭廣聖義及傳世本禮記均作「一」。
[二]「僻」，原作「假」，據道德真經集義卷五引杜光庭廣聖義改，禮記樂記作「辟」。

也。二曰體，舞象文武也。三曰類，風雅頌也。四曰物，以四方之物成器也。五聲者，宫商角徵羽也。六律者，黄鍾、太簇、姑洗、蕤賓、夷則、無射也。六吕者，夾鍾、林鍾、仲吕、應鍾、南吕、大吕也。律主於陽，吕主於陰也。七音，武王伐紂所製也。自午及子，製七日爲七音。八風，八方之風也。東方曰明庶，東南曰清明，南曰景風，西南曰凉風，西方曰閶闔，西北曰不周，北方曰廣漠〔一〕，東北曰融風〔二〕也。九歌者，六府三事，九功之歌也。清濁小大、短長疾徐、哀樂剛柔、遲速高下，出入周疏〔三〕，以相成也，以相濟也。君子聽之，以平其心，心平德和。而後幾於道矣。』」〔四〕。舜作五絃之琴以歌南風，夔始製樂以賜諸侯理國之道。以音而知理亂。故吴公子季札歷聽三

〔一〕「廣漠」，傳世文獻闡述「八風」時多作「廣莫」，道德真經集義卷五引杜光庭廣聖義也作「廣莫」。

〔二〕「融風」，傳世文獻也作「條風」。

〔三〕「疏」，道德真經集義卷五引杜光庭廣聖義作「流」。

〔四〕春秋「晏子對齊景公曰」一段：原文在左傳昭公二十年：「先王之濟五味，和五聲也，以平其心，成其政也。聲亦如味。一氣，二體，三類，四物，五聲，六律，七音，八風，九歌，以相成也。清濁大小、短長疾徐、哀樂剛柔、遲速高下、出入周疏，以相濟也。君子聽之，以平其心，心平德和。」杜光庭義引述的同時多借鑒杜預注作了闡釋，其中「六律」「六吕」之名見吕氏春秋音律，「八風」見白虎通義卷六八風。

代古今之樂，而知其興廢也。修身之士，閉視反聽，以聽無聲，然後可與言道矣。

前後之相隨。

【注】六者相違，遞爲名稱。亦如美惡，非自性生，由是妄情，有此名故。

【疏】此明三時空〔一〕也。日夜相代，代故以新，如彼投足，孰爲前後？則前後之稱，由相隨立名。名由妄立，誰識其神〔二〕。過去未來及以見在三時空，故旋旋〔三〕遷改，亦美惡無定名也。

【義曰】前後之别，生於變動也。不變不動，誰後誰先。既有相隨，乃分前後。達觀之士，泯爾都忘。世間之法，彰其别爾。投足者，舉步之謂也。步之舉也，孰後孰初。明於此者，乃絶前後之競矣。老君傷憫世俗，流蕩不還，争起妄情，忘其中道，歷指六事，以化愚迷耳。夫中道者，非陰非陽，無偏名也。處天地之間，傲然自放，所遇而安，了無功名而反乎道本。雖堯桀之殊，生死之變，是非之别，壽夭之異，榮賤之隔，

〔一〕「三時空」，唐玄宗御製道德真經疏卷一作「三時念空」，道德真經集義卷五引唐明皇疏也作「三時空」。

〔二〕「誰識其神」，唐玄宗御製道德真經疏卷一、道德真經玄德纂疏卷一作「誰識其初」，道德真經集義卷五引唐明皇疏作「誰識其神」。

〔三〕「旋旋」，唐玄宗御製道德真經疏卷一、道德真經玄德纂疏卷一作「念念」。

哀樂之感動，古今之遞代，皆忘之也。不知堯桀之殊，忘美惡也；不知生死之變，忘有無也；不知是非之别，忘難易也；不知壽夭之異，忘長短也；不知榮賤之隔，忘高下也；不知哀樂之感動，忘音聲也；不知今古之遞代，忘前後也。處乎無是之鄉，立乎不疾之途，遭之而不違，過之而不守，調而應之以道〔一〕也，益之而不加益，損之而不加損。此了乎中道之士，忘前後之别，忘變動之機矣。

是以聖人處無爲之事，行不言之教，

【注】無爲之事，無事也，寄以事名，故云處。不言之教，忘言也，寄以教名，故云行。

【疏】是以者，説下以明上也。夫飾智詐者，雖拱默，非無爲也；任真〔二〕素者，雖終日指揮，而未始不宴然矣。故聖人知諸法性空，自無矜執，則理天下者當絶浮僞，任用純德，百姓化之，各安其分，安分則不擾，豈非無爲之事乎？言出於己，皆因天下之心，則終身言未嘗言，豈非不言之教邪？

【義曰】夫聖人者，與天地合其德，日月合其明，四時合其序，鬼神合其吉兇，謂之聖

〔一〕「調而應之以道」，道德真經集義卷五引杜光庭廣聖義作「調而應之以德，偶而應之以道」，更恰。

〔二〕「真」，原作「其」，據唐玄宗御製道德真經疏卷一、道德真經玄德纂疏卷一、道德真經集義卷五引唐明皇疏改。

人也。略而言之，凡有五種。一曰得道之聖，太上老君、諸天大聖是也。二曰有天下之位兼得仙之聖，伏羲、黄帝、顓頊、少昊、堯、舜是也。三曰有天下之位而無得仙之聖，殷湯、文、武是也，皆廓清六合，不言昇天矣。四曰博贍之聖，無天下之位，周公、孔子制作禮樂，垂範百王，而無九五之位，而皆具天地合德之美也。五曰有獨長之聖，而無博贍之名，亦不具上衆美者，謂伯牙、師文爲鼓琴之聖，子卿、綏明能碁之聖，鍾期、延州知音之聖，韓娥、秦青[一]謳歌之聖，龔叔、文摯智洞之聖，離朱、師曠視聽之聖，張芝、鍾繇草書之聖。今經中明者，指言理天下之聖也。理天下之聖，垂衣裳恭己南面而已矣。何爲哉？所謂「處無爲之事」也。原天地之美，達萬物之理，順四時之行，君無爲於上，物自化於下，可謂行不言之教也。理國如此，則人安其居，樂其俗，與道合矣。

萬物作而不辭。

【注】令萬物各自得其動作，而不辭謝於聖人也。

【疏】作猶動作也；辭，謂辭謝也。言聖人善化，無事無爲，百姓不知，爰遊爰豫，各自

〔一〕「青」，道德真經集義卷五引杜光庭廣聖義作「清」。

得其動作，而不辭謝於聖人。故擊壤鼓腹而忘帝力，此人忘聖功也。

【義曰】聖人之於萬物也，萬物自古而固存，豈待爲之而後存哉？物自得其生育動作也。「爰遊爰豫」，太玄經之詞。言上既無爲，其下自遂，故閑暇也。擊壤者，壤，土也。莊子馬蹄篇云：「赫胥氏之時，民含哺而嬉〔一〕，鼓腹而遊也。」不知帝力者，王充論衡曰：「堯之爲君，蕩蕩乎，人無得而名。有年五十者，擊壤於路，鼓腹而遊，歌曰：『鑿井而飲，耕田而食。日出而作，日入而息，帝力何〔二〕有於我？』」此衆庶之忘聖功也。

生而不有，爲而不恃，功成不居。

【注】令物各遂其性〔三〕，不爲己有，各得所爲而不負恃。如此，太平之功成矣。猶當「日慎一日」，不敢寧居。

【疏】令物各得成全其生理，聖人不以爲己有；令物各得其營爲，聖人不恃爲己功。如此，太平之功弘濟日遠，猶宜慎終如始，不敢寧居。此聖人自忘其功也。注云「日慎一日」，不敢寧居。

〔一〕「嬉」，莊子馬蹄作「熙」。

〔二〕「力何」，道德真經集義卷五引杜光庭廣聖義作「何力」。

〔三〕「性」，唐玄宗御注道德真經卷一、易縣唐碑本、道德真經玄德纂疏卷一作「生」。

慎一日」，尚書文也。

【義曰】夫聖人處物，不傷於物，物遂其生；物遂其生，聖人不有之而恃其功，任自然也，處至順也。夫功者，王功曰勳，輔成王業若周公也；國功曰功，保全國家若伊尹也；民功曰庸，施法於民若后稷也；事功曰勞，以勞定國若夏禹也；理功曰績，制法成理若咎繇也；戰功曰多，剋敵出奇若韓信也；生成萬物者玄功也，其功深遠曰玄也。功成而不居，所以全無爲之功也。「日慎一日」，以具疏解，言聖人有及〔一〕物之功，不自伐自恃，惟恐失其所，以隳其功，故日加畏慎，不敢寧息爾。寧，安也；慎，謹也。聖人無爲，其功廣大，物遂其性，不失其宜。天清於上，地寧於下，四海平一，泰然而寧，是太平之謂也。

夫唯不居，是以不去。

【注】夫唯不敢寧居而增修其德者，則忘功而功存，故不居而不去。

【疏】彼聖人者，「稠直如髮」，慎終如始，本末不衰，未嘗寧居而逸豫。是以日新其盛德，忘功而功不去，光宅而天下安。故云「夫唯不居，是以不去」。

〔一〕「及」，原作「反」，據道德真經集義卷五引杜光庭廣聖義改。

【義曰】夫唯者，發句之語也。謂上不有不居之事也。夫聖人威加四夷〔一〕而不爲有，澤被萬物而不爲惠，功濟〔二〕天下而不爲己，德冠四海〔三〕而不爲主，忘懷於至道，合志於虛無，處上而人不重，處前而人不害，天下樂推而不厭。故其德〔四〕不去矣。王者不妄於喜怒，則刑賞不濫，金革不起矣；不妄於求取，則賦斂不厚，供億不繁矣；不妄於愛惡，則用捨必當，賢不肖別矣；不妄於近侍，則左右前後皆正人矣；不妄於土地，則兵革不出，士卒不勞矣；不妄於萬姓，則天下安矣。物得其分，不恃其功，無爲不恃之利。信哉博矣。「稠〔五〕直如髮」者，詩小雅都人士篇之詞也。言情性密緻，操行正直，如髮之本末無降〔六〕殺也。

〔一〕「夷」，道德真經集義卷五引杜光庭廣聖義作「海」。
〔二〕「濟」，道德真經集義卷五引杜光庭廣聖義作「格」。
〔三〕「海」，道德真經集義卷五引杜光庭廣聖義作「時」。
〔四〕「德」，道德真經集義卷五引杜光庭廣聖義作「志」。
〔五〕「稠」，傳世詩經作「綢」。
〔六〕「降」，道德真經集義卷五引杜光庭廣聖義作「隆」。

道德真經廣聖義卷之八

唐　廣成先生杜光庭　述

不尚賢章第三[一]

【疏】前章明萬殊逐境，善化則歸根；此章明貴上[二]不行，無爲則至理。首標不尚，絶矜衒之跡；次云聖理，示立教之方；結以無爲，明化成而復樸也。

【義曰】夫聖人爲理，賢人輔之，魚水相資，安得不用？上自三五之主，至于霸王之君，開國建功，仗賢爲本。不尚者，矜衒誇衒之行也。賢人用則人自理，矜衒用則怨

〔一〕「三」，原作「二」，誤。

〔二〕「上」，唐玄宗御製道德真經疏卷一、道德真經集義卷七引唐明皇疏、敦煌文書伯三五九二道德經玄宗疏作「尚」。

争興。不尚矜誇自無怨争，不貴乎麗容珍貨則人無貪求，乃合乎聖人虚心實腹、無知無欲之尚矣。

不尚賢，使民不争；

【注】尚賢有迹，徇〔一〕迹則争興。使賢不肖各當其分，則無争矣。

【疏】尚，崇貴也；賢，才能也。人君崇貴才能則有徇迹，徇迹則失真〔二〕，失真必是尚賢之由，徇迹〔三〕起交争之弊。不若陶之玄化，任以無爲，使雲自從龍，風常從〔四〕虎，則唐虞在位〔五〕，不乏元凱之臣；伊吕昇朝，自得台衡之望。各當其分，人無覬覦，則不争也。

〔一〕「徇」，道德真經集義卷七引唐明皇注作「循」。

〔二〕「人君崇貴才能則有徇迹，徇迹則失真」，唐玄宗御製道德真經疏卷一、道德真經玄德纂疏卷一、伯三五九二道德經玄宗疏作「人君崇貴才能則有迹，飾僞者徇迹而失真」，道德真經集義卷七引唐明皇疏作「君崇貴才能則有迹，徇迹而失真」。

〔三〕「迹」，唐玄宗御製道德真經疏卷一該字後有「定」字。

〔四〕「從」，唐玄宗御製道德真經疏卷一、道德真經集義卷七引唐明皇疏、伯三五九二作「隨」。

〔五〕「位」，唐玄宗御製道德真經疏卷一、伯三五九二作「上」。

【義曰】徇迹者，矯妄之謂也。尚賢之旨既興，矯妄之人必至。何者？賢難知也。詐而疑信，佞而疑忠，豈易辯〔一〕哉？經云「智慧出，有大僞」，是則上好智，下應之以僞，上好賢，下應之以妄。不若正身率下，無爲御人，陶以太和，化以清静，則佐理之賢，則爲其用矣，乃雲龍風虎之謂也。「雲從龍風從虎」者，易乾卦孔子解九五之辭，「九五，飛龍在天」，能廣〔二〕感衆物，故叙「水流濕，火就燥，雲從龍，風從虎」，各隨其類，自相應感。以況帝王昇九五之位，萬國來庭云。「聖人作而萬物覩，本乎天者親上，本乎地者親下」，此言水是陰，若流於地，必就濕處；火是陽，若焚於薪，必就燥處。言此二物無識無情，爲氣相感，尚猶如此。又龍是水畜，雲是水氣，龍吟則景雲起；虎是威猛之獸，風是振動之物，虎嘯則谷風生。此二物是有識有情，與無識無情者因氣類同，亦相感如此。況聖人降世，飛龍在天，聖賢相須，萬物交感，故廣陳其事爾。唐堯在位者，帝堯號陶唐氏，姓伊祁，名放勛，帝嚳之子，母曰慶都，帝嚳之次妃，感赤龍而有孕，十四月而生堯。幼有聖德，十六歲以唐侯即位。七十年，都於冀，年八十六。

〔一〕「辯」，道德真經集義卷七引杜光庭廣聖義作「辨」。

〔二〕「廣」，道德真經廣聖義節略作「應」。

知子丹朱不肖，明揚側陋，廣求有德，遂舉舜而歷試之，聘以二女，用觀其德。二年，禪舜。舜即位二十八年，而堯崩。堯壽一百一十七歲，葬於濟陰成陽里中。諡法曰：「翊善傳聖曰堯。」帝舜有虞氏，顓頊之後，喬牛之孫，瞽叟之子，母曰握登。見大虹，意感而孕，生舜於姚丘，因爲姚氏，名重華。以孝聞，舉用歷試二年，乃即帝位。二十八年而堯崩，舜年三十而徵用，歷試二年，攝位二十八年，服喪三年，爲天子五十年，巡狩南方，死於蒼梧之野，壽一百一十二年。命禹嗣位，葬於九疑之零陵。舜以其子商均不肖，不傳位於子。舜既入蒼梧不返，二妃望之，蒼梧九峰處處相似，不知求舜之處，望皆疑之，泣竹皆斑，故號其山爲九疑。書云舜「陟方乃死」，史云「舜登遐」，蓋言舜昇於高遠之處，而遂不迴。道學傳云：「堯爲太微真君，舜爲太極真君。」九疑山記云：「舜時降於山中。」此乃皆證位高真，差肩大聖，是則得道登遐，而爲神仙明矣。昔魚鳧遊於湔山，飄然飛翥；望帝居於石紐，遽致超騰；軒皇昇龍於鼎湖，夏禹乘飆於鏡水。莊子大宗師云：「狶韋氏得之以挈天地，伏羲氏得之以襲氣母，黄帝得之以登雲天，顓頊得之以處玄宮。」所以神農司於南極，殷湯莅於北玄，武丁位爲紫府，陽甲位爲蒼元，文王位爲太虛，武王位爲太平，康王位爲少華，穆王位爲九元，漢景位爲太一，漢文位爲通玄，八帝位爲八魁，漢武位爲玄成，此皆理國之君，登真得道，上列真官之任。則堯舜登仙，固其宜矣。元凱之臣者，即八元八愷〔一〕也。昔高辛氏有才子八人：伯奮、仲堪、叔獻、季仲、伯虎、仲熊、叔豹、季狸〔二〕，忠肅恭懿，宣慈惠和，天下之人謂之八元。肅，敬也；懿，美也；宣，遍也；元，善也。高陽氏有才子八人：蒼舒、隤敳、檮戭、大臨、龍〔三〕降、庭堅、仲容、叔達，齊聖廣淵，明允篤誠，天下之人謂之八凱。齊，中也；淵，深也；允，信也；篤，厚也；愷，和也。此十六族，世濟〔四〕其美，不隕其名。堯不信用，舉舜爲堯臣，舉八元使布五教於四方。五教者，父義、母慈、兄友、弟恭、子孝，内平外成。高辛帝之後，八元其苗裔也，乃稷、契、朱、虎、熊、羆之倫也。舉八愷使主后土，乃揆百事，莫不時叙，地平天成。高陽顓頊之號，八愷其苗裔也，及倕、禹、咎繇、益之倫也。咎繇字庭堅是矣。卨作司徒，五教在寬，卨在八元中矣；禹作司空，平水土，后土地官，禹在八愷中也。内平者，内諸夏也；外成者，外戎

〔一〕「愷」，道德真經集義卷七引杜光庭廣聖義作「凱」。杜光庭「八元八凱」的叙述與春秋左氏傳文公十八年總體相同。

〔二〕「季狸」，漢書古今人表作「季熊」。

〔三〕「龍」，傳世文獻多作「龙」，然道德真經集義卷七引杜光庭廣聖義也作「龍」。

〔四〕「濟」，道德真經集義卷七引杜光庭廣聖義作「齊」。

狄也。舜舉十六族而天下理，外内和平，此春秋文公十八年莒僕弒其君而奔魯，季孫行父使史克引此事以諫魯宣公也。伊吕者，伊即伊尹，生於伊水之上空桑之中，佐殷爲相，以輔太甲，謂之阿衡。其先伊摯佐湯立社稷，致太平。伊尹之子伊陟佐太甲之孫太戊。三臣之勲，著於殷朝也。吕者，太公望也。姓姜字子牙，釣於磻磎，獲大魚剖之，得玉璜，中有兵鈐，子牙習之，年逾八十。周文王卜畋渭濱，其繇曰：「非熊非羆，唯王者師。」遂畋，獲子牙，載之以歸。後以兵謀，佐武王克殷，肇興周業。初封於吕，或封於甫。故尚書穆王之時有吕侯，或云甫侯是其後也。太公既克紂，乃封國於齊，召康公命太公曰：「五侯九霸，汝實征之，以夾輔周室。賜太公之履，東至于海，西至于河，南至于穆陵，北至于無棣〔一〕。」後桓公小白爲諸侯盟主。至春秋之末，其臣田和遂遷齊康公于海上，乃奪其國焉。台衡之望者，天子置三公之官，以象〔二〕三台。三台六官者，太尉、司徒、司空、太師、太傅、太保也。三台六星，上中下台各二星，在紫微之南，以拱衛帝座，起文昌，抵太微。天階主三公九卿士庶，九州色明而行列相類，

〔一〕「棣」，傳世左傳多作「棣」。

〔二〕「象」，道德真經廣聖義節略卷一作「相」。

則君臣和，法令平。從上台至中台十六度，中台至下台十六度，二星間相去半度，拆則爲奢，狹則爲迫。又上星主天子，中星主伯子男狄人，下星主卿大夫。小匀〔一〕而明白吉，摇動變色爲兇。一星去，天下危；二星去，天下亂；三星去，天下不可理矣。太師者，師範一人，儀刑萬國。太傅教以德義，太保保衛其身，太尉掌武統兵，司徒敬敷五教，司空主平水土。謂斯三公，上應三台也。阿衡者，阿，倚也；衡，平也。天子倚三公以平正天下。尚書云伊尹佐殷爲阿衡也。覬覦者，希望也。

不貴難得之貨，使民不爲盜；

【注】難得之貨，謂性分所無者，求不可得，故云難得。夫不安本分，希效所無〔二〕，既失性分，寧非盜竊？欲使物任其性，事稱其能，則難得之貨不貴，性命之情不〔三〕盜矣。

【疏】人之受生，所稟有分，則所稟材器是身貨寶，分外妄求，求不可得，故云難得。

〔一〕「匀」，道德真經廣聖義節略卷一作「勾」。
〔二〕「無」，前蜀强思齊道德真經玄德纂疏卷一作「求」。
〔三〕「不」，唐玄宗御注道德真經卷一該字後還有「爲」字。

夫不安性分，希慕聰明，且失天真，盡成私盜。今使賢愚襲性，能否因情〔一〕，既無越分之求，自輕難得之貨。皆得性分〔二〕，誰爲盗乎？故莊子曰：「不仁之人，決〔三〕性命之情而饕貴富。」又解云：以人君不貴珠犀寶貝，則其政清静。故百姓化之，自絶貪取。人各知足，故不爲盗矣。

【義曰】人之生也，稟天地之靈，得清明沖朗之氣爲聖爲賢，得濁滯煩昧之氣爲愚爲賤。聖賢則神智廣博，愚昧則性識昏蒙〔四〕。由是有性分之不同也。老君謂孔子曰：「易之生人，及萬物鳥獸昆蟲，各有奇偶，謂氣不同。而凡人莫知其情，唯達道德者能原其本焉。」文子云：「清氣爲天，濁氣爲地，和氣爲人。於和氣之間，有明有暗，故有賢有愚。愚欲希賢，即越分矣；暗欲代明，即妄求矣。」此爲「決〔五〕性命之情而饕貴

〔一〕「能否因情」，唐玄宗御注道德真經卷一爲「可否用情」，伯三五九二作「能否用情」。
〔二〕「分」，道德真經集義卷七引唐明皇疏、伯三五九二作「已」。
〔三〕「決」，唐玄宗御注道德真經卷一、道德真經集義卷七引唐明皇疏、伯三五九二作「竊」。
〔四〕「蒙」，道德真經集義卷七引杜光庭廣聖義作「濛」。
〔五〕「決」，道德真經集義卷七引杜光庭廣聖義作「竊」。

富」，莊子駢拇篇之詞也。夫貴富所以可饕，猶有尚〔一〕之者，若乃無可尚之迹，則人安其分，將量力受任，豈直决己效彼，以饕竊非望哉？人君不貴珠犀寶貝之貨，下〔二〕息貪人。人各自足，斯可謂不爲盜也。

不見可欲，使心不亂。

【注】既無尚賢之迹，不求難得之貨，是無可見之欲，而心不惑亂也。

【疏】希慕聰明，是見可欲。欲心興動，非亂而何？今既不崇貴賢能，亦不妄求越分，則不見可欲之事而心不惑亂也。

【義曰】希慕，羨望也。性識有限而羨望聰明，是爲越分，名之爲欲。又修道之士初階之時，願行未周，澄鍊未熟，畏見可欲，爲境所牽，乃栖隱山林，以避囂雜。及心泰志定，境不能誘，終日指揮，未始不晏如也。所謂小隱於山，大隱於鄽。未能絶欲，恐境所牽，仍栖遁山林，以避所見。及其澄心息慮，想念正真，外無撓惑之緣，内保恬和之志，雖營營朝市，名利不關其心；碌碌世途，是非不介其意。混迹城市，何損於修真乎？

〔一〕「尚」，道德真經集義卷七引杜光庭廣聖義作「蒿」。

〔二〕「下」，道德真經集義卷七引杜光庭廣聖義作「不」。

是以聖人之治，

【疏】説[一]聖人理國理身，以爲教本。夫理國者，復何爲乎？但理身爾。故虚心實腹，絶欲忘知於爲，無爲則無不理矣。

【義曰】天真皇人謂黄帝曰：「未聞身理而國不理者。夫一人之身，一國之象也。胸腹之位，猶宫室也；四胑之别[二]，猶郊境也；骨節之分，猶百官也；神，猶君也；血，猶臣也；氣，猶民也。知理身則知理國矣。愛其民，所以安國也；悋其氣，所以全身也。民散則國亡，氣竭則身死。亡者不可存，死者不可生。所以至人銷未起之患，理未病之疾。氣難養而易濁，民難聚而易散。理之於無事之前，勿追之於既逝之後。子勗之焉。」

虚其心，

【注】心不爲可欲所亂，則虚矣。

【疏】夫役心逐境，則塵事汩昏；静慮全真，則情欲不作。情欲不作，則心虚矣。莊子

[一]「説」，唐玄宗御注道德真經卷一無。

[二]「别」，晉葛洪抱朴子地真作「列」。

云「虚室生白」，謂心虚則純白自[一]生也。故曰虚其心也。

【義曰】惟道集虚，虚心則道集於懷也。道集於懷則神與化遊，心與天通，萬物自化於下，聖人自安於上。可謂至理之代矣。「虚室生白」者，莊子人間世篇之詞也。室者，心也。視有若無，即虚心也，心之虚矣，純白自生。純白者，大通明白之貌也。內觀經云：「夫心者，非青非赤，非白非黄，非長非短，非圓非方，大包天地，細入毫芒，制之則止，放之則狂，清浄則生，濁躁則亡，明照八表，暗迷一方。人之難伏，惟在於心。所以教人修道即修心也，教人修心即修道也。心不可息，念道以息之；心不可見，因道以明之。善惡二趣，一切世法，因心而滅，因心而生。習道之士，滅心則契道；世俗之士，縱心而危身。心生則亂，心滅則理。所以天子制官僚，明法度，置刑賞，懸吉兇以勸人者，皆爲心之難理也。無心者，令不有也；定心者，令不惑也；息心者，令不爲也；制心者，令不亂也；正心者，令不邪也；浄心者，令不染也；虚心者，令不著也。明此七者，可與言道，可與言修其心矣。」

[一]「自」，伯三五九二作「獨」。

實其腹，

【注】道德内充，則無矜徇，亦如「屬厭而止」，不生貪求矣。

【疏】腹者含受之義〔一〕，足則不貪。欲使道德内充，不生貪愛，故云實其腹。注云「屬厭而止」者，春秋傳閻没、汝寬諫魏武〔二〕子之詞也，「欲以小人之腹爲君子之心，屬厭則足」，而不貪也。

【義曰】夫心者，嗜好無窮；腹者，含受有足。心無窮故虚之，腹有足故實之。心虚則衆欲不生，腹實則貪求自止。懷忠信，抱質樸，可謂德充於内矣。春秋者，魯史記之名也。記事者以事繫日，以日繫月，以月繫時，以時繫年。年有四時，故錯舉以爲名也。天子有史官，諸侯有國史，楚謂之檮杌，晉謂之乘，魯謂之春秋。孔子述經，左丘明爲傳，起周平王四十八年、魯隱公元年，太歲丁巳歲星在降婁，當晉鄂侯二年、衛桓公完十三年、蔡宣公考父二十八年、鄭莊公寤生二十二年、曹桓公終生三十五年、齊僖公禄父九年、楚武王達十九年、秦文公四十四年、宋穆公和七年、陳桓公鮑二十三

〔一〕「之義」，伯三五九二作「無」，故前後點斷爲「腹者含受足則不貪」。

〔二〕「武」，唐玄宗御製道德真經疏卷一作「獻」。

年、燕穆公十八年，乃春秋之始年。至魯哀公十四年、周敬王三十九年太歲戊午，凡二百四十二年。歷周一十四王，魯一十二公，行事當晉定公午三十一年、衛出公輒十二年、蔡成公怡十年、鄭聲公勝二十年、齊簡公嘉四年、楚惠王章八年、秦悼公十一年、宋景公頭曼三十六年、陳閔公越二十一年、燕敬公六年、吴夫差十五年，乃春秋獲麟絶筆之年也。其書凡三十卷，三十五萬二千二十五言，十九萬四千五百九十字本，十五萬七千九百六十六字解，晉征南將軍杜預字元凱註。「閻没、汝寬諫」者，春秋昭公二十八年：「晉魏獻子舒爲政，以其子戊爲梗陽大夫，今晉陽也。冬，梗陽有獄，戊不能斷，以其獄上於獻子。訟人之太宗以女樂爲賂，魏子將受之。戊謂魏子二大夫閻没、汝寬曰：『主以不賄聞于諸侯，若受梗陽之賄，貪莫甚焉。吾子必諫。』皆許諾。退朝，待于庭。饋入，魏子召二大夫食，比置，三歎。既食，使坐。魏子曰：『吾聞諸伯叔，諺曰：惟食忘憂。吾子置食之間三歎，何也？』同辭而對曰：『他人賜二小人酒，不夕食。饋之始至，恐其不足，是以一歎。中置，自咎曰：豈將軍食之而以不足，是以再歎。及饋之畢，願以小人之腹爲君子之心，屬厭而止，是以三歎。』魏子辭梗陽之賄。」獻，謚也。疏云武子，則武子名顆，謚曰武。閻没、汝寬二大夫諫武子之言「願以小人之腹爲君子之心」，腹則易足，心則難滿，欲其息貪，不受梗陽之賂。小人腹飽，猶知厭足，君子之心，亦宜然矣。春秋美之。魏氏納諫，所以興也。

弱其志，

【注】心虛則志弱。

【疏】志者心之事，事在心曰志。欲令心有所行，皆守柔弱，故知心虛則志弱矣。

【義曰】詩序曰：「在心爲志。」夫心之所起爲志，所行爲事。心既柔弱，則無險躁紛競之事，皆處和平矣。事和平，則爲理之本矣。

强其骨，

【注】腹實則骨强。

【疏】骨者體之幹，既其道德内充，常無貪取，不貪則腹實，腹實則骨强也。

【義曰】弱其志，則廉柔不犯於外；强其骨，則堅固有備於内。爲道之者筋骨堅强，百疾不能侵矣。腹實則骨强，和氣充也。理國者政清則民静，費省則力豐。民静者，志弱之謂也；力豐者，骨强之謂也。

常使民無知無欲。

【注】常使人無争尚之知，無貪求之欲。

【疏】聖人所以行〔一〕虚心實腹之教者，常欲使百姓無争尚之知、貪求之欲，令其自化爾。

【義曰】貪求則争起，有知則事興。争欲既無，清静自化矣。

使夫知者不敢爲也。

【注】清静化人，盡無知欲。適有知者，令不敢爲也。

【疏】無知無欲者，已清静〔二〕矣，則使夫有知者漸陶淳化，不敢爲循迹貪求，而無爲也。

【義曰】下化於上，猶風之偃草，淳和普洽，則皆返無爲也。

爲無爲，則無不治矣。

【注】夫於爲無爲而人得其性，是則淳化有孚矣。

【疏】夫得其性而爲之，雖爲而無爲也。且絶尚賢之迹，不求難得之貨，人因本分，物必全真，於爲無爲，復何矜徇？既無聲〔三〕而無臭，人固〔四〕不識而不知，淳風大行，誰

〔一〕「行」，原無，據唐玄宗御製道德真經疏卷一及伯三五九二補。

〔二〕「静」，伯三五九二作「浄」。

〔三〕「既無聲」，唐玄宗御製道德真經疏卷一、伯三五九二作「化既無馨」。

〔四〕「固」，唐玄宗御製道德真經疏卷一、道德真經玄德纂疏卷一、伯三五九二作「故」。

云不理？

【義曰】無爲之理，其大矣哉。無爲者，非謂引而不來，推而不去，迫而不應，感而不動，堅滯而不流，捲握而不散也；謂其私志不入公道，嗜欲不枉正術，循理而舉事，因資而立功，事成而身不伐，功立而名不有。若夫水用船，砂用䟫，泥用橇，山用樏，夏瀆冬陂，因高而田，因下而池，故非吾所謂爲也，乃無爲矣。聖人之無爲也，因循任下，責成不勞，謀無失策，舉無遺事，言爲文章，行爲表則，進退應時，動静循理，美醜不好憎，賞罰不喜怒，名各自命，類各自用，事由自然，莫出於己，順天之時，隨〔一〕地之性，因人之心，是則群臣輻輳，賢與不肖各盡其用。君得所以制臣，臣得所以事君。此理國無爲之道也。「無聲無臭」者，詩大雅文王篇也，言大〔二〕道難知，耳不聞聲音，鼻不聞臭芳，儀法文王之事，則天下自信而順也。「不識不知」者，詩大雅皇矣篇，言人不識古，不知今，順天之法而行之者，此言天道尚誠實，貴性於自然。不尚賢貴貨，即合於此矣。

〔一〕「隨」，道德真經廣聖義節略卷一作「順」。

〔二〕「大」，道德真經集義卷七引杜光庭廣聖義、道德真經廣聖義節略卷一作「天」。

道沖而用之章第四

【疏】前章明貴尚不行，無爲則至理；此章明妙本之用，在用而無爲。首標道沖，示至虛之宗本〔一〕；次云挫解，明沖用之釋紛〔二〕；結以象帝之先，欲令盡知其〔三〕趣爾。

【義曰】大道之用，其用不窮，廣包天地，細入毫髮，澹然自得，無虧無盈，行之於身則光塵混一，運之於內則紛鋭和平。綿乎億劫之前，乃居象帝之首。萬法之内，惟道可宗。故爲萬有所歸趣矣。趣，向也。

道沖，而用之或似不盈。

〔一〕「本」，唐玄宗御製道德真經疏卷一、道德真經集義卷九引唐明皇疏、伯三五九二作「物」。
〔二〕「釋紛」，該字唐玄宗御製道德真經疏卷一後還有「又説和同之妙，所在不雜光塵」句。
〔三〕「其」，唐玄宗御製道德真經疏卷一、伯三五九二作「歸」。

【注】言道動出沖和之氣，而用生成之功〔一〕，曾不盈滿。云「或似」者，於道不敢定〔二〕言。

淵兮，似萬物之宗。

【注】淵，深静也。道常生萬物而不盈滿，妙本淵兮深静，故似爲萬物之宗主也。

【疏】沖，虚也，謂道以沖虚爲用也。夫和氣沖虚，故爲道用，用生萬物，物被其功。論功則物疑其光大，語沖則道曾〔三〕不盈滿，而妙本深静，常爲萬物之宗。注云「或似」者，道非有法，故不正言爾。他皆倣此。

【義曰】道常謙虚而不盈滿，沖和澄澹，處乎其中。深玄寂静，爲物之主，故物失沖和之道必致害〔四〕亡，人失沖和之道則至死滅，君失沖和之道則政擾民離，臣失沖和之道則名亡身辱。是以知沖和之道，萬物恃之以安，爲萬物之宗矣。語其及物之功，則光

〔一〕「而用生成之功」，唐玄宗御注道德真經卷一作「而用生成，有生成之道」，易縣唐碑本、道德真經集義卷九引唐明皇注作「而用生成，有生成之功」，道德真經玄德纂疏卷一作「而用生成有生之功」。

〔二〕「定」，唐玄宗御注道德真經卷一、道德真經玄德纂疏卷一、道德真經集義卷九引唐明皇注作「正」。

〔三〕「曾」，道德真經集義卷九引唐明皇疏作「常」。

〔四〕「害」，道德真經集義卷九引杜光庭廣聖義「敗」。

明遠大；求其妙本，則深静常虚。道非有法者，不可正言其有，而物皆有道也。倣，准倣於此，不敢定〔一〕言也。

挫其鋭，解其紛，

【注】道以沖和，故能抑止銛利，釋散紛〔二〕擾。若俗學求復，則彌結矣。

【疏】挫，抑止也；鋭，銛利也；解，釋散也〔三〕。沖虚之用，物莫之違，故銛利之心、多擾之事，念道沖和，自抑止釋散矣。此則約人〔四〕以明道用。注云「俗學求復」者，莊子繕性篇云「繕性於俗，俗學以求復其初」，言銛利紛擾，因欲而生，故念道則挫解，俗學則彌結矣。

【義曰】理國用沖和之道，則無銛鋭之情以傷於物，無勞擾之事以傷於人。不傷於物，則萬國來庭，四夷嚮化，兵革不起，怨争不興，不尚於拓土開疆，凌弱暴寡矣。不傷於人，則使之以時，賦役輕省，家給人足矣。理身者解紛挫鋭，外無侵競，内抱清

〔一〕「定」，道德真經集義卷九引杜光庭廣聖義作「正」。

〔二〕「紛」，易縣唐碑本作「忿」，道德經原文也作「解其忿」。

〔三〕「也」，唐玄宗御製道德真經疏卷一、伯三五九二該字後還有「紛，多擾也」辭。

〔四〕「人」，道德真經玄德纂疏卷一作「文」。

虚，神泰身安，恬然自適矣。約人以明道者，明人必資於道也。莊子繕性篇云「俗學以求復其初」者，言人既理性於俗矣，而欲以俗學復性命之本，所以求者愈非其道也。「俗學則彌結」者，銛鋭之心、紛擾之事，不以道挫而解之，則拘於俗學，彌加結固，不可解也。俗學者，徇俗之學，非日損之道也。

和其光，同其塵。

【注】道無不在，所在常無，在光在塵，皆與爲一，一光塵爾，而非光塵[一]。

湛兮，似或存。

【注】和光同塵，而妙本不雜。故湛兮似有所存也。

【疏】道之沖用，於物不匱[二]，在光則與光爲一，在塵則與塵爲一，無乎[三]不在，所在常無。沖用則可混光塵，妙本則湛然不雜。故云似或存也。

【義曰】沖和之道散被群生，汎然坦然。物無不在，可謂和光同塵矣。光者，明浄也；

[一]「而非光塵」，唐玄宗御注道德真經卷一作「而妙本非光塵也」。

[二]「匱」，唐玄宗御製道德真經疏卷一、道德真經玄德纂疏卷一、伯三五九二作「遺」。

[三]「乎」，唐玄宗御製道德真經疏卷一作「所」，然伯三五九二也作「乎」。

塵者，混亂也。有道之士不介然標異，與衆同也。匱，乏也。道雖散被群生，至妙之本，凝寂沖虚，常不乏絶。故云常存也。

吾不知誰子，象帝之先。

【注】吾不知道所從生，明道非生法，故無父。道者，似存乎帝先爾。帝者，生物之主宰〔一〕。象，似也。

【疏】吾者，老君自稱也；象，似也。老君云吾見至道沖用，生成萬物，尋責所以，不測由來，既無父道之人，故莫知道爲誰子。生物必資道，故似在乎帝先。注云「帝者，生物之主」，易云：「帝出乎震。」輔嗣云：「帝者，生物之主，興益〔二〕之宗也。」又解云「兆見曰象」，言此生物之帝，能兆見物象，故謂之象帝爾。

【義曰】帝者，萬化厥初，即有主宰，形象肇立，牧之以君，故言象帝。大道沖用，能生萬化，故在象帝之先也。老君大聖，豈不知至道之宗本耶？設此疑似之詞，用曉迷方之俗爾。亦如上大道不可正言義也。「帝出乎震」，易繫辭也。震，東方卦也，少陽

〔一〕「宰」，唐玄宗御注道德真經卷一、易縣唐碑本、道德真經玄德纂疏卷一無。
〔二〕「益」，道德真經玄德纂疏卷一作「動」，伯三五九二也作「益」。

之氣，生化之源。今以太子居東宫少陽之位，御極爲出震之期，蓋取象天地生育萬物之始也。「兆見曰象」者，無形曰氣，兆形曰象，生物之首也。萬物之首，象帝居先。大道復在象帝之先，言其高遠也。然夫至道不終不始，孰知其先哉？亦强爲之容爾。易曰：「帝出乎震，萬物生也；齊乎巽，萬物潔齊也；相見乎離，聖人南面向明而理也；致〔一〕役乎坤，萬物致養也；説言乎兑〔二〕，萬物所悦也；戰乎乾，陰陽相薄也；勞乎坎，萬物所歸也；成言乎艮，萬物終始也。」夫萬物出乎震而終乎艮，終而復始，循化無窮。而象帝者在此出震之先，道復先於象帝，故能爲生化之主〔三〕、天地之元也。人君體道用心，志無滿溢，泉〔四〕然澄静，以御萬方，外無銛鋭之争，下絶紛擾之事，和天光而燭物，含塵垢而居尊。其無爲之化，可齊乎象帝矣。

〔一〕「致」，原作「政」，據周易説卦及道德真經集義卷九引杜光庭廣聖義改。
〔二〕「兑」，原作「光」，據傳世周易説卦改。
〔三〕「主」，道德真經集義卷九引杜光庭廣聖義作「王」。
〔四〕「泉」，道德真經集義卷九引杜光庭廣聖義作「淵」。

道德真經廣聖義卷之九

唐　廣成先生杜光庭　述

天地不仁章第五

【疏】前章明妙本沖用，在〔一〕用而無爲；此章明偏〔二〕愛成私，偏私則難普。首標芻狗萬物，示天地之兼忘；次喻橐籥罔窮，明用虚而不撓；結以多言數窮，欲令必守中和。

【義曰】夫以仁爲仁則有執，不以仁爲仁則無私。帝王之視群生，猶天地之視萬物。萬物自生自化，天地不以爲功；群生爰居爰處，帝王不以爲惠。任妙氣以鼓鑄，任玄化以生成，乃爲至化矣。若言其仁惠，理或自窮。何者？天地之仁大矣，草木有冬

〔一〕「在」，唐玄宗御製道德真經疏卷一作「體」，然道德真經集義卷十引唐明皇疏、伯三五九二也作「在」。

〔二〕「偏」，唐玄宗御製道德真經疏卷一、伯三五九二作「兼」。

榮夏枯；帝王之仁大矣，刑法有投荒用鉞。未若不以仁爲仁之大也。運彼沖和，守其清静，爲理身之要妙矣。

天地不仁，以萬物爲芻狗；聖人不仁，以百姓爲芻狗。

【注】不仁者，不爲仁惠〔一〕也；芻狗者，結草〔二〕爲狗也。犬以守禦，則有弊蓋之恩。今芻狗徒有狗形，而無警吠之用，故無情於仁愛也。言天地視人，亦如人視〔三〕芻狗，無責望爾。嘗試論之曰：夫至仁無親，孰爲兼愛？愛則不至，適是偏私。不獨親其親，則天下皆親矣；不獨子其子，則天下皆子矣。是則至仁之無〔四〕親，乃至親也。豈兼愛之〔五〕乎？

【疏】仁者，兼愛之目也；芻，草也，謂結草爲狗，以用祭祀也。莊子曰：「師金謂顏回

〔一〕「惠」，易縣唐碑本作「恩」。
〔二〕「草」，唐玄宗御注道德真經卷一、道德真經玄德纂疏卷二作「芻」。
〔三〕「視」，道德真經集義卷十引杜光庭廣聖義作「於」。
〔四〕「之無」，道德真經集義卷十引唐明皇注作「皆爲」。
〔五〕「之」，唐玄宗御注道德真經、易縣唐碑本卷一無，道德真經集義卷十引唐明皇注也有「之」字，道德真經玄德纂疏卷二作「豈不兼愛乎」。

曰：『夫芻狗之未陳，巾以文繡。及其已陳，則庖〔一〕者取而爨之。』」今天地至仁，生成群物，亦如人結草爲狗，不責其吠守之用〔二〕，不以生成爲仁恩，故云不仁也。則聖人在宥天下，視彼百姓〔三〕亦當如此。注云「弊〔四〕蓋之恩」者，禮記：「孔子云：『弊蓋不棄，爲埋狗也。』」「不獨親其親」，禮運文者也。

【義曰】古之祭法有爲人用者，皆象其形以列籩豆之間，故有芻狗之設矣。莊子天運篇：「孔子西遊於衛。」顏回字子淵，孔子弟子，魯人也，小孔子三十歲。二十九而髮白，孔子曰：「自吾有顏回也，門人日益。」回以德行著名，居四科之首，孔子所以稱其賢也。三十二而早死，孔子哭之慟，故曰：「苗而不秀，秀而不實，不幸短命死矣！」回，顏路之子也。「回問師金：『夫子之行奚如？』」師金曰：『惜乎！而夫子其窮乎！』顏回曰：『何謂也？』」師金曰：『夫芻狗之未陳也，盛以篋衍，巾以文繡，尸祝齋戒以將之。及其已陳，行者踐之，樵者爨之而已。將復收於篋衍，必反爲怪。今夫子取

〔一〕「庖」，傳世本莊子天運篇、唐玄宗御製道德真經疏卷一、道德真經玄德纂疏卷二、伯三五九二作「蘇」。

〔二〕「用」，唐玄宗御製道德真經疏卷一、道德真經玄德纂疏卷二、伯三五九二作「功」。

〔三〕「在宥天下，視彼百姓」，道德真經集義卷十引唐明皇疏作「在宥視彼天下百姓」。

〔四〕「弊」及後文「弊蓋不棄」之「弊」，唐玄宗御製道德真經疏卷一作「蔽」。

先王已陳之芻狗，聚弟子而寶之。故伐樹於宋，削跡於衛，窮於商周，圍於陳蔡，是亦將鄰乎行者之踐、樵者之爨也。惜哉！』」夫犬以吠守，今芻狗無吠守之用。天地之視萬物，聖人之視百姓，亦如芻狗，不責其吠守之能，不以仁恩之爲仁。不責其報，不彰其仁，是以不仁矣。人於狗也，有弊蓋瘞埋之恩。今於芻狗，亦無此恩矣。明聖人不以兼愛爲仁也。弊蓋者，禮記檀弓篇曰：「仲尼之畜狗死，使子貢埋之，曰：『吾聞之，弊帷不棄，爲埋馬也。君之路馬死，埋之以帷。弊蓋不棄，爲埋狗也。丘也貧，無蓋。於其封也，亦與之席，無使其首陷焉。恐其首直委於土也。』」「不獨親其親」者，禮運篇云：「大道之行，天下爲公。不獨親其親，不獨子其子。」汎愛於物，推公而行，不爲偏愛也。

天地之間，其猶橐籥乎？

【注】橐者，鞴也；籥者，笛也。橐之鼓風，笛之運吹，皆以虛而無心，故能動而有應。則天地之間生〔一〕物無私者，亦以虛無〔二〕無心故也。

〔一〕「生」，道德真經集義卷十引唐明皇注作「至」。

〔二〕「無」，唐玄宗御注道德真經卷一、易縣唐碑本、道德真經玄德纂疏卷二作「而」，然道德真經集義卷十引唐明皇注也作「無」。

虚而不屈，動而愈出。

【注】橐籥虚〔一〕而不屈撓，動之而愈出聲氣，以況聖人心無偏愛，則無屈撓之時，應用不窮，可謂動而愈出也。

【疏】橐，鞴也，謂以皮囊〔二〕鼓風以吹火也。籥，笛也。言天地能芻狗萬物者，爲其間空虚，故生成無私，而不責望，亦由橐之鼓風，笛之運吹，常應求者，於我無情，故能虚之而不屈，撓動之愈出聲氣。以況人君虚心玄默，淳化均一，則無屈撓，日用不知，故動而愈出也。

【義曰】橐乃皮囊以鼓風，籥乃竹管以運氣。橐鼓風無籥不能運，籥運氣無橐不能鼓。兩者相須而行，以明天地爲橐，五氣爲籥，含虚運動以生萬殊，而無屈竭矣。人君虚心用道，臣佐體君行化，如天地運五氣以不竭，則政無屈撓，四海和平也。動之愈出聲氣，言無窮也。淳化均一者，淳和之德，周〔三〕被萬品。日用不知者，易繫辭云

〔一〕「虚」，該字唐玄宗御注道德真經卷一、易縣唐碑本後還有「之」字，然道德真經集義卷十引唐明皇注也無「之」。

〔二〕「以皮囊」，唐玄宗御製道德真經疏卷一、伯三五九二作「以皮爲橐」，然道德真經集義卷十引唐明皇疏作無「爲」字。

〔三〕「周」，道德真經集義卷十引杜光庭廣聖義作「用」。

「百姓日用而不知」，言百姓日日賴用此道以得生，而不知道之功力。蓋道冥昧，不以功爲功，故百姓用之而不知也。屈，竭也〔一〕。

多言數窮，不如守中。

【注】多言則不詶〔二〕，故數窮屈；兼愛則難遍，便致怨憎，故不如抱守中和，自然皆足矣。

【疏】多言者，多有兼愛之言也。多有兼愛之言，而行則難遍，故數窮屈不遂。是知不如忘懷虛應，抱守中和，則自然皆足矣。注云「不詶」者，詶，答也，謂空有其言，而行不詶答者也。

【義曰】多言多敗，多事多害，言之多也。謂或不應，故有窮屈矣。理國多言，謂政令〔三〕。政令多出，朝令夕改，則謂數窮也。理身多言，其失可知也。故一言之失，駟馬不追，況多言之失，寧無辱乎？夫言者，離堅合異，反白爲黑，防人之口，甚於防川，不可不

〔一〕「也」，道德真經集義卷十引杜光庭廣聖義該字後還有「撓」字。

〔二〕「詶」，道德真經集義卷十引唐明皇注作「酬」。

〔三〕「政令」，道德真經集義卷十引杜光庭廣聖義無，故前後文爲「理國多言，謂政令多出」，更理順。

慎也。不如默守中和，於國不煩其政令，於身不招〔一〕其恥辱，愛氣希言，守德於中，行不言之教，斯爲美善矣。

谷神不死章第六

【疏】前章明兼愛成私，偏私則難普；此章明至虚而應，其應則不窮。首標谷神，寄神用以明道；次云玄牝，辯玄功之母物；結以綿綿微妙，示虚應則不勤勞也。

【義曰】神者，陰陽不測之謂也，虚而能應，感而遂通。或以谷養爲言，養神則契乎不死；或以響應爲説，應物則如神不窮。玄牝則吐納元和，鍊神鍊氣，形氣長久，天地齊靈，綿綿永存，長生之道也。

谷神不死，

【注】谷者，虚而能應者也；神者，妙而不測者也；死者，休息也。谷之應聲，莫知所

〔一〕「招」，道德真經集義卷十引杜光庭廣聖義作「召」。

以，有感則應，其應如神，如神之應，曾不休息。欲明至道虚而生物，妙用難名〔一〕，故舉谷神以爲喻説也。

是謂玄牝。

【注】玄，深也；牝，母也。谷神應物，沖用無方，深妙不窮，能母萬物。故寄谷神玄牝之號，將明大道生畜之功也。

【疏】谷神者，明谷神〔二〕之應聲，如道之應物，有感即應，其應如神。神者不測爲〔三〕名，死以休息爲義。不測之應，未嘗休息，故云谷神不死。玄，深也；牝，母也。谷神之應，深妙難名〔四〕，萬物由其茂養，故云是謂玄牝。

【義曰】谷神之義，響應若〔五〕神，分爲三别。第一謂谷神之含虚，有聲則應；道之體

〔一〕「名」，道德真經集義卷十一引唐明皇注作「明」。

〔二〕「谷神」，唐玄宗御製道德真經疏卷一、伯三五九二作「谷」，道德真經集義卷十一引唐明皇疏作「神」。

〔三〕「爲」，唐玄宗御製道德真經疏卷一、道德真經玄德纂疏卷二、伯三五九二作「之」，道德真經集義卷十一引唐明皇疏也作「爲」。

〔四〕「名」，道德真經集義卷十一引唐明皇疏作「明」。

〔五〕「若」，道德真經集義卷十一引杜光庭廣聖義作「養」。

無，修之則得。第二謂神無形，有祈則赴感；道無象，修之則長存。第三謂響在谷，無聲則不應；道在身，不修則不成。不死者，非謂死生之死，是休息之死。若謂養身，解之則爲死生之死。一謂養神，則長生不死；二謂響應無休歇，爲休歇之死。夫玄，天也，於人爲鼻；牝，地也，於人爲口。元和之氣，慧照之神，在人身中出入，鼻口呼吸相應，以養於身。故云谷神也。又天之五氣從鼻而入，其神曰魂，上與天通；地之五味從口而入，其神曰魄，下與地通。言人食氣則與天爲徒，久而不已，可以長生。陽鍊陰也。食味則與地爲徒，久而不已，生疾致死。陰鍊陽也。老君令人養神寶形，絶穀食氣，爲不死之道。故云「玄牝門，天地根」也。

玄牝之門，是謂天地根。

【注】深妙虛牝，能母萬物。萬物由出〔一〕，是謂之門。天地有形，故資稟爲根本矣。

【疏】玄牝之用，有感必應，應物由出〔二〕，故謂之門。天地有形之大者爾，不得玄牝之用，則將分裂發泄，故資稟得一，以爲根本，故云是謂天地之根。根，本也。

〔一〕「出」，道德真經玄德纂疏卷二作「生」。

〔二〕「應物由出」，唐玄宗御製道德真經疏卷一作「應由物出」，然道德真經集義卷十一引唐明皇疏也作「應物由出」。

【義曰】非獨人資玄牝運氣，乃得長生。天地之大，亦須資道氣運養，乃能清寧無改矣。下經云「天無以清，將恐裂，地無以寧，將恐發」，天地失道，尚有傾淪發泄之變，況於人身而不守中存一乎？

綿綿若存，用之不勤。

【注】虚牝之用，綿綿微妙，應用若存，其用無心，故不勤勞也。

【疏】綿綿者，微妙不絕之意也。虚牝之用，應物〔一〕無私。微妙則稱其〔二〕若存，無私故用不勤倦爾。

【義曰】天地任氣自然，故長存也。人鼻口呼吸，當綿綿微妙，若可存，復若無有，不當煩急勞倦也。理國之道，政令所行，亦當寬以濟猛，猛以濟寬，所以政寬則民怠，令猛則民殘。能以清寧之道以理天下，人無動用勤勞之事，則下民親附，祚曆延長，綿綿常存，若瓜瓞葛藟之長永也。故云「綿綿若存，用之不勤」也。

〔一〕「物」，道德真經玄德纂疏卷二作「用」。

〔二〕「其」，唐玄宗御製道德真經疏卷一、道德真經玄德纂疏卷二、伯三五九二作「爲」。

天長地久章第七

【疏】前章明谷神虛應，虛應即不窮；此章明天地無私，無私故長久〔一〕。首則標天地以爲喻，次則舉聖人以轉明，結以無私成私。蓋〔二〕將欲勸勤此行。

【義曰】前章明玄牝運氣，天地任之以自然；此標天長地久，以契任自然之用。聖人之〔三〕理亦當體天地之用，則人安國寧，天地不以其私，故能長久。聖人無私用道，萬物歸矣。

天長地久。

【注】此標天地長久者，欲明無私無心，則能長能久。結喻成義，在乎聖人後身外身，

〔一〕「前章明谷神虛應，虛應即不窮。此章明天地無私，無私故長久」，唐玄宗御製道德真經疏卷一作「前章明谷神虛應即不窮，此章明天地無私故長久」。

〔二〕「蓋」，伯三五九二作無，道德真經集義卷十二引唐明皇疏作「義」，則屬前爲「結以無私成私義」。

〔三〕「之」，道德真經集義卷十二引杜光庭廣聖義作「以」。

無私成私爾。

【疏】此標章問〔一〕也。天以氣象故稱長，地以形質故稱久。

【義曰】老君將明天地長久之義，以教理世之君。故於章首自舉其問。天以氣象者，列子云：「天，積氣也，無處無氣；地，積塊也，無處無塊。」積氣爲象，象，虚也；積塊爲形，形，實也。易繫辭曰：「在天成象，在地成形，變化見矣。」上象下形，故能變化，孳生萬物也。

天地所以能長且久者，以其不自生，故能長生。

【注】天地生物，德用甚多，而能長且久者，以其資稟於道，不自矜其生成之功故爾。

【疏】前句標問，此假答〔二〕云「天地所以能長且久」者，以其覆載萬物，長養〔三〕群材，而皆資稟於妙本，不自矜其生成之功用。以是之故，長能生物〔四〕。又解云：不自生

〔一〕「問」，唐玄宗御製道德真經疏卷二、道德真經玄德纂疏卷二、伯三五九二作「門」，然道德真經集義卷十二引唐明皇疏也作「問」。

〔二〕「前句標問，此假答」，伯三五九二作「前標門，此假問」。

〔三〕「養」，唐玄宗御製道德真經疏卷一、道德真經玄德纂疏卷二、伯三五九二作「育」。

〔四〕「長能生物」，唐玄宗御製道德真經疏卷一作「故能長久」，然道德真經玄德纂疏卷二也作「長能生物」。

者，言天地但生養萬物，不自饒益其生，故能長生。

【義曰】老君將明此長久之義，自設其問，亦如文章家亡是公子、烏有先生、東郭主人之例也。立理〔一〕發問，因自答之，以顯其事爾。爲前句既問天長地久，此句方答云以天地運元和沖用之氣，生育群品，群品得生，天地不恃其德，不有其功，故能長久。若恃其功，則功細矣；若恃其德，其德薄矣。不恃故德廣功大，萬物歸宗，而天地長久也。人君理國，當法天行化，任物無爲，衆庶熙熙，自臻平泰。理身無勞心役慮之事，無矜名徇欲之功，神安於中，氣和於内，如此則國祚長遠，身壽遐延。亦如天地無私，乃能長久也。

是以聖人後其身而身先，外其身而身存。

【注】後身則人樂推，故身先；外身則心忘澹泊〔二〕，故身存。

【疏】是以聖人傚天地覆載，必均養而無私，故推先與人，百姓欣賴，爲下所仰〔三〕，故

〔一〕「理」，道德真經集義卷十二引杜光庭廣聖義作「題」。

〔二〕「泊」，道德真經玄德纂疏卷二、易縣唐碑本、道德真經集義卷十二引唐明皇注無。

〔三〕「仰」，原作「養」，據唐玄宗御製道德真經疏卷一、道德真經集義卷十二引唐明皇疏改。

身先也。不自矜貴而外薄其身，天下歸仁，則無畏害，故身存也。

【義曰】理國不矜貴以有爲，不勞人以自奉，所謂後身外身也。太古之君，志包天地，澤及天下，而不知其誰氏。其生無爵，不有其位也；其死無謚，不多〔一〕其功也。其實不聚，其名不立，天下樂推，萬物欣戴，可謂後身而身先，外身而身存也。代之衰也，其君則不然。恣身之欲而役於人，殫人之力以奉其己，人勞政弊，天下去之。此所謂失外身後身之道也。豈若碎琥珀之枕、焚雉頭之裘、罷一臺之費、却千里之馬，德垂當代，名光竹帛乎？修身之士不嗜榮爵，外其身也；不爲躁進，後其身也。如此則身存而德充，德充則人服，可謂身先身存矣。反於此者，道遠乎哉。

非以其無私邪？故能成其私。

【注】天地忘生養之功，是無私而能長且久，是成私；聖人後外其身，是無私而能先能存，是成其私也。

【疏】天地所以長久，聖人所以先存者，非以其無自私之心，故能成此長久先存之私已乎？

〔一〕「多」，道德真經集義卷十二引杜光庭廣聖義作「名」。

【義曰】聖人之理也，任自然之化，無獨見之專，不厚其生，不伐其善。不爲天下之先，故能處人之上；不爲天下之貴，故能享祚久長。所以億兆宅心，夷蠻稽顙，干戈止息，宗廟安寧。此之爲私也大矣。由其不以私爲私，故成此光大。理身則德充人服，道契神明，享〔一〕壽長生，其私大矣。亦由其不以徇私逐欲，成此大私也。靈寶經云：「居世之人，貪歡逐欲，前樂後苦。何哉？極而逸樂，而墜於三塗也。學道之士，絶利忘名，寒栖鍊行，終得仙道，先苦後樂。何者？積其功行，昇乎九天也。」

〔一〕「享」，道德真經集義卷十二引杜光庭廣聖義作「身」。

道德真經廣聖義卷之十

唐　廣成先生杜光庭　述

上善若水章第八

【疏】前章明天地無私，生成則能長久；此章明至人善〔一〕行，柔弱故無尤。首標若水，示三能之近道；次云居地，盡〔二〕七善之利物；結以不爭，勸守柔以全勝也。

【義曰】夫水之爲德也，柔弱平和，居順處下，隨時壅決，任器方圓，流作泉源，散爲霧露。凡物失之則死，得之則生，擊之無傷，執之無有，所以不及於道者，水有形而道無形也。雖有形爲礙，其於利物之德、謙沖之用，近於道矣。老君舉水爲喻，以勸修道

〔一〕「善」，道德真經集義卷十三引唐明皇疏作「若」。

〔二〕「盡」，伯三五九二作「書」。

之人，欲令體七善三能，修身理國，兼以不争〔一〕之德，故無尤過之事矣。

上善若水。

【注】將明至人上善之功，故舉水性幾道之喻也。

【疏】上善〔二〕，標人也；若水者，喻〔三〕也。至人〔四〕虚懷，於法無住，忘善而善，是善之上。上善若水〔五〕行，如水之能，具在下文，皆含法喻也。

【義曰】上善之士體道修心，應變隨時，縱横利物。老君欲顯上善之德，以勸後學之人，以水與道相隣，故舉水爲喻。上善有善而忘其善，如水之不矜其功。水不矜功，其功益大；善不伐善，其善益彰。既大且彰，爲善之上矣。上惟南面之主，下洎栖巖之人，能如水焉，必得道矣。法喻者，以水爲喻，以道爲法，以上士爲能行之人也。

〔一〕「争」，道德真經集義卷十三引杜光庭廣聖義作「銷」。

〔二〕「上善」，唐玄宗御製道德真經疏卷一作「上善者」。

〔三〕「喻」，唐玄宗御製道德真經疏卷一、道德真經玄德纂疏卷二、伯三五九二作「舉喻」。

〔四〕「人」，原無，據唐玄宗御製道德真經疏卷一、道德真經玄德纂疏卷二、道德真經集義卷十三引唐明皇疏補。

〔五〕「若水」，唐玄宗御製道德真經疏卷一、道德真經玄德纂疏卷二、伯三五九二作「之」，然道德真經集義卷十三引唐明皇疏也作「若水」。

水善利萬物而不争，處衆人之所惡，

【疏】水性甘凉，散灑一切，被其潤澤，蒙利則長，故云善利。此一能也。

【義曰】甘者，水之味也；凉〔一〕者，水之體也。水爲氣母，王於北方，以潤下爲德，其色黑，其性智，其味鹹，其數六。北方者，陽德之始，陰氣之終也。生數一，與道同也。道亦爲一，即無一之一；水亦爲一，即有一之一也。無一之一爲道之體，有一之一爲道之用。則明水者，道之用也。一切物類，皆資潤澤而得生成，以能潤故，而〔二〕生萬物。故處三能之首也。

【疏】天下柔弱莫過於水。平可取法，清能鑒人，乘流值〔三〕坎，與之委〔四〕順，在人所引，嘗不競争。此二能也。

【義曰】柔弱者，水之德也。德經第四十一章云：「天下柔弱莫過於水。」重舉水德，以勸守柔矣。夫其水也，居平則不流，法以平恕爲本，故可取法也。水之不流，静能鑒

〔一〕「凉」，道德真經集義卷十三引杜光庭廣聖義作「深」。

〔二〕「而」，原作「耐」，據道德真經集義卷十三引杜光庭廣聖義改。

〔三〕「值」，唐玄宗御製道德真經疏卷一、道德真經玄德纂疏卷二、伯三五九二作「遇」。

〔四〕「委」，道德真經集義卷十三引唐明皇疏作「安」。

物，故曰「人莫鑒於流水，而鑒於止水」，以其清且静也。水性平也，故值不平則逝，值坎澤則止。東西南北，隨引所行，不與人争，無所不可。校量衆德，又云不及生物之功。故次之二能也。

【疏】惡居下流，衆人恒趣，水則就卑受濁，處惡不辭，此三能也。

【義曰】人之性也，徇常者衆，謙順者寡；好居上位，惡處下流。唯夫水也，處下不争，居污不辱。比前之德，前德爲勝，故爲三能也。

故幾於道。

【注】幾，近也。

【疏】利物明其弘益，不争表其柔弱，處惡示其含垢。此水性之三能。唯至〔一〕人之一貫其行，如此去道不遐，故云近爾。

【義曰】以前三能，故近於道。人君能宣弘益之德，秉謙沖之心，體含垢之行，則天下太平矣。理身者功務及物，柔以制性，處濁順俗，委迹謙光，則神仙可冀矣。

〔一〕「至」，道德真經集義卷十三引唐明皇疏作「聖」。

居善地，

【注】上善之人，處身柔弱，亦如水之居下[一]，潤益一切，地以卑用，水好下流。

【疏】至人所居，善能弘益，如水在地，利物則多。又地道用卑，水好流下，同至人[二]謙順，幾道性之柔弱。故云居善地。

【義曰】此明處下樂卑，爲安國存身之道也。天以清浮，故用其高；地以濁厚，故安其下。易曰「天尊地卑，卑高以陳」[三]，又云「地道卑而上行」[四]，則水順下而處卑，同至人之謙德矣。

心善淵，

【注】用心深静，亦如水之泉渟[五]也。

〔一〕「下」，唐玄宗御注道德真經卷一、易縣唐碑本、道德真經玄德纂疏卷二作「地」。

〔二〕「人」，道德真經集義卷十三引唐明皇疏、伯三五九二該字後有「之」字。

〔三〕「天尊地卑，卑高以陳」，見周易繫辭上。

〔四〕「地道卑而上行」，見周易謙卦。

〔五〕「泉渟」，唐玄宗御注道德真經卷一作「淵渟」，道德真經玄德纂疏卷二作「淵停」。

【疏】至人之心善於安静，如水之性湛爾泉渟。水静則清明，心閑則了悟。泉〔一〕，深静也。故云心善淵〔二〕。

【義曰】此明澄静清虚，爲潔己洗心之術也。「臣心如水，臣門如市」〔三〕，斯之謂歟？

與善仁，

【注】施與合乎至仁，亦如水之滋潤品物也。

【疏】至人〔四〕弘濟，常以與人。善施之功，合乎仁行，如水潤澤〔五〕，無心愛憎，故云與善仁。

【義曰】此明潤澤品物，爲博施濟衆之行也。「既以爲〔六〕人己愈有，既以與人己愈多」，亦斯義矣。

〔一〕「泉」，唐玄宗御製道德真經疏卷一、道德真經玄德纂疏卷二作「淵」。

〔二〕「淵」，伯三五九二作「泉」。

〔三〕「臣心如水，臣門如市」，見漢書鄭崇傳。

〔四〕「人」，道德真經集義卷十三引唐明皇疏作「仁」，伯三五九二作「人」。

〔五〕「潤澤」，唐玄宗御製道德真經疏卷一作「潤物」，伯三五九二作「滋潤」。

〔六〕「爲」，原作「與」，據道德經原文及道德真經集義卷十三引杜光庭廣聖義改。

言善信，

【注】發言信實，亦如水之行險，不失其信矣。

【疏】上善之人〔一〕言必真實，引〔二〕化凡庶，善信不欺，如彼泉流，豈殊坎險？故云言善信。注云「行險而不失其信」者，周易坎卦之詞也。

【義曰】此明信實無欺，爲真常審諦之教也。「行險不失其信」者，周易坎卦曰：「習坎，重險也。水流而不盈，行險而不失其信也。」夫理國長民，率身從道，言必信實，可以動天地，感神明，所以善惡之詞，興於一室之中，應乎千里之外。此信之至也。孔子云「去食去兵而存乎信」〔三〕，至哉言乎。

政善治，

【注】從政善理，亦如水之洗滌群〔四〕物，令其清净也。

〔一〕「人」，伯三五九二作「言」。

〔二〕「引」，唐玄宗御製道德真經疏卷一作「弘」，然道德真經玄德纂疏卷二、道德真經集義卷十三引唐明皇疏也作「引」。

〔三〕「去食去兵而存乎信」，見論語顔淵。

〔四〕「群」，道德真經取善集卷二引唐明皇注作「穢」，然道德真經玄德纂疏卷二、易縣唐碑本也作「群」。

【疏】政，正也。至人於事，動合無心，正容悟物，物因從正，正則自理，非善而何？如彼水性洗滌群物，令其清净。故云善理〔一〕。

【義曰】此明真正化物，爲革凡成聖之〔二〕法也。正容悟物者，莊子田子方篇：「子方名無擇，侍坐於魏文侯。文侯師子夏，而友子方。子方數稱谿工之道，文侯以爲谿工子方之師也。子方曰：『非也，無擇之里人耳。稱道數當，故無擇稱之。無擇之師，東郭順子也，其爲人也，人貌而天虚，緣而〔三〕葆真，清而容物。物無道，正容以悟之，使人心〔四〕意也銷。無擇何足以稱之？』」此所謂物之失道，東郭順子正其容儀，心冥于道，物覩自悟。邪志盡銷，亦可謂不言而化，不化而行，真道也哉！

事善能，

【注】於事善能因任。亦如水之性，方圓隨器，不滯於物。

【疏】至人圓明，於物無礙。凡有運動，在事皆通。通則善能，是名照了。如彼水性，

〔一〕「善理」，唐玄宗御製道德真經疏卷一作「政善治」，道德真經集義卷十三引唐明皇疏也作「善理」。
〔二〕「之」，原作「人」，據道德真經集義卷十三引杜光庭廣聖義改。
〔三〕「而」，原無，據道德真經廣聖義節略卷一補。
〔四〕「心」，傳世文獻莊子田子方篇、道德真經集義卷十三引杜光庭廣聖義、道德真經廣聖義節略卷一作「之」。

決之爲川，壅〔一〕之爲池，浮舟涵虛，無所不爲，是善能〔二〕也。

【義曰】此明因機任物，爲變應圓通之用也。水以方圓任器，壅決隨時，故能習海浮天，且廣且大。人君垂裳理物，委任賢良，用之不疑，各得其職，可以無爲而理，臻乎泰寧之治矣。

動善時。

【注】物感而應，不失其時，亦如水之春泮冬凝矣。

【疏】至人之心，喻彼虛谷。方之鏡象，物感斯應。如彼水性，春泮冬凝，與時消息，故云動善時。

【義曰】此明出處從時，爲守道保生之戒。泮，散也。春布陽和，層冰釋散，冬有寒沍，流水堅凝，水之順時也。理國之道，理身之方，舒卷任時，因物之性，則至理矣，則保生矣。

〔一〕「壅」，伯三五九二作「擁」。

〔二〕「能」，原無，據唐玄宗御製道德真經疏卷一、道德真經玄德纂疏卷二及道德真經集義卷十三引唐明皇疏補。

夫唯不争，故無尤。

【注】上善之人，虚心順物。如彼水性，壅止决流，既不違迕〔一〕於物，故無尤過之地。

【疏】尤，過也。至人善行，與物無傷，虚心曲全，未曾争競。波流頽靡，委順若斯，曾不違迕〔二〕於物，故〔三〕無尤過之地矣。

【義曰】不争之德，德之先也。凡人之性，不能無争。爲争之者，其事衆也。亂逆必争，暴慢必争，忿恚必争，奢泰必争，矜伐必争，勝尚必争，違愎〔四〕必争，進取必争，勇怯必争，愛惡必争，專恣必争，寵嬖必争。王者有一於此，則興師海内；諸侯有一於此，則兵交其國；卿大夫有一於此，賊亂其家；士庶人有一於此，則害成於身。皆起於無思慮，愆禮法，不畏懼，不容忍，争乃興焉。故争城者殺人盈城，争地者殺人滿野。必當察起争之本，塞爲争之源，無不理矣。語曰：「君子無所争〔五〕。」又曰：「在

〔一〕「迕」，道德真經玄德纂疏卷二、道德真經集義卷十三引唐明皇注作「逆」。

〔二〕「迕」，唐玄宗御製道德真經疏卷一、道德真經玄德纂疏卷二、道德真經集義卷十三引唐明皇疏作「逆」。

〔三〕「故」，原作「放」，據唐玄宗御製道德真經疏卷一、道德真經玄德纂疏卷二及道德真經集義卷十三引唐明皇疏改。

〔四〕「愎」，道德真經集義卷十三引杜光庭廣聖義作「擾」，道德真經廣聖義節略卷一作「慢」。

〔五〕「君子無所争」，見論語八佾篇。

醜不争〔一〕。」下經曰：「聖人之道，爲而不争。」不争之德，何過之有哉？虚心者，虚心無欲也；曲全者，曲己全人也；波流者，任性自適也；頹靡者，放曠無滯也。波流者，莊子應帝王篇云：「變化頹靡，世事波流，無往不同矣〔二〕。」委順者，委心順道也。體兹七善，遵彼三能，國泰長生之要也。

持而盈之章第九

【疏】前章明至人善行，柔弱故無尤；此章明凡俗溺情，憍〔三〕盈故有咎。首標持盈揣

〔一〕「在醜不争」，見孝經孝行章。

〔二〕「變化頹靡，世事波流，無往不同矣」，莊子應帝王篇：「壺子曰：『鄉吾示之以未始出吾宗。吾與之虚而委蛇，不知其誰何，因以爲弟靡，因以爲波流，故逃也。』」郭象注：「變化頹靡，世事波流，無往而不因也。夫至人一耳，然應世變而時動，故相者無所措其目，自失而走。此明應帝王者無方也。」故「變化頹靡，世事波流，無往不同矣」乃郭象注，且「同」作「因」，然道德真經集義卷十三引杜光庭廣聖義也作「同」。

〔三〕「憍」，唐玄宗御製道德真經疏卷一作「驕」。

鋭，示具[一]難保；次云金玉富貴，戒在[二]貪求；結以名遂身退，令忘功而不處也。

【義曰】前章舉水爲喻，顯明修學之行。此以持盈爲首，更彰貪滯之非，欲使忘功退身，以符至人之美爾。

持而盈之，不如其已。

【注】執持盈滿，使不傾失。積財爲累，悔吝必生，故不如其已。已，止也。

【疏】持，執也；盈，滿也；已，止也。言人心貪愛，求取無厭，執守保持，更[三]令盈滿。積財爲累，悔吝必生，故聖人[四]戒云「不如休止」。

【義曰】持盈之喻，凡有四義。一者堅持欲心，至於盈滿。二者保持世財，至於盈滿。三者執持惡行，至於盈滿。四者持權恃禄，至於盈滿。大凡知進忘退，不念善道，執滯不迴，以至盈滿者，皆當有報。欲心盈滿者，得羸疾傷生報；世財盈滿者，得攻劫侵

〔一〕「具」，道德真經集義卷十四引唐明皇疏、伯三五九二作「其」。

〔二〕「在」，唐玄宗御製道德真經疏卷一作「比」，伯三五九二作「此」。

〔三〕「更」，唐玄宗御製道德真經疏卷一、道德真經玄德纂疏卷三、伯三五九二作「使」。

〔四〕「人」，原無，據唐玄宗御製道德真經疏卷一、道德真經集義卷十四引唐明皇疏補。

奪報；惡行盈滿者，得刑危〔一〕殘害報；權禄盈滿者，得傾覆淪滅報。所以老君戒之「不如休止」。不休不止，斯報必驗。

揣而鋭之，不可長保。

【注】揣，度也；鋭，銛利也〔二〕。揣摩〔三〕鋭利，進取榮名，富貴必憍〔四〕，坐招殃咎，故不可長保也。

【疏】揣，量度也；鋭，銛利也。凡情滯溺，貪求榮利，故揣量前事，銛鋭欲心，鬼瞰人怨，坐招殃咎，故不可長保也。

【義曰】夫王者鋭於開疆拓土，則人怨國亡；人臣鋭於貪利圖名，即身危禍及。縱或苟得，安能長久？況進無所補，退有憂患，故云不可長保。

金玉滿堂，莫之能守。

【注】此明盈難久持也。

〔一〕「危」，道德真經集義卷十四引杜光庭廣聖義作「厄」。

〔二〕「揣，度也；鋭，銛利也」，易縣唐碑本無。

〔三〕「摩」，唐玄宗御注道德真經卷一、易縣唐碑本作「度」。

〔四〕「憍」，唐玄宗御注道德真經卷一、易縣唐碑本、道德真經玄德纂疏卷三作「驕」。

【疏】假使貪求不已，適令金玉滿堂。象既有齒而焚身，雞亦〔一〕畏犧而斷尾。且失不貪之寶，坐貽致寇之憂。以其〔二〕賈害，豈云能守？此覆釋持盈也。

【義曰】假令明能揣度鋭解，貪求金玉珍奇，滿堂潤屋，必致攻奪之害，豈能保而守之乎？況人生有限，情欲無厭，既不救其死亡，豈能保乎金玉？象有齒而焚身者，春秋襄公二十四年：「晉范宣子爲政，諸侯之弊〔三〕重。鄭人病之。二月，鄭伯如晉，子産寓書於子西，以告宣子曰：『子爲晉國，四鄰諸侯不聞令德，而聞重弊。僑也惑之。僑聞君子長國家者，非無賄之患，而〔四〕無令名之難。夫諸侯之賄聚於公室，則諸侯貳。若吾子賴之，則晉國貳。注：貳，離也。諸侯貳則晉國壞，晉國貳則子之家壞。何没没也，將焉用賄！夫令名，德之輿也；德，國家之基也。無壞〔五〕，亦無是務乎？有德則樂，樂則能久。詩云「樂只君子，邦家之基」，有令德也。夫恕思以明德，令名

〔一〕「亦」，伯三五九二作「故」。
〔二〕「以其」，唐玄宗御製道德真經疏卷一、道德真經玄德纂疏卷三、伯三五九二作「其以」。
〔三〕「弊」，傳世春秋左氏傳作「幣」。二字通。
〔四〕「而」，道德真經集義卷十四引杜光庭廣聖義作「患」。
〔五〕「無壞」，傳世春秋左氏傳、道德真經集義卷十四引杜光庭廣聖義、道德真經廣聖義節略卷一作「有基無壞」。

載而行之，是以遠至邇安。無寧使人謂子子實生我，而謂子浚我以生乎？注：浚，取也，言取我財以自生。象有齒以焚其身，賄也。』宣子悦，乃輕弊。是行也，鄭伯朝晉，爲重弊故也。」雞斷尾〔一〕者，春秋：「周景王子子朝之傅賓孟適郊，見雄雞自斷其尾，歎曰：『犧牲之用，存乎全而肥碩〔二〕。今自斷其尾，使已不全，冀免爲犧之用。雞之保其身也如此，況於人乎？貪利而忘其身，智〔三〕不及雞矣。』」不貪之寶〔四〕者，鄭人有得玉，獻於子罕曰：「此寶也，將以獻之。」子罕曰：「汝以玉爲寶，我以不貪爲寶。我若取玉，俱喪寶矣。不如兩全之。」遂不受玉。致寇者，易解卦九〔五〕三辭曰：「負且乘，致寇至。」負者，小人之事也。負擔於物，合是小人。乘者，君子之器也。今小人捨負擔而乘車，是小人而乘君子之器矣。故竊盜之人，思奪之矣。

〔一〕「雞斷尾」，故事見於左傳昭公二十二年，此處爲轉述，視爲直接引用，放在引號内。後仿此。

〔二〕「碩」，道德真經廣聖義節略卷一「實」。

〔三〕「智」，道德真經集義卷十四引杜光庭廣聖義作「志」。

〔四〕「不貪之寶」，見春秋左氏傳襄公十五年。

〔五〕「九」，應爲「六」。周易解卦三爻爲陰爻。

富貴而驕，自遺其咎〔一〕。

【注】此明鋭不可揣也。驕由心生，故咎非他與。

【疏】遺，與也。富則人求之，故便欺物；貴則人下之，故好凌人。憍奢至而不期，殃咎來而誰與？因憍獲咎，憍自心生，故云自遺爾。此復釋揣鋭也。

【義曰】財多曰富，故人求之；位高曰貴，故人下之。滿而不溢，所以長守富也；高而不危，所以長守貴也。諺曰：「富貴不與憍奢期，憍奢自至。」憍奢不戒，凌侮於人，人以報之，禍將及矣。遺，與也。咎非外來，由自己憍慢致之爾，故云憍自心之生也。若能貴而不危，富而不溢，人無咨怨，災害不興，安國修身，斯爲至矣。憍，矜也。

功成名遂身退，天之道。

【注】功成名遂者，當退身以辭盛，亦如天道，虛盈有時，則無憂患矣。

【疏】此舉戒也。夫滿則招損，謙便受益。惟彼天道，尚不常盈，故功成者隳，名遂者虧。欲求長保，未聞斯語。當須忘功與名，退身辭盛，如彼天道，不失盈虛，則無憂

〔一〕「富貴而驕，自遺其咎」至本卷末，原缺，按廣聖義編排體例，據唐玄宗御注道德真經卷一、唐玄宗御製道德真經疏卷一、道德真經玄德纂疏卷三、道德真經集義卷十四引杜光庭廣聖義補。

責矣。

【義曰】禦災除患曰功，富貴尊榮曰名。功既成矣，名既遂矣，而不知退者，鮮不及禍。夫何故哉？寵則有辱，盛則有衰，亢極則悔。高鳥盡而良弓藏，狡兔死而獵犬烹，勢使然也。范蠡扁舟而脱禍，大夫種固位而喪身，此之謂矣。日中則昃，月滿則虧，暑往即寒來，春榮則秋落，天道然也。人能體盈虚於天道，忘成遂之功名，子房絶粒以優游，疏廣解印而高尚，固無上蔡、華亭之追痛〔一〕矣。況乃居九五之位而臨億兆之人，光宅萬方，廊廡四海，而不守持盈滿堂之戒乎？

〔一〕「上蔡、華亭之追痛」，「上蔡」指李斯事，「華亭」指陸機事，二人臨刑之痛悔常被並列叙述。晉書陸機傳：「上蔡之犬，不誡於前；華亭之鶴，方悔於後。」魏書王楨傳：「昔李斯憶上蔡黄犬，陸機想華亭鶴唳，豈不以恍惚無際，一去不還者乎？」唐闕史卷下：「上蔡之犬堪嗟，人生到此；華亭之鶴徒唳，天命如何！」

道德真經廣聖義卷之十一

唐　廣成先生杜光庭　述

載營魄章第十

【疏】前章明縱欲溺情，憍盈故有咎；此章明養神愛氣，不雜則無疵。「營魄」以下至「滌除」，戒修身所以全德；「愛人」以下至「明白」，示德全可以爲君；結以生之畜之，表玄功之被物也。

【義曰】此章明抱一之利，以表前揣鋭之非。抱一則神全魄安，揣鋭則盈而必覆。至於致柔玄覽之妙，愛人理國之規，同大道生畜之功，顯匡翼〔一〕玄深之德。

〔一〕「匡翼」，道德真經集義卷十五引杜光庭廣聖義作「注益」。

載營魄抱一，能無離乎？

【注】人生始化曰魄，既生魄，陽曰魂[一]；魄則陰虚，魂則陽滿。言人載虚魄，常須營護復陽，陽氣盈滿[二]則爲魂，魂能運動則生全矣。一者，不雜也。復陽全生，不可染雜，故令抱守淳一，能無離身也。

【疏】載，初也；營，護也。言人受生始化，但有虚象魄，然既生則陽氣盈[三]滿虚魄，魄能運動則謂之魂，如月之魄，照日則光生。故春秋子産曰「人生始化曰魄，既生魄，陽曰[四]魂」，言人初載虚魄，當營護陽氣，常使盈[五]滿，人則生全。若動用不恒，敗[六]

〔一〕「既生魄，陽曰魂」，唐玄宗御注道德真經卷一作「既生曰魂」，然道德真經集義卷十五引唐明皇注也作「既生魄，陽曰魂」。

〔二〕「盈滿」，唐玄宗御注道德真經卷一、易縣唐碑本、道德真經玄德纂疏卷三作「充魄」，道德真經集義卷十五引唐明皇注作「充滿」。

〔三〕「盈」，唐玄宗御製道德真經疏卷一、道德真經玄德纂疏卷三、道德真經集義卷十五引唐明皇疏作「充」。

〔四〕「曰」，唐玄宗御製道德真經疏卷一作「爲」。

〔五〕「盈」，唐玄宗御製道德真經疏卷一、道德真經玄德纂疏卷三、道德真經集義卷十五引唐明皇疏、伯三五九二作「充」。

〔六〕「敗」，唐玄宗御製道德真經疏卷一作「消」，道德真經集義卷十五引唐明皇疏作「則」。

散陽氣，復成虚魄而死滅也。莊子曰：「近死之心，莫使復陽。」故令營護虚魄，使復陽生全[一]也。抱守淳[二]一，不令染雜，無離乎身，則生全矣。此教養神也。

【義曰】載，運[三]載也。言人之身，神氣所居，魂魄所舍。以身運載，如車載物。西昇經云：「身者，神之車也。」既以喻車，固當運載矣。虚魄者，陰氣有象，人之形也。陽氣無形，人之神也。形之具矣而陽氣未附，則塊然無知，如頑石枯木。陽氣既降，即能運動。故以形爲魄，魄屬陰也；以神爲魂，魂屬陽也。凡人有纖毫之陽氣未盡，不至於死；有纖毫之陰氣未盡，不至於仙。所以錬陰氣盡，即超九天而爲仙，仙與陽爲徒也。錬陽氣盡，則淪九泉而爲鬼，鬼與陰爲徒也。故當保守陽魂，營護陰魄，以全其生。抱一者，守道也。拘魂制魄，守道爲基。令人守道，拘制能無離乎？虚象者，形質始具，謂之虚[四]象。象，似也。如月之魄，照日則光生。天元經[五]云：「月本陰

[一]「生全」，唐玄宗御製道德真經疏卷一、道德真經玄德纂疏卷三、伯三五九二作「全生」。
[二]「淳」，唐玄宗御製道德真經疏卷一作「純」。
[三]「運」，道德真經集義卷十五引杜光庭廣聖義作「營」。
[四]「虚」，道德真經集義卷十五引杜光庭廣聖義作「爲」。
[五]天元經：不傳，從所引經文内容看，與唐開元占經（收入四庫全書子部術數類）内容相似。

氣，有象而無光。日者太陽之精，常循黄道而東行，一日一夜行一度有奇，一度二千九百三十二里。月者太陰之精，其狀也圓，其質也清。禀日之光而見其體，日所不照則謂之魄。常循黄道東行，或出黄道表，或入黄道裏。行有遲疾，其極遲日行十二度十九分之二，平行一十三度三十七分，極疾日行十四度九分度之十三。遲則涉疾，疾則復遲。二十七日五十二分，日則四百一十七分，則遲疾之終也。終而復始，每月朔與日同度，謂之合朔。月疾而日遲，故三日哉生魄，三日之外，其光漸生。二弦之日，日照其側，人觀其傍，故半明半魄。晦朔之日，日照其表，人在其裏，故不見月。日〔一〕望之日，日月相望，人居其間，以觀其明，故形圓而光滿。月望而晨見東方，謂之側，行遲也；月晦而夕見西方，謂之朓〔二〕，行疾也。」天對曰：「衝其光如日，日光不極謂之暗虚。暗虚值月則月蝕，值星則星亡。日月朔望，行於中道，則值暗虚而蝕。日月各周圓三千里，徑一千里也。」人始化曰魄者，春秋昭公七年：「初，鄭伯有爲政，駟帶殺之。鄭人相驚曰：『伯有至矣！』或夢伯有介曰：『壬子，余將殺帶。明年殺段。』於

〔一〕「日」，道德真經集義卷十五引杜光庭廣聖義作「月」。
〔二〕「朓」，道德真經集義卷十五引杜光庭廣聖義作「曉」。

是，壬子駟帶卒，明年公孫段卒。鄭人益懼，或問子産曰：『伯有猶能爲鬼乎？』子産曰：『人生陰曰魄，陽曰魂。用物精多，則魂魄强。匹夫匹婦强死，而魂魄猶能憑依於人，以爲淫厲，况伯有三世執其政柄，而强爲鬼神，不亦宜乎？』伯有乃穆公之胄，子良之孫、子耳之子，故曰三世。子産立其子良止以撫之，乃止。」「近死之心，莫使復陽」者，莊子齊物篇之辭也。以其利患生禍、陰〔一〕結遂志有如此者也。蓋南郭子綦答子游天籟之旨爾。淳一者，淳和也；不雜者，除垢止亂無令雜也。老君明此營魄守一之旨以教人養神也。上清隱書有鬱儀奔日、結璘奔月之道〔二〕，存日月中各有五帝，呼日月内諱，想五帝形服，來降於己，乃吞日月之華，得其道者與日月同壽。又有拘魂制魄之道〔三〕，常以月三日、十三日、二十三日，存心中赤氣變化，而呼三魂之名，胎光、爽靈、幽精，乃密呪拘魂。又以月朔月望月晦之日，存鼻端白氣變化，而呼七魄之名，尸狗、伏矢、雀陰、吞賊、除穢、臭肺、非毒，乃密呪制魄，各有存念呪術，具上清品中。

〔一〕「陰」，道德真經集義卷十五引杜光庭廣聖義作「陽」。

〔二〕「鬱儀奔日、結璘奔月之道」，見太上玉晨鬱儀結璘奔日月圖。

〔三〕「拘魂制魄之道」，見皇天上清金闕帝君靈書紫文上經、上清握中訣卷上、上清修行經訣、上清太極真人神仙經等。

久久行之，可以輕舉。此太上營護虛魄、度世長生之道也。

專氣致柔，能如嬰兒乎？

【注】專一沖氣，使致和柔，能如嬰兒，無所分别矣。

【疏】專，專一也；沖〔一〕氣，沖和妙氣也。人之受生，沖和〔二〕爲本。若染雜塵境，則沖氣離散，神不固身。故戒令專一沖和，使致柔弱，能如嬰兒無所耽著乎？此教養氣也。

【義曰】嬰兒未知，孩偶答對，專任沖和之氣，外無染雜，内無思慮，隨氣柔弱，故沖氣〔三〕不散。守道之士，當如嬰兒，無染雜思慮，使神不離身。西昇經曰：「哀人不如哀身，哀身不如愛神，愛神不如含神，含神不如守真〔四〕。守真，長久長存也。」又曰：「神愛人，人不愛神。」是以老君教人養神養氣也。

〔一〕「沖」，唐玄宗御製道德真經疏卷一、道德真經玄德纂疏卷三、道德真經集義卷十五引唐明皇疏、伯三五九二無。

〔二〕「和」，唐玄宗御製道德真經疏卷一、道德真經玄德纂疏卷三、伯三五九二作「氣」。

〔三〕「氣」，道德真經集義卷十五引杜光庭廣聖義作「和」。

〔四〕此處及下文兩處「守真」之「真」，西昇經卷中作「身」。

滌除玄覽，能無疵乎？

【注】玄覽，心照也；疵，瑕病也。滌除心照，使令清静，能無疵〔一〕病乎？

【疏】滌者，洗也；除，理也；玄覽，心照也；疵，病也。人之耽染，爲起欲心，當須洗滌除理，使心照清静，愛欲不起，能令無疵病乎？此教人修〔二〕心也。

【義曰】心之照也，通貫有無，周遍天地，因機即運，隨境即馳。不以澄静制之，則動淪染欲，既滯染欲，則萬惡生焉。萬惡生則疵病作焉。老君戒令洗滌除理，翦去欲心，心照清静，則無疵病。西昇經曰："生我者神，殺我者心。"故使制志意、遠思慮者，是謂教人修其心也。

愛民理國，能無爲乎？

【注】愛養萬民〔三〕，臨理國政，能無爲乎？當自化矣。自上"營魄"，皆教修身，身修則德全，故可爲君也。

〔一〕"疵"，唐玄宗御注道德真經卷一作"瑕"。

〔二〕"修"，唐玄宗御製道德真經疏卷一作"滌"。

〔三〕"民"，唐玄宗御注道德真經卷一、易縣唐碑本、道德真經玄德纂疏卷三作"人"，因避諱而致。

【疏】愛民者使之不暴卒，役之不傷性。理國者務農而重穀，事簡而不煩，則人安其生，不言而化矣。此無爲也。能爲之乎？

【義曰】生民者，國之本也；無爲者，道之化也。以無爲之化，愛育於人，國本固矣。政虐而苛，則爲暴也；賦重役煩，則傷性也；使之不以時，則妨農也；不務儉約，則賤穀也。此教以理國也。爲君之體，以道爲基，以德爲本。失道喪德，何以君臨？此老君教以理國之要也。

天門開闔，能爲雌乎？

【注】天門，曆數所從出；開闔，謂理[一]亂。言人君應期受命，能雌柔守静[二]，則可以永終天禄矣。又解云：易曰「一闢一闔謂之變」，言聖人撫運，應變無常，不可[三]以雄成，而守雌牝，亦如天門開闔，虧盈而益謙矣。

〔一〕「理」，唐玄宗御注道德真經卷一作「治」。

〔二〕「雌柔守静」，唐玄宗御注道德真經卷一、道德真經玄德纂疏卷三作「能守雌静」。

〔三〕「可」，唐玄宗御注道德真經卷一、易縣唐碑本、道德真經玄德纂疏卷三無。

【疏】修德可以爲君，爲君須承曆數，即天門者，帝王曆數所從出也。開謂天受〔一〕，闔謂廢黜。天降寶命以祚有道，能守雌柔，可享元吉，故云能爲雌乎〔二〕。

【義曰】修愛民理國之事，爲垂衣南面之君，猶須恭己奉天，以順曆數。曆數者，謂受命之曆，五運之數也。舜命禹曰：「天之曆數在爾躬，天禄永終。」謂曆數在躬，以承天命，故可大寶愛之，謂之寶命。自天而授，故謂受命於天，易繫曰「聖人之大寶曰位」是也。天門開則降非常之瑞，或黄星動彩、赤伏表符、紫氣充庭、五星聚井、流虹貫月、火電繞樞，然後稟嶽降賢，誕星命輔〔三〕，以佐佑之。故應天順人，拯物除害，而承曆數，以有天下也。及乎臨御失所，刑政乖宜，衆叛親離，兵交禍起，逆亂生於下，氣

〔一〕「天受」，唐玄宗御製道德真經疏卷一、道德真經玄德纂疏卷三、道德真經集義卷十五引唐明皇疏、伯三五九二作「受命」。

〔二〕唐玄宗御製道德真經疏卷一、伯三五九二此句後均有「又解云：易曰『一闔一闢謂之變』，言聖人設教，應變無常，不以雄盛，而守雌牝，亦如天門開闔，虧盈而益謙也」。其中伯三五九二「盛」作「成」。道德真經集義卷十五引唐明皇疏同廣聖義，也無該句。玄宗註有兩解，疏也往往有兩解，故當以有此句爲正。

〔三〕「稟嶽降賢，誕星命輔」，道德真經廣聖義節略卷一作「維嶽降神，誕生宰輔」。

象見於上，日寶〔一〕天開，山崩川竭，災凶蜂起，而國亡矣。是天門闔也。一闢一闔之謂變者，易繫辭云，謂開閉相循、陰陽遞至、倚伏之義也。虧盈而益謙者，易謙卦辭，虧謂滅損盈滿而增益謙退，若日中則昃，月盈則虧。其盈也，盈既虧滅，謙則受益，倚伏之勢矣。老君戒人君既受命臨人，當以雌静柔和、無爲清簡之政順膺天數，以牧萬方矣。又易繫云「闔户謂之坤」。坤，陰也；闔，閉藏也。凡物先藏而後出，若室之開闔其户，故云闔户也。闢户謂之乾。乾，陽也；闢，吐生也。在陽則舒，陽能吐生萬物，若室之開其户也。亦解闔爲暗昧，闢爲昭明也。不可以雄成者，莊子大宗師曰「不逆寡，不雄成」，謂不恃其成，而處物先，當守雌静以化也。

明白四達，能無知乎？

【注】人君能爲雌静，則萬姓樂推。其德明白，如日四照，猶須忘功不宰。故云能無知乎。

【疏】帝王既受曆數，臨御萬方，若能守雌静，則其德明白如日之照，四達天下，功被於物，不以爲功。所謂忘功若無知者，故云能無知乎。

〔一〕「寶」，道德真經集義卷十五引杜光庭廣聖義作「霄」。

【義曰】明白，惠〔一〕照也。惠照之心，照無遠近，焕然四達，無所隔礙。其照如此，當息念忘心〔二〕，不滯於見，猶若無知。或矜〔三〕其有知，則有所執而失道也。人君負獨見之明以御四海，其政察察，民凋弊矣。老君戒之，令忘功息照，亦猶黈纊塞耳，以閉其聰，冕旒垂目，以杜其明也。

生之、畜之；

【疏】下經云「道生之，德畜之」，此云生之畜之者，謂人君法道清静，令物得遂其生成，效德弘濟，令物各盡其畜養。故云生之畜之。

【義曰】道以通生萬物，故云生之；德以畜養萬物，故云畜之。帝王法道體德〔四〕，任物生畜，各隨〔五〕其分，各達其情，咸得所宜，物無失所矣。法，則也；效，學也。

〔一〕此處及後文兩「惠」字，道德真經集義卷十五引杜光庭廣聖義作「慧」。
〔二〕「息念忘心」，道德真經集義卷十五引杜光庭廣聖義作「思念念心」。
〔三〕「矜」，道德真經集義卷十五引杜光庭廣聖義作「務」。
〔四〕「德」，道德真經集義卷十五引杜光庭廣聖義作「天」。
〔五〕「隨」，道德真經集義卷十五引杜光庭廣聖義作「遂」。

生而不有，爲而不恃，長而不宰。是謂玄德。

【注】令物各遂其生而畜養之，遂生而不以爲有，修爲而不恃其功，居長而不爲主宰。人君能如此，是謂深玄之德矣。

【疏】物得遂生，聖忘功用。遂生則生理自足，忘功則功用常全，斯乃無私而成私、不宰而爲宰〔一〕也。故生而不有者，令物各遂其生，君不以爲己有也。爲而不恃者，令物各得動爲〔二〕，而不自負恃爲己功也。長而不宰者，居萬民之上，故云長；不恃其功，故云不宰也。如是是謂深玄〔三〕之德矣。

【義曰】人君抱守淳一，洗心内照，愛人理國，動法天時，雌静平和，收視返聽，體道生物，順德養人，生物而不有其功，爲政而不恃其力，視聽四達，功成不居。此理身理國兼愛之道，順天之德也。玄，天也。

〔一〕「宰」，唐玄宗御製道德真經疏卷一作「真宰」。
〔二〕「爲」，唐玄宗御製道德真經疏卷一作「用」。
〔三〕「玄」，唐玄宗御製道德真經疏卷一作「玄妙」。

三十輻章第十一

【疏】前章明養神愛氣，不雜故無疵；此章明利有用無，相資而功立。故乾坤爲大易之韞〔一〕，轅廂成，用無之質。標器室〔二〕以爲喻，存利用之〔三〕結成爾。

【義曰】愛氣養神則尚乎清静，用無利有則在彼相資。資，取也。車器室三者，皆假其有而取其無以爲用也。車以運載，器以盛〔四〕受，室以居止，必資外有而用中無，故能成有用之功爾。乾坤爲大易之韞〔五〕者，易繫辭也。明易之所立，本乎乾坤；乾坤不存，則易道無由起。故云乾坤是易道韞積之根源，與易爲州〔六〕府奥藏也。故下文

〔一〕「大易之韞」，唐玄宗御製道德真經疏卷二作「太易之藴」，道德真經集義卷十五引杜光庭廣聖義作「大易之韜」。
〔二〕「器室」，唐玄宗御製道德真經疏卷二作「車器」。
〔三〕「之」，唐玄宗御製道德真經疏卷二作「以」。
〔四〕「盛」，原作「成」，據道德真經集義卷十七引杜光庭廣聖義改。
〔五〕此處及後文兩「韞」字，道德真經集義卷十七引杜光庭廣聖義作「藴」。
〔六〕「州」，道德真經集義卷十七引杜光庭廣聖義作「川」。

云「乾坤成列而易立乎其中」矣。乾坤毁，則無以見易也，亦猶輪轂轅廂爲車之質，轅廂毁則無以見車。將明利用之因，故舉三物之喻。理國者民存則有國，民散則國危；理身者神存則有生，神逝則身滅。利用之道，實相資也。

三十輻共一轂，當其無，有車之用。

【注】此明有無功用，相資而立。三十輻者，明造車；共一轂，因言少總衆。夫轅廂〔一〕之有，共則成車，車中空無，乃可運用。若無轅廂之有，亦無所用之車。車中若不空無，則轅廂之有皆爲棄物矣。

【疏】輻三十貫於一轂，明少者多之所宗也。當其空無，方有車之運用，明無者有之所利也。

【義曰】轂總衆輻以成輪，車總衆材以成用。其所用者，用車之中空無之所爾。向無輪轂不得成車，今得成車，又虚中而運載，以喻人君内資輔相之謀，外委諸侯之助，乃能有國。如三十輻之輳〔二〕一轂也。既有國矣，能虚心體道，則天下化成，如車中之空

〔一〕此處及後文兩「廂」字，唐玄宗御注道德真經卷一作「箱」。

〔二〕此處及後文兩「輳」字，道德真經集義卷十七引杜光庭廣聖義作「湊」。

也。人之身也，外資百體之設，内仗五氣之和，如輻之輳而成於人。既爲身矣，能虚心體道，則元和潛運而致長生矣。此明有無利用，互得相資也。

【疏】夫道者何？至無至一者也。故能鼓動衆類，磅礴群材，適使萬殊區分，成之者乃一象也。

【義曰】道之真一，無色無聲，衆類群材，資之以立。動者，五靈毛羽鱗甲昆〔一〕蟲之屬也；植者，草木之屬也。類者，狀也；材者，質也。動植材類，億萬不同，是萬殊也。物雖萬殊而長養生成者，道也。道唯一象爾。經曰「惚怳中有象」，即此真精淳一生化萬殊之物，可謂少者多之所宗也。

【疏】衆竅互作，鼓之者一響。原天下之動用，本天下之生成，未始離於至無〔二〕至一者也。

【義曰】衆竅者，莊子齊物篇：「南郭子綦謂子游曰：『夫大塊噫氣，其名爲風。是唯無作，作則萬竅怒呺。大木百圍之竅穴，似鼻，似口，似耳，似枅；激者，謞者，叱者，吸

〔一〕「昆」，道德真經集義卷十七引杜光庭廣聖義作「羽」。
〔二〕「至無」，唐玄宗御製道德真經疏卷二無。

者，叫者，譹者。冷風則小和，飄風則大和。』」然則衆竅之聲大小萬殊，所鼓之者一風而已矣。觀天下之動用者，易繫曰「聖人有以見天下之動」者，言聖人有其微妙，以見天下萬物動用，明天下萬物生成，皆稟於淳一微妙之道。故云未始離於至無至一者也。

【疏】且就車而論，則轅廂有質〔一〕。車中空無也，車中空無乃可運用，若無轅廂之有，則空無之運用息矣。車中若不空無，則轅廂之類〔二〕皆爲棄物矣。故乾坤成而易功著。

【義曰】此覆釋乾坤成而易立乎其中。喻轅廂之有，以成車中之空無也。

【疏】萬化流通〔三〕而道用彰，是以借麤有〔四〕之用無，明至無之利有爾。

【義曰】萬化流通，皆稟道用。若無萬化，道用不彰，亦猶轅廂爲車之用，乾坤爲易之

〔一〕「且就車而論，則轅廂有質」，唐玄宗御製道德真經疏卷二作「且就車而輪，則轅廂有也」。

〔二〕「類」，原作「數」，據唐玄宗御製道德真經疏卷二改。

〔三〕「通」，唐玄宗御製道德真經疏卷二、道德真經玄德纂疏卷三作「動」。

〔四〕「有」，原作「喻」，據唐玄宗御製道德真經疏卷二、道德真經玄德纂疏卷三改。後文「故借麤有之利無，以明妙無之用有爾」可證。

轀〔一〕也。車者常器，人所見焉。假此爲喻，以喻妙道，故云麤喻也。

埏埴以爲器，當其無，有器之用。

【注】埏，和也；埴，土也。陶匠和土爲瓦缶之器者也。

【疏】埏，和也；埴，粘土也。注云陶匠者，尚書云「範土曰陶」，此云陶匠範和粘土，燒成瓦器，亦取其中空虚以用盛〔二〕受物也。

【義曰】和土爲器，亦彰因有而用無。凡曰器用，其形萬殊，大小不同，方圓各異，或巧或拙，或賤或珍，而其所用皆用器中空無之處爾。範土曰陶者，尚書之辭也，舜側微之時，耕於歷山，陶於河濱是也。列仙傳云：「陶公與弟子師門，皆古之陶者，善化五色之火而昇天矣。」

鑿户牖以爲室，當其無，有室之用。

【注】古者陶穴以爲室宇，亦開户牖，是故云鑿爾。

【疏】鑿，穿也。門傍牕謂之牖。古者穴居，故詩云「陶復陶穴」，謂穿鑿穴中之土，以

〔一〕「轀」，道德真經集義卷十七引杜光庭廣聖義作「藴」。

〔二〕「盛」，唐玄宗御製道德真經疏卷二作「成」。

復覆其上，故云鑿爾。後代聖人易之以宫室，取其室中空虚，所以人得居處。莊子曰「室無空虚，則婦姑勃蹊〔一〕」，謂争路也。爾雅：「宫謂之室。」

【義曰】毛詩文王之什緜緜篇云：「古公亶父，陶復陶穴，未有家室。」古公者，邠公也。古，言久也；亶，公字也。文王之祖，處於邠，以德化人，歸之者衆。狄人侵之，公事之以皮幣，不得免焉；事之以犬馬，不得免焉；事之以珠玉，不得免焉；乃屬其耆老曰：「狄人之所好者，欲吾之土地也。吾聞君子不以其所以養人者害人，二三子何患乎無君？」遂策杖而去之。踰梁山而邑乎岐山之下。邠人曰：「仁人不可失也。」從之如歸市焉。未有居室，陶其土而復之，陶其壤而穴之。父子夫婦，居謂之家，未有寢廟，亦未有家室也。箋云：「諸侯之臣稱公曰君也。」復者，復於地上。鑿地曰穴，皆如陶焉。陶者，今之瓦窯也。此言其在邠創業之時爾。邠者，所封地名也。易繫曰：「上古穴居而野處，後代聖人易之以宫室。」蓋取諸大壯，以制造宫室，大壯於穴居野處之時，故云大壯。易言上古者，言未造宫宇之前，止是夏巢冬穴，故制室宇以代之，非是後物以替前物，故云上古，乃在伏羲黄帝之間也，莊子盜跖謂「夫上古之人，夏棲木上，

〔一〕「蹊」，傳世本莊子作「溪」或「閒」。

冬拾杼栗〔一〕是也。巢穴之中，取其空而可居。今宮室所制，亦取其中空而居之，故云「當其無，有室之用」。婦姑勃蹊者，蹊，路徑也，勃，戾怒也，莊子外物篇所云，言室中不空，蹊路湫隘，則婦姑争路而行。婦合順於姑，以爲孝敬，今乃争路忿怒，是室中隘狹，無所往來以容其私，則反戾而鬥争也。此謂室隘狹不空，則婦姑争路；心壅蔽不虛，則嗜欲交侵。爾雅曰：「宮謂之室，室謂之宮。」大小異制也。今則禮有降殺，聖人所居爲宮，通衆所居爲家宅屋宇堂室等也。論語皇侃疏云「堂之内隔爲内外，分爲房室，故孔子弟子有升堂者、入室者」，則堂爲通稱，室在堂内，復爲分別矣。

故有之以爲利，無之以爲用。

【注】有體利無，以無爲利；無體用有，以有爲用。且「形而上者曰道，形而下者曰器」，將明至道之用，約形質以彰，故借麤有之利無，以明妙無之用有爾。

【疏】有之所利，利於用，用必資無，故有以無爲利也；無之所用，用於體，體必資有，

〔一〕「夫上古之人，夏棲木上，冬拾杼栗」，莊子盜跖篇曰「且吾聞之，古者禽獸多而人少，於是民皆巢居以避之，晝拾橡栗，暮栖木上，故命之曰有巢氏之民。」

故無以有爲用[一]也。

【義曰】夫道之無也，資有以彰其功，無此有則道功不彰矣。物之有也，資道以禀其質，無此道則物不生矣。物非道則不能生成，道非物則不顯功用。亦猶車、器、室三者，皆取其因無以利有、因有以用無也。

【疏】注云「形而上者曰道，形而下者曰器」者，易繫辭文也。

【義曰】形而上者道之本，清虚無爲，故處乎上也；形而下者道之用，禀質流形，故處乎下也。顯道之用，以形於物，物禀有質，故謂之器。器者，有形之類也。聖人法道之用，制以爲器，畫卦觀象，以制文字，刳木爲舟，剡木爲檝，斷木爲杵，掘地爲臼，弦木爲弧，剡木爲矢，制以[二]宫室，結爲網罟，服牛乘馬，負重致遠，鑄金爲兵，揭竿爲旗，斲木爲耜，揉木爲耒。一事以上，以利天下。此皆分道之用以爲器物爾。皆易繫所稱，此乃道是無體之名，形是有質之用。凡萬物從無而生，衆形由道而立，先道而後形，道在形之上，形在道之下。故自形而上謂之道，自形而下謂之器。形雖處道器

[一]「用」，唐玄宗御製道德真經疏卷二作「利」。

[二]「以」，道德真經集義卷十七引杜光庭廣聖義作「爲」。

兩畔之際，形在器上不在道也。既有形質，可爲器用，故云形而下者謂之器。夫道者，無也；形者，有也。有故有極，無故長存。世人修道，當外固其形，以寳其有，内存其神，以宗其無，漸契妙無，然合於道，可以長生爾。

【疏】自無則稱道，涉有則稱器。欲明道用，必約形器以彰〔一〕。雖借喻於三翻〔二〕，終用無於一致爾。

【義曰】至一至無，道也；有象有形，器也。約器明道，復借喻於車器室等，謂三翻也。其用於無，皆一揆耳。聖人之理天下也，懸賞罰，制法度，垂教令，明上下，此皆有也。若其〔三〕端默爲政，沖静率人，不言兹化，萬物自理，雖有賞罰之科、制度之設、教令之行、上下之别，而不用之，亦可謂假其有而用其無也。斯至理也。修身之道，因經而悟理，因悟而忘言，了達妙門，不執言教，亦此義歟？

〔一〕「以彰」，唐玄宗御製道德真經疏卷二無。

〔二〕「雖借喻於三翻」，唐玄宗御製道德真經疏卷二作「故首唯借喻於三翻」。

〔三〕「其」，原作「無」，據道德真經集義卷十七引杜光庭廣聖義及文意改。

道德真經廣聖義卷之十二

唐　廣成先生杜光庭　述

五色令人目盲章第十二

【疏】前章明利有用無，相資故功立；此章明染塵逐境，馳騁即發狂。首標色聲滋味〔一〕，戒傷當所以爲病；次云畋獵貪貨〔二〕，明逐欲所以焚和；結以聖人去取，示全真保性之要爾。

【義曰】前章明利有用無，此章戒用之太過。色聲之所以養耳目也，過之則盲聾；食味所以養身也，過之則爲病。况復馳騁貪貨，甚於三者之傷耶？且耳目口之所急，

〔一〕「滋味」，唐玄宗道德真經疏卷二無。
〔二〕「貪貨」，唐玄宗道德真經疏卷二無。

待之以養命，不可去也，尚欲損而去之；馳騁貪貨非性命之急，而欲害甚於聲色味，而不能去，是迷之甚矣。老君明此，使内去外損，以爲理國理身之要旨爾。

五色令人目盲，五音令人耳聾，五味令人口爽，

【注】目悦青黄之觀，耳耽宫徵之音，口嗛〔一〕蒭豢之味。傷當過分，則坐令形骸聾盲爾。

【疏】五色謂青黄白赤黑，音謂宫商角徵羽，味謂甘苦酸鹹辛。爽，差也。目視色，耳聽聲，口察味，傷當過分，則不能無損，故坐令形骸聾盲，爽差失味也。

【義曰】五音者，按漢劉向曰：「宫者，中也，君之德也；商者，章也，物成章也；角者，甲也，物之發生也；徵者，祉也，物之盛大繁祉也；羽者，聚也，物聚而藏也。」五色者，按王叔師曰：「皎皎練絲〔二〕，得藍則青，得丹則赤，得蘗則黄，得皂則黑，而爲五色也。」目不見五色謂之盲。五色之設，本以彰五行之象，别尊卑之飾。翫而滯之，匪曰

〔一〕「嗛」，唐玄宗御注道德真經卷一作「燕」。

〔二〕「皎皎練絲」，唐馬總意林卷四、明徐元太喻林卷九十三引意林正部文作「皎皎練練」。太平御覽布帛部引正部也作「皎皎練絲」，明彭大翼撰山堂肆考卷一百八十七引正部文作「皎皎素絲」。據傳世文獻，王叔師即王逸，有楚辭章句，然今章句不見上述文字。

盲乎？耳不聞五聲謂之聾。五音之設，本以通天地之氣，彰五行之聲。悦而滯之，不曰聾乎？口不辯五味謂之爽。五味之設，本以彰五行之和，以養於人。美而耽之，不曰爽乎？姚信士緯曰：「五音成而鄭衛作，五色成而綺縠生。」傷當過分，内以致疾；滯而不已，外以害德。雖不傷於視聽，無廢於飲食，其於滯著不移，亦同乎病也。易頤卦辭曰「慎言語，節飲食」，斯亦戒之旨也。春秋：「富辰諫周襄王曰：『耳不能聽五聲之和爲聾，目不別五色之章爲味〔一〕。』」味，盲也。理國者滯於一隅，民必壅閼而成釁；理身者滯於一隅，氣必憒薄而構病，所宜戒哉。

【疏】又況耽滯代間聲色諸法，不悟聲色性空。豈唯形骸之有聾盲，此亦智之聾盲爾。

【義曰】夫目悦妖麗之色，耳耽鄭衛之聲，口嗜珍鮮之味，則心有滯著不通，而流遁忘返，大則忘天地四時之序，次則違尊卑禮樂之倫，小則生侵淩怨争之禍。惟國惟家，皆失理矣。則自古及今，以色以聲亡其家國者衆矣。豈獨末嬉妲己褒姒麗姬而已哉？味之起争，亦有羊羹、解黿之禍矣。羊羹者，春秋宣公二年：「鄭公子歸生受楚

〔一〕「耳不能聽五聲之和爲聾，目不別五色之章爲昧」，見左傳僖公二十四年。

子之命伐宋，宋華元、樂莒〔一〕帥師以禦之。二月壬子，戰于大棘。將戰，華元殺羊以食士。其御羊斟不預。及戰，曰：『疇昔之羊，子爲政；今日之事，我爲政。』與入鄭師。故宋師大敗。鄭人囚華元，獲樂莒及甲車四百六十乘，俘二百五十人，馘百人。宋以兵車百乘、文馬百駟以贖華元于鄭。半入，華元逃歸。立于門〔二〕外，告而後入。見羊斟曰：『子之馬然也。』對曰：『非馬也，其人也。』既答而叔牂奔魯叔牂，斟字也。君子謂羊斟非人也，以其私憾，敗國殄民，於是刑孰大焉。小雅所謂「人無良〔三〕」者，其羊斟之謂乎？殘民以逞矣。」解黿者，宣公四年：「楚人獻黿於鄭靈公穆公太子夷也。公子公名宋〔四〕、子家名歸生將入見。子公之食指動第二指，以示子家曰：『他日我如此，必嘗異味。』及入，宰夫將解黿，相視而笑。公問之，子家以告。及食大夫黿，召子公而弗與也。子公怒，染指於鼎，嘗之而出。公怒，欲殺子公。子公與子家謀先爲難。子家曰：『畜老猶憚殺之，而況君乎？』反譖子家。子家懼而從之。夏，弒靈公。書

〔一〕「樂莒」，傳世左傳作「樂呂」。
〔二〕「門」，原作「羽」，據傳世左傳改。
〔三〕「人無良」，詩經小雅角弓：「民之無良，相怨一方。受爵不讓，至于己斯亡。」
〔四〕「宋」，原作「宗」，據傳世左傳改。

曰：『鄭公子歸生弒其君夷。』權不足也。子家權不足以禦，子公懼譖而從弒，故書首爲惡也。君子曰：『仁而不武，無能達也。』初稱畜老，仁也；不討子公，是不武也。不能自通於仁道，而陷弒君之名，其實子公染指而成斯禍爾。」復有滯金石之音者，不能聽無聲之聲；耽玄黄之狀者，不能見無色之色；嗜甘辛之味者，不能知無味之味。自喪真道，以掇死亡矣。

馳騁畋獵令人心發狂；

【注】馳騁代務，耽著有爲，如彼畋獵，唯求殺獲。日以心鬭，逐境奔馳；静而思之，是發狂病耳。

【疏】此言耽滯聲色之人馳騁欲心，亦如畋獵但求殺獲，欲心奔盛，逐境如馳。静而觀之，是心發狂病。

【義曰】畋獵者，國之正禮也。時而行之則爲禮，不時而溺之則爲亂。亦猶人之四肢百體，屈伸動静，得其宜則合於禮，違之則爲狂矣。禮，天子諸侯每歲三畋，一爲乾豆，祭祀宗廟也；二爲賓客〔一〕，交二國之好也；三充君之庖，食以時也。時而不畋則

〔一〕「客」，道德真經廣聖義節略卷一作「友」。

曰不敬，畋不以時則謂之暴。所以春蒐、夏苗、秋獮、冬狩，皆俟農隙以講武事也。獺未祭魚，網罟不施於川；豺未祭獸，罝罘不通於野；鷹隼未擊，罻羅不張於林。修禽之禮，展三驅之仁，順天時也。天子仲春教振旅，遂以畋獵；仲夏教茂〔一〕田，遂以苗〔二〕；仲秋教理兵，遂以獮；仲冬教大閲，遂以狩。大司馬以掌其事，山虞澤虞以供其職，蓋以教武事、示民時也。則有不遵典故，外作禽荒，暴物犯〔三〕時，十旬不返，馳騁莫已，遂爲發狂。人怨國危，失禮致禍也。況人之心馳騁，逐境爭奔，外溺色聲，内傷神氣，發狂於身乎？

難得之貨令人行妨。

【注】性分所無，求不可得。妄求難得，故令道行有所妨傷。

〔一〕「茂」，道德真經廣聖義節略卷一作「芙」，疑本當作「茇」字。按春夏秋冬狩獵見於周禮夏官大司馬，其文曰：「中夏，教茇舍，如振旅之陳。群吏撰車徒，讀書契，辨號名之用，帥以門名，縣鄙各以其名，家以號名，鄉以州名，野以邑名。百官各象其事，以辨軍之夜事。其他皆如振旅。遂以苗田。」宋書禮志：「仲夏教茇舍，如振旅之陳，遂以苗田，如蒐之法。」

〔二〕「苗」，原作「蒐」，據道德真經廣聖義節略卷一及文意改。

〔三〕「犯」，道德真經廣聖義節略卷一作「扼」。

【疏】難得之貨者，言人身〔一〕材器爲貨。難得之貨，即性分所無，求不可得。夫不安其分〔二〕，矯性妄求，既其乖失天倪〔三〕，所以妨傷道行。

【義曰】材器者，性分之貨也；珠珍者，世間之貨也。性分所無之貨，矯竊即行傷；珠珍難得之貨，貪求則身辱。所宜任其性分，守彼天常矣。人君貪求珍異，則下怨民殘；理身貪求珍異，則行傷身辱。是乖失天倪也。天倪者，天然之分也。莊子曰：「始卒者若環，莫得其端〔四〕，是謂天均。天均者，天倪也。」夫物均齊，豈有妄哉？皆天然之分也。

是以聖人爲腹不爲目。

【疏】腹者含受而無分別，目者妄視，滯於色塵，無分別則全和，故謂之滯色塵則傷性，故不爲也。

【義曰】不爲目者，以其妄見妄視，滯於色塵，傷性乖和，聖人不取。爲腹者，懷質朴，

〔一〕「身」，唐玄宗道德真經疏卷二該字後有「以」字。

〔二〕「夫不安其分」，唐玄宗道德真經疏卷二作「云不安本分」。

〔三〕「天倪」，唐玄宗道德真經疏卷二作「天然」。

〔四〕「始卒者若環，莫得其端」，莊子寓言篇：「始卒若環，莫得其倫。」

抱忠信，飡元和，薄滋味，可以致道，可以化民。聖人爲之何者？目之視也，聖人爲之方，故制禮經以檢之，日無淫視，將入户，視必下，視瞻無回。其乘車也，立視五巂，式視馬尾，顧不過轂，不妄指，不妄視，斯謹戒而敬慎也。不敬不慎者，理國則傷政，理身則傷性，聖人所以不爲之矣。色塵者，有形可見爲色，有染而不可見爲塵。塵細色麤，皆妨於行。修道之士，先除其色，反神照内；次除其塵，滅心忘外。塵者染之於心，關之於念，即名爲塵，故六根所起則爲六塵。染六麤塵，净猶有六細塵；染六細塵，净復有六輕塵；染六輕塵，净方契於道。見於無色，聞於無聲，味於無味，入於無形，了於無爲，乃謂之證道果也。

故去彼取此。

【注】取此含受之腹，去彼妄視之目。

【疏】彼目妄視故去之，此腹含受故取之。

【義曰】腹者容受而無情，故取之；目者觸見而有欲，故去之。夫人君之心，睿聖爲本；理國之道，清净爲基。其逐獸荒原，奔車絶巘，六龍逸足，萬騎莫追，與雕鶚以争先，共熊羆而賈勇，日月虧蔽，旌旗紏紛，畋獵忘歸，殺獲無已，風雨恒若，宫室或空。此謂之發狂也。若復貴遠方之物産，貪無用之土疆，嗜蒟醬而討西夷，伐大宛而取名馬，關塞有不歸之魄，邊城有怨曠之魂，天下流亡，户口減耗，赫赫宗社〔一〕，幾陷寇讎。青史具書，百代爲戒，曷若去彼取此，遵老君之明誥乎？

〔一〕「社」，道德真經廣聖義節略卷一作「廟」。

道德真經廣聖義卷之十三

唐　廣成先生杜光庭　述

寵辱若驚章第十三

【疏】前章明染逐塵境，馳騁則發狂；此章明寵辱皆驚，貴身故爲患本。首兩句標宗以起問，次十句因問以明理，故貴下〔一〕，假寄託以結成。

【義曰】馳騁貪貨既戒於前，寵辱大患故明於此。凡情得寵則喜，遇辱方驚，殊不知寵有辱隨，辱爲寵末，禍福倚伏，寵辱循環。聖人了知，故寵辱皆驚，棄而不取，若外身抱道，方免寵辱之來。徇世貪榮，難逃福禍之至，非獨爵位爲戒，亦以天下爲憂。故桎梏紱冕而糠粃億兆，或不獲己而處其位，則撝謙爲本，雌静爲心。故申寄託之

〔一〕「故貴下」，唐玄宗御製道德真經疏卷二作「後四句貴愛不矜」。

喻，用明安危之旨爾。

寵辱若驚，

【注】操之則慄，捨之則悲，未忘寵辱，故須〔一〕驚也。

【疏】若，如也，言寵辱之驚相如也。夫操之則寵，捨之則辱，言人不能心齊榮辱，矜徇功名，執權既以爲光寵，失位自驚〔二〕於卑辱。光寵則矜徇〔三〕，卑辱則驚嗟，故陳戒使其若驚，欲令齊其寵辱。

【義曰】聖人睿鑒，得喪混同，尚以死生爲一條，豈復寵榮而辱懼，故戒之曰得寵亦驚。此則寵辱齊一，得失混同也。所以言驚者，寵爲辱本，安得無驚。且人君富有天下，尊繼百王，告類上玄，君臨萬有，亦當馭朽自戒，納隍軫憂，乃能享此大年，保其遐祚矣。人臣之遭遇也，九遷三接之澤既已厚矣，兵符相印之任亦已重矣，高冠大旆、長轂朱輪，氣壓伊皋，權傾衛霍，亦當夙興夜寐，履薄臨深，乃能克保福祥，免貽覆餗

〔一〕「須」，唐玄宗御注道德真經卷一、易縣唐碑本、道德真經玄德纂疏卷四作「皆」。

〔二〕「失位自驚」，唐玄宗御製道德真經疏卷二、道德真經玄德纂疏卷四作「失勢自傷」。

〔三〕「徇」，唐玄宗御製道德真經疏卷二、道德真經玄德纂疏卷四作「恃」。

矣。故令尹三已而無愠〔一〕，考父三命而益恭，達其理也。夫「富與貴是人之所欲，不以其道得之，不處也；貧與賤是人之所惡，不以其道得之，不去也」，苟能達道，則富貴貧賤、寵辱得失無所驚也。易繫曰「吉凶與民同患」，正義謂非獨凶者人之所憂患，吉者亦人之所憂患也。何哉？既得其吉，又患失之。此亦寵辱若驚之旨爾。

貴大患若身。

【注】身爲患本，故矜貴其身，即如貴大患矣。此答〔二〕云貴身如貴大患，而乃云貴大患如身者，欲明起心貴身即是大患，有貴即身是大患，故云貴大患如身。若，如也。此上兩句正標。

【疏】貴，矜〔三〕也；若，亦如也。身者禍患之源，夫耽翫聲色，矜競榮華，皆爲有身，遂成患本。即貴其身者，復何貴〔四〕乎？貴大患矣。即身是患，等無有異，未能無患，只

〔一〕「三已而無愠」，論語公冶長：「子張問曰：『令尹子文三仕爲令尹，無喜色；三已之，無愠色。舊令尹之政，必以告新令尹。何如？』」

〔二〕「答」，唐玄宗御注道德真經卷一、易縣唐碑本、道德真經玄德纂疏卷四作「合」。

〔三〕「矜」，唐玄宗御製道德真經疏卷二、道德真經玄德纂疏卷四作「矜貴」。

〔四〕「貴」，唐玄宗御製道德真經疏卷二作「異」。

爲有身，即此貴身同貴大患。若能無患，亦復忘身。是知患猶貴生，身爲患有〔一〕，故云貴大患若身。

【義曰】夫至人順道，忘患忘身，内忘肝膽，外遺耳目，彷徨乎塵垢之外，逍遥乎無事之業。此即有身亦猶無也，豈復憂其患乎？所以世人之身，内則飢渴苦惱，晝夜相攻，外則風寒暑濕，循環相害，疼酸痛痒，聲色繁華，嗜欲是非，利名得喪，六情中撓，萬境旁牽，皆爲患本矣。西昇經曰：「身爲惱本，痛痒寒温；意爲形思，愁惱憂煩；吾拘於身，知爲大患；觀古視今，誰存形完」〔二〕是也。患隨身立，身存則患生，寵與辱偕，寵極則辱至。老君恐世人不曉，故兩舉以明之，將細指陳，復下句發問矣。列子天瑞篇云：「人自生至終，大化有四：嬰兒也，少壯也，老耄也，死亡也。其在嬰兒，神專志一，德充氣和，善莫偕也。其在少壯，血充氣溢，欲盛心侈，德殆衰矣。其在老耄也，欲慮柔焉，體將休焉，物莫先焉，方於少壯，氣已間矣。其在死亡也，則之於息焉，

〔一〕「患猶貴生，身爲患有」，唐玄宗御製道德真經疏卷二作「患由貴生，身由患有」，道德真經玄德纂疏卷四作「患由貴生，身爲患本」，疑「有」當爲「本」。

〔二〕「身爲惱本……誰存形完」，見西昇經邪正章第七。

反其極也。」此四者相須而行，相待而成，惟得道者反之矣。理身之士，其自勗焉爾。

何謂寵辱？寵爲下。

【注】前標寵辱如驚，恐人不了，故問何謂寵辱。夫得寵則憍盈，無不生禍，是知寵爲辱本。故答云寵爲下。

【疏】前標寵辱若驚，恐人不曉，故設問云何謂寵辱，自答云寵爲下。所以明寵爲下者，夫恃寵則憍盈，憍盈即生禍，因寵獲禍，則寵爲辱本，故知寵爲下也。

【義曰】老君恐人未曉前義，舉問欲以重明，既立問者之詞，乃爲對答之理。云寵爲下者，辱因寵至，寵是禍階，世人視寵以爲榮，聖人觀之以爲下也。恃寵憍盈者，春秋隱公四年〔一〕：「衛公子州吁恃寵而好兵。其臣石碏諫衛莊公曰：『臣聞愛子，教之義方，不納於邪。憍奢淫佚，所自邪也。四者之來，寵禄過也。夫寵者〔二〕不憍，憍而能降，降而不憾，憾而能眕者，鮮矣。』公不聽。明年，桓公立，州吁弑桓公。衛人殺州吁焉。」是則因寵獲禍，可謂寵爲下矣。

〔一〕「四年」，據傳世左傳，州吁事在隱公三年。

〔二〕「者」，傳世左傳、道德真經廣聖義節略均作「而」，「而」更恰。

得之若驚，失之若驚，是謂寵辱若驚。

【注】寵辱循環，寵爲辱本。凡情惑滯，驚辱而不驚寵，故聖人戒云：汝之得寵，當如汝之失寵；得辱，亦如吾戒汝得寵而驚懼也〔一〕。故結〔二〕云「是謂寵辱若驚」。

【疏】得則爲寵，失則爲辱。若驚者，夫寵辱循環，寵爲辱本。代間衆生得寵則忻喜，得辱則驚懼。聖人戒云「禍福循環，譬之糾纆〔三〕」，寵辱無定，豈可獨驚？辱來既驚其禍患，寵至亦驚其憍逸。其驚相若，故結〔四〕云寵辱若驚。

【義曰】得寵不驚，得辱則懼者，常情也。寵至而懼其憍逸，辱來而知其禍患者，君子也。得寵而驚，日慎一日，即無禍患之辱矣。得寵不戒，以憍以矜，必有危亡之辱焉。人君恃天之寵，不恤於人，則景命遷革矣。人臣恃君之寵，持權傲下，則刑悔將及矣。纆，索也；糾，結也。糾纆相循之貌也。

〔一〕「汝之得寵，當如汝之失寵；得辱，亦如吾戒汝得寵而驚懼也」，唐玄宗御注道德真經卷一、易縣唐碑本作「汝之得寵，當如汝得辱而驚，則汝之失寵得辱，亦如吾戒汝得寵而驚懼也」。

〔二〕「結」，道德真經玄德纂疏卷四作「經」。

〔三〕「纆」，道德真經玄德纂疏卷四作「墨」。

〔四〕「結」，道德真經玄德纂疏卷四作「經」。

何謂貴大患若身？

【注】恐人不曉即身是患本，故問也。

【疏】恐人不曉，故設問以明。

【義曰】亦如何謂寵辱之義。世人得寵而不思其辱，故辱至則驚。老君欲戒於恃寵之人，故重自發問爾。

吾所以有大患者，爲吾有身，

【注】身相虚幻，本無真實，爲患本者，爲吾執有其身，痛痒〔一〕寒温，故爲身患。

【疏】吾所以有此大患者，爲吾執有身相，好榮惡辱，辯是與非，不得則大憂以懼，心神内竭於貪欲，形體外勞〔二〕於奔競。苶然疲役，非患而何？

【義曰】苶，疲役也；吾，我也，指名身也。身相既有，患累隨之，勢利相高，故好榮；防慮亡危，故惡辱。若夫强干人事，妄辯是非，得則憍侈以恣情，失則憂驚以損性。損性則心神内竭，恣情則奔競外勞，或憔悴江濱，或恓惶澤畔，形疲心役，爲患深焉。

〔一〕「痒」，唐玄宗御注道德真經卷一作「癢」。

〔二〕「勞」，唐玄宗御製道德真經疏卷二作「因」，道德真經玄德纂疏卷四作「困」。

及吾無身，吾有何患？

【注】能知天地委和，皆非我有，離形去智，了身非身，同於大通，夫有何患？

【疏】無身者，謂能體了身相虚幻，本非真實，即當坐忘遺照，墮體黜聰，同大通之無主，均委和之非我，自然榮辱之途泯，愛惡之心息，所謂帝之懸解，復何繫〔一〕於大患乎哉？故云「及吾無身，吾有何患」。注云委和者，莊子「丞〔二〕答舜問云：身非汝有，是天地之委和者也」。

【義曰】無身者，非頓無此身也，但修道之士能忘其身爾。業報經云：「『衆生苦惱，常爲有身，生死輪迴，不能自出。以〔三〕何方便？妄想得除〔四〕。』太上〔五〕曰：『妄想顛倒，皆從心起，强生分别，繫念我身，觸境生迷，舉心皆妄。以此流浪，淪乎生死。但當定志觀身，盡皆虚假。既知虚假，妄想漸除。妄想既除，内外清凈，自悟真道。謂

〔一〕「繫」，唐玄宗御製道德真經疏卷二作「計」。

〔二〕「丞」，原作「承」，據傳世莊子知北游、唐玄宗御製道德真經疏卷二改，後文「承」同此。

〔三〕「以」，太上洞玄靈寶業報因緣經卷十廣統品作「云」。

〔四〕「衆生苦惱……妄想得除」，此句在業報因緣經卷十中乃普濟所問之語。

〔五〕「太上」，業報因緣經卷十作「道君」。

之忘身。既忘其身，患累息矣。」莊子曰：「適來者，夫子時也，時自生耳；適去者，夫子順也，理當死耳〔一〕。安時處順，憂樂不入。」此達人之忘身也。幻者，假妄變化之謂也；真實者，契道之謂也；坐忘遺照者，安坐忘身之謂也。外忘萬境，内息一心，心若死灰，形如槁木，不知肢體之有，不知視聽之用，隳肢體，黜聰明，遺形去智，以至於大通。通無不通，汎然無主，此達人之忘心也。顏回得之以告於夫子焉。如此，則天地之大，吾不知也；日月之明，吾不有也。何榮辱愛惡之可滯哉？帝之懸解者，性命之情得矣，寧復繫於大患乎？則無身無患，養生之要也。委和者，莊子知北遊篇承答爲曰：「身非汝有，天地之委形也；生非汝有，天地之委和也；性命非汝有，天地之委順也。」言天地結氣而生，氣上氣下曰順爾。若身是汝有，美惡生死當制之由汝。今氣聚而生，汝不能禁也，氣散而死，汝不能止也，明其委結而自成，非汝有也。故行不知所往，處不知所持，食不知所味，皆在自然中也。達此則近於道矣，何大患之可憂乎？

〔一〕「適來者，夫子時也，時自生耳；適去者，夫子順也，理當死耳」，傳世莊子養生主作「適來，夫子時也；適去，夫子順也」。

故貴以身爲天下者，若可寄天下；愛以身爲天下者，若可託天下。

【注】此章首標寵辱之戒，後以寄託結成者。夫寵辱若驚，未忘寵辱貴愛。以爲未忘貴愛，故以辱校寵，則辱不如寵；以貴方愛，則貴不如愛。驚寵辱者尚有寵辱介懷，存貴愛者未爲兼忘天下。故初則使驚寵如辱，後欲令寵辱俱忘，假寄託之近名，辯兼忘之極致。忘寵辱則無復驚，忘身則無患本，忘天下則無寄託之近名也。

【疏】言人君自矜貴其身，以爲天下之主者，貴身則淩人，人故不附，可暫寄爾。

【義曰】夫人君自貴其身而爲天下者，必自尊自大，作福作威，以臨於人，以肆其欲，窮華侈之飾，極奢麗之求，外則殘物虐人，窮兵縱武，内則瑶臺瓊室，酒池肉林。斂天下之怨嗟，資一身之逸豫，尊其名號，深其溝隍，賞有臺榭陂池，宿以妃嬙嬪御，不知人之離心離德，而欲爲萬世之基，淪滅不暇，若暫寄於天下爾。

【疏】若自愛其身以爲天下之主者，愛身則慈人，慈〔一〕人則推樂，故可託身於萬人之上，長爲之主矣。

【義曰】夫人君自愛其身而爲天下者，必以恭以謙，以儉以約，謙恭則怨敵不起，儉約

〔一〕「慈」，唐玄宗御製道德真經疏卷二、道德真經玄德纂疏卷四無。

則嗜好不行。無怨敵則人安，無嗜好則人富。如此内睦九族，下親萬民，遠懷近悦，上下交愛，卻千里之馬，惜十家之財，菲飲食，卑宫室，外無征伐，境無勞人，享祚久長，可以永託於天下。

【疏】然此一章首驚寵辱，結以寄託者，欲明驚寵辱不若忘寵辱，存〔一〕貴愛不若忘貴愛，寄託天下不若忘天下。故爲大患爲吾有身。驚寵辱則未能物〔二〕我都忘，則百慮一致，矜有則萬殊爭長。故忘寵辱則無所復驚，忘身則無爲患本，忘天下則無寄託之近名〔三〕，然後上有太上之君，下有下知之臣，無爲無不爲，不德爲〔四〕有德矣。

【義曰】身爲患本，寵辱由身而生，能忘其身則忘寵辱矣。忘寵辱者寵至不喜，時之來也；辱至不驚，時之去也。不充詘於富貴，不隕獲於貧賤，非至達之士，孰能與於此乎？忘身者身與道合，昇爲雲天，與道無爲，當有何患乎？非至道之士，孰能造於此哉？忘天下者遊心澹漠，冥神虚無，任物自然而然，不以汩其慮，無私而天下理。

〔一〕「存」，唐玄宗御製道德真經疏卷二作「有」。

〔二〕「物」，原作「無」，據道德真經玄德纂疏卷四改。

〔三〕「近名」，唐玄宗御製道德真經疏卷二作「迹」。

〔四〕「爲」，道德真經玄德纂疏卷四作「而」。

然後目無所見，耳無所聞，心無所知，氣無所滯，神將守形，形乃長生。功蓋萬國而不自已，化貸品物而不爲有，無名無稱，使物自遂，立乎不測而遊乎無有，與萬物爲體而歸乎虛無。故黄帝得之以登天，太皞得之以昇玄，此聖人忘天下而至乎道也。太上之君、下知之臣解在十七章矣。

道德真經廣聖義卷之十四

唐　廣成先生杜光庭　述

視之不見章第十四

【疏】前章明貴身爲患，令兼忘而不有；此章明妙本無象，故在用而皆通。首三句言不可求之於色聲，次六句[一]尋責必歸於無物，又五句示妙用之難測，後四句結引古以證今。

【義曰】前示忘身忘患，爲修證之基；此表非色非聲，宣至道之妙。既視聽之不得，乃混一以指名，雖皦昧難窺，隨迎不覩，執之以理身理國，爲成化之根源矣。

〔一〕「句」，唐玄宗御製道德真經疏卷二該字後有「明」字。

視之不見，名曰夷；

【注】此明道也。夷，平易也。道非色，故視不可見。以其於無色之中能色，故名之曰夷。

聽之不聞，名曰希；

【注】希者，聲之微也。道非聲，故聽之不聞，以其於無聲之中獨能和焉，故名之曰希。

搏之不得，名曰微。

【注】搏，執持也；微，妙也。道無形，故執持不得，以其於無形之中而能形焉，故名之曰微。

【疏】此明道也。夫視之者以色求道，聽之者以聲求道，搏之者以形求道。道非聲色形法，故竟求〔一〕不得。以不得故，欲謂之無，乃於無色之中能應衆色，無聲之中能和衆聲，無形之中能狀衆形，是有無色之色、無聲之聲、無形之形，故謂之夷希微矣。夷者，所謂明道而非道也。夷者，平易也；希者，聲之微妙也；搏者，執持也。

〔一〕「竟求」，唐玄宗御製道德真經疏卷二、道德真經玄德纂疏卷四作「求竟」。

【義曰】目之所視者，但見平易而不能見道，道無色也；耳之聽也，但惟希寂而不能聞道，道無聲也；手之搏也，但惟微妙不能得其形，道無形也。以神視之，見無色之色；以氣聽之，聞無聲之聲；以慧照之，識無形之形。而衆色之具、衆聲之和、衆形之立，非道不能生，非道不能成。道也者，獨能應衆色，和衆聲，狀衆形，故强名之曰希夷微爾。道不可言，言之非矣，所以明道皆强爲之容，而非道也。莊子曰：「無視之以目，而視之以神；無聽之以心，而聽之以氣〔一〕。」能以微妙而合於道矣。

此三者，不可致詰，故混而爲一。

【注】三者將以詰道，道非聲色形法，故詰不可得，但得夷希微爾。道非夷希微，故復混而爲一也。

【疏】三者，夷也、希也、微也；致，得也；詰，責也；混，同也。妙本微妙，精一難名，色聲形法，焉得詰責？欲以色聲形詰，但得夷希微爾。謂夷希微，則三也。夷希微但假名，欲明道用，道非色聲形等，則夷希微復混同爲一矣。

【義曰】夷希微三者，假標以名道，亦皆無也。三者凝化爲三境，次爲三界，下爲三

〔一〕「無聽之以心，而聽之以氣」，莊子人間世曰：「無聽之以耳而聽之以心，無聽之以心而聽之以氣」。

才，明爲三光，於身爲三元，於内爲三一，皆大道分精運化之所成也。混而爲一，復歸於妙本之道也。三境者，三寳君之祖氣所凝，其色青黄白，亦名〔一〕玄元始三氣，乃諸天之祖宗，萬化之元本也。三界者，欲界六天以統九仙，色界十八天以統九真，無色界四天以統九聖。三才者，天一地二人三。沖虚真經云：「清浮之氣爲天，濁滓之氣爲地，沖和之氣爲人，謂之三才也。三光者，太陽之光爲日，太陰之光爲月，日月之餘光爲星辰，謂之三光也。三元者，人身之中腦爲泥丸宫，以主上元；心爲絳宫，以主中元；臍下爲丹田，以主下元。三元尊神各統陰陽、萬二千神氣以養於人。三一者，上元所主謂之元一，中元所主謂之真一，下元所主謂之正一。三一元神主運〔二〕氣固精，寳神留形。上清有迴風混合，修三一之道。昔黄帝以甯先生所教，詣峨眉山，謁天真皇人以受之，遂精思千日，與三一上真，統三萬六千神，乘黄龍而昇天矣。天浮於上，地結於下，人生其中。三者互相生化，未始有極。列子云：「天積氣也，地積塊也。日

〔一〕「名」，該字後原有「也」字，道德真經廣聖義節略卷一此句前後作「三境者，三寳君之祖氣所凝之色青黄白，亦名玄元始，三氣之作，乃諸天之宗祖」，故删「也」字。

〔二〕「運」，道德真經廣聖義節略卷一作「混」。

月者，氣中有光耀也。」三一乃有中之無，三元乃無中之有，以有無相感，而爲精神氣。三者共生於人，故世人得之則生，失之則死。神者天之陽氣所生，人之動静對答、運用計智是也；精者地之氣，百穀之實、五味之華，結聚而成是也；氣者中和之氣也，道一妙用，降人身中，呼吸温暖以養於人是也。三者混合而成於身，是謂混而爲一也。

其上不皦，其下不昧，

【注】在上者必明，在下者必昧。唯道於上非上，在上亦不明；於下非下，在下亦不昧。

【疏】皦，明也；昧，暗也。夫形質之物，皆有定方，在上者則明，在下者則昧。惟妙本恍惚，不可定名，則在上亦不明，在下亦不昧，而能上能下，能明能昧。非天下之至賾，其孰能與於此乎？

【義曰】其爲明也，必皦然在上，謂積陽也；其爲暗也，必昧然在下，謂積陰也。陰陽有定分，明昧有定相，是則有形有質，皆有定方也。惟夫大道，處於上，不皦然而明，道非陽也；處於下，不昧然而暗，道非陰也。故曰非陰非陽，而能陰能陽，不可以定相覩，不可以定分求。天得道而能清，是能上也；地得道而能寧，是能下也；陽得道而能動，是能明也；陰得道而能静，是能昧也。故爲天下之至賾。易繫曰：「非天下之至賾，其孰能與於此乎？」言至道功深如此，若非天下萬事之至極精妙，誰能參與於此也？

繩繩不可名，復歸於無物。

【注】繩繩者，運動不絕之意。不皦不昧，運動無窮，生物之功，名目不得。非物能物，故常生物，而未始有物。妙本湛然，故云復歸於無物矣。

【疏】繩繩者，運動不絕之意。妙本生化，運動無窮，生物之功，强名不得。物物而不物，生生而不生，尋責不得，妙本湛然〔一〕，未曾有物，故云復歸於無物。

【義曰】道惟妙本，生化萬殊，運用生成，繩繩不絕。物物而不物，物自物也；生生而不生，生自生也。道之無迹，不恃其功；深妙湛然，不可爲有，是無物也。物者，象也。

是謂無狀之狀，無物之象，是謂惚恍。

【注】是謂無形狀之狀，無物質之象，不可名有，不可名無。無有難名，故謂之惚恍。

【疏】狀，形狀也；象，物象也。言妙本混成，本無形質，而萬化資稟，品物流形，斯可謂有無狀之形狀，有無物之物象，不可名之爲有，亦不可格之於無。無有難名，故謂恍惚。

〔一〕「尋責不得，妙本湛然」，唐玄宗御製道德真經疏卷二作「尋責則妙本湛然」。

【義曰】道以生育，動植成形，故能於無狀之中成其形狀，無物之中作其物象。謂其無也，則狀象資生；謂其有也，則杳冥難覩。非無非有，爲恍惚焉。恍惚者，非有非無之謂也。易乾卦彖曰「雲行雨施，品物流形」，言品類之物，流布成形也。

迎之不見其首，隨之不見其後。

【注】無始，故迎不見其首；無終，故隨不見其後也。

【疏】至精無形，至大不可圍。故迎之者不得其首，隨之者不得其後。無首則無始，無後故無終。無始無終，故非隨迎所得。

【義曰】至道獨立，無始無終，既非前後可窮，莫得隨迎之所，故曰長於上古而不爲老，生於末代而不爲少，先萬物而不爲始，後億劫而不爲終。由此而言，豈隨迎得也？況充塞天地，周徧虛無，無處無道，無往無來，不今不古，何者爲始，何者爲終，固非先非後矣。凡物有往則隨之，有來則迎之。道無來往，非隨迎可求矣。

執古之道，以御今之有，

【注】執古無爲之道，以御今有爲之事，則還反〔一〕淳樸矣。

〔一〕「反」，唐玄宗御注道德真經卷一、易縣唐碑本作「返」。

【疏】此明古先帝王，常以無爲道化以化人。故戒云今能執守古之所行無爲之教，以御理今之有爲之事，則不言而化也。

【義曰】御者，制也。古之化者無爲無事，今之化者有體有名。無爲故易理，有體故難化。若今之帝王執用古之大道無爲以理，自速太平也。玄古之君，上德不德，是無爲也；季葉之化，約名約器，是有爲也。以無理有，庶可向方；以有制有，亂兹兆矣。

能知古始，是謂道紀。

【注】能知古始所行，是謂道化之綱紀〔一〕。

【疏】前云執古之道，將引之使行；此云能知古始，明道行必化。故重云帝王能知古始，無爲而理，當抱守淳樸，爰清爰静者，是知爲理道之綱紀〔二〕。

【義曰】恐帝王難於用古，不遂執行無爲，故重舉斯文，再加勉勵。能知無爲易化，古道易行，弘之在人，豈惟澆淳之異？理道綱紀，其在兹乎？故曰「引其綱，萬目張；引其紀，萬目起」。理身理國，亦猶此歟？爰清爰静者，太玄經之辭也。理國執無爲

〔一〕「綱紀」，唐玄宗御注道德真經卷一作「紀綱」。
〔二〕「是知爲理道之綱紀」，唐玄宗御製道德真經疏卷二作「是知無爲之理，是道之綱紀也」。

之道，民復樸而還淳；理身執無爲之行，則神全而氣王。氣王者延年，神全者昇玄，理國修身之要也。

古之善爲士章第十五

【疏】前章明妙本無象，則在用而皆通；此章明玄通之人，常不盈而能弊。首標「古之」五句，明善爲所以微妙；次云「豫若」七句，示德容所以難明；「孰能」下兩句，表進修之徐生；「保此」下終篇，結證成而不滯。

【義曰】將明前章執古之妙，再叙古之爲道之人德行周深，廣加喻説，或豫兮猶兮而畏慎，或儼兮涣兮而卷舒，或敦兮曠兮而深廣，或渾兮静兮而清濁。隨機應變，其德如斯，人能體而用之，必無盈滿之失矣。

古之善爲士者，微妙玄通，深不可識。

【注】士，事也。言古之善以道爲事者，於彼微言妙道，無不玄鑒通照，而德容深邃，不可識知矣。

【疏】古，昔也；士，事也。言古昔之人善以道爲事者，精微要妙，玄寂通達，體道了言，涣然無滯，而其宇量沖邃，不可識知矣。

【義曰】〔一〕士者，指古昔有道之人也。有道之人行道之行，凡有所立，在野在朝，皆謂之士。刻意尚行，離世異俗，此山谷之士也；語仁義忠信，恭儉推讓，此平世之士也；語大功，立大名，正君臣，明上下，此朝廷之士也；就藪澤，居閑曠，釣魚避世，此江海之士也；吹呴呼吸，吐故納新，熊經鳥伸，此導引之士也。若夫不刻意而高，無仁義而脩，無功名而理，無江海而閑，不導引而壽者，爲道之士也。前之五士，其用可測，其事可涯。唯爲道之士，道微妙，應變玄通，其用沖寂，難以智察，無不無也，無不有也，澹然無極，而衆美從之，是不可識也。

夫惟不可識，故强爲之容：

【注】夫惟德量難識，故强爲容狀，以明之下文也。

【疏】夫惟善士，雖正容可以悟物，而宇泰發於天光，德量難窺，故强爲容狀，且求委順之迹，將以引化凡愚。

【義曰】善爲道之人，正其身而人化，正其行而人隨，覩其德容，物自開悟。德宇泰然

〔一〕此條杜光庭的義疏主要源於莊子刻意篇。

而定，其所發明者，天光也，非人曜矣。天光自發，則人見其人，物見其物。物各自見而不見彼，則德宇泰然而定，不可窺量，示委心順物之方，爲化俗引凡之行。故莊子承答舜曰：「性命非汝有，天地之委順也。」

豫若冬涉川，

【注】豫，閑豫也。善士於代聞〔一〕法，如涉冬川，衆人貪著故畏懼，今我不染故閑豫。

【疏】豫，閑豫也。若如冬川〔二〕，喻代間愛欲所以陷溺衆生。善士雖處代間，不爲愛欲所染，如涉冬川〔三〕，故多閑豫。所以閑豫者，冬冰堅壯，無陷墜之憂爾。

【義曰】疏解以閑豫無憂，冬川可涉，堅冰不能陷，愛欲不能侵，以喻善爲道之人。此聖旨也。夫豫之言疑也，猶豫皆疑難之象爾。亂流而渡，深曰厲，淺而揭，由膝以上爲涉。冬月涉川，寒沍侵骨，將爲涉者，固亦疑難，冷既傷心，冰仍痛足。至人覩世俗

〔一〕「聞」，原作「間」，道德真經玄德纂疏卷四此句作「善士代世聞法」，據改。

〔二〕「若如冬川」，唐玄宗御製道德真經疏卷二、道德真經玄德纂疏卷四作「若，如也。川」，故前後點斷爲「若，如也。川喻代間愛欲……」

〔三〕「如涉冬川」，唐玄宗御製道德真經疏卷二作「如冬涉川」。

貪求之事無益於身，如冬涉川，有疑難也。且代之〔一〕愛欲，逐境生迷，萬緒雲蒸，千途蜂起，功名聲色，争先鋭進之心，厚利豐財，競起貪求之跡，或烹燔取樂，或傷殺恣情，投身於愛欲之川，隨流不返，溺性於漂沉之浪，有去無歸。豈獨冰痛爲〔二〕難，抑且報應明驗。何者？溺利欲之人，涉遠營求，有水陸邀劫之報；淩抑於人，有忿争刑網之報；上網於君，有誅殛喪家之報；下虐於民，有召寇起讎之報。況於傷生害己，破國亡家之甚乎？至道之人，知此爲憂，故設涉川之喻，斯爲至戒，信可寶焉。

猶若畏四鄰，

【注】猶豫，疑難也。上言善士不染，故閑豫，及觀行事，甚疑難，如今代人懼鄰戒也。

【疏】猶，疑難也〔三〕。夫善士無愛欲，故多閑豫。及難〔四〕其行事，舉動施爲，恐不合道，故多疑難。如今之人有事，畏四鄰之知而加戒慎。

〔一〕「之」，似當作「人」。道德真經廣聖義節略卷一此處前後作「可以疑難，古人如然；今之代人，逐境生迷」，「代人」即世人，據此推斷。

〔二〕「爲」，道德真經廣聖義節略卷一作「於」。

〔三〕「猶，疑難也」，唐玄宗御製道德真經疏卷二作「猶豫，疑難也」，道德真經玄德纂疏卷四作「猶，豫也，畏疑難也」。

〔四〕「難」，據唐玄宗御製道德真經疏卷二、道德真經玄德纂疏卷四作「觀」。

【義曰】猶，犬也，壠右之人謂犬爲猶。亦云古有良犬，其名曰猶，言犬隨主行，必豫於其前偵邏，疑有善惡，須復來報其主，故云猶則多豫，狐則多疑，故言狐涉河冰，聽其下流水聲絶，然後敢渡。今北人渡河冰，見有狐跡，則車馬於冰上無所陷矣。此則猶豫皆疑難之象也。且常人不知修道，恣欲任情，無懼無疑，動貽陷溺。爲道之士知愛欲而不爲，若冬將涉川，有凝沍之憂；畏居將爲事，懼鄰里之聞知。既暗室不欺，每屬垣爲戒也。此爲道之行也。夫人爲惡於幽暗者，鬼神知之；爲過於明顯者，鄰里知之。得無戒慎矣？論語曰：「毋與汝鄰里鄉黨乎。」此言十家爲鄰，五鄰爲里，萬二千五百家爲鄉，五百家爲黨也。

儼若客，涣若冰將釋，

【注】雖則儼然若客，無所造爲，而不凝滯於物，涣然若春冰之釋散。

【疏】善士於愛欲〔一〕，無所造作，如客對主人，但儼然肅敬爾。雖於愛欲如客對主，而爲善之行不凝滯於物，涣然若春冰之釋散〔二〕，無留礙爾。

〔一〕「欲」，原作「育」，據唐玄宗御製道德真經疏卷二及前後文意改。

〔二〕「釋散」，唐玄宗御製道德真經疏卷二作「散釋」。

【義曰】儼，肅敬也；渙，散也；釋，解也。出門如見大賓，言主之敬客也；儼兮其若客，言客之敬主也。賓主盡敬，各慎禮容，世之常也。至人静默，戒慎檢身，常如對主之恭，固無肆情之欲。爲善不滯，散釋變通，若泮春冰，豈復膠固矣？

敦兮，其若樸，

【注】雖渙然冰釋，曾不自矜，而能敦厚，若質樸無所分别矣。

【疏】敦，敦厚也；樸，質樸也。言雖不滯〔一〕於物，而絶浮競，其德行敦厚，若質樸無所分别。

【義曰】至人也，外雖散釋通變，縱横順物，内則温柔敦質，凝寂其心，故無紛競之傷，自得恬和之趣。

曠兮，其若谷，

【注】其德量曠然寬廣，無不〔二〕含容，有若彼空谷矣。

【疏】曠，寬也。言善士懷道抱德，宇量曠然，寬大於物，悉能含受，如彼虚谷，無不包容。

〔一〕「滯」，唐玄宗御製道德真經疏卷二、道德真經玄德纂疏卷四作「凝滯」。

〔二〕「不」，唐玄宗御注道德真經卷一作「所」。

【義曰】德既敦實，量乃寬弘，善惡無所不容，是非固當無撓，曠然吞納若虛谷焉。

渾兮，其若濁。

【注】和光混俗〔一〕，若濁而清。

【疏】善士心照清净，而能容物，和光同塵，不自殊異，渾然如濁，物莫能知。

【義曰】水之清也，能鑒物之善惡，而物亦測水之淺深。及其秋潦，乍興濁波，初鼓澶漫也，牛馬莫辯，洶湧也。深淺難知，望之茫然，詎可揭涉？至人和光接物，混跡隨流，不顯其機，有同濁水，其容可見，其跡難窺。人君理國乘時，在於明德，不爲察察之政，示以淳淳之方，使民不識不知，順帝之則，斯爲道化，善莫大焉。

孰能濁以静之徐清？

【注】孰，誰也。孰能於彼混〔二〕濁以静澄止之，令徐徐自清乎？

【疏】因上文云若濁，便舉水之澄清，以況善士之心無撓〔三〕，則自然静止。故云孰能

〔一〕「俗」，唐玄宗御注道德真經卷一、道德真經玄德纂疏卷四作「迹」。

〔二〕「混」，唐玄宗御注道德真經卷一作「渾」。

〔三〕「撓」，唐玄宗御製道德真經疏卷二、道德真經玄德纂疏卷四作「染」。

於代間愛欲混濁之中，而以清静道性静止之，令愛欲不起，亦如水之濁而澄静之，令徐徐自清乎？孰，誰也。

【義曰】至人外示混濁，將明不異於常；内本澄清，固亦常同於道。亦猶水之濁也，而清明之體常存；心之清也，渾濁之塵不雜。若世人能澄其塵染，凈彼心源，如水可以徐清，自入至人之境。老君愍世之耽欲，念俗之澆浮，争投跡於愛欲之津，競鋭意於利名之浪，渾是非之濁，溺生死之河，不務競修，誰爲拯拔？演兹法喻，用救迷途，善趨澄鍊之門，冀速清虚之道。

孰能安以久動之徐生？

【注】誰能安静於此清以久，更求勝法，運動修行，令清凈之性不滯於法，而徐動出也？生，猶動出也。

【疏】此教法[一]無滯也。誰能以清凈之性静止愛欲，如水之性已得徐清；若便安於此清而以久滯，滯則非悟，未名了出。當須更求勝法，運動精[二]修，爲道既損之而又

〔一〕「法」，唐玄宗御製道德真經疏卷二、道德真經玄德纂疏卷四作「於法」。

〔二〕「精」，唐玄宗御製道德真經疏卷二、道德真經玄德纂疏卷四作「增」。

損，按行亦次來而次滅，則清静之性不滯於法，而徐徐動出也。修證之理，汎舉其綱，則有吐納元和，咽漱雲液，茹松食柏，絶粒餌芝。或隱朝上清，密伺玄斗。或五金八石，或水玉流珠，陰鼎陽鑪，五華九轉。或素文丹籙，檄召鬼神，金鈕青絲，質盟天地，則有正一道德，昇玄洞神，靈寶明[一]真，三清衆法，並革凡登道，證品昇真。又有奔二景，朝五辰，據極攀魁，躡綱飛紀，呑日咽月，制魄拘魂，八道望雲，九真受事，昇玄卧斗，方諸洞房，左右靈飛，陰陽六甲，三部八景，二十四真，存服三元，注想三一，紫房黄闕，絳景朱嬰，紫虚南嶽之篇，青童東海之訣，内視五藏，下制六天，導引呑符，御風養氣，騰舉之道溢於真經。或修勵一門便可得道，遂能拔玄祖於長夜，飛我身於太虚，瞬息而歷九陔，那懣若士[二]，顧面而周六合，豈讓鴻蒙？而世之大迷不能耽味，即曰神仙之事非積學可求。又云得道之人皆有壽限，運終數盡，還至淪滑。

【義曰】大道好生，誘人垂法，千門鍊性，萬行修心，因悟乃修，因修乃證。

〔一〕「明」，道德真經廣聖義節略卷一作「盟」。

〔二〕「若士」，淮南子道應訓：「盧敖游乎北海，經乎太陰，入乎玄闕，至於蒙穀之上，見一士焉……盧敖與之語曰：『……子殆可與敖爲友乎？』若士者齤然而笑曰：『……然子處矣，吾與汗漫期于九垓之外，吾不可以久駐。』若士舉臂而竦身，遂入雲中。」後因以「若士」代仙人。

殊不知得道者自仙登真，從真證聖，登聖極果，與道合真，無壽考之期，無終盡之數，斯須而經億劫，指掌而越萬天。文選曰：「少別千年，暫遊萬里〔一〕。」步虚詞〔二〕云：「八天如指掌，六合何足遼。」皆其事也。但修之既契，即忘其修，旋修旋忘，無所滯著，即爲妙矣。夫法者，所以詮道也，悟道則忘法；言者，所以觀意也，得意而忘言。若滯於法，則道不能通；滯於言，則意不可盡。故令於法不滯，轉更增修；於言不滯，旋新悟入。次來次滅者，西昇經云：「子能按行，次來次滅。」此喻小乘有爲之法，以教初門；既得其門，漸以中乘之法，以熟其行；既熟其行，乃以大乘之法，令忘其執，則目凡而得證，累證而階聖。雖仙真聖果二十七品，而所修之行不可執滯，斯謂徐生徐清、次來次滅之旨也。

保此道者不欲盈。

【注】欲保此徐清徐生之道，當須無所執滯。若執清求生，是謂盈滿，將失此道。故云不欲盈爾。

〔一〕「少别千年，暫遊萬里」，乃江淹别賦文句。

〔二〕「步虚詞」，指洞玄靈寶玉京山步虚經，其後所引文句也見於該經。

【疏】滯法安清，是名盈滿。故云若欲保全此徐清徐生之道，當須無所滯著〔一〕，得無所得。今復滯清求生，是傷〔二〕盈滿，盈滿則妨道，故云不欲盈。

【義曰】能明次來次滅之法，是得徐清徐生之要。保此要旨，不滯滿盈，當契下句之理。

夫唯不盈，故能弊不新成。

【注】夫唯不盈滿之人，故能以新證之行爲弊薄，不以其新成而滯著。

【疏】夫能無欲〔三〕凝滯，以至無爲，於法無住不盈滿者，常以新證之法爲弊薄，更求勝致，不以爲新成而便滯著爾。

【義曰】既了舊法，又證新法，謂自小乘入中乘道也。中乘之道，或權或實，猶滯於修；又捨此權實有修之門，求入大乘無爲之趣。若執於修著，不悟無爲，是曰新成，還爲盈滿。故當損之又損，階麤入妙矣。其於國也，則古之聖主賢臣，謂之善爲士者，玄

〔一〕「滯著」，道德真經玄德纂疏卷四作「染滯」。

〔二〕「傷」，道德真經玄德纂疏卷四作「謂」。

〔三〕「欲」，道德真經玄德纂疏卷四作「所」。

通道德，德不可稱。猶復如冬涉川，履冰爲懼，畏鄰表戒，若客無爲，通變從民，屈伸不滯而冰釋，含容若谷，懷抱樸素以訓人。政昏昏而外濁，心明明而内照，無滿溢驕盈之變，守弊薄不新之規，祚必延洪，人其清泰。淳古之跡，復何遠哉？

道德真經廣聖義卷之十五

唐　廣成先生杜光庭　述

致虛極章第十六

【疏】前章明玄通之士，常保道而不盈；此章明守静之人，必歸根而復命。復命爲知常之要，守静是致虛之由。文相次以轉明，理同歸於用道〔一〕。故知常則明了，行道乃久長。

【義曰】保道運修，前章得徐清徐生之用，致虛内守；此章明歸根復命之常。雖公正以爲王，必法天而體道，體道則久，故無殆危矣。

致虛極，守静篤。

〔一〕「用道」，唐玄宗御製道德真經疏卷二作「道用」。

【注】虚極者，妙本也。言人受生，皆禀虚極妙本，及形有受納，則妙本離散。今欲令虚極妙本必致於身，當須絶棄塵境染滯，守此雌静篤厚，則虚極之道自致於身矣。

【疏】虚極者，妙本也。言人受生，皆禀虚極妙本，是爲正〔一〕性。

【義曰】虚極者，妙本之道也。人之受生，禀道爲本。所禀之性，無雜無塵，故云正也。既生之後，其正遷訛，染習世塵，淪迷俗境，正道乃喪，邪幻日侵。老君戒云修道之士當須息累欲之機，歸静篤之趣，乃可致虚極之道爾。篤，厚也。

【疏】及受生之後，六根受染〔二〕，五欲奔競，則正性離散〔三〕，失妙本矣。

【義曰】禀道之性，本來清静。及生之後，漸染諸塵，障翳内心，迷失真道。六根者，一曰眼根，能見諸境；二曰耳根，能聞諸聲；三曰意根，能生攀緣；四曰鼻根，能辨香臭；五曰舌根，能知諸味；六曰身根，能生諸惱。以此六種，生諸罪因，展轉相生，障弊真性。喻如草木，結花吐實，相生不窮，尋其所起，不離六種，如根生物，名曰六根。

〔一〕「正」，唐玄宗御製道德真經疏卷二作「真」。

〔二〕「受生之後，六根受染」，唐玄宗御製道德真經疏卷二作「受形之後，六根愛染」，道德真經玄德纂疏卷四作「受形之後，六根愛悦」。

〔三〕「五欲奔競，則正性離散」，唐玄宗御製道德真經疏卷二作「五欲奔馳，則真性離散」。

五欲者，眼欲諸色，耳欲諸聲，鼻欲諸香，口欲諸味，心生衆欲。障弊五情，煩惱縈纏，皆由此起。内心悦慕，謂之愛；外境著心，謂之染；因境生心，謂之欲；制止不已，謂之奔；意想交侵，謂之競。正性流散，隨念生邪，以生邪故，乖失正本。

【疏】欲令虚極妙本必自致於身者，當須守此雌静篤厚，性情而絶欲，無狹〔一〕而不猒，則虚極妙本自致於身。

【義曰】隨念生邪，既云失道，欲其妙道却復於身者，當須守雌柔貞静之行，篤厚恬和之性，以制其情。情者，末也；性者，本也。自性而生情，則隨境爲欲；自情而養性，則息念歸元。歸元則五欲不生，六根不動，無猒其氣，無狹其心，則妙本之道自致於身矣。「無狹其所居，無猒其所生」，德經第三十四章之詞也。西昇經曰：「心之虚也，則和氣歸。」

【疏】亦由水之流濕，火之就燥矣。致者，令必自來，如春秋致師之義。

【義曰】水流濕，火就燥者，易乾卦九五爻詞也。言水火二者無情之物，而以形氣相感，水流其地，先就於濕，火焚其物，先就於乾。無識無情，猶感應如此，況虚心静慮，

〔一〕「無狹」，唐玄宗御製道德真經疏卷二作「無爲無狹」。

而不能致道乎？固可不求而道自至也。致師者，春秋宣公十二年：「楚莊王圍鄭，旬有七日。鄭人卜行成，不吉。國人大臨，楚莊〔一〕退師。鄭人修城。圍之，三月克之。鄭伯肉袒牽羊以逆，楚王既而許之平。潘尪入盟，子良出質。夏六月，晉師救鄭。及敖鄗之間，楚莊乃求成於晉，盟有日矣。楚許伯御樂伯，攝叔爲右，欲單車挑戰，示不欲和，以致晉師。許伯曰：『吾聞致師者，御靡旌摩壘而還。』樂伯曰：『致師者，左射之以菆，代御執轡，御下兩馬，掉鞅而還。』攝叔曰：『致師者，右入壘，折馘斬俘而還。』皆行其所聞而復。晉人逐之。樂伯左射馬，右射人，逐不能進。時魏錡、趙旃有憾於晉，請使於楚，皆欲晉敗。彘子又不設備。戰于邲，晉師敗績焉。」以此致師，師必成〔二〕敵，亦猶以静致道，道必可求也。

萬物並作，吾以觀其復。

【注】老君云：何以知守此〔三〕雌静則能致虛極乎？但觀萬物動作云爲，及其歸復，

〔一〕「楚莊」，道德真經廣聖義節略卷二作「楚莊王」。

〔二〕「成」，道德真經廣聖義節略卷二作「致」。

〔三〕「此」，唐玄宗御注道德真經卷一、易縣唐碑本、道德真經玄德纂疏卷四無。

常在於静，故知耳。

【疏】此明守静篤必致虚極之意。夫萬物萬形，動作不同，觀其歸復，常在於本。

【義曰】物雖動作萬殊，必復歸其本。人能虚心念道，道必集其虚，故戒令虚心，以念於道也。

【疏】易曰：「雷在地中，復。」復者，反本之謂也。故静則歸復，動則失本。

【義曰】易復卦象曰「雷在地中，復」者，雷是動物，復卦以動息爲主，故曰「雷在地中。先王以至日閉關，商旅不行，后不省方」，皆取動息之義，以復其本也。萬物並作者，動也；以觀其復者，息也。當息而動，當動而息，則失其本矣。

夫物芸芸，各復歸其根。

【注】又云所以知萬物歸復常在於静者，爲萬物花葉芸芸，生性皆復歸於其根本。或有作云云者，云云〔一〕，動作也。言夫物芸芸〔二〕動作者，及其歸復，皆在於根本爾。

【疏】此舉喻明觀復之意也。根者，本所受氣而生也。今觀萬物花葉芸芸，乃〔三〕其生

〔一〕「云云」，唐玄宗御注道德真經卷一、道德真經玄德纂疏卷四無，然易縣唐碑本也有「云云」。

〔二〕「芸芸」，唐玄宗御注道德真經卷一作「云云」。

〔三〕「乃」，唐玄宗御製道德真經疏卷二、道德真經玄德纂疏卷四作「及」。

性，皆復歸於其根而生。

【義曰】芸芸，茂盛貌也。百草衆木，芸芸茂盛，及其枯落，則各歸其根，而更生茂盛動作也。歸根，復息也。物理皆然矣。人禀道而生，本源澄静，既生於世，利欲所牽，妍醜盛衰，富貴貧賤，萬途千慮，勞性役神。或轉地迴天，有非常之勢；或立功懋績，有不世之名；或扛鼎拔山，或伸鉤索鐵；或輕車肥馬，或高蓋朱輪，權傾於許史金張〔一〕，榮邁於五侯七貴。芸芸之盛，固不可偕，及其數極勢移，俄爲丘壠。此以歸其根而静矣。若能猒棄榮禄，了悟浮華，虚心谷神，静慮思道，豈不能致道哉？

【疏】虚極妙本，人之所禀而生也。今觀性欲熙熙，能守静致虚，則正性歸復命元而長久矣。本作云云者，如注釋之。

【義曰】熙熙，佚樂之貌也。人之情欲熙熙，如華葉茂盛也。茂盛則不久枯落，熙熙則必致傷生。故令去欲閉情，以復於道。云云者，或爲衆多之貌爾。

〔一〕「許史金張」，「許史」，漢宣帝時外戚許伯和史高的並稱；「金張」，漢時金日磾、張安世二人的並稱，二氏子孫相繼，七世榮顯，後因用爲顯宦的代稱。漢書蓋寬饒傳：「上無許史之屬，下無金張之託。」顔師古注引應劭曰：「許伯，宣帝皇后父。史高，宣帝外家也。金，金日磾也。張，張安世也。」

歸根曰静，静曰復命，

【注】花葉[一]者，生性歸根則静止矣。人能歸根至静，可謂復所禀之性命也。

【疏】物歸根則安静，人守静則致虚。木之禀生者根，歸根故復命，人之[二]禀生者妙本。今能守静致虚，可謂歸復所禀之性命也。

【義曰】物以茂盛爲動作，凋落爲歸根；人以逐欲而動則遷情，息念而静則合道。遷情則流遁，合道則還元。所以静而致道者，是復歸所禀妙本之性命也。

復命曰常，

【疏】能守雌静篤厚，以致虚極妙本。致虚則復命，可謂得常矣。

【義曰】去情欲，守沖和，復契章首致虚守静之教，則得其常矣。

知常曰明。

【注】守静復命可謂有常。知守常者，更益明了也。

〔一〕「花葉」，唐玄宗御注道德真經卷一作「花葉云云」，易縣唐碑本、道德真經玄德纂疏卷四作「花葉芸芸」。

〔二〕「人之」，原作「之人」，據唐玄宗御製道德真經疏卷二改，道德真經玄德纂疏卷四此句作「人禀生者妙本」。

不知常，妄作，凶。

【注】「不恒其德，或承之羞」，失常妄作，窮凶必然〔一〕矣。

【疏】能知守常，是曰明了；失常妄作，可謂無恒；不恒其德〔二〕，窮凶必矣。注云「不恒其德，或承之羞」者，易恒卦文也。

【義曰】常者，垂久不移之義也。天地日月得常，而清寧久照；人君理國得常，而貞正無爲。人能守常，則終始不易。故常者，道德之紀也。去欲守静，復命得常，可謂照明了達矣。反於此者，乃是妄作非道，故致災凶。不恒其德者，易恒卦九三曰：「不恒其德，或承之羞。」恒，常也。處不得中，進退不定，雖在恒中而乖恒體，實可耻惡，故曰或承之羞。象曰：「不恒其德，無所容也。」

知常容，

【注】知守真常，則心境虚静，如彼空谷，無不含容。

【疏】知常曰明，明則鑒物，物來必應，無不含容。故曰知常容。

〔一〕「然」，唐玄宗御注道德真經卷一作「至」，易縣唐碑本無。

〔二〕「可謂無恒；不恒其德」，唐玄宗御製道德真經疏卷二作「可謂無常；不常其德」。

【義曰】恒常其德，即有所容，此反契前象詞之義也。得常體道，玄鑒無遺，應物順常，含弘光大也。

容乃公，

【注】含容應物，應物無心，既無私邪，故爲公正矣。

公乃王，

【注】能公正無私者，則爲物所歸往。

【疏】能含容應物，乃公正無私，則天下歸往，是爲王矣。

【義曰】知常順道，故能公正而爲王也。有道之人，不言而自化，不召而自來，故天下歸往也。王者以物歸往爲義。

王乃天，

【注】群物樂推，如天之覆，則與天合德矣。

天乃道，

【注】王德如天，乃能行道。

【疏】惟天爲大，惟王則之。其德同天，而無不覆，故曰王乃天。王德如天，則無爲而理，道化乃行，故云天乃道。

【義曰】以物歸往，乃可配天，子育萬方，告類上帝。法天廣覆，法地無爲。王以法天，天以法道也。

道乃久，

【注】道行天下，乃可以久享福祚矣。

【疏】言守静致虚，歸根復命，其德如此，可以爲王。王德合天，乃能行道。道行乃久享福祚，天下之人就之如日，戴之如天，澤之如雨，望之如春，故終殁其身，復何危殆之事？故曰殁身不殆。

殁身不殆。

【注】同天行道，則終殁其身，長無危殆之事。

【義曰】此教人君積德之謂也。人君雖承平御極，握紀臨人，若乖道德，豈能長久，所以先虚其心，次守其静。虚静致道，乃復於常，而能公正無私，人所歸往，應天合道。行道化人，道化大行，天下欣戴，故能運祚長久，不殆不危，如日之照臨，如天之覆育，如雨之潤澤，如春之温和，雖終殁其身，盛德不泯。如今之歌詠堯舜，鼓舞羲農矣。戴之如天，就之如日者，堯之德也。

道德真經廣聖義卷之十六

唐　廣成先生杜光庭　述

太上下知章第十七

【疏】此章上論淳古之風，下逮澆漓之俗，欲明失道之漸，將辯致弊之由。故前章明守静則致虚，此章示無爲則復樸。樸散則親譽遂作，無爲則謂我自然。庶夫道化之君，專此不言之教。

【義曰】太古上古無事無爲，君任自然，人懷大樸。太古者，乃天地之初也。列子云：「昔者聖人因陰陽以統天地，故有形生於無形。」則天地之前有太易，未見氣也；有太初，氣之始也；有太始，形之始也；有太素，質之始也。通謂太極，故云五太者，即太古也。氣形質具而未相離，故曰混沌，言萬物相渾沌而未分判也。既而渾沌分判，輕清爲天，重濁爲地，而上下分焉，陰陽定焉。人禀天地陰陽沖和之氣，居于天地之中，日月照之，氣象成之，陰陽輔之，寒暑循之，與天地並號爲三才。則上三皇、中三皇、下三皇迭理其化，司牧於人，此謂上古也。天職生覆，地職形載，聖職教化，物職所宜，而展轉生化。初以道德，次則仁義，故親譽畏侮，恩信不孚，須資復古之風，冀返淳和之化。春秋僖公二十四年：「周王欲以狄師伐鄭，富辰諫曰：『太上以德撫民，無親疏也。其次親親，以相及也。』」言先親以及疏，推恩以成義爾。

太上，下知有之，

【注】太上者，淳古之君也。下知者，臣下知上有君，尊之如天，而無施教有爲之迹。故人無得〔一〕而稱焉。

【疏】太上者，淳古之君也；謂太上者，尊之也。言太上之君處無爲之事，行不言之教，臣下但知有君，尊之如天，大而在上，被四時生育之義〔二〕，不知何以稱其德，是故云下知有之。

【義曰】太者，大也；上者，高也。至高至大，以表其名。上古之君無有謚號，行淳厚

〔一〕「得」，唐玄宗御注道德真經卷一、道德真經玄德纂疏卷五作「德」。

〔二〕「義」，唐玄宗御製道德真經疏卷二、道德真經玄德纂疏卷五作「美」。

之化，以化於人，任物無爲，不言而信，不施典法，以蕩物心。故臣下知其上有君，而不聞其教令。其卧居居，其起于于，其行填填，其視顛顛，山無蹊隧，澤無舟梁，耕而食，織而衣，四時自行其上，萬物自行其下。至德玄遠，不可名稱，故曰太上，或云上古。太古之君者，昔有容成氏、大庭氏、栢皇氏、中央氏、栗陸氏、麗連氏、軒轅氏、赫胥氏、無懷氏、昊英氏、尊盧氏、葛天氏、陰褱氏、祝融氏、列山氏、伏羲氏、神農氏，皆結繩無爲之代〔一〕。黄帝乃垂衣裳，造書契，有作有法，漸以化民矣。三皇者，以道理人。無制令，無刑罰，謂之皇；有制令，無刑罰，謂之帝〔二〕。所以三古異宜，步驟斯變矣。太上之化，不其遠歟？

其次親之譽之；

【注】逮德下衰，君行善教。仁見故親之，功高故譽之。

【疏】太上之君殁，黄帝堯舜氏作，施教行善，仁及百姓，故親之；柔服致平，功高天

〔一〕「其卧居居……皆結繩無爲之代」，源於莊子馬蹄、盜跖、胠篋等篇。

〔二〕「無制令，無刑罰，謂之皇；有制令，無刑罰，謂之帝」，桓譚新論王霸：「夫上古稱三皇、五帝，而次有三王、五霸，此皆天下君之冠首也。故言三皇以道治，而五帝用德化；三王由仁義，五霸用權智。其説之曰：無制令刑罰，謂之皇；有制令而無刑罰，謂之帝；賞善誅惡，諸侯朝事，謂之王；興兵衆，約盟誓，以信義矯世，謂之霸。」

下，故譽之。親譽生前人之迹，矯徇爲後代之患。

【義曰】譽，褒美也；矯，妄也；以身從物曰徇也；殁，死也，謂前太古上古之君相次死殁也；作，起也。黄帝者，有熊國君少典之次子也，姓公孫氏，生而神靈，弱而能言，長而敦敏，成而聰明。母有喬氏，曰附竇，見電光繞北斗，樞星照野，感而有孕，十四月而黄帝生焉。神農德衰，蚩尤暴横，諸侯侵伐，黄帝修德振兵，殺蚩尤於涿鹿之野，天下尊之，立爲天子，曰黄帝焉，以代神農之位。師廣成子於崆峒山，問理國之道，取天地之精，以養兆民。造書契、服牛馬舟車、杵臼宫室弧矢，調律吕，鑄鼎制琴。其所居有縉雲之瑞，或號縉雲氏，以雲紀官。禮樂既作，其臣大撓造曆，容成造筭，倉頡造文字，風后造五兵，而萬慮興焉，名迹顯焉。帝乘飛龍周遊四海，名山大川皆有其跡。於是採首山之銅，鑄鼎於荆山，以合九丹。丹成，有龍垂胡髯而下迎之，黄帝乘黄龍而升天。其大臣同升者七十二人，其小臣有攀斷龍髯而墮，抱帝之弓而號，故號曰烏號弓。其升天處，今在虢州閿鄉縣皇天原，亦名鼎湖是也。帝堯睦九族，親百姓，師務成子，定歲時，正律度，以化天下。帝舜師尹壽子，以孝德彰聞，代堯爲天子，其解具在第三章中。言黄帝堯舜制作法度，天下化之，民乃親其德而譽其功，乃真親真譽也。非黄帝堯舜使民親譽，而民自親譽之；後代則不然，覬覦前跡而有矯親矯譽，所以矯竊之患生之矣。

【疏】故莊子曰：「吾語汝：大亂之本，必生堯舜之間。」何也？以其迹存乎千歲〔一〕之後故爾。

【義曰】親譽之迹起於黄帝堯舜，千載之後人慕其迹，而生矯徇。莊子：「庚桑楚謂其弟子曰：『夫堯舜又何足以稱揚哉？以其揖讓相禪而後世法也。且舉賢則人相軋，任智則人相盜，固不足以厚民。子有弑父，臣有弑君，正晝爲盜，日中穴阫。大亂之本，必生乎堯舜之間。其末存乎千世之後，必有人與人相食者。』」此言尊賢任能，遂至大弊，更相蠶食，起自唐虞之間，人矯徇不休，失其真性，故至於大亂也。

其次畏之、侮之；

【注】德又下衰，君多弊政，人不堪命，則驅以刑罰，故畏之；懷情相欺，明不能察，故侮之。

【疏】黄帝堯舜氏歿，下及三王五霸，浸以陵遲〔二〕。嚴刑峻制，故畏之；明不能察，故

〔一〕「歲」，唐玄宗御製道德真經疏卷二作「載」。

〔二〕「陵遲」，唐玄宗御製道德真經疏卷二作「淩遲」。

侮之。下議罪而求功，上賞姦而生詐，相蒙若此，可爲寒心。

【義曰】堯舜既殁，三王繼之。三王者，夏殷周也。夏禹姓姒名文命，高陽氏之孫也。母曰修己，於石紐山下泉中，得月精如雞子，吞之而孕，生禹，左手有水字，右手有台字，合爲治字。禹父鯀爲堯治水九年，績用不成。舜殛鯀於羽山，舉禹代父，使之治水。通九江，濬百川，百谷既同，四海無壅，手足胼胝；鑿龍門，闢伊闕，濬九河，所經者七百餘國，乘四載而奠，名山大川，靡不周遍。其爲人也，其仁可親，其言可信，聲爲律，身爲度。師真行子，得太上靈寶五符，檄召鬼神，移山塞川。治水既畢，天錫玄珪，以告成功。舜遂禪位，作九鼎，立九州，五岳名山，皆刻石科斗篆文，以表其高下。禹在位四十一年，年一百歲。子孫十六代，都平陽，起癸亥，終己巳，四百八十七年。禹既禪位，自以德不及堯舜，去帝稱王，即三王之一也。其後夏桀無道，殷湯以諸侯起兵伐桀而代其位焉。殷湯，契之後也，黄帝十七代孫。子名履，一名天乙，佐夏征葛伯有功，開三面之網，歸其仁者三十六國。夏桀暴虐，天下叛之，湯征桀於鳴條之野，放之於南巢，有白狼之瑞。師錫則子，以伊尹爲相，大旱七年，以身爲牲，天乃大雨，四海美之。在位十三年，年一百一十九歲。子孫二十一代，三十王，都於亳。起庚午伐桀即位，終乙酉年紂滅周興，共六百五十六年。三王之二也。其後殷紂無道，斮朝涉之脛，剖比干之心，置炮烙之刑，刳剔孕婦，天下叛之。周西伯以丁卯年霸於郃岐，武王以己卯年嗣位，至乙酉年伐[一]紂於牧野，克之，遂興周業，而代殷位焉。周后稷之後，姬姓。后稷名棄，母曰姜嫄，帝嚳之元妃，出野見巨人之迹，悦而踐之，感而有孕，期年而生，以爲不祥，棄之陋巷，牛馬避之，遷於冰上，蜚鳥以其翼覆薦之。姜嫄以爲神，遂收而養，因名曰棄。爲兒時吃，好相地之形，善耕農。帝堯聞之，舉爲農師，天下得其利。封於郃，號曰后稷。其十世孫古公亶父積德行義，國人戴之。亶父娶大姜，生季歷。季歷娶大任，生文王昌。昌爲西伯，殷紂疑其賢，囚於羑里。其臣閎夭求有熊之馬、有莘之女、異方珍怪，以獻於紂。紂赦西伯，賜以弓矢斧鉞，得專征伐。師老君於岐山之陽，鸑鷟爲瑞。天下之人歸周德者，三有其二焉。西伯以丁卯年受弓矢之錫，當紂二十一年也。武王以乙酉年克紂，正位，放牛於桃林之野，歸馬於華山之陽，倒載干戈，示不復用。有亂臣十人，而天下大理。在位九年。文王年九十七，武王年九十三。子孫三十七代，四十一王。起乙酉，終赧王壬子，共八百六十八年。此三王之三也。五霸者，在三王之内，諸侯之間，以兵服四方，爲盟會之主，内

〔一〕「伐」，原作「代」，據文意及前後文改。

扶天子，外威諸侯，以禮樂征伐，權於當代，不及於王，故謂之霸。夏之霸者，有昆吾，黄帝之後也。殷之霸者，有大彭、豕韋，帝堯之後也。周之霸者，有齊桓，僖公之庶子，名小白，魯莊公九年立，管仲相之，九合諸侯，一匡天下，周惠王、襄王之時也。晉文公者，獻公之子，名重耳，母曰狐姬，以魯僖公二十二年立。文公以僖公四年避驪姬之禍，奔于齊，歷曹、衛、陳、楚、鄭、秦諸國，凡十八年。秦伯以師納之于晉，周襄王加九錫，賜彤弓、彤矢、圭瓚、秬鬯，得專征諸侯。教民二年，欲用之。子犯請教之以義。於是出定襄王，入務利民，伐原以示信，大蒐以示禮，而後用之。出穀戍，釋宋圍，一戰而霸。言其能任禮智征伐以取霸，盛興兵得衆盟謂之霸。霸者，把也，謂把攬英雄，以致强大也。夫仁義禮智，征伐之道也。嚴刑以束人心，峻法以鉗人口，法愈細而民愈亂，網愈密而罪愈多，禍起而不知，奸生而不悟，上下相詐，故或畏之，或侮之。有道之士見其危跡，爲之悚慄，所謂寒心也。沖虚真經：「孔子對商太宰曰：『三皇善因時，順物而理；五帝善任仁義，彰善而成功；三王善任智勇，智以決之，勇以行之。』」五霸善任機權，因勢以制宜，託機以成務，而猶檢之以禮，約之以信。禮信或虧，即霸道隳矣。

信不足，有不信。

【注】畏之侮之者，皆由君信不足，故令下有不信之人。

【疏】此覆釋畏之侮之，百姓畏君之刑法，侮君之教令者，皆爲君信不足於下，故令下有此不信之人爾。

【義曰】言著而不欺曰信，賞及無功、罰及無罪，則爲不信。教令失信，民得欺之矣。形曲則影邪，源混則流濁，上行下效，其應若斯。春秋宣公十一年：「楚子伐鄭，及櫟，鄭大夫子良曰：『楚晉不務德而兵争，與其來者可也。晉楚無信，我焉得有信。』乃從楚。夏，及楚子盟于辰陵，陳鄭服也。」此乃信不足焉，有不信焉。

猶其貴言。

【注】親之譽之者，猶〔一〕君有德教之言，故貴其言而親之譽之也。

【疏】此覆釋親之譽之也。百姓所以親愛君之仁善〔二〕，稱譽君之功業者，由君有德教之言，故貴重君之言而稱譽之爾。古猶字與由字通用。

〔一〕「猶」，唐玄宗御注道德真經卷一、道德真經取善集卷三引唐明皇注均作「由」，然易縣唐碑本也作「猶」。

〔二〕「仁善」，唐玄宗御製道德真經疏卷二、道德真經玄德纂疏卷五作「善仁」。

【義曰】君教令不一，民畏侮之；君教令仁善，民親譽之。書曰：「民靡常懷，懷于有仁。」又曰：「撫我則后，虐我則讎。」故賤其苛暴之令，而貴其仁善之教。猶者，尚也，從也。古文或少，故通用之。

功成事遂，百姓謂「我自然」。

【注】功成而不執，事遂而無爲，百姓日用而不知，謂我自然而成遂，則所以太上下知有之也〔一〕。

【疏】此覆釋太上下知也。夫淳樸不殘，孰爲犧樽；道德公行，親譽焉設。故太上之代，下忘帝力，適令功成事遂，百姓皆以爲自然合爾，不知所以親譽報施也。

【義曰】首標太上之化，次述澆淳不同，末以此句覆釋太上無爲之理。當太上之代，窊地爲樽，抔抔，步侯反水而飲，不親其親，不子其子。上有生成遂長之功，不矜於下；下見物得其所，不知上化所爲，以爲自然而然也。淳樸不殘者，莊子馬蹄篇曰：「淳樸不殘，孰爲犧樽？白玉不毁，孰爲珪璋？道德不廢，安取仁義？情性不離，安用禮樂？五色不亂，孰爲文采？五聲不亂，孰應六律？夫殘樸以爲器，工匠之罪也；毁

〔一〕「則所以太上下知有之也」，唐玄宗御注道德真經卷一作「則太上下知有之之謂也」。

道德以爲仁義，聖人之過也。」梁書：「劉杳〔一〕答沈約曰：『古者彝器皆刻木爲鳥獸形，鑿頂及背，以出納酒。魏朝有人於魯郡野中耕得齊大夫子尾送女器，有犧樽作犧牛形。晋永嘉中，賊曹嶷於青州發齊景公塚，得二樽。形亦爲牛，乃知皆古犧樽之制也。』」夫太古上古之時，大道之行，上德不德，人知其上有君長焉。中古之時，大道既隱，仁德可見，恩惠及人，故有親譽之美焉。下古之衰，道德皆隱，教令鬱興，信義漓薄，其上失信，下則以不信應之。故見其峻令則畏之，聞其失信則侮之。老君所戒，欲使後代帝王棄禮智之末跡，慕道德之古風，遺功忘名，復歸大樸矣。親譽者，有仁愛之跡則親之，有美善之跡則譽之；報施者，上加其恩曰報，下立功勞曰施。春秋僖公二十四年：「周襄王使狄伐鄭有功，富辰諫王曰：『報者倦矣〔二〕，施者未猒。』言施功勞也，有勞則望報過甚也。」此爲周王怨鄭，使狄伐之，狄有功而王欲以其女爲后，大夫富辰諫王之辭也。百姓日用而不知者，周易之辭也。

〔一〕「杳」，原作「香」，據梁書劉杳傳等傳世文獻改。
〔二〕「矣」，原作「多」，據左傳等傳世文獻改。

道德真經廣聖義卷之十七

唐　廣成先生杜光庭　述

大道廢章第十八

【疏】前章明步驟殊時，道存故淳樸不散；此章明風俗頹靡〔一〕，道失則仁義遂行。秃施髢而病求醫，雖云由愈數米炊而簡髮櫛〔二〕，何其傷性？故直舉八句，將以明其積〔三〕弊，冀速返於淳古也。

〔一〕「靡」，唐玄宗御製道德真經疏卷二作「弊」。

〔二〕「愈數米炊而簡髮櫛」，莊子知北遊：「簡髮而櫛，數米而炊，竊竊乎又何足以濟世哉！舉賢則民相軋，任知則民相盜。」

〔三〕「積」，唐玄宗御製道德真經疏卷二作「極」。

【義曰】前以淳樸漸散，澆薄繼生，原其澆薄之由，乃彰道德之廢。步者安徐於皇化，驟者趨急於帝功。俗靡風頽，仁興義作，執仁義而飾性，立刑賞以訓人，亦由既禿而加髢求妍，已病而求醫望愈矣。淮南子曰：「數米簡髮，煩而不察。」有爲之甚也。何異乎以膝搔背，以踵解結矣。能明四者之非，可致還淳之望也。髢，髮也；頽，壞也；靡，傾也；櫛，梳也。

大道廢，有仁義。

【注】澆淳散樸，大道不行；曰仁與義，小成遂作。濡沫生於不足，凋弊起於有爲。然則聖人救代之心未嘗異，而夷險之跡則不得一爾。

【疏】大道廢者，代俗澆漓，人民浮競，玄風〔一〕斯泯，穆清之化不存，失夫至道無爲之事，故云廢也。

【義曰】廢者，陵替不行也。皇道帝風，陵頽已遠。興王圖霸，譎詐交馳；時既遷訛，情惟浮競。玄深宴安之風日以泯滅，穆和清静之化日以銷平。大道不行，斯爲廢矣。禮運云「大道既隱，天下爲家」是也。澆，沃也；漓者，水入地也。淳古之質如水沃地，

〔一〕「玄風」，唐玄宗御製道德真經疏卷二、道德真經玄德纂疏卷五作「玄晏之風」。

散不可收，故云澆漓也。

【疏】廢則有兼愛之仁、裁非之義，蹩躠於其間矣。

【義曰】蹩躠爲仁，强行兼愛之貌也；踶跂爲義，詐立裁非之貌也。皆局促其狀，勉强其容，非廣大也。去道日遠，聖跡已彰，仁義不真，禮樂離性，徒得其强飾之形表，皆非自然真一之誠心也。

【疏】故莊子曰：「道隱於小成。」小成謂仁義等各自其成，不能大通，故謂之小成。

【義曰】大道既隱，上德亦隳，仁者自仁，義者自義，不能混然同化，各成一名，方之於德，固以小矣。況於大道乎？道隱小成者，莊子齊物篇：「南郭子綦謂子游曰：『道於乎隱而有真僞，言於乎隱而有是非；道於乎往而不存，言於乎存而不可〔一〕。道隱於小成，言隱於榮華。』」此謂小成，仁義之道也。榮華，竄句之辭也。執言滯教，故爲隱，故有儒墨以是其所非，以非其所是。以此紛紜，莫能質定，亂由是而作焉。

〔一〕「道於乎隱而有真僞，言於乎隱而有是非；道於乎往而不存，言於乎存而不可」中的幾處「於」，傳世莊子均作「惡」。「於」乃同音借字，「惡」是。

智慧出，有大僞。

【注】用智慧者，則將立法也。法出而姦生，則有大僞矣。並竊符璽，可不信然？

【疏】智慧出者，謂後代之人役用智慧，立法以檢俗，制典以詰姦，恐其不信，作符璽以信之；恐其不平，爲斗斛以量之。而不仁之人，兼盜符璽，並竊斗斛，則夫智慧之作法，適足侈大其詐僞，故云有大僞矣。

【義曰】智，心慧也；慧，識解也；檢，束約也；詰，責也；符，信也；璽，印也。道德隱而仁義行，仁義興而智慧用，法繁於秋荼，網密於凝脂，而人愈亂也。夫弓弩畢弋機變之智多，則鳥亂於其上矣；鉤餌網罟罾笱之智多，則魚亂於水矣；削格羅落罘罝之智多，則獸亂於澤矣。智詐漸毒、頡滑堅白、解垢〔一〕同異之變多，則俗惑於辯矣。故天下每每大亂，罪在好智矣。法，則也，謂立法則以束於人也；典，常也，姦，詐也，謂作常法以詰責姦詐也；符者，刻文相合以驗，若金虎、竹使、兵信之符也；璽者，天子曰璽，諸侯曰印，上下等差以爲信也；斛之所起，起於圭，六十四黍爲圭，十圭爲抄，十抄爲撮，十撮爲勺，十勺爲合，十合爲升，十升爲斗，五斗四升曰斛，所以量物也。智

〔一〕「垢」，傳世莊子胠篋篇作「垢」。

慧之人，設此符印斗斛之法，將以限量拘制，以驗其盜，安知不爲大盜之積者乎？田常矯仁義於齊國，一旦弑其君而竊其國，傳十二世。齊之符璽斗斛、聖智之法，皆田常有之，是則智慧作法而生此大僞。其後竊國者，往往因田氏之法焉。王莽竊之於漢，司馬宣王竊之於魏，梁武帝竊之於齊，隋文帝竊之於周。豈若焚符破璽而使民樸鄙，掊斗折衡而使民不争，殫殘天下之聖法，而民可以議於道乎？

六親不和，有孝慈。

【注】父子夫婦兄弟，六親也；疏戚無倫，不和也；各親各子，有孝慈也。皆由失道，故有偏名也。

【疏】六親者，父子兄弟夫婦也。夫大同之俗，無自私之親。及乎上下不和，冤〔一〕恩斯起，則有扇枕温席，人謂之孝。

【義曰】大道之世，天下爲公，無非親也；澆末之代，六紀有辯，孝慈彰也。有不慈則慈者著焉，有不孝則孝者顯焉，天下爲公，則大同之俗也。冤，屈折也；恩，惠愛也。扇枕温席者，宋有劉苞字孝，嘗三歲而孤，其伯父悛等皆顯貴。苞見之常泣。母陳氏

〔一〕「冤」，唐玄宗御製道德真經疏卷二、道德真經玄德纂疏卷五作「怨」。

疑其畏憚而怒之。苞曰：「自悲早不識父，今見諸父相似，心中悲爾。」因歔欷。母亦悲慟。苞奉其母，夏則扇枕，冬則温席焉。孝者，事親之名。禮祭統曰：「孝，畜也。」釋名曰：「孝，好也。」謚法曰：「至順曰孝。」總而言之，則事親之道恒畜在心，盡其色養，中情悦好，承順無違之義也。爾雅曰：「善事父母爲孝也。」

【疏】出顧入復〔一〕謂之慈。被孝慈之名，有自矜之色，殊不知大道之代，天下爲家，上承下綏，自然之分，視人如己，不獨親其親，則天下之人皆可孝也。人亦視之猶己，不獨子其子，則天下之幼〔二〕皆可慈也。孝慈之名，復何所施乎？

【義曰】禮運篇云：「仲尼仕魯，與於蜡賓，事畢，遊象魏之觀，見祭禮之不備。覩象魏之舊所，喟然而歎。弟子言偃問焉。仲尼曰：「大道之行，三代之英，丘未之逮也。而有志焉。大道之行，天下爲公。選賢與能，講信脩睦。人不獨親其親，不獨子其子，使夫老有所終，壯〔三〕有所用，幼有所長，鰥寡孤獨廢疾者皆有所養。男有分，女有歸。

〔一〕「出顧入復」，唐玄宗御製道德真經疏卷二作「出復入顧」，道德真經玄德纂疏卷五作「入覆出顧」。

〔二〕「幼」，唐玄宗御製道德真經疏卷二、道德真經玄德纂疏卷五作「人」。

〔三〕「壯」，原作「世」，據傳世禮記改。

貨惡其棄於地，不必藏諸己；力惡其不出於身，不必爲己。是故謀閉而不興，盜竊亂賊而不作。故外户不閉，是謂大同。」此則扇枕温席、出顧入復無所施矣。人盡親也，何偏名之有乎？矜恃也哉。

國家昏亂，有忠臣。

【注】太平之時，上下交定〔一〕，何異名乎？昏亂之日，見危致命，有忠臣矣。

【疏】忠者，人臣之職分，而云有忠臣者。何乎？由人主失御臣之道，令佞主之人獲進，規君於昏〔二〕，使生禍亂，則有見危致命，蒙死難以匡社稷，而獲忠臣之名。

【義曰】讜正曰忠。春秋曰：「忠，社稷之固也。」爲臣事君，以忠爲本。事親孝者，則事君忠矣。阿諂曰佞，不明於理曰昏，上下不理曰亂。夫佞臣在側，君鑒不明，不能退佞進賢，陷己於昏亂。昏亂既作，紛争生焉。外有寇敵之侵，内有蕭墻之釁，所以良臣效命，排難扶危，或生著功名，或死節王事。忠臣之目，由斯立焉。向使唐堯爲君，虞舜爲臣，上得臨御之宜，下盡弼諧之道，則忠臣偏美，何所顯哉。

〔一〕「交定」，唐玄宗御注道德真經卷一、易縣唐碑本作「交足」，道德真經玄德纂疏卷五作「皆足」。

〔二〕「規君於昏」，唐玄宗御製道德真經疏卷二作「親君於昏暗」，道德真經玄德纂疏卷五作「親君於昏」。

【疏】若夫道化大行，無爲清静，思[一]皇多士，盡是夔龍，彝倫攸叙[二]，無非作乂。

【義曰】大道之化，玄風廣行，上既無爲，下自清静。詩曰：「濟濟多士，文王以寧[三]。」多士，衆臣也；夔龍，舜佐也。尚書曰：「夔作典樂，八音克諧。擊石拊石，百獸率舞。簫韶九成，鳳凰來儀。龍爲納言，出納王命。」彝，法也；倫，等也；攸，所也；叙，次也；乂，理也。書曰「彝倫攸叙」，言舜得良臣而典法不失其正[四]也。

【疏】然後忠孝之名息，淳樸之道興，則於忠臣乎何有[五]？此四者，頹弊之極也，焉得不返之於淳樸乎？

【義曰】頹，隳也；弊，替也。四者，謂仁義、智慧、孝慈、忠臣也。道廢智生，家争國亂，而四者是顯。因頹弊之極而立其名，大樸壞隳，淳風訛替，德衰道喪，可勝言哉！所以大道既隱，下德有爲，仁義用而巧智興，小惠成而大僞作。忠臣名著於昏亂，孝

〔一〕「思」，唐玄宗御製道德真經疏卷二作「聖」，道德真經廣聖義節略卷二、道德真經玄德纂疏卷五作「斯」。

〔二〕「叙」，唐玄宗御製道德真經疏卷二作「序」。

〔三〕「濟濟多士，文王以寧」，見詩經大雅文王。

〔四〕「正」，道德真經廣聖義節略卷二作「政」。

〔五〕「忠臣乎何有」，唐玄宗御製道德真經疏卷二作「忠臣孝子何有」。

慈事彰於不和。弊極風頽，所宜反樸。反樸之謂，詳具在於下章。

絶聖棄智章第十九

【疏】前章明風俗頽靡〔一〕，失道而仁義遂行；此章明絶棄多門，還淳則盜賊無有。首六句且絶矜徇之迹，次三句將明立教之方，後四句示行門之由趣。

【義曰】道廢俗訛，偏名遂立。將復樸素，須絶偏名。既前章四者不行，則此章三者宜絶。孝慈自復，盜賊不生，乃尊朴素之風，除私欲之患，天下之利其何博哉？

絶聖棄智，民利百倍；

【注】絶聖人言教之迹，則化無爲；棄凡夫智詐之用，則人淳樸。淳樸則巧僞不作，無爲則矜徇不行。人抱〔二〕天和，物無夭性〔三〕，是有百倍之利也。

〔一〕「靡」，唐玄宗御製道德真經疏卷三作「弊」。

〔二〕「抱」，道德真經玄德纂疏卷五作「叶」。

〔三〕「夭性」，唐玄宗御注道德真經卷一作「天枉」，道德真經玄德纂疏卷五作「失性」。

【疏】聖者，有爲制作之聖；智者，凡俗矜徇之智。制作之聖則有迹，矜徇之智則非真。失真是生巧僞，逐迹坐令喪本。故皆絶棄之，而全[一]其淳樸。天和既暢，矜徇不行，是人有百倍之利也。

【義曰】無爲之聖，内明之智，應物周遍，隨時感通。比之聖智，杳冥無迹。制作之聖，矜徇之智，既有其迹，人往迹存。以所存之迹，非應變之具，執而用之，去道愈遠。何者？聖智設法，所以守國也。大盜至矣，則聖智之法并其國而竊之。其故何哉？若不盜其聖智之法，則無以取其國。是知聖智設法，本以守國，智詐極矣，乃翻爲盜國之盜資也。老君戒之，忘聖則爲理，涉迹則爲亂。能忘其有迹之迹，棄其矯智之智，則淳樸復而巧僞息矣。人復怡和，無傷無夭，俗臻樸素，無怨無争，各保其生，是有百倍之利也。

絶仁棄義，民復孝慈；

【注】絶兼愛之仁，棄裁非之義，則人復於大孝慈矣。

【疏】前章云「大道廢，有仁義」，此章云「絶仁棄義，民復孝慈」者，明大道之代，所謂

〔一〕「全」，唐玄宗御製道德真經疏卷三作「令」。

玄同，民無私親，悉皆慈孝。故理至則迹滅，事當而名去矣。

【義曰】六親不和，則孝慈之名偏立；天下有道，則淳樸之化復行。淳素既行，人皆慈孝，可謂無私親矣。斯則絶名迹之仁義，復玄同之孝慈。無私親者，是不獨親其親也。

【疏】今六紀廢絶則孝慈名彰，若絶兼愛之仁，棄裁非之義，江湖無濡沫之迹，慈孝有自然之素，故民復於大孝慈矣。

【義曰】六紀者，亦曰六親，是君臣、父子、夫婦也。六者和則皆孝皆慈，六者不和則有孝有不孝，有慈有不慈。不孝者衆，則孝者顯其名；不慈者衆，則慈者彰其美。所以然者，仁義制於其間，而昭其名迹。若化之以大道，鼓之以淳風，棄名迹之仁義，則民復於皆孝皆慈矣。魚處於陸，相呴以濕，相濡以沫，不如相忘於江湖。何者？相呴相濡，言其相愛矣。相忘於江湖，各得其適，豈俟濡沫之小愛乎？偏孝偏慈，濡沫之謂爾。莊子天運篇：「老子謂孔子曰：『子以仁義之道行之於世，亂莫大焉。夫仁義，憯然乃憤吾心，豈若使天下無失其樸，放風而動，總德而立，又奚桀桀然若負建鼓而求亡子矣？黑白之樸不足以爲辯，名譽之觀不足以爲廣，魚相濡沫，不如相忘於江湖。』」人相仁愛，不如相忘於道術矣。

絶巧棄利，盜賊無有。

【注】人矜偏能之巧，必有争利之心。故絶巧則人不争，棄利則人自足，斯不爲盜賊矣。

【疏】絶巧者，絶雕琢非法淫過之巧；棄利者，棄徇財兼並乾没之利。夫盜賊者，生於羡欲不足。今絶巧則人不争，棄利則人自足，人各自足〔一〕，復誰爲盜賊乎？故云無有。

【義曰】雕琢淫過之巧工既不當，雖巧奚爲？則衛人之刻棘猴，宋人之琢楮葉，徒云悦目，終曰蕩心，所宜絶也。徇財則妨行，兼并則奪人，乾没則欺詐。有一於此，非盜而何？斥而棄之，循分而足矣。何盜賊之有乎？又脩道之人，宜絶心内嗜欲之巧、身外浮華之利，六情鋭進之巧、六根耽著之利，則三元清凈，六賊自無矣。

此三者以爲文不足，故令有所屬：

【注】此三者但令絶棄，未示修行，故以爲此文不足垂教，更令有所屬著，謂下文也。

【疏】三者，謂絶聖棄智一也，絶仁棄義二也，絶巧棄利三也。此三者且令絶棄，未有

〔一〕「人各自足」，唐玄宗御製道德真經疏卷三無。

修行，故以爲此三者於文不足以垂教，更令有所屬著，謂[一]下文見素等是也。

【義曰】聖智絶棄則人享其利，仁義絶棄則皆復孝慈，巧利絶棄則民無盜賊。三者既絶既棄，將示修真復古之方。故云此爲未足屬於下文。屬，著也。

見素抱樸，少私寡欲。

【注】見真素，抱淳樸，少私邪，寡貪欲矣。

【疏】欲求絶聖棄智，則常[二]見真素。

【義曰】同乎無欲則謂素樸，素樸則民性得矣。無知無欲則合真素，真素合則聖智之迹絶矣。

【疏】欲求絶仁棄義，則懷抱質樸。

【義曰】淳質敦樸以守其心，則兼愛之仁、裁非之義絶矣。

【疏】欲求絶巧棄利，則當少私邪，寡貪欲。

【義曰】私邪不汩於性，貪欲不起於心，則淫奢之巧、專冒之利絶矣。

〔一〕「謂」，唐玄宗御製道德真經疏卷三作「在」。

〔二〕「常」，道德真經玄德纂疏卷五作「當」。

【疏】三絶雖於文不足，四行則修身有餘。將欲禁邪〔一〕於中心，故必取資於内行。

【義曰】聖智仁義巧利，此六者行之初以拯物，執之末以妨道。故姦詐盜竊因而生焉。絶而棄之，可復真素。真素已復，乃資内修。顯四行於結成，爲真道之要妙矣。夫有迹之聖作，則矜詐之智生。仁起於不仁，義出於不義，孝彰於不孝，慈顯於不慈。能絶有迹有爲，自復至慈至孝。斥淫巧則私利息。私利既息，盜賊不生，然後凝旒於樸素之鄉，杜念於私欲之境，人登富壽，國致遐長。此人君行道之效也。若夫心除嗜欲，身蕩浮華，翦鋭進之情，鋤耽著之本，六賊不作，三元坦夷，四行克修，久視何遠？此行人修之之效也。

〔一〕「邪」，唐玄宗御製道德真經疏卷三作「絶」。

道德真經廣聖義卷之十八

唐　廣成先生杜光庭　述

絶學無憂章第二十

【疏】前章明絶棄多門，還淳則盜賊無有；此章明畏除俗學，若昏故獨異於人。首一句標門以示絶，次七句舉喻以明理，又一十七句格凡聖以對辨，後兩句論獨行以結成。

【義曰】絶日益之學，以務恬和；除浮華之事，則無憂患。舉唯阿恭慢之譬，將喻絶與不絶之理爾。絶與不絶，皆出於心；唯之與阿，皆曆於口。絶則契沖静而歸道，不絶則溺智見而喪真。唯則恭謹而無尤，阿則傲慢而招罪。同出於心口而吉凶異焉。人之所畏者，畏招罪與喪真，而不能絶知見而恭謹。既知之矣，不可不畏。此勸勉於絶學也。衆人行反於道。聖人故獨異之，棄太牢之滋味，閑春臺之心目，除明察之弊，去有以之爲。繩繩悶悶，内襲氣母，如嬰兒之行，以含乎至真也。

絶學無憂。

【注】絶有爲俗學，則淳樸不散，少私寡欲，故無憂也。

【疏】絶學者，絶有爲之俗學也。夫人之禀生，必有真素，越分求學，傷性則多。若令都絶不爲，是使物無修習，今即〔一〕乃絶有爲過分之學。

【義曰】絶者，除斷之義。老君將令後代之人漸慕淳和，斷絶妄習，故有絶學之文。有爲俗學者，謂俗間有爲之學也。自三代以下匈匈焉，終以賞罰爲事，則天下之人何暇安性命之情哉？故悦於明者，是淫於色也；悦於聰者，是淫於聲也；悦於仁者，是亂於德也；悦於義者，是悖於理也；悦於禮者，是助於詐也；悦於樂者，是助於淫也；悦於聖者，是助於藝也；悦於知者，是助於疵也。此八者，學之大也。安其所禀之分，則無過求之悦矣。若所禀之外越分過求，悦而習之，則致淫悖之患，而傷其自然之和，亂其天禀之性矣。若令都絶，又失所修，但任真常，於理爲得。

【疏】莊子所謂「俗學而求復其初」者爾。若分内之學，因性之爲，上士勤行，未爲不

〔一〕「即」，唐玄宗御製道德真經疏卷三、道德真經玄德纂疏卷五作「明」。

絶，故曰絶學無憂。

【義曰】莊子繕性篇云「俗學求復其初」者，謂世間之人已治性命於俗矣，而欲以俗學復性命之本，則愈非其道也。斯爲蒙蔽之民，去道遠矣。曷若無以知爲而任其自知？雖智周萬物，而恬然自得矣。分内者，謂因其性分而任其真素也。夫任真，智則智矣，矯於分外則爲詐也；任其真，禮則禮矣，矯於分外則爲亂也；任其真，忠則忠矣，矯於分外則佞矣；任其真，仁則仁矣，矯於分外則諂也；任其真，義則義矣，矯於分外則盜也；任其真，信則信矣，矯於分外則誣也。矯於分外則失而多憂，任於分内則真而無懼，故曰絶學無憂也。上士勤行者，守真樸，不妄爲也。

唯之與阿，相去幾何？善之與惡，相去何若？

【注】唯則恭膺，阿則慢膺。同出於口，故云相去幾何。恭膺則善，慢膺則惡，以喻俗學絶之則無憂，不絶則生患，只在心識迴照，豈在〔一〕相去遠哉？

【疏】唯，恭膺也。禮〔二〕曰：「先生召無諾，唯而起。」

〔一〕「在」，唐玄宗御注道德真經卷二、易縣唐碑本、道德真經玄德纂疏卷五作「復」。

〔二〕「禮」，唐玄宗御製道德真經疏卷三作「周禮」，引文見於禮記曲禮上，故「周禮」此處非書。

【義曰】唯者，聲謹而貌恭；譍，譍答也；先生，父兄師長也；召，呼召也。父兄之召，若譍之以諾，尚慮遲迴，聞命即往，故唯而起也。論語曰：「有酒食，先生饌。」注云：「先生謂父兄也。」從先生不得越道，與人語言恭謹而從之，其義皆同於恭謹也。

【疏】阿，慢譍也。漢書曰「不誰何綰〔一〕」，謂何問也。此舉喻也。唯之與阿，同出於口，唯恭則善，阿慢則惡。學之絶否〔二〕，只在於心，而絶之則無憂，不絶則生患。同出於口，故云相去幾何；只在於心，故云相去何若。若能了學無學，學相皆空，於知忘知，不生分別，則唯阿齊致，善惡兩忘。

【義曰】此明恭譍慢譍，同出於口而善惡異焉；絶學不絶，同出於心而憂樂異焉。不絶則憂心役慮，絶學則志泰神和。學無學者，日損之謂也。化胡經曰「文始學無學，能伏于闐雄」，言以無爲之道，能伏强獷之俗也。西昇經云：「吾學無所學，乃能明自然。」德經云：「學不學，服衆人之所過。」此皆絶除之旨也。能知此旨，則學相皆空矣。

〔一〕「不誰何綰」，漢書衛綰傳：「文帝且崩時，屬孝景曰：『綰長者，善遇之。』及景帝立，歲餘，不孰何綰。」李奇曰：「孰，誰也；何，呵也。」師古曰：「何，即問也。不誰何者，猶言不借問耳。」

〔二〕「絶否」，唐玄宗御製道德真經疏卷三作「不絶」。

夫世間萬法，無非有爲，有爲之事皆當滅壞，故皆空也。唯無爲無事，清静恬愉，内合真常，外無分别，以此則唯阿齊其一致，善惡以之，謂兩忘也。

人之所畏，不可不畏，

【注】凡人之所畏者，慢與惡也；善人〔一〕之所畏者，俗學與有爲也。皆當絶之，故不可不畏。

【疏】人之所畏者，畏慢與惡也。夫慢則爲過，惡則被嫌；被嫌則人所棄薄，爲過則物多尤怨。以況有爲俗學增長是非，若不畏而絶之，是皆違分傷性，故不可不畏而絶之。

【義曰】慢與惡招過，人知畏之，而不知俗學增長是非、動生尤悔而不畏也。故有道之士畏於俗學越分傷性，棄而絶之，愈於俗中之人畏慢之與惡也。

荒兮，其未央哉！

【注】若不畏絶俗學，則衆生正性荒廢，其未有央止之時。

〔一〕「人」，唐玄宗御注道德真經卷二、易縣唐碑本、道德真經玄德纂疏卷五及道德真經取善集卷三引唐明皇注均作「士」。

【疏】荒，廢也。慢惡爲過，俗學失真，是皆可畏，故當棄絶〔一〕。若不絶而棄之，則正性荒廢，其未有央止之時。

【義曰】央，中也，亦旦也，止也。俗學者，明則生苛察，智則生是非，邪則生荒淫，妄則生誇誕，少則生企慕，多則生疲勞，勇則生紛競，藝則生優劣。惡勝己而求勝，慕多聞而求多，苦忘勞神，役心損性，是乖於真素也，故曰失真。既乖真素，則荒廢正性，如彼美土，本無穢雜，而蒿蘭荆棘滋蔓於其間，荒而穢之，傷土真性。俗學荒人真性，亦如草之滋蔓，故云荒也。春秋曰「無使滋蔓，難圖也。蔓草不可除」，是其義矣。

【疏】詩曰「夜未央」，言更漏尚多也。此云其未央，言俗學傷性，無息止期，故前途尚多，云未央。

【義曰】俗學之長，觸類而生，若不絶除，方將日益，故荒亂渺然，殊未央止也。周詩小雅庭燎篇云「夜未央」，央，旦也。未央，言夜未巨央也。俗學不絶，未可盡也。

〔一〕「棄絶」，唐玄宗御製道德真經疏卷三作「絶棄」。

衆人熙熙，如享太牢，如登春臺。

【注】衆人俗學有爲，熙熙逐境，如臨享太牢，春臺登望[一]，動生貪欲也。

【疏】熙熙者，情欲淫[二]動之貌也。此明不畏絶學之人也。夫俗學有爲，動生情欲，熙熙逐境，役役終身，若餒夫之臨享太牢，恣貪滋味，冶[三]容之春臺，登望動生愛著。

【義曰】冶容者，易繫云「冶容誨淫」，言女之容色夭冶而不精慤其行，動生淫泆。況春臺登望乎？熙熙，和悦之貌也。俗學之人動溺其性，熙熙自悦，不覺爲勞，然而逐境牽情，是非相擾，吉凶得喪，由此而生。則有六印垂腰，五府交辟，一怒而諸侯懼，安居而天下息[四]。繁華忽其滿志，富貴樂其當年。五鼎列食，猒太牢之盈味；衆芳悦性，喜春臺之縱目。至有燕姝洛豔，楚舞吴歌，八音聵其聰，五色熏其鑒。樂則樂矣，終復如何？其或泰往否來，福終禍起，變熙熙之樂爲惴惴之憂也。仲尼謂顔回

〔一〕「登望」，唐玄宗御注道德真經卷二作「望登」。

〔二〕「淫」，唐玄宗御製道德真經疏卷三作「揺」。

〔三〕「冶」，道德真經玄德纂疏卷五作「怡」。

〔四〕「六印垂腰，五府交辟，一怒而諸侯懼，安居而天下息」，指蘇秦，見史記蘇秦張儀列傳或戰國策之蘇秦始將連横。

曰：「昔吾以樂天知命之不憂，今乃知樂天知命憂之大也[一]。」聖人猶若此，況於常乎？豈若縱神於自得之場、適性於忘知之境乎？

【疏】太牢者，牛羊豕也。

【義曰】禮器云「太牢而祭，不必有餘」，言稱牲之大小也。又云諸侯七牢，大夫五牢，故春秋「吴徵魯之百牢[二]」是矣。夫牛羊豕三牲，通謂之牢。牛者，祭之牢也，天子以犧牛，謂全色也，諸侯以肥牛，大夫以牽牛[三]，求得即用，無所擇也。牛謂一元大武[四]，將祭，必繫於牢，芻之三月，所養必有其式，以備不常，如左傳「鼷鼠食郊牛角，乃改卜牲[五]」也。

〔一〕「昔吾以樂天知命之不憂，今乃知樂天知命憂之大也」，見列子仲尼篇。

〔二〕「吴徵魯之百牢」，見左傳哀公七年。

〔三〕「牛」，原作「生」，據道德真經廣聖義節略卷二改。禮記曲禮：「天子以犧牛，諸侯以肥牛，大夫以索牛，士以羊豕。」

〔四〕「牛謂一元大武」，禮記曲禮下：「凡祭宗廟之禮，牛曰一元大武。」鄭玄注：「元，頭也；武，跡也。」孔穎達疏：「牛若肥則脚大，脚大則跡痕大，故云一元大武也。」

〔五〕「鼷鼠食郊牛角，乃改卜牲」，見左傳哀公元年。

羊者，天子釁廟，開冰告朔，皆用之，謂之柔毛〔一〕，「孟春食麥與羊〔二〕」是也。豕者，天子之祭皆用之，以備三牲，則牛曰太牢，羊曰中牢，豕曰少牢，曰剛鬣〔三〕是也。禮，天子無故不殺牛，大夫無故不殺犬彘，謂其皆祭禮所用〔四〕，非祭而殺，是曰無故也。牢者，取其四固以養犧牲，故通謂之牢矣。

【疏】春臺所以爲愛著者，謂其卉木滋榮，禽鳥鳴匹，陽和陶然，易淫蕩也。故邠詩云：「春日遲遲，采蘩祁祁。女〔五〕心傷悲，迨及公子同歸。」

【義曰】築土曰臺，又曰因高爲臺，言昇高肆望也。夫春之氣也，天地絪緼，萬物交感，和風舒暖，陽景遲遲，登臺肆目，煦然蕩矣。倉庚既鳴，春之候也；采蘩，生蠶之時，蘩，皤蒿也；祁祁，衆多也；傷悲，感事之苦也。春女感陽而悲生，秋男感陰而思

〔一〕「柔毛」，禮記曲禮下「羊曰柔毛」，孔穎達疏：「若羊肥，則毛細而柔弱。」

〔二〕「孟春食麥與羊」，禮記月令：「孟春之月，日在營室……天子居青陽左个，乘鸞路，駕倉龍，載青旂，衣青衣，服倉玉，食麥與羊。」

〔三〕「剛鬣」，禮記曲禮下「豕曰剛鬣」，孔穎達疏：「豕肥則毛鬣剛大也。」

〔四〕「天子無故不殺牛，大夫無故不殺犬彘，謂其皆祭禮所用」，見禮記王制、玉藻。

〔五〕「女」，唐玄宗御製道德真經疏卷三作「汝」，然傳世詩經豳風七月也作「女」。

起，此固陰陽常理，物化使然也。迨，始也；及，與也。思歸嫁於公子，故言同歸。禮，二月爲匹偶之月，女心傷春，思匹配也。邠詩國風七月篇之辭也。倉庚，箋云「鶖黄」也。

我獨怕兮，其未兆，如嬰兒之未孩，

【注】我獨怕然安静，至於貪欲〔一〕，略無形兆，如彼嬰兒未能孩孺也。

【疏】我，老君自稱言也。我畏絶俗學，抱道含和，獨能怕然安静，於彼代間有爲之事、情欲等法，略無形兆，如彼嬰兒未能孩笑，無分别也。孩者，别人之意。莊子曰：「不至于孩而始誰。」

【義曰】怕兮者，安静無爲之貌也；兆，形狀之初也。老君見代之人物變化云爲，馳騁利名，耽嗜俗學，留連情欲，凋喪天和，皆歸於空，非爲了出，乃教其冥視聽之域，絶思慮之源，令若嬰兒無所分别，不知不識，深含玄虚。嬰兒者，未分别於人；孩者，有分别也。萬事無形兆，忘懷之至也。莊子天運篇：「老君謂子貢曰：『三皇五帝之理天下不同。舜爲天下也，使人心競，故孕婦十月生子，子生五月而能言，不至乎孩而始

〔一〕「至於貪欲」，唐玄宗御注道德真經卷二作「於其情欲」。

誰。』」此言心競者有分別也。既有分別，和氣將離。五月能言，時漸急也。自此物多大落也。家語本命篇曰：「人生三月而微眴〔一〕，然後目能見。八月生齒，然後能食。期而生臏，然後能行。三年間〔二〕合，然後能言。」今五月而言，和散而澆急也。

乘乘兮，若無所歸！

【注】至人無心，運動隨物，無所取與，若行者之無所歸。乘乘，運動貌也。

【疏】乘乘，運動之貌。衆人動生耽著，常有所〔三〕求，故若有所歸往。我本無心，怕然安靜，乘流則逝，值坎則止，若彼行道之人，無所歸趣，不汲汲也。

【義曰】衆人耽著所求者，趣於俗學，有求勝之心，耽其世欲，有營爲之念，運動心慮，奔逐所求，故若有歸也者。若無心，不著諸見，悠悠自得，何所滯焉？喻如水也，決之則流，壅之則止，不與物競，亦無所求，故若無所歸也。

〔一〕「眴」，傳世孔子家語本命解作「煦」，王肅注：「煦，睛轉也。」漢班固白虎通姓名：「人生三月，目煦，亦能笑。」均當爲「眴」之誤，道德真經廣聖義節略卷二也作「眴」。同經卷三十九：「子生三月而眼轉，睛微眴，能分別人。」

〔二〕「間」，傳世孔子家語本命解作「腮」。

〔三〕「所」，唐玄宗御製道德真經疏卷三、道德真經玄德纂疏卷五作「執」。

衆人皆有餘，

【注】躭著[一]塵務，矜誇巧智，自爲有餘，以示光大也。

而我獨若遺。

【注】常若不足，有所遺忘也。

【疏】衆人俗學躭著，矜誇巧智，是法皆執，自爲有餘。我獨損之，未嘗凝滯，心無愛染，故若遺忘。

【義曰】衆人矜誇俗學，以立功名，巧智相高，財利相勝，於彼世法，各言有餘矣。老君忘心息智，無滯無矜，恍惚任心，若遺忘也。

我愚人之心也哉，純純兮！

【注】我豈愚人之心，遺忘若此也哉。但我心純純，故若遺爾。

【疏】言我於諸法中體了無著，故若遺忘。豈則若愚人之心也哉？但我心純純，質樸無愛欲，故若遺忘爾。

【義曰】老君爲化物之本源、乾坤之宗主，萬智周備，聖德玄通。而示以無心，而混合

〔一〕「著」，唐玄宗御注道德真經卷二、易縣唐碑本、道德真經玄德纂疏卷五作「嗜」。

乎道者，所務世人淳樸其志，以反澆漓，收視滅聽，以歸道德爾。非謂本來所禀，愚冥而若遺失也。

俗人昭昭，

【注】矜巧智也。

我獨若昏。

【注】自韜晦也。

俗人察察，

【注】立法制也。

我獨悶悶。

【注】唯寬大也。

【疏】昭昭者，自矜衒巧智也；若昏者，如昏昧無所分別也；察察者，施〔一〕教立法以繩下也；悶悶者，無心寬大之意也。所以昭昭矜衒，察察施教者，皆由不絶俗學與有爲，故聖人畏絶若昏默也。

〔一〕「施」，原作「於」，據唐玄宗御製道德真經疏卷三改。

【義曰】上惟君后，下及兆人，徇俗學之心，忘大樸之本。理國則昭昭矜其聖智，察察中其典章；聖智愈作而政愈煩，典章益明而人益弊。老君昏昏默默，不化而自行也。莊子曰：「至道之極，昏昏默默。」昏昏者，韜光；默默者，不言也。

忽若晦，寂兮似無所止。

【注】容貌忽然若昏晦，而心寂兮絶於俗學，似無所止著也。

【疏】絶學行〔一〕人忽忽無心，常若昏昧，而心寂然，曾不愛染，於法無住，故似無所止著爾。

【義曰】晦，昧暗也；寂，虛静也。既絶俗學，不矜其智，不著有爲，不住有法，不止於有，不滯於無，空有都忘，深入玄要矣。

衆人皆有以，

【注】衆人於代間皆有所以，逐境俗學之意者也。

我獨頑似鄙。

【注】頑者無分別，鄙者陋不足，而心實了悟，外若不足，故云似爾。

〔一〕「行」，唐玄宗御製道德真經疏卷三作「之」。

【疏】凡俗之人不畏俗學，常有〔一〕所以，眈滯逐境，未曾休息。我於代間，獨無分別，有所〔二〕鄙陋。頑者，無分別也，鄙者，陋不足也，而心實了悟，故云似爾。「衆人熙熙」下，皆對明也。

【義曰】世之衆人，動循俗法，皆執有爲，故云有以。以者，爲也。老君内了萬法，深洞道源，外示昏愚，若似頑鄙。下經曰「天下皆謂我道大，似不肖。若肖，久矣其細也夫」，亦此旨也。自「衆人熙熙」下，六番聖行以對俗學是俗，明其必須絶除而宗大道也。

我獨異於人，

【注】人有情欲，我無愛染。人與道反，我與道同爾。

而貴求食於母。

【注】求食於母者，貴如嬰兒無營欲爾。故上文云「如嬰兒之未孩」，下經云「含德之厚，比於赤子」，如此所以獨異於人也。先無「求」「於」兩字，今所加也。且聖人説經，

〔一〕「常有」，唐玄宗御製道德真經疏卷三無，故屬後爲「所以眈滯逐境」句。

〔二〕「所」，唐玄宗御製道德真經疏卷三作「似」。

本無避諱，今代爲教，則有嫌疑。暢理故義不可移，臨文則句須穩便。便今存古，是所庶幾。又司馬遷云「老君説五千餘言」，則明理詣而息言，不必以五千爲定格也。

【疏】此兩句結成也。我獨異於人者，異於不絶俗學之凡人也，即上對明諸〔一〕與凡人異。凡人愛染有爲，我獨遺忘情欲；人〔二〕於諸法分別，我獨等無是非。故云異於人。

【義曰】首標絶學兩字，恐人未能頓明，相次對持，凡有十一別。一者絶學無憂，不絶學則多憂；二者唯則恭膺而爲善，阿則慢膺而爲惡；三者善則人所尚，惡則人所惡；四者衆人有太牢春臺之美，我則守淡泊嬰兒之行；五者衆人有所趣，我則無所歸；六者衆人矜有餘，我獨若遺忘；七者俗人昭昭而明，我獨昏昏若暗；八者俗人察察立法，我獨悶悶寬大；九者衆人有所止，我獨無所著；十者衆人皆有爲，我獨若不足；十一者衆人耽榮味，我獨飡元和。此十一者與俗對持，即明俗學可絶，而無爲可習也。故疏云「衆人有愛染，我獨忘情欲；衆人於諸法分別，我獨無是非」，所以異於人也。

〔一〕「諸」，道德真經玄德纂疏卷五作「諸法」。
〔二〕「人」，唐玄宗御製道德真經疏卷三作「凡人」。

【疏】老君戒人守樸全和，少私寡欲，絶視聽之耽著，杜聲名之奔競，令如嬰兒，但求食於母爾。故云而貴求食於母。

【義曰】如嬰兒之行，無外所牽，但知求食於母，而無紛競之累也。此聖旨所解，今詳其理。母者，氣也。人之禀象，因氣而生，氣爲茂養，故謂之母。十一門中，皆明有爲之學無益於身，習道之人俱令棄絶，行與俗異。故云獨異於人。俗學既已絶除，唯餌氣餐和，歸根復命，是所行之法爾。黄庭經曰「人皆食穀與五味，我〔一〕食太和陰陽氣」，又曰「百穀之實土地精，五味外美邪魔腥；臭亂神明胎氣零，那能〔二〕反老得還嬰」。何不食氣太和精，故能不死入黄寧」是也。家語云「食氣者神明而壽〔三〕」，理無疑矣。大約理國則在於守静默，除淫苛。人君服道而鶉居，臣下崇德而弘道。前則修身之旨，此乃理國之規也。

〔一〕「我」，太上黄庭外景玉經下作「獨」。
〔二〕「能」，太上黄庭内景玉經百穀章第三十作「從」。
〔三〕「食氣者神明而壽」，見孔子家語執轡。

道德真經廣聖義卷之十九

唐　廣成先生杜光庭　述

孔德之容章第二十一

【疏】前章明畏絶俗學，若昏故獨異於人；此章明從順至道，甚真則能閲衆甫。首標「孔德」兩句，明德人之順道；次「道之爲物」下十句，暢妙本之精真〔一〕；「自古」下五句，辨應用之名，結生成之德。

【義曰】前以俗學爲滞對持，示棄絶之門；此明至道非常恍惚，表棲真之所窮，衆甫之本始，惟至道之可依爾。

〔一〕「真」，唐玄宗御製道德真經疏卷三無。

孔德之容，惟道是從。

【注】孔，甚也；從，順也。設問甚有德之人容狀如何，言此德人〔一〕所行，唯虚極之道是順也。

【疏】孔，甚也；從，順也；容，狀〔二〕也。欲明行人所以順合至道，故云甚有德之人容狀若何。言甚有德之人容狀，唯虚極之道是順也。

【義曰】道無名也，唯德是顯；之德無本也，自道而成之。至人能順於道，德乃彰矣。故云甚有德之人，唯能順於道。夫帝王君臨天下，資順道以居尊，統御域中，必抱道而立極。故尚書堯典、舜典皆云「曰若稽古」者，言順考古道也。

道之爲物，惟恍惟惚。

【注】此明孔德所從之道，不有不無，沖用難名，故云恍惚。

【疏】此明虚極妙本爲物形狀，即孔德所從之道也。虚極妙本，强名曰道。道之爲物，其運動形狀若何？言此妙本不有不無，難爲名稱。欲謂之有則寂然無象，欲謂

〔一〕「德人」，唐玄宗御注道德真經卷二、道德真經玄德纂疏卷六作「有德人」。
〔二〕「狀」，唐玄宗御製道德真經疏卷三作「容狀」。

之無則湛似或存。無有難名，故謂之爲恍惚爾。

【義曰】恍惚者，不無不有，非有非無。謂之有焉，乃隨迎不得；謂之無也，乃應變多方。

【義曰】道者，虚無之稱也。以虚無而能開通於物，故稱曰道，無不通也，無不由也。若處於有，則爲物滯礙，不可常通。道既虚無爲體，無則不爲滯礙，言萬物皆由之而通，亦况道路以爲稱也，寂然無體也。而天覆地載，日照月臨，冬寒夏暑，春生秋殺，萬象運動，皆由道而然，不可謂之無也。及乎窮其動用，考彼生成，豈見其所營爲，豈知其所運化，不可謂之有也。乃是無中之有，有中之無，不得指而定名，故謂之爲恍惚爾。

惚兮恍，其中有象；

【注】惚，無也；恍，有也。兆見曰象，自無而降有，其中兆見一切物象。

【疏】此明降生本迹也。惚，無也；恍，有也。兆見曰象，妙本無物，故謂之惚；生化有形，故謂之恍。斯則自無而降有，其中兆見一切物象，從本而降迹也。

【義曰】自上而下謂之降，妙本之道出乎虚無。虚無之體清浮在上，欲生化品物，運道神功，於妙無之中而生妙有。妙有融化，自上而下降於人間，兆見物象，妙無爲本，妙有爲迹。本則澹然常存，迹乃資生運用。由是言之，一切物象皆由道生，一切形類皆道之子矣。

恍兮惚，其中有物；

【注】物者，即上道之爲物也。自有而歸無，還復至道，故云其中有物。

【疏】物者，即上道之爲物，謂妙本也。妙本降生，兆見物〔一〕象，修性返德，則復歸無物。無物即道也。

【義曰】物是妙無之本象，爲妙有之迹。既從本而降迹，則是道生萬法；循迹歸本，則萬法復宗於道。言自妙有卻歸妙無，無始無終，常生常化矣。

【疏】言人修性返德，不離妙本，自有歸無，還冥至道，故云其中有物，言有妙物也。此攝迹以歸本也。

【義曰】自道所稟謂之性，性之所遷謂之情。人能攝情斷念，返性歸元，即爲至德之士矣。至德之本，即妙道也。故言修性返德，自有歸無。情之所遷者有也，攝情歸本者無也。既能斷彼妄情，返於正性，正性全德，德爲道階，此乃還冥至道也。冥者，契

〔一〕「物」，唐玄宗御製道德真經疏卷三、道德真經玄德纂疏卷六作「衆」。

合也。妙物爲道，故云攝迹歸本。此乃攝有用之迹，歸無爲之本也。

杳兮冥兮，其中有精：

【注】惚恍有無，杳冥不測；生成之用，精妙甚存〔一〕。

【疏】〔二〕恍惚有無，杳冥深昧也〔三〕。虚極降生，修性返德〔四〕，攝迹歸本，妙物存無〔五〕。杳冥深昧，不可量測，含孕變化，中有至精，故云其中有精者也。

【義曰】初則妙本降生，自無而顯有；次復攝迹還本，自有而歸無。明此二句强爲終始，恐世人迷惑，言道不復存，執有則必無，執無則必有，兩邊爲滯，不悟中道之門。故示之曰其中有精，甚真甚信。則明妙道常在，不始不終，了悟玄言，即契中道矣。又就生成門解之，則恍惚之象者，清虚之氣也，在上爲天；恍惚之物者，厚濁之氣也，

〔一〕「惚恍有無，杳冥不測；生成之用，精妙甚存」，原無，原經誤以其後疏文作注文，注文實缺，今據唐玄宗御注道德真經卷二、道德真經玄德纂疏卷六補。

〔二〕「疏」，原爲「注」，據唐玄宗御製道德真經疏卷三、道德真經玄德纂疏卷六補。

〔三〕「恍惚有無，杳冥深昧也」，唐玄宗御製道德真經疏卷三、道德真經玄德纂疏卷六作「窈冥，深昧也」。

〔四〕「返德」，唐玄宗御製道德真經疏卷三作「反本」。

〔五〕「存無」，唐玄宗御製道德真經疏卷三、道德真經玄德纂疏卷六作「或存」。

居下爲地；杳冥之精者，沖和之氣也。此三氣交感，而爲人焉。人者，三才之中最靈之智，用天法地，無所不能，亦自妙本分氣而生。若失性任情，則離本而湮滅；若修性返德，則得道而超騰。其沖和之氣稟於身中，修之則存，甚真甚信也。

其精甚真，其中有信。

【注】杳冥[一]之精，本無假雜，物感則應，應用不差。故云有信。

【疏】至道妙物，既本非假雜，變化至精，故其精甚真。生成之功，徧被群有，物感必應，曾不差違，故云其中有信。

【義曰】被，及也；差，爽也；違，失也。道之至也，微妙玄通，不可以有推，不可以無喻。去此之外，不名爲道，豈有諸法可假雜乎？可謂真矣。垂變化之功，功無不在；彰感應之用，用不可窮。故爲至精至信也。尚書曰「人心惟危，道心惟微，惟精惟一」是也。

自古及今，其名不去，

【注】言道自古及今，生成萬物，物得道用，因用立名。生成之用既今古是同，應用之

[一]「杳冥」，道德真經玄德纂疏卷六作「冥冥」。

名故古今不去。

以閱衆甫。

【注】閱，度閱也；甫，本始也。言至道應用，度閱衆物本始，各遂生成之用。

【疏】閱，度閱也；甫，本始也。言道德生成之功、本〔一〕冥真精之信，始終無極，今古不渝。

【義曰】渝，變也。杳冥真道，化育群情，物有始終，道無今古。常爲物本，而道本無爲也。

【疏】故物得道用之名、天清地寧之類，自古至今，常不去也。故注云「生成之用既今古是同，應用之名故古今不去」也。以此真精〔二〕之信，度閱萬物本始，令各遂生成之用也。

【義曰】前解云天覆地載，日照月臨，皆道與之用也。天清地寧，谷盈物生，皆道與之名也。此名此用，則今古不移；至信至精，則古今常在。不稱功於萬有，各被其生成，

〔一〕「本」，唐玄宗御製道德真經疏卷三、道德真經玄德纂疏卷六作「窈」。

〔二〕「真精」，唐玄宗御製道德真經疏卷三、道德真經玄德纂疏卷六作「精真」。

但著用於群情。群情豈覩其終始爲化之主？玄哉妙哉！

吾何以知衆甫之然哉？以此。

【注】以此令萬物皆禀道妙用生成故耳。

【疏】又詳質〔一〕云，吾何以知萬物本始皆資禀於道，道必度閲之，令遂〔二〕其生成之用而然哉？答云：以此。以此者，以此甚真〔三〕甚信。凡今萬物，皆禀妙用生成，故知之爾。

【義曰】道之生育萬殊，度閲衆類，爲物之本，爲化之先，天以之清，地以之寧，萬物以之生，日月以之明。其既然矣，何以知其然哉？以其甚精甚信，今古不移，物禀道生，道爲物本故也。然則甚大之德者，天地也；至明之象者，日月也；用道法天者，帝王也。帝王富有天下，尊居域中，子育萬靈，首出庶物，安静以象地，被衮以象天，職官以象四時，明賞罰以象秋夏，而能體道清净，法道無爲，撫之以至仁，示之以至信，使衆生知道

〔一〕「質」，唐玄宗御製道德真經疏卷三無。
〔二〕「遂」，唐玄宗御製道德真經疏卷三作「達」。
〔三〕「真」，唐玄宗御製道德真經疏卷三、道德真經玄德纂疏卷六作「精」。

爲本始，各捨末而歸元，知道爲祖宗，慕還淳而復樸，洪圖克固，玄化克昌矣。

曲則全章第二十二

【疏】前章明從順至道，甚真故能閱衆甫；此章明抱一爲式，不争則所以曲全。首六句示誠全之行，「是以」下兩句標聖行以明，次四句覆釋曲全至弊新。「夫惟」下結不争必全而歸爾。

【義曰】前既彰明妙道，廣弘生化之功；此則標示全和，教以修行之行。曲枉窪弊，皆因謙而益光；抱一爲法，將明少能統衆。棄自見自是之迹，除自矜自伐之非，克致誠全，孰於争者？

「曲則全，

【注】曲己以應務則全。

【疏】曲者，委曲從順也。言人能委曲從順，不與物逆〔一〕，則可以全身，故云曲則全。

〔一〕「逆」，唐玄宗御製道德真經疏卷三作「迕」。

【義曰】理身之道，先理其心；心之理也，必在乎道。得道則心理，失道則心亂；心理則謙讓，心亂則交争。謙讓則曲己而順物，交争則飾躬而非過。曲己順物者不與物逆，物亦順之，曲己全人，人必全之，不與物争，乃全身之道也。尚書曰：「萬方有過，在余一人；余一人有過，無以汝萬方〔一〕。」此帝王曲己責躬之道也。

枉則直，

【注】枉己以申人則直。

【疏】枉者，受屈於物；直者，可以正曲也。春秋曰：「正曲曰直。」言人雖不與物逆〔二〕，物來枉己，己能受屈，彼必慚懼而自修整，則是己之直可以正曲，故云枉則直。

【義曰】得道之心不與物逆，物來枉己，己能受之，彼必知慚，及自修整者。如廉頗、藺相如同仕於趙，頗位在相如之下，因怒曰：「吾有功於國，而居相如之下，吾所耻也。塗見相如，吾必辱之。」相如知其言，常引車以避之，其從者怪而問之曰：「相國不畏强

〔一〕「萬方有過，在余一人。余一人有過，無以汝萬方」，尚書湯誥曰：「其爾萬方有罪，在予一人；予一人有罪，無以爾萬方」。

〔二〕「逆」，唐玄宗御製道德真經疏卷三作「迕」。

秦而懼廉頗，何也？」相如曰：「秦所以不敢輕趙者，畏吾與廉將軍耳。吾若與廉將軍相遇，兩虎既鬭，勢不俱全。趙國之危，秦之利也。吾所以避者，存國耳，豈私於身乎？」頗聞之，負荆肉袒而謝焉。此乃彼必懼而自修整，以己之直能正於曲之效也。正曲曰直者，春秋襄公七年：「冬十月，晉卿韓獻子厥告老。其子穆子無忌有廢疾。將立之。辭曰：『詩云：「豈不夙夜，謂行多露〔一〕。」又曰：「弗躬弗親，庶人弗信〔二〕。」無忌不才，讓其可乎？請立起也。與田蘇游，而曰好仁。詩曰：「靖恭爾位，好是正直，神之聽之，介爾景福〔三〕。」恤民爲德，正直爲正，正己心也；正曲爲直，正人曲也。三和爲仁，德正直三者，備爲人也。如是，則明神聽之，介福降之。立之，不亦可乎？』庚戌，使韓起朝獻子。遂請老。晉侯謂韓無忌仁，使爲〔四〕公族大夫焉。」

〔一〕「豈不夙夜，謂行多露」，見詩召南行露。

〔二〕「弗躬弗親，庶人弗信」，見詩小雅節南山。

〔三〕「靖恭爾位，好是正直，神之聽之，介爾景福」，見詩小雅小明。

〔四〕「爲」，傳世左傳作「掌」。

窪則盈，

【注】執謙德則常盈。

【疏】窪，坳下也；盈，滿也。此喻説也。夫地之坳下，水必流滿，人守撝謙，德便光大。能曲能枉，坳下也；則全則直，滿盈也。故云窪則盈。

【義曰】地道變盈而流謙者，謂丘陵川谷之屬也。高者漸下，則下者益高，是故變其盈者而流布謙者也。盈則被變，高不可恃也；謙則流布，下可以守也。地坳下，水則就之以致盈滿；人謙下，德則歸之以致光益矣。撝謙者，指撝揖讓，無非謙鑵，不違法度，動合卑柔，德乃歸之，亦如地坳水聚矣。能曲能枉窪者，皆謂下其心也；則全則直則盈者，皆謂益其德也。理國之君，納汙含垢，下士禮賢，遠近歸之，國乃昌大也。

弊則新，

【注】守弊薄則日新。

【疏】弊，薄惡之謂也。曲枉窪等，皆自處弊薄也。能處弊薄，人必推先，故其德行日新矣。故云弊則新。

【義曰】薄惡之處，弊屈之事，人所不取。今我取之，自處薄惡，則爲衆人所歎美矣。修道之士，行人之所不行，學人之所不學，安人之所不安，樂人之所不樂，爲人之所不爲，得人之所不得。所行所爲，無非謙静澹泊，故能德光而道成，可謂德行日新矣。

少則得，

【注】抱一不離則無失矣。

多則惑。」

【注】有爲多門則惑亂也。

是以聖人抱一爲天下式。

【注】聖人抱守淳一，故可爲天下法式。

【疏】謂少自取也。夫少自取者則無失，故云得多；自與者必争，故云惑。修身既爾，修道亦然，當須抱守淳一，自全真素，若欲廣求異門，則招亂惑。故亡羊必因歧路，喪生諒在多方。是以聖人抱一不離，可爲天下法式矣。式，法也。

【義曰】廉士可以分財，言其自取必少也。自取其少者無貪心，無貪心者人不争，人不争故得矣；自取多者必不平，不平則争起，爲人所奪，反乃失之，故惑矣。此舉喻以明修道也。修道之法則有萬殊，其致道者在於守一爾。守一不失者，理身則得道，理國則無爲。無爲化物，物自寧泰。故聖人抱一爲天下法矣。理身不欲多其事，修道不欲多其門。多其事者，萬慮營營，以害一生，生能無傷乎？萬人彎弧以射一鵠，鵠能無中乎？多其門者，玄教萬途，丹經萬卷，以一人之心兼累聖之道，形疲於外，神亂於内，故去道愈遠矣。理國多事者，晋政多門，故諸侯不附；秦網煩密，故四海心離。一國三公，自然難理；十羊九牧，詎可化人？亡羊者難〔一〕於多歧，喪生者由其多事。理故然矣。

不自見，故明；

【注】人能不自見其能〔二〕，常曲己以應務，則德全自明矣。

【疏】此覆釋曲則全也。言人能不自見其美，常委順於物，則其全德日益明白，故云以〔三〕故明。

【義曰】自見不美，必有争尚之心，故不能委曲順物矣。能委曲順物，不自見己美者，是以德全而益明也。夫德全則形全，形全則氣全，氣全則神全。神全之人表裏無隔，洞見八極，則不自見之明，其明廣矣。

〔一〕「難」，原作「歎」，據道德真經廣聖義節略卷二改。

〔二〕「能」，唐玄宗御注道德真經卷二、易縣唐碑本、道德真經玄德纂疏卷六作「德」。

〔三〕「以」，唐玄宗御注道德真經卷二、道德真經玄德纂疏卷六無，或衍。

不自是，故彰；

【注】人能不自以爲是，而枉己申人，則其直自彰矣。

【疏】此覆釋枉則直也。言人能爲物受枉，不自申説以己爲是〔一〕，是必無尤，故其直自彰著也，故云故彰。

【義曰】自是其事者，必有執著之心，故不能枉己從屈矣。能枉己從屈，不自執是其事，故直顯而益彰也。夫直彰則善彰，善彰則德彰。德彰之人，則萬物歸之；德益光大，則不自是之彰，其彰明矣。

不自伐，故有功；

【注】人能不自伐取，則其功歸己。

【疏】此覆釋窪則盈也。言人不自伐取，當爲謙讓，則人不與競，其功歸己，如地坳下水必盈焉，故云有功。

【義曰】自稱己善曰伐也。人好自伐，必有貪競之心，則不能坳下守謙矣。坳下守謙，不自伐其善者，故善著而有功矣。有功之人，人荷其惠，物受其賜，善功所及，孰

〔一〕「以己爲是」，唐玄宗御製道德真經疏卷三、道德真經玄德纂疏卷六作「以爲己是」。

不悦隨？則不自伐之功，其功大矣。顏回曰：「願無伐善〔一〕。」尚書曰：「汝惟不伐，天下莫與汝争功〔二〕。」此之謂也。

不自矜，故長。

【注】人能長守弊薄，不自矜衒，則人推其長。

【疏】此覆釋弊則新也。人能守弊薄，不自矜衒，則人必讓〔三〕，善行能益長，故曰故長。

【義曰】矜，恃也。自恃己長之人，必有誇衒之心，則不能自處弊薄矣。能處弊薄，則人必共推而美之，則其不矜恃之美益長矣。尚書曰「爾惟不矜，天下莫與汝争能〔四〕」是也。

夫唯不争，故天下莫能與之争。

【注】不與物争，誰與争者〔五〕？

〔一〕「願無伐善」，見論語公冶長。

〔二〕「汝惟不伐，天下莫與汝争功」，見尚書大禹謨。

〔三〕「則人必讓」，唐玄宗御製道德真經疏卷三作「則人必推敬」。

〔四〕「爾惟不矜，天下莫與汝争能」，見尚書大禹謨。

〔五〕「者」，唐玄宗御注道德真經卷二該字後還有「此言天下賢與不肖無能與不争者争也」句。

【疏】夫唯曲全等行，皆是委順不争。柔弱既勝於剛强，謙虚自歸於是〔一〕直，則天下人物誰能與不争者争乎？故云莫能與之争。

【義曰】夫好争之人，故非道矣；不争之德，德之大焉。前舉曲全、枉直、窪盈、弊新四者，爲因修之行，覆明不自見、自是、自伐、自矜四者，彰果應之功。行四行之人，謙虚柔弱，不與物争，故天下莫能與之争，而得故明、故彰、故有功、故長四善之報矣。

古之所謂「曲則全」者，豈虚言哉？誠全而歸之。

【注】古有曲全之言，豈虚妄哉？實能曲者，則必全理歸之。

【疏】此引古以結曲全也。言自古有此曲全之言，豈虚有此言而無實者哉？若能曲順不逆者，信有全理歸之於己爾。故云誠全而歸之。誠，信也。

【義曰】此所明曲者，是柔順屈曲之曲，非回邪之曲也。聖人抱此曲全之道，以垂法於天下。天下既理，聖人不自見其美，不自是其行，不自伐其功，不自矜其能，萬物歸宗於聖德。聖人謙順而處之，則曲全之德自然歸矣。自古及今，此言久著，行而必效，信實非虚。但人君抱一撝謙，歸根安静，必顯誠全之德，臻乎太平矣。

〔一〕「是」，唐玄宗御製道德真經疏卷三作「枉」。

道德真經廣聖義卷之二十

唐 廣成先生杜光庭 述

希言自然章第二十三

【疏】前章明抱一爲式，不争故所謂曲全；此章明契道忘言，執滯則自同於失。首一句標宗以明理，次五句舉喻以申教，故「從」下理喻結成〔一〕。

【義曰】夫言教不繁，必契自然之道；風雨爲暴，固非長久之資。希言將漸於忘言，舉暴戒令其息暴。息暴歸静，道必應之。信不足，則民違應之以不信。天爲暴而不久，

〔一〕「故『從』下理喻結成」，唐玄宗御製道德真經疏卷三、敦煌文書伯二八六三道德經玄宗疏作「故『從事』下廣理喻以結成」。

風雨豈能常？ 貴夫忘言之言，漸契自然之理爾。 且器莫大於天地，權莫重於神明，暴雨飄風尚不能久，人君恃尊怙貴，侮蕩寰區，信非久長之道。 夫何故哉？ 秦皇併吞四海，平一九州，豕畜黔黎，草視甿庶，深宫複道，自侈自尊，縱暴爲昏，極奢極貴，祚傾運滅，曾不崇朝。 項籍叱咤中原，吞噬六合，無君於其上，無敵於其前，烏江之敗亦不旋踵。 老君戒其强暴，令守無爲自然之至道云爾。

希言自然。

【注】希言者，忘言也。 不云忘言而云希者，明因言以詮〔一〕道，不可都忘，悟道則言忘，故云希爾。 若能因言悟道，不滯於言，則合自然之理矣。

【疏】此明言教不可執滯也。 希言者，忘言也。 夫言者在理，執滯非悟教之人；理必因言，都忘失求悟之漸。 則明因言以詮理，不可都忘；悟理則言忘〔二〕，故云希爾。 若能因彼言教，悟證精微，不滯筌蹄，則合於自然矣。 故曰希言自然。

〔一〕「詮」，易縣唐碑本、道德真經玄德纂疏卷六作「證」。

〔二〕「夫言者在理……悟理則言忘」，唐玄宗御製道德真經疏卷三作「夫言者在乎悟道，悟道則忘言，不可都忘，要其詮理。 但自然之理，不當有與不有，希言之義，亦不定言。 故以希言之言，用顯自然之理」。

【義曰】教必因言，言以明理；執言滯教，未曰通途，在乎忘言以祛其執。既得理矣，不滯於言，是了筌蹄之用也。筌蹄者，莊子曰：「筌者所以在魚，得魚而忘筌；蹄者所以在兔，得兔而忘蹄。言者所以在意，得意而忘言。吾安得夫忘言之人而與之言哉？」筌者以竹爲之，取魚之器也；蹄者以繩爲之，取兔之器也。魚兔既得，則筌蹄可忘。若執筌蹄，乃非魚兔矣。若執於言，又非教意矣。

飄風不終朝，驟雨不終日。

【注】風雨飄驟則暴卒而害物，言教執滯則失道而生迷。

【疏】飄風，狂疾之風也；驟雨，暴急之雨也。夫風者所以散物，雨者所以潤物。若狂疾暴急，則害物而不久。

【義曰】此風雨者，喻也。夫狂疾之風、暴急之雨，理身理國於教爲喻。其別有三。何者？風之散物，雨之潤物，若其狂疾暴急，反害於物也。氣者所以生身也，心之所以總神也，若其狂疾暴急，反以害於身矣。政之所以理民也，令之所以齊民也，若政嚴而狂疾，令峻而暴急，則民散而國危矣。言之所以明理，理之所以宣教也，若執滯局守，則於教不行，於道不通矣。

【疏】以況言教所以詮理者，若執言滯教，則無由了悟〔一〕，必失道而生迷。故風雨不可飄驟，言教不可執滯。欲明忘言即合自然，故舉飄風驟雨之喻。

【義曰】夫執滯於言教，則致不通，失至道之宗，迷言教之説。能明筌蹄之用，則無封執之迷，亦無飄驟之害，而彰散潤之德。

孰爲此者？天地。天地尚不能久，而況於人乎？

【注】天地至大，欲爲暴卒則傷於物，尚不能久，以況於人執言滯教，則失〔二〕於道，欲求了悟，其可得乎？

【疏】孰，誰也？設問云誰爲此飄風驟雨者，答云天地。天地至大，欲爲狂暴，尚不能久，況於凡人執滯言教，而爲卒暴，不能虛忘，漸致造極，欲求了悟，其可得乎？

【義曰】老子欲明飄風暴雨不久之義，以喻理國修身之人。恐人未曉此意，託以發問，因自答之，以彰其理。言天地有形之大也，爲狂暴之事，尚不能終日；人君統臨邦國之大也，而爲狂暴，必傷於民；修道之士而爲狂暴，必傷其行。皆不可矣。凡人乃

〔一〕「了悟」，伯二八六三作「悟了」。
〔二〕「失」，易縣唐碑本作「害」。

欲恣性縱心、狂猛躁急以爲政，執言滯教以修道，了無通變，但局一隅，而能致國泰身安，可得乎？必不得矣。

故從事於道者，

【注】故從事於道之人，當不執滯言教。

【疏】從，順也。虚極至道，沖用無方，在物則通，未嘗凝滯。故凡人欲體斯妙而順事〔一〕者，不當有所執滯爾。故云從事於道者。

【義曰】大道圓通，物感則應，由謙和柔順可以致之。君剛狠躁戾之人，如飄風暴雨之行，即失道矣。所以人君執道以理民也，事來而循之，物動而因之，萬物之性無不順也。大行之，大得福，小行之，小得福，深淺之應，由人感通爾。如下文焉。

道者同於道，

【注】體道者悟道忘言，則同於道。

【疏】順事〔二〕於道之人，故謂之道者。謂能順事於道，則不凝滯，了悟言教，一無封

〔一〕「體斯妙而順事」，唐玄宗御製道德真經疏卷三作「體斯妙道而順」。

〔二〕「事」，唐玄宗御製道德真經疏卷三作「同」，伯二八六三也作「事」。

執，可與道同。故云同於道爾。

【義曰】道者，虛無平易，清静柔弱，淳粹素樸，此六者道之形體也。虛無者，道之舍也；平易者，道之素也；清静者，道之鑒也；柔弱者，道之用也；淳粹素樸者，道之幹也。行此六者，謂之道。人行與道同，故曰能順事而不滯，悟言教而同道也。

德者同於德，

【注】德者，道用之名。人能體道忘功，則其所施爲同於道用。

【疏】德者，道用之名也。謂其功用被物，物有所得，故謂之德爾。謂體悟之人順事於道，豈惟自能了出，抑亦功濟蒼生。蒼生被其德，德者忘其功，凡所施爲，同於道用。故云德者同於德。

【義曰】德爲道用，故次於道。所謂大行之大得福者，指上同道之行也，次行於代則恩及生靈，功濟邦國，上未階於至道，下復越於仁義，物得遂性，各得所得，故謂之德。有德及物，鄰於道乎？蒼者，廣遠之色，衆同之貌。莊子曰：「天之蒼蒼，其正色邪？」遠而視之，則有色象；近而觀之，與庶物同。言庶物資道而生，有情無情，有識無識，動植飛走，皆曰蒼生矣。

失者同於失。

【注】執言滯教，無由了悟。不悟則迷道，故曰同於失。

【疏】失者謂執滯言教而失道也。夫言教者，道理之筌蹄也。筌蹄者，乃取〔一〕魚兔也。今滯守筌蹄，則失魚兔矣；執滯言教，則失妙理矣。失理則無由得道，自同於失也。故云失者同於失。

【義曰】取魚之器曰筌，以竹爲之；取兔之器曰蹄，以繩爲之。取魚則器包其身，故謂之筌，言其可生全而致之也；取兔則繩束其足，故謂之蹄，言可致足而致之也。愚人不知筌蹄可取魚兔，執筌蹄以爲魚兔，失之遠矣。言者所以宣理，教者所以告人。道不可無言而悟，因言以宣之；法不可不告而悟，故立教以告之。愚人不知言教所以悟道，執言教以爲道，亦失之遠矣。夫至虛至静，方能集道。滯言束教，何以契真？至虛以忘言，至静以忘教，不可執矣，經云「執者失之」是也。

同於道者，道亦得之；同於德者，德亦得之；同於失者，失亦得之。

【注】方諸挹水，陽燧引火，類族辯物，斷焉可知矣。

〔一〕「取」，伯二八六三作「在」。

【疏】此明氣同則應也，故虎嘯風起〔一〕，鶴鳴子和，性殊則肝膽楚越，道合則夷夏同人。以類相從，物無違者。故同道則道應，同失則失來。

【義曰】夫習静則道降，積功則德充，氣之相從，其來尚矣。故彈宫則宫應，彈角則角應者，聲相感也。枯桑動而天風，暑雨降而礎潤，氣相感也。龍吟雲起，虎嘯風生，有情感於無情也。銅山崩而鐘應，類相感也。葭灰缺〔二〕而暈虧，事相感也。鶴鳴子和，性相感也。積善餘福〔三〕，積惡餘殃，行相感也。同舟共濟，胡越不患於異心，勢相感也；流濕就燥，無情感於無情也。西昇經曰：「行〔四〕善善氣至，行惡惡氣至。」同於失者，固當失〔五〕之矣。肝膽楚越者，性分異也；夷夏同人者，所志同也。君子千里同風，小人隔陌異俗。此之謂乎？

【疏】猶方諸挹月而水流，陽燧照日而火就爾。故云同於道者，道亦得之。

〔一〕「起」，唐玄宗御製道德真經疏卷三作「生」，伯二八六三作「趍」。
〔二〕「缺」，道德真經廣聖義節略卷二作「缺」。
〔三〕「福」，道德真經廣聖義節略卷二作「慶」。
〔四〕此處及後文兩「行」字，西昇經卷下善惡章作「積」。
〔五〕「失」，原作「矢」，據文意改。

【義曰】東海方諸之間有巨蚌焉，長尺有二寸者，因名方諸。取其殼以柔帛拭之良久，以月照之，以器承之，則得水焉。陽燧者，範金爲器，其形若杯，或類鏡焉，以玄繒潔之，以日照之，以艾承之，則得火焉。此二者因日月之光，以氣類相感，而能生水火。古者祭法尚潔，必以方諸之水、陽燧之火薦於神明焉。物之無情，猶資感應，況人之最靈，道之通變，而豈不能感致乎？言可致也。

信不足，有不信。

【注】執言滯教，不能了悟，是於信不足也。自同於失，失亦樂來，是有不信也。

【疏】言人之所以不能體了證理忘言，謂於信悟不足而生惑滯。既生惑滯，則執言求悟；執言求悟，則却生迷倒，是有不信應之。故云有不信也。

【義曰】道既無形無狀，在精感而致之。但云精感，則人無由可悟，故廣叙應感之事，以勸於人，欲使世人知物有感通，事有因應，然後能推誠於道爾。能推心篤信，静默恬愉，道豈不應哉？所以不應者，由世人不能静默其心，恬愉其志。知者則執言局教，疑者則若存若亡。信既不足，了無感應，是有不信也。其有初則鋭精於習道，中乃懈惰於修行，一念退心，前功并棄。不能專精勤久，而謂大道我欺。若知道能行，行之勤久，玄鑒非遠，寧無應乎？人君法道化人，以信御下，推誠待物，布德如春，上有推誠之君，下無不信之士。

跂者不立章第二十四

【疏】前章明理契言忘，執滯則同於失者；此章明自見自是矜伐，則物或惡之。首二句舉喻示難求，次四句明雖求亦不得。「其於道」下將申戒勸，令有道之人不處爾。

【義曰】上文以不信不足，於道有不信之疑；此復跨而求行、跂而求久、自是自見、自伐自矜，去道逾遠，喻如餘食贅行，豈可致玄同之道乎？故有道之人不處於此，修真之士以斯爲戒焉。

跂者不立，跨者不行；

【注】跂，舉踵而望也；跨，以跨挾物也。以喻自見求明，明終不得，何異夫跂求久立、跨求行履乎？

【疏】跂，舉踵而望也；跨，以跨挾物也。此舉喻也。夫延頸舉踵，欲求遠望，翹跂則危，故不可立；以跨挾物，物必爲礙，挾物爲礙，必不可行，亦如衆生〔一〕自見自是等也。故跂則不立，跨則不行，自見則不明，自是則不彰，斷可知矣。

【義曰】以足指躡地謂之跂，暫有延望，或可爲之，而希久立，斯爲難矣。延頸舉踵者，陳后長門賦望幸之辭也。跨挾於物而求久行，亦不可得也。喻人不能推心信真，懷疑於道，暫興〔二〕一念，便望有成，無冥心濬寂之功，無隳體黜聰之漸，而欲振衣汗漫，接軫崆峒，亦如跂立跨行，欲希長久爾。

自見者不明；

【注】露才揚己，動而見尤，故不明。

【疏】夫自見之人，失之殷鑒，露才揚己，欲以自明，殊不知動則見尤，物無與者，己之事業，終於昧然。故云自見者不明。

【義曰】聖人之明也，精神四達，無所不極，上際於天，下蟠於地，猶汎然若無，不以爲有也。凡人以己之見，蔽人之光，露其微才，揚其片善，以此爲明，其可得乎？

〔一〕「衆生」，道德真經玄德纂疏卷六作「下文」。

〔二〕「興」，元王守正道德真經衍義手鈔卷六引杜光庭廣聖義作「具」。

自是者不彰；

【注】是己非人，直爲怨府，故不彰。

【疏】言人不能曲全而自爲是〔一〕，且欲大誇諸己，而以出衆爲心，求彰名迹，以自光大，直爲怨府。人所不堪，衆毁日聞，故難彰著。故云自是者不彰。

【義曰】聖人之行也，内修其本，外抑其末，屬其精神，偃其知見，漠然無爲而無不爲，猶怕然若虚，不以爲是也。凡人以己之行蔽人之善，鋭於出衆，務於矜誇，以此爲是，其可彰乎？

自伐者無功；

【注】專固伐取，物所不與，故無功也。

【疏】夫謙者德之柄，讓者禮之文，苟失斯道，無從而行〔二〕，况自專固伐取，以求其功？不讓則争功，斯濫矣。故云自伐者無功。

【義曰】聖人之業也，操天爲蓋，無不覆也；以地爲車，無不載也；四時爲馬，無不使

〔一〕「自爲是」，唐玄宗御製道德真經疏卷三、道德真經玄德纂疏卷六作「自以爲是」。

〔二〕「行」，唐玄宗御製道德真經疏卷三作「可」。

也；陰陽爲御，無不備也。而猶因自然之用，不以爲功也。凡人以己之美掩人之能，内懷專伐，外無謙讓，以此爲功，其可全乎？春秋襄公二十九年：「齊放其大夫高止于北燕。」傳曰：「高止好以事自爲功，且專，故及於難也。」春秋〔一〕：「趙簡子與鄭戰，爲鄭人所擊，踣於車中，失其蜂旗，公孫龍率徒五百人助之。宵攻鄭師，取蜂旗，鄭師大敗。既戰，簡子曰：『吾伏弢嘔血，鼓音不衰。今日我上也。』衛太子蒯聵爲右，曰：『吾救主於車，退敵於下。我右之上也。』御者郵〔二〕良曰：『我兩靷陣將絶，吾能止之。我御之上也。』」此言簡子不讓，故其下皆自伐其功，故不克和矣。此乃自伐者之無功也。

自矜者不長。

【注】矜衒行能，人所鄙薄，故不長矣。

【疏】盛德若愚，昔賢通議；矜衒名器，醜行則多，人所鄙薄，坐招嗤誚。自矜雖欲求益，胥怨物不推長，故云自矜者不長。

〔一〕按下文趙簡子事見左傳哀公二年。

〔二〕「郵」，原作「卸」，據傳世左傳改。

【義曰】聖人之德也，不以身役物，不以欲滑和，不謀而當，不慮而得。其爲樂也不訢訢，其爲憂也不惋惋。是以高而不危，安而不傾，而猶超然不居，不以爲大也。凡人以己之短易人之長，緣醜飾非，衒耀名器，以此爲長，其可久乎？盛德若愚者，史記云「君子盛德，容貌若愚〔一〕」是也；論語云「回也終日如愚〔二〕」，斯之謂矣。胥，相也。

其於道也，曰餘食贅行，

【疏】餘食者，殘餘之食也；贅行者，疣贅之行也。殘餘，食之穢；疣贅，身之病。以此自見自是等行，其於道而論之，如殘餘疣贅，人所共惡也。

【義曰】自見、自是、自伐、自矜四者之弊，妨於修道。比之於物如，殘餘之食，取之於身，如疣贅之病。疣者，結病也；贅者，餘肉病也。亦如餘食，爲衆所惡也。

【疏】謂爲贅行者，自見自是等爲德行之疣贅，故云贅行。春秋曰：「人將不食吾餘。」莊子曰：「附贅懸疣，出乎形哉！而侈於性。」

【義曰】累仁爲德，景迹爲行。自見自是，非累積之仁；自伐自矜，非景善之行。其以

〔一〕「君子盛德，容貌若愚」，見史記老子韓非列傳。

〔二〕「回也終日如愚」，論語爲政：「子曰：『吾與回言終日，不違如愚。退而省其私，亦足以發。回也不愚。』」

此於德行，愈於疣贅之病乎！不食吾餘者，春秋莊公六年：「楚文王伐申，過鄧，鄧祁侯曰：『吾甥也。』止而饗之。祁侯之三甥騅甥、聃甥、養甥請殺楚子。祁侯不許。三甥曰：『亡鄧國者必此人也。若不早圖，後若噬臍〔一〕，其及圖之乎？圖之，此爲時矣！』祁侯曰：『人將不食吾餘。』言自害其甥，必爲人所賤也。對曰：『若不從三臣之言，抑社稷實不血食，而君焉取餘？』弗從。伐申還，遂伐鄧。十六年，復伐鄧，滅之，即莊公十六年也。」附贅懸疣者，莊子外篇曰：「附贅懸疣，出乎形哉！而侈於性。」言物長者不爲有餘，短者不爲不足；駢贅皆出於形，性非假物也，於衆爲多，故曰侈也。侈，多也。

物或惡之，故有道者不處。

【注】自見等行，於道而論，是曰殘餘之食、疣贅之行。凡物尚或惡之，故有道之人不處斯事矣。

【疏】此自見自是等既如餘食贅行，凡物尚或惡之而不爲，故有道之君子不處身於此事。

〔一〕「後若噬臍」，傳世左傳作「後君噬齊」。

【義曰】累仁爲德，習善爲行。有道之士修行累德，及其證果了出，乃復忘之，以合乎大通，而歸乎無有。況四者之弊，如附贅餘食，豈肯安而處之哉？此四者，理身處之，則隳德傷性；理國用之，則拒諫矜己，亂政害民，亡之本也。豈餘食疣贅、毫芒之醜而可比方哉？

道德真經廣聖義卷之二十一

唐　廣成先生杜光庭　述

有物混成章第二十五

【疏】前章明自見自是，於道爲餘食贅行，末云有道不處；此章明大曰逝，贊道乃先天混成，終令法道自然。首標「有物混成」六句，將明妙本之緣起〔一〕，物被其功；次云「吾不知」下六句，表强名之由緒，名亦不可得；「故道」下六句，示知四大之生育，申戒人君之法；下至終篇，教以法道自然，無爲清静〔二〕爾。

【義曰】在昔三氣未分，一元未立，形質猶隱，恍惚莫窮，混然首出者，惟虚極之妙本

〔一〕「緣起」，唐玄宗御製道德真經疏卷三作「絶趣」。

〔二〕「静」，唐玄宗御製道德真經疏卷三作「浄」。

爾。洎乎孕神布化，天地生焉，萬物育焉，生之成之，故爲化母。然後定以名實，顯其功用，或大或逝，或遠或返，包三才而運氣，首四大而居尊，遞爲憲章，以施法度，方復混融不宰，默體自然，宣大道沖用之功，功成復歸於道本也。有物混成者，道之宗也。先天地生者，道之元也。寂兮寥兮者，道之質也。獨立而不改者，道之常也。周行而不殆者，道之用也。可以爲天下母者，道之功也。吾不知其名者，道之無也。字之曰道者，道之有也。强爲之名曰大者，道之體也。大曰逝者，道之微妙也。逝曰遠者，道之深玄也。遠曰返者，道之常存也。道大、天大、地大、王大者，道之統三才也。域中有四大而王居其一者，此明王爲最靈之首，當用道也。三才相法，明王當法天行道，契乎自然也。故疏云申戒人君用道法天，而當宗清静也。

有物混成，先天地生。

【注】將欲明道立名之由，故云有物混然而成，含孕一切，尋其生化，乃在天地之先也。

【疏】有物者，有妙物也，即虚極妙本也。將欲申明强名所由，不可即稱〔一〕道，故云有物爾。言有此妙物混然而成，含孕衆象，尋其生化，乃在乎天地之先。故曰先天

〔一〕「稱」，唐玄宗御製道德真經疏卷三作「此」。

地生。

【義曰】道之起也，無宗無祖，無名無形，沖而用之，漸彰於有。其初也示若無狀之狀，無象之象，無物之物，無名之名。天地未立，陰陽未分，清濁未判，混沌圓通，含衆象於内而未明，藏萬化於中而未布，不可以名詰，不可以象言。故云「有物混成，先天地生」也。九天經曰：「天地未有而先有道氣，謂之玄元始三氣，而生三清。三清各生三氣，合爲九氣，而成九天。自此而分，方有圓清方濁之别，陽日陰月之異，三才於是乎生焉，萬類於是乎立焉〔一〕。」衆經之中，皆明此理，斯則先天地生者，大道也。其五太之次，具在第八卷中，解之太上下知章矣。

寂兮寥兮，獨立而不改，周行而不殆。

【疏】寂寥者，歎有物之體，寂寥虚静，妙本湛然，故獨立而不移改；物感必應，應用無

〔一〕「天地未有而先有道氣……萬類於是乎立焉」，洞玄靈寶自然九天生神章經：「此三號雖年殊號異，本同一也，分爲玄元始三炁而治。三寶皆三炁之尊神，號生三炁，三號合生九炁。九炁出乎太空之先，隱乎空洞之中，無光無象，無形無名，無色無緒，無音無聲，導運御世，開闢玄通，三色混沌，乍存乍亡。運推數極，三炁開光，炁清高澄，積陽成天，炁結凝滓，積滯成地。九炁列正，日月星宿，陰陽五行，人民品物，並受生成。天地萬化，自非三元所育，九炁所導，莫能生也。」

心，遍於群有，故周行而不危殆。

【義曰】寂寥者，無之謂也。無聲可聞，無色可見，無形可執，無象可求，無名可稱，無法可擬，故云寂兮寥兮也。獨立者，道一無侶也。周行者，道氣旁通也。不殆者，在高非高，在大非大，無窮無竭，玄妙常存，不危殆也。殆，危也。

可以爲天下母。

【注】有物之體寂寥虚静，妙本湛然常寂，故獨立而不改；應用遍於群有，故周行而不危〔一〕。而萬物資以生成，被其茂養之德，故可爲天下母。

【疏】妙本生化，遍於群有。群有之物，無非匠成。萬物被其茂養之德，故可以爲天下母爾。母，以茂養爲義也。

【義曰】於至無之中而妙氣旁通，生育萬物。萬物非道無以生成，以其生物，故爲天下之母。然道之生成於物，有形有類，皆從道生，故不拘於天上天下。今言天下者，舉其大也。而道之生化，無所不生矣。字林云：「茂養於物，故謂之母。」

〔一〕「危」，唐玄宗御注道德真經卷二、道德真經玄德纂疏卷七作「危殆」。

吾不知其名，字之曰道，强爲之名曰大。

【注】吾見有物生成，隱無名氏，故以通生表其德，字之曰道；以包含目〔一〕其體，强名之曰大也。

【疏】字者表其德，名者定其體。老君云妙本生化，應〔二〕用莫窮，寂寥虚静，不可定其形狀，先天地生，難以言其族氏〔三〕，故云吾不知其名。但見其大通萬物，欲表其通生〔四〕之德，故字之曰道。

【義曰】夫名物者以其體，字物者以其德。物生而名立，事之常也，未有無名之物矣。唯大道之用居乎物先，物象未彰，乾坤未闢，而道在其先也。運道之用，施道之功，而後有天地萬物也。以此功深用廣，無形無狀，不可以氏族求，不可以名字得。老君取其通生萬物之美，字之曰道。道者，通生之謂也。道之爲通也，無所不通。西昇經

〔一〕「目」，道德真經取善集卷四引唐明皇注作「無」。

〔二〕「應」，唐玄宗御製道德真經疏卷三、道德真經玄德纂疏卷七作「沖」。

〔三〕「族氏」，唐玄宗御製道德真經疏卷三作「氏族」。

〔四〕「通生」，唐玄宗御製道德真經疏卷三作「本然」。

云：「夫道也者，包裹天地，秋毫之細，道亦居之〔一〕。」莊子云：「道在稊稗，道在衆物，無不在也〔二〕。」故有形有生者，道皆居之。失道則死矣。

【疏】見其包含無外，將欲定其至無之體，故强名曰大。凡物先名而後字者，以其自〔三〕小而成大；以道先字而後名，是以從本而降迹焉。

【義曰】夫物有體，則能包含於物。故大能容小，外能藏内者，物之常也。今道無體而能包含萬物者，以其無體之體，體大無邊也。以其體大，因體立名，故名曰大。大者，無不包也，無不容也。有形無形，皆在道體之内矣。凡物先名而後字者，禮，男子生三日，以桑弧一、蓬矢六，以射天地四方，以示男子有事於四方也。既三月，妻以子見其夫。入門，升自阼階，妻抱子出自升階，父執之右手，孩而名之，撫其首焉。二十

〔一〕「夫道也者，包裹天地，秋毫之細，道亦居之」，西昇經卷中經誡章：「蓋道廣大悉備，未始有封，包裹六極，無有端倪，天地之大，秋毫之小，皆在範圍之内。」

〔二〕「道在稊稗，道在衆物，無不在也」，莊子知北遊：「東郭子問於莊子曰：『所謂道惡乎在？』莊子曰：『無所不在。』東郭子曰：『期而後可。』莊子曰：『在螻蟻。』曰：『何其下邪？』曰：『在稊稗。』曰：『何其愈下邪？』曰：『在瓦甓。』曰：『何其愈甚邪？』曰：『在屎溺。』」

〔三〕「自」，原作「字」，據唐玄宗御製道德真經疏卷三改。

而冠，謂之成人。冠適子於阼階，以著代也。醮於客位，有成人之道也。三加其冠，始以緇布，次以皮弁，次以爵弁，言益尊之。冠而字之，敬其名也。女子十五而笄，笄而字之。故冠禮者，禮之始也，嘉事之重也。此則先名而後字，取其自小而成大也。人倫之道，始則有終，故自小而成大，自大而復終也。春秋桓公六年：「九月丁卯，子同生。公問名於申繻大夫也。對曰：『名有五：有信，有義，有象，有假，有類。以名生爲信，唐叔虞、魯公子友是也。以德命爲義，文王昌、武王發是也。以類命爲象，若孔子像尼丘山是也。取於物爲假，如伯魚生，有人饋魚，因名曰鯉是也。取於父爲類，若子同生，與父同日生是也。不以國，以國則廢名；不以官，以官則廢職；不以山川，以山川則廢主；不以畜牲，以畜牲則廢祀〔一〕；不以器幣〔二〕，以器幣則廢禮；不以隱疾。故名終將諱之。故晉以僖侯廢司徒〔三〕，宋以武公廢司空〔四〕，先君獻武廢二山〔五〕

〔一〕「祀」，唐玄宗御製道德真經疏卷三作「社」。

〔二〕「幣」，傳世左傳、道德真經廣聖義節略卷二作「幣」。

〔三〕「晉以僖侯廢司徒」，杜預注：「僖侯名司徒，廢爲中軍。」

〔四〕「宋以武公廢司空」，杜預注：「武公名司空，廢爲司城。」「公」原作「功」，據改。

〔五〕「先君獻武廢二山」，杜預注：「二山，具、敖也。魯獻公名具，武公名敖，更以其鄉名山。」

具、敖二山也。是以大物不可以命。』公曰：『是其生也，與吾同物，命之曰同。』」氏族者，春秋隱公八年：「冬，公子無駭卒，公子羽父請謚與族。公問族於衆仲。對曰：『天子建德，因生以賜姓，胙之以土而命之氏。諸侯以其王父字，或以謚，因以爲族。官有世功，則有官族，謂取舊官舊邑爲族也。邑亦如之。』公命以〔一〕字爲展氏。無駭即公子展之孫也。」夫道也，先字而後名，言道無所始，亦無所終。示用降迹，故字曰道；妙體廣遠，故名曰大。無始無終也，而此名此字，其强立焉。大道之妙，名言路絶也。

大曰逝，逝曰遠，遠曰返。

【注】妙用無方，强名不得，故自大而求之，則逝而往矣；自往而求之，遠不及矣。若能了悟，則返在於身心而證之也。

【疏】夫滯於一方者，非天下之至通也。故天職生覆而不能形載，地職形載而不能生覆。唯妙本之用，用無定方，雖强名曰大，而復不繼於大。

【義曰】天下之至通者，道也；滯於一方者，天地也。夫天地日月、春夏秋冬，皆天之所運也。天運氣廣大焉，生物周普焉，能覆而不能載，能清而不能濁，能上而不能下

〔一〕「以」，道德真經廣聖義節略卷二作「自」。

也；地布氣周徧焉，載物廣厚焉，能載而不能覆，能濁而不能清，能下而不能上。日主晝而不能於夜，月主夜而不能於晝。春職於生而無長養收藏之功，夏職於長而無收藏發生之力，秋主於成而無生長閉藏之用，冬主於藏而無生長肅殺之效。風職於散而不能於潤，雨主於潤而不能於散。若此局於一方者衆矣。唯大道能覆載照臨，能生成長育，能寒暑散潤，能陰能陽，能柔能剛，能今能古，能圓能方，能清能濁，能短能長，無不可也，無不能也，故用無定方。雖名曰大，而不拘於大，此可謂天下之至通乎！

【疏】自大而求之，則逝而往矣；自往而求之，則遠不及矣；自遠而求之，則復返在人之身心矣。故云遠曰返。莊子曰：「夫〔一〕道，於大不終，於細不遺。」

【義曰】求之於大則彌大矣，故曰逝而往也；求之於逝則彌遠矣，故曰遠不及也；求之於遠不離乎身，故曰返也。人之起居運動，上下屈伸，不離於道，道豈遠乎？於大不終者，莊子天道篇：「老君謂士成綺曰：夫道也，於大不終，於細不遺，故物備矣。

〔一〕「夫」，原作「大」，據唐玄宗御製道德真經疏卷三及莊子天道篇改。

廣乎其無不容也，淵乎其不可測也。形德仁義，神之末也。非至仁〔一〕，其孰能定之？」此言天地，形之大者也；秋毫，形之小者也。物之至大，道復大之，其大無極，故不終也；物之至細，道之在焉，故不遺也。道無不在，何足以測之哉？匪一方之可拘，豈四者能詰矣。

故道大，天大，地大，王亦大。

【注】因其所大而明之，得一者，天地王。天大能覆，地大能載，王大能法地則天行道，故云亦大。

【疏】因强名曰大，所〔二〕以次大者，故天能顛玄在上，垂覆萬物；地能凝〔三〕静於下，厚載萬物；王能清静無爲而化萬姓〔四〕。此三大也者，吾道一以貫之。

【義曰】天之清也，積氣於上，體乎純陽，運動不息，剛健而文明，故次於道也。地之濁也，積形於下，體乎純陰，寂然不動，柔順而安貞，故次於天。王之正也，總一氣之

〔一〕「仁」，傳世莊子作「人」。

〔二〕「所」，唐玄宗御製道德真經疏卷三該字前有「而舉」二字。

〔三〕「凝」，唐玄宗御製道德真經疏卷三作「寧」。

〔四〕「姓」，唐玄宗御製道德真經疏卷三、道德真經玄德纂疏卷七作「物」。

柄，居萬靈之首，順陰陽之序，法天地之宜，仰觀俯察，順考古道，清以則天，靜以應地，故清靜其化，無爲其心，而齊於三大也。此三大皆局於一方之德，無圓通沖用之能，故我妙道通貫三大，而爲之主矣。一以貫之者，論語：「仲尼謂曾參曰：參乎，吾道一以貫之。」顛，頂也。玄，遠也。

域中有四大，而王居其一。

【注】王者，人靈之主，萬物繫其興亡。將欲申其鑒戒，故云「而王居其一」，欲以警王，令有所法，謂下文也。

【疏】域者，限域也。今云域中之大，道不只在域中。若云約所見而言，則天地自爲限域，亦〔一〕不在域中矣。夫遺語以存玄理〔二〕，亦不必曲生異義；申〔三〕文以防疑難，衆説皆未盡通。

【義曰】夫限域之域，理自多途。大約有四。其一生化之域，二氣之内，陰陽所陶之

〔一〕「亦」，唐玄宗御製道德真經疏卷三該字前有「道」字。

〔二〕「夫遺語以存玄理」，唐玄宗御製道德真經疏卷三作「夫惟寄語以申玄理」。

〔三〕「申」，唐玄宗御製道德真經疏卷三、道德真經玄德纂疏卷七作「存」。

所也；其二妙有之域，在二氣之外、妙無之間也；其三妙無之域，居妙有之外，絪緼始凝，將化於有也。其四妙無之外，謂之道域，非有非無，不窮不極也。此域中者，言道之所化，自無生有，分别二氣而天地生焉。天地之中而萬兆形列，而君王統焉。亦如道大而有天地，有天地後有王也。則四大之名遞相統攝，自無入有，自有歸無，終始包含也。況下文云人法地，地法天，天法道。此既遞相法象，則四大互相統攝矣。

【疏】今明域者名也。名爲體域，物無名外之體〔一〕，故曰域中。若舉道名，則道在其中矣；舉天名，則天無遺體矣。故云域中，即有名之中有此四大云。而王居一者，王爲人靈之首，有道即萬物被其德，無道則天地蒙其害。故特標而王居其一，欲令法道自然。

【義曰】聖旨以名爲體域者，則包統衆義，復爲妙焉。此亦以道爲名體，外包天地，天地之中以王爲首，其義同也。夫王者有道，則日月如合璧，五星如連珠，甘露降，醴泉出，河不滿溢，海不揚波，景星見，卿雲生，神龍遊於沼，麟鳳來其庭，四氣調和而爲玉

〔一〕「名爲體域，物無名外之體」，唐玄宗御製道德真經疏卷三作「以名爲體，以爲物無名外之體」。

燭，萬物遂性而洽太平也。人君無道，則天返〔一〕時爲災，地返物爲妖，人返德爲亂，沴氣咎徵時見於上，物妖形怪或出於下，星亡日鬭，冬雷夏霜，天裂石霣，川竭山崩，事興於人而氣感於天，是天地蒙其害也。王之爲大，繫天地之安危，豈可不抱自然而法天，任無爲而體道耶？

人法地，地法天，天法道，道法自然。

【注】人謂王也。爲王者先當法地安静；既爾，又當法天運用生成；既生成已，又當法道清静〔二〕無爲，令物自化。人君能爾者，即合道法自然之性也。

【疏】人謂王者也。所以謂人者，謂人能法天地生成，法道清静，則天下歸往，是以爲王。若不然，則物無所歸往，故稱人以戒爾。爲王者當法地安静，因其安静；又當法天生化，功被物矣；又當法道清静無爲，忘功於物，令物自化。人君能爾，則合道法自然。

【義曰】道職生成，天職包覆，地職厚載，而乾坤之象著，品物之形列。王居其間，行

〔一〕此處及後幾處「返」字，道德真經廣聖義節略卷二均作「反」。

〔二〕「静」，唐玄宗御注道德真經卷二作「浄」。

道之化，順天之時，法地之宜。民則安静而自理，生化而有常，清静而無擾，合大道自然之理也。

【疏】言道之爲法自然，非復倣法自然也。若如惑者之難，以道法倣[一]於自然，則是域中有五大，非四大也。又引西昇經云「虚無生自然，自然生道」，則以道爲虚無之孫、自然之子。妄生先後之義，以定尊卑之目，塞源拔本，倒置何深。

【義曰】疑惑之人不達經理，乃謂大道倣法自然，若有自然居於道之上，則是域中兼自然有五大也。又以道爲自然之子、無爲之孫，皆爲妄見，故具下文以解之。塞源拔本者，春秋昭公九年：「晋梁丙、張趯率陰戎伐潁。以周甘人與晋閻嘉争閻田故也。周景王使大夫詹桓伯辭於晋曰：『我自夏以后稷，魏、駘、芮、岐、畢，吾西土也；巴、濮、楚、鄧，吾南土也。及武王克商，蒲姑、商奄，吾東土也；肅慎、燕、亳，吾北土也。吾何邇封之有？文、武、成、康之建母弟，以藩屏周，亦其廢隊是爲，豈如弁髦因而以敝之？先王居檮杌于四裔，以禦魑魅，故允姓之姦居于瓜州。伯父惠公歸自秦，而誘之以來，使偪我諸姬，入我郊甸，則戎焉取之。戎有中國，誰之咎也？后稷封殖天

〔一〕「倣」，敦煌文書斯四三六五作「效」。

下，今戎制之，不亦難乎？伯父圖之。我在伯父，猶衣服之有冠冕，水木之有本源，民人之有謀主也。伯父若裂冠毁冕，拔本塞源，專棄謀主，雖戎狄其何有余一人？』叔向謂宣子曰：『文之霸〔一〕也，豈能改物？翼戴天子，而加之以恭。自文以來，世有衰德，而暴蔑宗周，以宣示其侈。諸侯之貳，不亦宜乎？且王辭直，子其圖之。』宣子説。王有姻喪，使趙成如周弔，且致閻田與襚，反潁俘。王亦使賓滑執甘大夫襄以説於晉，晉人禮而歸之也。」

【疏】且嘗試論之曰：虚無者，妙本之體，體非有物，故云虚無；自然者，妙本之性，性非造作，故曰自然；道者，妙本之功用，所謂强名，無非通生，故謂之道。約〔二〕體用名，即謂之虚無、自然、道爾。所以即一妙本，復何相倣法乎〔三〕？則知惑者之難，不詣乎玄鍵矣。

【義曰】鍵，關鍵也。此明大道以虚無爲體，自然爲性，道爲妙用。散而言之即一爲

〔一〕「霸」，傳世左傳作「伯」。

〔二〕「約」，唐玄宗御製道德真經疏卷三作「幻」。

〔三〕「所以即一妙本，復何相倣法乎」，唐玄宗御製道德真經疏卷三、斯四三六五作「尋其所以，即一妙本，復何所相倣法乎」。

三，合而言之混三爲一，通謂之虚無、自然、大道，歸一體耳，非是相生相法之理，互有先後優劣之殊也。非自然無以明道之性，非虚無無以明道之體，非通生無以明道之用。熟詳兹妙，可謂詣於深玄之關鍵也。

道德真經廣聖義卷之二十二

唐　廣成先生杜光庭　述

重爲輕根章第二十六

【疏】前章舉域中稱大，終令法道自然；此章明重静爲君，以戒身輕天下。首兩句標宗以示義，次兩句舉喻以即[一]明，又四句傷人君之失道，末兩句述輕躁以爲戒也。

【義曰】前以人君爲理，體道法天。今示重静之文，戒輕與躁，將明重静之益，舉喻以申詞；又述輕躁之傷，垂文而深歎。夫至人修道，聖主垂旒，必重慎爲先，安静爲本。以重静爲國，則俗和而化行；以重静保身，則道通而神泰。若其輕而守器，躁以處身，君輕躁而民無所遵，心輕躁而神無所保。神散則身逝，民潰則國危。固爲深戒矣。

[一]「即」，原作「卻」，據唐玄宗御製道德真經疏卷三改。

重爲輕根，静爲躁君。

【注】重者制輕，故重爲根；静者持躁，故静爲君爾。

【疏】根，本也。草木根蔕重，花葉輕，花葉禀根蔕而生，則根蔕爲花葉之本。故曰重爲輕根。夫重則静，輕則躁，既重爲輕者根，則静爲躁者君矣。是知重有制輕之功，静有持躁之力。故權重則屬鼻之纊斯舉，心静則朵頤之求自息。

【義曰】重者，安静而合道；躁者，輕浮而喪真。舉喻則花葉爲輕，根蔕爲重，花葉輕則易敗，根蔕重則難傷。此比於行也。若夫重静於國則民安，重静於身則神泰。故政將亂也，積德以鎮之；心將躁也，積和以制之。可謂得制輕持躁之術，無朵頤貪婪之誚。所以周勃以嚴重而蒙顧託，郲莊以弁急而委炎爐。惟君惟臣，此乃明戒。朵頤者，易頤卦初九之辭也。言人之開發言語，咀嚼飲食，皆當動頤，君子觀此頤象，故謹慎言語，裁節飲食也。先儒曰：「禍從口出，患從口入。」宜慎於頤也。初九朵頤，言陽處於下而爲動，始不能使物賴己而養，在自動以求養，是躁求損己，是以凶也。頤，養也。頤者口之樞機，故曰「樞機之發，榮辱之主〔一〕」，得不戒哉？

〔一〕「樞機之發，榮辱之主」，見周易繫辭上。

是以君子終日行，不離輜重。

【注】輜，車也；重者，所載之物也。輕躁者貴重静，亦由行者之守輜重，失輜重則遭凍餒，好輕躁則生禍亂。

【疏】君子者，謂人主也。言其德〔一〕可以君人子物〔二〕，故云君子。輜，屏車也；重者，所載之物也〔三〕。此舉喻也。言人君常守重静，猶如行者〔四〕之不離輜重。行者若失輜重則無所取給，必遭凍餒；人君若好輕躁，則臣下離散，必生禍亂〔五〕。故云「終日行，不離輜重」也。

【義曰】人君之重静也，則事省而理，求寡而贍，不施而仁，不言而信，不求而得，不爲而成，懷自然，抱真樸，而天下泰矣。人身之重静也，則和氣積，心慮平，視聽不惑於外，情欲不攖於内，而壽命延矣。

〔一〕「德」，唐玄宗御製道德真經疏卷三作「志」。
〔二〕「君人子物」，道德真經玄德纂疏卷七作「君子人物」。
〔三〕「重者，所載之物也」，唐玄宗御製道德真經疏卷三作「重者是輕者原也」。
〔四〕「行者」，唐玄宗御製道德真經疏卷三作「所爲」。
〔五〕「亂」，唐玄宗御製道德真經疏卷三作「患」。

雖有榮觀，燕處超然。

【注】人君守重静，故雖有榮觀，當須燕安而處〔一〕，超然不顧。

【疏】夫人君好重静，則百姓不煩勞。若高臺深池〔二〕，撞鐘〔三〕舞女，以爲榮觀，則人力凋盡，亂亡斯作。故戒云雖有榮觀，當須燕爾安居〔四〕，超然遠離而不顧也。

【義曰】榮觀，華盛也。若人君飾榮觀於耳目，竭人力於淫奢，麗色冶容，以蕩其志，則國亡身辱，不俟旋踵乎？有崇臺榮觀之盛，當忽之而不顧，勿以蕩心也。燕，安也；超，遠也。雖有榮觀，其可樂之乎？高臺深池者，春秋昭公二十年：「冬十月，齊景公疥，遂痁，朞而不瘳。諸侯之賓問疾者多在。梁丘據與裔款二大夫言於公曰：『吾事鬼神豐，於先君有加矣。今君疾病，爲諸侯憂，是祝史之罪也。諸侯不知，其謂我不敬，君盍誅於祝固、史嚚以辭賓？』公悦，告晏子。晏子曰：『宋之盟〔五〕，屈建問范會

〔一〕「燕安而處」，唐玄宗御注道德真經卷二、易縣唐碑本作「燕爾安處」。

〔二〕「高臺深池」，唐玄宗御製道德真經疏卷三作「登高臺，汎深池」。

〔三〕「鐘」，唐玄宗御製道德真經疏卷三作「鍾」。

〔四〕「居」，唐玄宗御製道德真經疏卷三、道德真經玄德纂疏卷七作「處」。

〔五〕「宋之盟」，傳世左傳作「日宋之盟」，道德真經廣聖義節略卷二作「昔宋之盟」。

之德於趙武。趙武曰：「夫子之家事治，言於晉國，竭情無私。其祝史祭祝〔一〕，陳信不愧；其家事無猜，其祝史不祈。」建以語康王，康王曰：「神人無怨，宜夫子之光輔五君，以爲諸侯主〔二〕也五君，文、襄、靈、成、景也。。」』公曰：『據與款謂寡人能事鬼神，故欲誅於祝史。子稱是語，何故？』對曰：『若有德之君，外内不廢，上下無怨，動無違事，其祝史薦信，無愧心矣。是以鬼神用饗，國受其福，祝史與焉。其所以蕃祉老壽者，爲信君使也，其言忠信於鬼神。其適遇淫君，外内頗邪，上下怨疾，動作僻違，縱欲猒私，高臺深池，撞鐘舞女，斬艾〔三〕民力，輸掠其聚，以成其違，不恤後人，暴虐淫縱，肆行非度，無所避〔四〕忌，不思謗讟，不憚鬼神，神怒民痛，無悛於心。其祝史薦信，是言罪也；其蓋失數美，是矯誣也；進退無辭，則虚以求媚。是以鬼神不饗，其國以禍之，祝史與焉。所以夭昏孤疾者，爲暴君使也，其言僭嫚於鬼神。』公曰：『然則若之何？』對曰：『不可爲。山林之木，衡鹿守之；澤之萑蒲，舟鮫守之；藪之薪蒸，虞候守之；

〔一〕「祝」，傳世左傳作「祀」。

〔二〕「主」，原作「王」，據傳世左傳、道德真經廣聖義節略卷二改。

〔三〕「艾」，傳世左傳作「刈」，二字通。

〔四〕「避」，傳世左傳、道德真經廣聖義節略卷二作「還」。

海之鹽蜃，祈望守之。縣鄙之人，入從其政；偪〔一〕介之關，暴征其私；承嗣大夫，强易其賄；布常〔二〕無藝，徵斂無度；宫室日更，淫樂弗違；内寵之妾肆奪於市，外寵之臣僭令於鄙；私欲養求，不給則應。民人苦〔三〕病，夫婦皆詛。呪若有益，詛亦有損。聊、攝以東，姑、尤以西，其爲人也多矣！雖其善祝，豈能違〔四〕億兆人之詛？君若欲誅於祝史，脩德而後可。』公悦，使有司寛政，毁關去禁，薄斂已責。十二月，景公畋于沛。」此言晏子言之所利，而景公從諫修德，而疾速愈，遽能畋獵也。

奈何萬乘之主，而以身輕天下？

【注】奈何者，傷歎之詞也；天下者，大寶之位也。言人君奈何以身從欲，輕用其身，令亡其位乎？

〔一〕「偪」，原作「福」，據傳世左傳、道德真經廣聖義節略卷二改。

〔二〕「布常」，原作「市當」，據傳世左傳改，道德真經廣聖義節略卷二作「市常」，同誤。

〔三〕「苦」，原作「若」，據傳世左傳改。

〔四〕「違」，傳世左傳作「勝」。

【疏】天子提封百萬〔一〕，出賦六十四萬〔二〕，出戎馬百萬疋，兵車萬乘，天子是爲萬乘之主。奈何者，傷歎之詞也；天下者，大寶之位也。夫萬乘之主，四海必同，當令子孫千億，本枝百代。善建則無爲偃化，善抱則有截歸仁。奈何承此重器，耽樂是從，以身充欲，淪胥以敗。是以一身之欲而輕大寶之位，甚可傷歎。故曰奈何。

【義曰】天子父天而母地，告類上帝，承統昊天，謂之天子。亦云法天行道，子育萬人，謂之天子。提封者，疆土四方之内也。萬井者，井田也。方里爲井，百萬井則辟十萬里，出戎馬百萬疋，兵車萬乘，輿賦之多，富有四海，故云萬乘之主也。齊大司馬田穰苴爲兵法，有車乘之賦，其法起於步。人舉一足曰跬，跬，三尺也；兩足曰步，步，六尺也；百步爲畝，即其地廣六尺，長百步，六百尺爲一畝。畝者，母也。既長百步，可植苗稼，有母養之功，曰畝也。百畝爲夫。夫者，農夫也。王制云：「上農夫食田百畝也。」三夫爲屋，並而言之，則長百步，廣三百步，謂之屋者，言人一家有夫婦兒，三百具則爲家，爲屋也。三屋爲井，一屋長百步，廣一里，則三屋之地方一里也。名井

〔一〕「百萬」，唐玄宗御製道德真經疏卷三、道德真經玄德纂疏卷七作「百萬井」，後者與漢書刑法志相符。

〔二〕「六十四萬」，唐玄宗御製道德真經疏卷三作「六十四萬井」。

者，因夫間有遂，水縱横相通，爲井字。何者？畝廣六尺，長百步，用耜耕之。耜廣五寸，兩耜爲耦，耦廣一尺，「長沮、桀溺耦而耕」是也。畝廣六尺，以一尺耦耕，垈爲畎以通，水流畎然，因名畎也。而夫田田首倍之，廣二尺，深二尺，謂之爲遂。九夫爲井，井間廣深四尺，謂之爲溝，取其遂相通，如井字。故謂之井田。十井爲通，並之，其地長一里，廣十里，合三十里相通，共出士一人，徒二人。十通爲城者，地方十里，謂之爲城。言兵賦一乘，成也。城出革車一乘，士十人，徒二十人。千乘之國，則其地千城，出士一萬人，徒二萬人也。萬乘之國，地方萬城，出兵車萬乘，士十萬人，徒二十萬人。此司馬法所出也。王制云：「一城之地九萬頃，出兵車一乘，甲士三人，步卒七十二人。萬乘之地，甲士三萬，步卒七十二萬人。」王制與司馬法不同，故兩存之。大寶之位者，易繫云「聖人之大寶曰位」，言大寶可愛者，天下之位也。位是有用之地，寶是有用之物，以居盛大之位，能廣用無疆，故稱大寶。「何以守位？曰仁」，言人居此大寶之位，當須保守之，以仁愛爲心，道德爲體，重静爲用，儉約爲基。令四海同文，萬方述職，天枝帝葉，傳於子孫。善崇建於根蒂，善抱守其淳樸。使天下慕其仁而歸之，不可以耽樂畋遊，荒禽惑色，斂天下之力以養其身，率天下之怨以充其欲，使運窮祚滅，衆叛親離，以天下之大，而一身輕失之，如夏癸、殷辛、周赧、漢獻，以萬乘之尊，死匹夫之手。故傷歎之曰奈何也。

輕則失臣，躁則失君。

【注】君輕易則人離散，故失臣；臣躁求則主不齒，故失君。

【疏】夫君多輕易，則必煩擾，煩擾則人散，誰與爲臣？故云輕則失臣。此戒人君也。

【義曰】人君懷輕易之行，不重静其心，或畋獵爲荒，或巡遊不息，或朝令夕改，或變法易常。事多則政煩，政煩則人困，人困則兵戈四起，户口流亡，人散民流，失臣之謂也。則如夏后洛汭之畋，十旬不返；隋煬遼東之役，百萬淪亡。蓋此謂也。

【疏】爲人臣者，當量能受爵，無速官謗。若矯跡干禄，飾詐祈榮，躁求若斯，禍敗尋至，坐招竄殛，焉得事君？故云躁則失君。此申誡人臣也。

【義曰】謗，誹也；干，求也；詐，誑也；竄，逃也；殛，殺也；申，重也。人臣貪榮躁進，亂侮國常，大則有誅殛之凶，小則有竄逐之戾。非天作孽，自失其君，况習道之人懷輕躁之行，則恬和虚寂之旨，安所容其窺伺哉？申者，重戒之也。竄三苗、殛鯀之例是也。

道德真經廣聖義卷之二十三

唐　廣成先生杜光庭　述

善行無轍跡章第二十七

【疏】前章明重静爲君，以誡身輕天下；此章明言行〔一〕無滯，欲令常善救人，守重静，理國〔二〕在無爲；善行言，貴乎忘遺。首標五善之行，次明善救之慈，「善人」下暢兼忘之訓，「雖知」下結妙要之首〔三〕爾。

【義曰】前垂輕躁之戒，乃君臣守位之規；此標五善之文，明修道參真之行。至於救

〔一〕「言行」，唐玄宗御製道德真經疏卷四作「行言」。

〔二〕「國」，唐玄宗御製道德真經疏卷四無，從前後文意看，更恰。

〔三〕「首」，唐玄宗御製道德真經疏卷四作「旨」。

人救物，表無棄之慈；爲師爲資，暢相須之旨。再彰要妙，戒彼久迷爾。

善行，無轍跡；

【注】於諸法中體了真性，行無行相，故云善行。如此則心與道冥，故無轍跡可尋求也。

【疏】此明法性清凈也。行謂修行也。法性清凈，是曰重玄。雖藉勤行，必須無著，次來次滅，行無行相，心與道合〔一〕，故云善行。如此則空有一齊，心境〔二〕俱凈，欲求轍跡，不亦難乎？故云善行無轍跡。

【義曰】法性清凈，本合於道。道分元氣而生於人，靈府智性，元本清凈。既生之後，有諸染欲，瀆亂其真，故去道日遠矣。善修行之人，閉其六欲，息其五情，除諸見法，滅諸有相，内虚靈臺，而索其真性，復歸元本，則清凈矣。雖約教法三乘之行，修復其性，於法不住，行相之中，亦不滯著，次來者修，次修者滅，滅空離有，等一清凈，故無心跡可得而見。於内曰心，心既寂矣；於外曰境，境亦忘之。所以心寂境忘，兩

〔一〕「行無行相，心與道合」，唐玄宗御製道德真經疏卷四作「雖行無行，相與道合」。
〔二〕「心境」，唐玄宗御製道德真經疏卷四、道德真經玄德纂疏卷七作「境心」。

途不滯。既於心而悟，非假遠求，無車轍之跡出於四外矣。帝王以清净之道以化於人，混然大同，萬國風靡，固不煩車轍馬跡布於天下。此謂理身與國，皆得善行之妙也。

善言，無瑕讁；

【注】能了言教，不爲滯執，遺[一]象求意，理證言忘。故於言教之中無瑕疵讁過也。

【疏】此明善行之人不滯言教也。瑕，病也；讁，責也；言，謂言[二]教也。夫善行無跡，則能了言教，不爲執滯，於言忘言，是善言也。能如此遺象存意，理照言忘，於彼言教，一無病責。故云善言無瑕讁。

【義曰】疵，病也。聖人知代人不可無言以訓，故立言以明教，因教以訓人。衆人則執教而滯言，故有瑕疵之病、讁責之過。不通於理，不達於道，言愈多而道愈遠矣。善修行之人，因言而悟教，因教而達理，尋理而契道，契道而忘言，故無瑕疵之病、讁

〔一〕「遺」，唐玄宗御注道德真經卷二作「遣」。

〔二〕「言」，唐玄宗御製道德真經疏卷四無。

責之過也。易略例〔一〕云：「言生於象，故可尋言以觀象；象生於意，故可尋象以觀意；意以象盡，象以言著，故得意而忘象，得象而忘言。存言者非得象也，存象者非得意也。象生於意而存象焉，所存者乃非其象也；言生於象而存言焉，所存者乃非其言也。」象者，似也。以所詮義理非言説所及，非心智所思，不異忘言絶慮之真體，故云「象，似也」。喻如臨鏡照影，影非骨肉之身，若執影爲身，即失真影；若不因影，無以識其真身。鏡，喻言也；影，喻象也；身，喻意也。言得意者，但冥契真心矣。於法有三，謂言象意也。言喻能詮，意喻所詮，象通所能，是則遺象而存意，得理而忘言。達於此者，則無瑕疵謫責之事矣。

善計，不用籌筭；

【注】能了諸法本無二門，一以貫之，不生他見。故無勞籌筭，自能照了，計無計相〔二〕，非善而何？

〔一〕按此處所引易略例文字見王弼周易略例明象篇。

〔二〕「計無計相」，唐玄宗御注道德真經卷二作「既無計筭」，易縣唐碑本也作「計無計相」。

【疏】此明言教無滯，則不計異門也。夫執言執〔一〕行，辨是與非，適令巧曆，亦不能計。若能了諸法皆方便門，究竟清净，不生他見，則無勞籌策筭數，自能深入一乘。善計若斯，何勞籌筭？故云善計不用籌筭。

【義曰】籌、計、策，皆筭也。筭長尺有握，握者筭之本，手執處也。握外長尺矣。投壺射皆用筭以記勝負，故射禮云「多筭飲少筭」是也。投壺禮曰：「左右告矢具，則司射坐而釋一筭焉。卒投，司射執筭請數，二筭爲純，一筭爲奇。遂以奇筭告曰：某賢於某。或多或鈞，勝者飲不勝者。」是知凡籌量計數，皆用筭以定之。故國有筭學，始自黄帝之臣隸，首始以數演筭。數者，生於道也。春秋曰：「道生而有氣，氣生而後有滋，滋生而後有象，象生而後有數〔二〕。」由是而筭興焉。夫明天地之度，察品物之數，考陰陽之變，窮律曆之元，皆以筭而後能定其少多也。故數之大約，有數有度，有量有衡。數起於一至十，十至百，百至千，千至萬，萬至億，億至兆，兆至京，京至垓，垓

〔一〕「執」，唐玄宗御製道德真經疏卷四、道德真經玄德纂疏卷七作「滯」。

〔二〕「道生而有氣，氣生而後有滋，滋生而後有象，象生而後有數」，今春秋僖公十五年作「物生而後有象，象而後有滋，滋而後有數」。

至棟，棟至壤，壤至溝，溝至間，間至正，正至載。下數言十即變，中言萬即變，上數言萬萬而變也。度之所起，起於忽，十忽爲絲，十絲爲毫，十毫爲釐，十釐爲分〔一〕，十分爲寸，十寸爲尺，十尺爲丈，三尺爲跬，六尺爲步，七尺爲仞，八尺爲尋，倍尋爲常，三百步爲里，二千九百三十二里爲度矣。量之所起，起於圭，六粟爲圭，十圭爲抄，十抄爲撮，十撮爲勺，十勺爲合，十合爲升，十升爲斗，十斗爲石，四升爲豆，四豆爲甌，四甌爲釜，四釜爲鐘，十六斗爲庾，六斗四升爲斛，十六斗亦爲藪，十六斛爲秉。聘禮又云十斗曰斛，十六斗曰藪，十藪曰秉。鄭玄又云斗二升曰斛矣。衡之所起，起於黍，十黍爲絫，十絫爲銖，二十四銖爲兩，六銖爲分，十六兩爲斤，三十斤爲鈞，四鈞爲碩，二十兩爲鎰是矣。此四等之數，蓋人間籌筭之法。大則品量天地，考校陰陽，造化不能藏其機，鬼神不能逃其數矣。若修道之士不計異門，守一而已，何用計術乎？夫一者，道也，至貴無偶。一而不二，萬化之首，靡不由之。天得一以清，地得一以寧，恍惚之象，杳冥之精，皆謂一也。聖人抱一以法天下，至人得一以昇雲天。故一者能

〔一〕「十絲爲毫，十毫爲釐，十釐爲分」，原作「十絲爲釐，十釐爲毫，十毫爲分」，孫子算經卷上：「度之所起，起於忽，欲知其忽，蠶吐絲爲忽。十忽爲一絲，十絲爲一毫，十毫爲一釐，十釐爲一分。」其他文獻也多如是，據改。

存能亡，能晦能光，能圓能方，能柔能剛。渴者思一，一與之漿；飢者思一，一與之糧。守一以成，道固不用籌筭而爲善計也。

善閉，無關鍵而不可開；

【注】兼忘言行，不入異門，心無逐境之迷，境無起心之累。雖無關鍵，其可開乎？

【疏】此明不計異門，則欲心自閉也。横曰關，竪曰鍵。夫善行善言〔一〕，不耽不滯，心照清浄，境塵不起。故云「善閉，雖無關鍵，其可開乎？」故云「善閉，無關鍵而不可開」。

【義曰】夫關鍵之設，所以限内外也。易繫云「重門擊柝，以待暴客」，謂關鍵隔限，時其啓閉。若善閉於國，則均一玄化，遐邇大同，外無干戈，邊無烽燧，不設關塹而人無交侵。天下有道，守在四夷是也。不善閉於國者，則四郊多壘，壓境興師，雖有山川之險，關防之固，守之非德，釁生墻廡，敵起舟中，雖有關防，莫能制也。豈可謂之善閉乎？善修行之人，守真抱一，無欲無營，知萬法之門，是階修之漸。不滯於法，不執於言，不計異門，不求博贍，閉三關而自静，袪衆念而自安，聲色不能惑其心，軒冕

〔一〕「言」，唐玄宗御製道德真經疏卷四作「行」。

不能啓其志。此之善閉，其可開乎？

善結，無繩約而不可解。

【注】體了真性，本以虚忘，若能虚忘，則心與道合。雖無繩索約束，其可解而散乎？

【疏】此明善閉之人，心與道合也。結，繫也；繩，索也；約，束也；解，散也。夫坐忘遺照，深契道源，於諸法中盡能不滯，繫心於此，故云善結。夫用繩約者，繩散則爲〔一〕約解；以道結者，心静則道冥。適使萬緣盡興，終能一無所染，雖無繩索約束，豈可解而散乎？故云「善結，無繩約而不可解」。

【義曰】繩約之結，可解可散，世之常法也。結人之心，或離或合，世之常交也。理國之善結者，其德如天，物無不覆，其仁如地，物無不載，其明如日，物無不照，其利如水，物無不潤，則六合之心、億兆之衆可結，而不可散也。不善結者，臨之以威，峻之以令，檢之以法，脇之以兵，人或畏之，暫結而散矣。其散也，雖誘之以賞，啗之以利，榮之以爵，貴之以位，已散之心不可復結矣。理身之惑者，務以博聞，旁求術數，學日益而心日散，法愈多而神愈勞，欲以澹泊結其心，不可得也。善修行之人，萬慮都忘，

〔一〕「爲」，唐玄宗御製道德真經疏卷四、道德真經玄德纂疏卷七無，更理順。

一念不二，静契於道，與真合同，萬緣不能侵，諸見不能誘。此之善結〔一〕，其可解乎？

是以聖人常善救人，故無棄人：

【疏】是以者，引下以明上也。言聖人心雖冥〔二〕寂，教則流通，故常用五善〔三〕以救人，令必釋然而達解，大慈平等，無所偏隔，凡是於人盡皆善誘，故云常善救人而無棄人。

【義曰】聖人者，謂用道之聖人也。聖人常以善道廣誘於人，人聞法音皆能悟解，隨其深淺，必獲利焉。開悟之門，數以甚衆，或因言得悟，或因教得悟，或聞經得悟，或覩相得悟。開悟之由不一，誘勸之法亦多。大慈悲心，等無憎愛，一一接引，令入法門。既入法門，捨惡爲善。人皆爲善，則無棄人矣。夫棄人者，謂其爲不善之行，興害物之心，物被其害，與之爲敵。惡積於明顯者，人得而誅之；惡積於幽暗者，鬼得而誅之。爲人鬼所誅者，是爲人鬼所棄矣。今若皆修善行，無惡無尤，悉變善人，何棄

〔一〕「此之善結」，道德真經取善集卷四引杜光庭廣聖義作「此之謂善結」。
〔二〕「冥」，唐玄宗御製道德真經疏卷四、道德真經玄德纂疏卷七作「凝」。
〔三〕「五善」，唐玄宗御製道德真經疏卷四作「善能」。

之有？五善者，謂善言、善行、善計、善閉、善結等行也。論語云：「孔子善誘於人〔一〕。」誘者，導引之也。

常善救物，故無棄物。

【注】是以聖人常用此五善之教以教之，故無棄者也。

【疏】物者，通有識無識也。救人善教，故不棄人；救物善心，亦無棄物。令動植咸遂，無有夭傷者也。故云「常善救物，故無棄物」。

【義曰】用道聖人，以前五善之教教人爲善，人皆化善，故無棄人。又以無事無爲，不勞於物，物皆遂性，無害無傷，信及豚魚，澤周草木，人皆化善，不害於物。此明聖人救物也。物無所害，各遂其常，此明故無棄物。

是謂襲明。

【注】密用曰襲。五善之行，在於忘遣，忘遣則無跡矣，故云密用。密用則了悟〔二〕矣，

〔一〕「孔子善誘於人」，論語子罕：「顏淵喟然歎曰：『仰之彌高，鑽之彌堅；瞻之在前，忽焉在後。夫子循循然善誘人，博我以文，約我以禮。』」

〔二〕「了悟」，唐玄宗御注道德真經卷二作「悟了」。

故謂之明爾。

【疏】襲，密用也；明，了悟也。善行救人，在於忘遺。若滯教矜有，轍跡必存。故雖常善救人，終使慧心無滯，如此密用則能了悟〔一〕，故云是謂襲明。

【義曰】聖旨以密用善功，了悟無滯，不存於跡，謂之襲明。又解：襲者，承續也。言人靈府之性，本來明净，爲塵所翳，迷惑天真。今以五善之行内洗其心，真性復明，慧照如本。然當常行善救，無起妄塵，承襲慧明，無使昏翳，不矜於跡，不滯於常，可謂襲明也。

故善人，不善人之師，

【疏】〔二〕師，法也。夫善人者，離諸愛染則心清净，於法無滯則教圓通。取喻於水，物來斯鑒，所鑒者照形而有象，能鑒者見象而無心，善人正慧若斯，故可爲不善人師法。

【義〔三〕曰】夫不爲諸惡，守法循常，無侵於人，無傷於物者，善人也。人之爲善者，天

〔一〕「了悟」，唐玄宗御製道德真經疏卷四作「悟了」。

〔二〕「疏」，原爲「注」，其後文字正爲唐玄宗御製道德真經疏卷四及道德真經玄德纂疏卷七「御疏」文字，故改。

〔三〕「義」，原爲「疏」，按文意及體例，此處當爲杜光庭廣聖義之文字，故改。

地愛之，神明護之，不習道而行合於道，不明法而心契於法。不傷於物，物亦不傷之；不害於人，人亦不害之。如此，則動静運爲，常獲貞吉。惡人慕其貞吉，亦當化而爲善，是可爲不善人之師也。春秋云：「鄭人以鄉校論其執政。然明以其謗議國政，欲毁之。子産曰：『若朝夕游之，聞執政之善否，其所善者，吾則行之，其所惡者，吾則改之。是吾師也。若之何毁？我聞忠善以損怨，不聞作威以防怨。若遽止之，由防川也。夫决，傷人必多，不克救矣。不如小决使導。』然明悦之。孔子曰：『人謂子産不仁，吾不信也。』」書曰：「能自得師者，聖人也〔一〕。」夫師者，有法可範之謂也。學記曰：「安其學而親其師，樂其友而信其道，雖離師輔而不反〔二〕也。若隱其學而疾其師，苦〔三〕其難而不知其益也。君子知教之所由興，又知教之所由廢，然後可爲人師。獨學而無友，孤陋而寡聞，是故擇師不可不慎也。君〔四〕子知至學之難易，而知其美惡，然後能博喻。能博喻，然後能爲師；能爲師，然後能爲長；能爲長，然後能爲君。

〔一〕「能自得師者，聖人也」，尚書仲虺之誥：「能自得師者王，謂人莫己若者亡。好問則裕，自用則小。」
〔二〕「反」，原作「及」，據傳世禮記學記改。
〔三〕「苦」，原作「若」，據傳世禮記學記改。
〔四〕「君」，原經該字前有「義曰」，今按前後均爲學記文字，「義曰」置於此處不當，前面「疏曰」實爲「義曰」。

故師者，所以學爲君也。當其爲君，不爲臣也。太學之禮，雖詔於天子，無北面，所以尊師也。善學者，師逸而功倍；不善學者，師勤而功半，又從而怨之〔一〕。」言先王事師之道無北面。王行而西，折而南，面東而立，師尚父面西。以道書之旨，以教於王。故曰在三之義，君父師也。師無當於五服，五服不得不親，是則爲師之道，不亦重乎？況至人心無染著，於法不滯，應物而爲鑒，鑒物而無心，乃真道之師也。善人者，邦國之所貴也。春秋：「羊舌職曰：『吾聞之，禹舉〔二〕善人，不善人遠矣。詩云：戰戰兢兢，如臨深淵，如履薄冰。此善人在上也。』」此謂宣公十六年，晉滅赤狄，士會獻狄俘于定王，王以黻冕卿服命士會將中軍，且爲太傅。於是晉國之盜逃奔于秦，故羊舌職美之曰「善人在上，國無幸人。『人之多幸，國之不幸』，無善人之謂也。」若此，則善人者，邦國之寶，豈惟師乎？

不善人，善人之資。

【注】師，法也；資，取也。善人可師法，不善人可取以役使也。

〔一〕「君子知至學之難易……又從而怨之」，該段文字也見於禮記學記。

〔二〕「舉」，傳世左傳作「稱」。

【疏】資，取也。夫火有其炎，寒者〔一〕附之。聞道勤行，必資宗匠。既悦先生之善，須伏弟子之勞，則不善之人，善人可取使役〔二〕耳。

【義曰】善人既以善行，能化不善之人，則不善之人景慕服從，爲之使役。論語云「有事弟子服其勞〔三〕」。先生者，父、兄、師長也。則弟子事師，服膺從教也。夫人之立身，有三尊焉。事父母以孝，事君以忠，事師以敬。身體髮膚，父母生之也；道德禮樂，師以教之也；爵禄品位，君以榮之也。雖道在即，請學無常師，凡申請益之儀，便有在三之敬矣。

不貴其師，不愛其資。

【注】此章深旨，教以兼忘。若存師資，未爲極致。今〔四〕所以貴師，爲存學相；學相既空，自無所貴。所以愛資，爲存教相；於教忘教，故不愛資。貴愛兩忘，而道自化矣。

〔一〕「者」，原作「暑」，據唐玄宗御製道德真經疏卷四改。

〔二〕「可取使役」，唐玄宗御製道德真經疏卷四、道德真經玄德纂疏卷七作「可取以役使」。

〔三〕「有事弟子服其勞」，論語爲政：「子夏問孝。子曰：『色難。有事弟子服其勞，有酒食先生饌，曾是以爲孝乎？』」

〔四〕「今」，唐玄宗御注道德真經卷二、易縣唐碑本、道德真經玄德纂疏卷七該字後有「明」字。

雖知大迷，是謂要妙。

【注】師資兩忘，是謂玄德。凡俗不悟，以爲大迷。以道觀之，是謂要也〔一〕。

【疏】夫初地〔二〕修進，兩存學相，未能忘言教，故貴愛師資。若能了悟行門，則學無所學。師資之名既失，貴愛之目不存。

【義曰】初地修行者，謂從凡覺悟，回向正道，捨凡從信，初入法門，謂之初地。本際經云：「夫爲學者初修十事以爲階梯，如人緣梯，從初一梲至第二梲，乃至於頂。昇階之人，自下至高〔三〕，要須先習此十行法，然後乃能深入正觀。一者初地之人，先因善欲，有欲樂心，乃能進趣〔四〕。二者親近善友，導引其心，深信正道。三者簉詣明師，師有妙法，廣能宣告，示以要術。四者既聞正教，能受讀誦。五者能出家，專〔五〕行柔弱，

〔一〕「以道觀之，是謂要也」，唐玄宗御注道德真經卷二、易縣唐碑本、道德真經玄德纂疏卷七作「故聖人云：雖知，凡俗以爲大迷。以道觀之，是爲要妙」。

〔二〕「地」，道德真經玄德纂疏卷七作「第」。

〔三〕「昇階之人，自下至高」，太玄真一本際經付囑品作「昇階亦耳，自下之高」。

〔四〕「先因善欲，有欲樂心，乃能進趣」，太玄真一本際經付囑品作「一生善欲，有欲樂心，乃能進取」。

〔五〕「專」，太玄真一本際經付囑品作「常」。

永斷有爲，離諸桎梏。六者參受正戒，防身口心。七者幽隱山林，棲遁獨處，永〔一〕離囂塵，修寂静志。八者當念大道是真法王〔二〕，能度衆生，越生死海，猶如船師拯濟沈溺。九者當念經教是妙醫方，能示衆生理〔三〕煩惱藥。十者當念法師是真父母，善能生我法身慧命。」以是十法品。初地因次以小乘柔伏之法，又進中乘進〔四〕修之法，後入大乘觀行之法。以此法故貴愛師資。師者，父也。我若無師，不能得道。是故應當遠近隨逐，心眼觀想，恒在目前，不替須臾，無他雜想，非師不度，非師不仙。既了悟已，學相皆空。諸方便門，本無文字。解了大道，貴愛兼忘，入衆妙門，達真常境。

【疏】然此章大宗，教之忘遺。語以漸頓，不無階級；論其造極，是法都空。故前舉爲師爲資，示修進之路；後云不貴不愛，導悟證之門。則所以貴師，爲存學相，學相既空，自無所貴；所以愛資，爲存教相，於教兼忘，故不愛資。相忘江湖，自無濡沫。乍

〔一〕「永」，原作「求」，據太玄真一本際經付囑品、道德真經廣聖義節略卷二改。
〔二〕「是真法王」，太玄真一本際經付囑品作「真是法王」。
〔三〕「理」，太玄真一本際經付囑品作「治」。
〔四〕「進」，道德真經廣聖義節略卷二作「兼」。

聞斯旨〔一〕，凡俗不悟，執學滯教，則必以爲大迷。故老君格量云「雖知，凡俗以爲大迷，於道而論，是謂要妙」矣。

【義曰】師資之道，相因之義也。玉因琢而成器，人因師而悟道。言於教則有念師禮師之法，垂以訓人，歷劫典憲非同，不善之人暫爲資取矣。故天子上丁釋奠於先師，太子太學謁先師，皆存其道以垂教也。若以達觀之理，大則忘天地，内則忘其身，物我都忘，豈復有師資之限？如齧缺問道乎被衣，被衣曰：「正汝形，一汝視，天和將至；攝汝知，一汝度，神將來舍。德將爲汝美，道將爲汝居。汝瞳焉如新生之犢而無求其故。」言未卒，齧缺睡寐。被衣大悦，行歌而去之，曰：「形若槁木，心若死灰，真其實知，不以故自持。媒媒晦晦，無心而不可與謀。彼何人哉！」言其初與變化，俱末而獨化者也。當此時也，齧缺形骸天地俱忘矣，豈唯忘其師乎？師資貴愛之道，於斯達矣。其於理國也，不立德於人，不衒仁於物，百姓日用而不知，固無師資貴愛之尚，契太古忘言之道。衆人不達，初爲大迷。了而達之，信爲要妙矣。濡沫者，莊子天運篇老子答孔子之詞也。

〔一〕「旨」，唐玄宗御製道德真經疏卷四作「道」。

道德真經廣聖義卷之二十四

唐　廣成先生杜光庭　述

知其雄章第二十八

【疏】前章明言行[一]不執，常善所以救人；此章明雌辱爲行，常德於焉復樸。首標「知雄」等三段，明行修[二]則漸造於極；次云「樸散」下兩句，示造極則必有成；終云「大制」一句，論聖功之御用，以結成其深旨。

【義曰】夫前明善行善言既爲不執，救人救物所以行慈，皆外助之行也。此標知雄知白以全和氣，復嬰復樸所以成功，即内修之要也。行於外，五善之應也，如上文；修於

〔一〕「言行」，唐玄宗御製道德真經疏卷四作「行言」。
〔二〕「行修」，唐玄宗御製道德真經疏卷四作「修行」。

内，三知之極也，如下説。修既復樸，可不守樸而不移，然後散布萬殊，以彰玄功廣大，唯聖人能宰制其器，無所割傷也。

知其雄，守其雌，爲天下谿。

【疏】知，辯識也；雄，剛躁也；雌，柔静也。夫物貴全和，法求中道。雄則過亢[一]，雌則卑弱，俱未適中於善行，必當緣篤[二]以爲經。故知其雄躁，則當守其雌静；守其雌静，亦當知其雄躁。知雄守雌則可，知雄守雄則敗[三]。敗則妨行，持戒守雌。能守雌柔[四]，是爲[五]謙德，物所歸往，如水歸谿矣。

【義曰】夫於内修也，辯識剛躁，知必敗傷，故以雌柔之道制之矣。亢，極也；篤，厚也。性剛躁而雄則多亢極，亢極則尤過生焉。所以厚其柔静之心，制其雄剛之性，乃無亢極之敗。谿者，衆流所歸，以其謙下故也。人謙下則物歸，地謙下則水聚。上清

[一]「亢」，道德真經玄德纂疏卷七作「當」。

[二]「篤」，道德真經玄德纂疏卷七作「督」。

[三]「知雄守雌則可，知雄守雄則敗」，原作「守雌則可，知雄則敗」，據唐玄宗御製道德真經疏卷四改。

[四]「能守雌柔」，唐玄宗御製道德真經疏卷四作「柔能守雌」。

[五]「爲」，唐玄宗御製道德真經疏卷四作「謂」。

有雌一之道，又有三奔五雌之法，皆柔弱其志，和静其神，以致長生也。理國以謙静，則萬物從順，如水之赴谿矣。

爲天下谿∶常德不離，復歸於嬰兒。

【注】雄者患於用壯，故知其雄，則當守雌。謙德物歸，是爲天下谿谷。則真常之德不離其身，抱道含和，復歸於嬰兒之行。

【疏】知雄守雌，是爲善行，物所歸往，爲天下谿。能如此者，則真常之德曾不離散。常德不散，即是全和。全和之人，少私〔一〕寡欲，泊然未兆，乃如嬰兒。故云復歸於嬰兒也。

【義曰】理國在於謙静，理身在於雌柔，萬物順從，衆德歸湊，則常享其祚，克全其身。嬰兒者，未分善惡，未識是非，和氣常全，泊然凝静，以喻有德之君、全道之士。其德若此，乃合道真。理身則神所歸，理國則民交會之也。

知其白，守其黑，爲天下式。

【疏】白，昭明也；黑，暗昧也；式，法也。夫能守雌静，則德行昭明。德雖昭明，不以

〔一〕「私」，原作「思」，據唐玄宗御製道德真經疏卷四改。

矜物，當如暗昧，自守淳和。能如此，則可以爲天下法式矣。

【義曰】爲君有獨見之明，爲道有昭顯之德，皆當若昏若晦，不衒不矜，則氓庶攸歸，淳和内足，以此爲天下法式也。史記老君謂孔子曰「君子盛德，容貌若愚」是也。夫有德不矜，有明不衒，豈唯内充道行，固亦克俱聲光矣。

爲天下式：常德不忒，復歸於無極。

【注】能守雌静，常德不離；德雖明白，當如暗昧。如此則爲天下法式。常德應用，曾不差違〔一〕，德用無窮。故復歸於無極也。忒，差也。

【疏】忒，差忒也；極，窮極也。知白守黑，是謂德全。德全之人，可爲天下法式。則真常之德，隨應而用，應無差忒，用亦不窮。故云復歸於無極。

【義曰】爲君爲道，外晦其明，内積其德。淳和既著，天下化之。於國則聖德無窮，於身則長生無極。

知其榮，守其辱，爲天下谷。

【疏】榮，尊榮也；辱，卑辱也。夫爲天下法式，則其德尊榮。德雖尊榮，常守卑辱，以

〔一〕「違」，唐玄宗御注道德真經卷二作「忒」。

和爲量，無不含容。如彼空谷，物來斯應。故云天下谷也。

【義曰】人君富有八極，君臨九圍，是尊榮也；自稱孤、寡、不穀，是卑辱也。名號所設，則古之制也。能當理思亂，居安懼危，戒慎卑躬，晝乾夕惕，則德廣體弘，如虛谷矣。爲道之人，外其德譽，自守卑柔，如庚桑避畏壘之祠，莊子歎擁腫之木，則其材德不顯，心虛德全，若空谷矣。

爲天下谷：常德乃足，復歸於樸。

【注】德雖尊榮，常守卑辱。物感斯應，如谷報聲。虛受不窮，常德圓足，則復歸於道矣。

【疏】樸，道也。虛受應物，如彼谷神，真常之德，是乃圓足，足則復歸於樸矣。夫道爲德體，德爲道用；語其用則云常德乃足，語〔一〕其體則云復歸於樸。歸樸則妙本清淨，常德則應用無窮。非天下之至通，其孰能與於此？

【義曰】既富於德，則合於道。道爲德體，則澹寂無爲；德爲道用，則施行有作。人君以五善之化，誘民於無爲；以廣濟之德，積功而合道。故云復歸於樸。夫道，無爲而

〔一〕「語」，唐玄宗御製道德真經疏卷四、道德真經玄德纂疏卷七作「論」。

無不爲也，通生萬物，應變無方，故謂天下之至通也，易曰「形而上者謂之道，推而行之謂之通」是也。夫聖人之理國，至士之修身，當知其雄強、明白、尊榮三者，非持久之益，乃當執雌柔、暗昧、卑辱三行而制之。則前五善外以化人，此三行内以修己。人化則道彌廣，己修則德愈昌。道廣德昌，理國理身之至要矣。

樸散則爲器，聖人用之，則爲官長，

【注】含德内融則復歸於樸，常德應用則散而爲器。既涉形器，必有精粗，故聖人用之，則爲群材之官長。

【疏】器，形器也。自「知雄」下，論性修德，反則復歸於道〔一〕。此云樸散爲器者，明德全合道，即能應用，應用迹粗，涉於形器。故云樸散則爲器。既涉形器，其材用必有精麤。故凡人用之，適能獨全淳樸〔二〕；聖人弘濟，則爲群材之官長矣。

【義曰】形而上者謂之道，形而下者謂之器。道惟無，非是可見可慱之質，乃是虛寂之妙本也；器涉有，乃是可知可稱之用，非是質礙之常形也。聖人理天下，用材用德，

〔一〕「論性修德，反則復歸於道」，唐玄宗御製道德真經疏卷四作「論修性反德，則復歸於道」。

〔二〕「既涉形器，其材用必有精麤。故凡人用之，適能獨全淳樸」，原無，據唐玄宗御製道德真經疏卷四補。

委以牧人，共振玄風，以弘道化。故云爲官長也。夫四海之廣、兆庶之繁，不可下人以爲理，故立群官師長，各司其任。在昔唐虞建官惟百，夏商周漢所立愈多，以德居官，以材莅任，各當其器，而萬方理焉。若爲道之士，則布德施惠，救物立功，亦猶器用，以利於人爾。爲國則用材化物，爲道則施功濟人，合於道樸之化也。尚書曰「學古入官」，左傳曰「能官人則民無覦心」是也。春秋昭公十七年：「秋，郯子朝魯，對昭子曰：『黄帝以雲紀官，炎帝以火紀官，共工以水紀官，太皞以龍紀官，少昊以鳥紀官以鳳鳥爲司曆，玄鳥爲司分，伯趙爲司至，青鳥爲司啓，丹鳥爲司閉，祝鳩爲司徒，雎鳩爲司馬，尸鳩爲司空，爽鳩爲司寇，鶻鳩爲司事。五鳩以鳩民，五雉爲五工正，九扈爲九農正。扈，止也，止民使不淫放也。自顓頊以來，不能紀遠，乃以民師而命民爲官。』」設官分職，止□[一]尚矣，蓋以宣道行德，以教於人者也。官非其人，物罹其害。豈可輕授哉？書曰：「官不必備，惟其人。」斯之謂也。

故大制不割。

【注】聖人用道，大制群生，暄然似春，蒙澤不謝，動植咸遂，曾不割傷。

[一]「□」，此處缺一字。

【疏】此明聖人用道也。夫聖人德全，大制群有，法乾坤之施，灑雨露之恩，各暢其和，不知其力。令動植之物，咸遂其生〔一〕，曾不割傷，以爲己用。故云大制不割。

【義曰】聖君臨極，宰制萬方，德被群生，各遂其性。故動物植物、有情無情，自生自成，不宰不割。所以玄德之世，太上之君不言不化，惟清惟静，下知其上有君，而不聞其制令之法。此所謂大爲主宰，而無所制割也。修道之士，不察察於存祝，不孜孜於漱咽，無爲無欲，自全其和，可階於道矣。

將欲取天下章第二十九

【疏】前章明雌辱之〔二〕行，常德必歸於樸；此章明矜執必失，故神器不可爲〔三〕。首標「將欲」下六句，明寶位之有所在，以戒姦亂之臣；次「執者」之一句，示曆數之不

〔一〕「其生」，唐玄宗御製道德真經疏卷四作「生成」。

〔二〕「之」，唐玄宗御製道德真經疏卷四作「爲」。

〔三〕「故神器不可爲」，唐玄宗御製道德真經疏卷四作「神器故不可爲」。

于〔一〕常，將警淫昏〔二〕之主。故「物」下辯物倚伏之數，是以「聖人」下戒人君甚泰之尤。

【義曰】前明聖人宰制群物，此恐臣下非妄亂常。故舉此文戒其姦宄，又慮人君執有神器淩虐於民，明倚伏不常，以亡在德，去奢去泰，可保延洪。故云下戒姦亂之臣，上警淫昏之主也。

將欲取天下而爲之，吾見其不得已。

【注】天下者，大寶之位也。有道者〔三〕，必待曆數在躬。若暴亂之人，將欲以力取而爲之主者，老君戒云：吾見其不得已。

【疏】天下者，大寶之位也。夫皇天命帝，大制群生，必待曆數在躬，然後君臨萬宇〔四〕。而姦亂之賊、凶暴之夫，將欲力取天下而爲之主。既誅夷之不暇，何天禄之可望？故老君戒云：吾見其斯人必不得所爲之事。已，語助也。

〔一〕「于」，原作「干」，據唐玄宗御製道德真經疏卷四及文意改。

〔二〕「淫昏」，唐玄宗御製道德真經疏卷四作「昏淫」。

〔三〕「有道者」，道德真經玄德纂疏卷八作「爲君者」。

〔四〕「宇」，道德真經玄德纂疏卷八作「寓」。

【義曰】普天之下，人君統之。人君之位，皆上天降命，曆數所歸，應天之心，順人之望，而後君臨四海，子育群生，而爲之主也。莫不世傳積德，身有殊祥。履巨跡而誕伏羲，感神龍而孕炎帝，軒轅乃電光繞斗，少昊乃星彩流虹，顓頊高辛生資睿聖，唐堯虞舜天表神奇。堯火運於赤龍，舜土德於虹瑞，月精命禹，鷰卵降湯，紫氣靄於碭山，赤光照於漢室，此並身有殊祥也。積玄勳而黄軒受命，稟前功而顓頊叶符。黄帝十七世而祚有殷湯，后稷十三世而興西伯。此皆積世累功也。或生而神聖，或誕而能言，日角犀文，龍顔鵠步，重瞳八采，反羽奇毫，玉斗横身，鱗文徧體，或全於囹圄之内，或逃於溝竇之中，而復兆應天文，德諧人願，然後驅雄駕傑，拯溺救焚，康濟黎元，克昌帝業，斯可謂生靈徯望，曆數在躬者也，尚書曰「天之曆數在爾躬」是矣。若乃器非神授，才乏天資，積善不顯於先人，鍾異靡聞於奇兆，恃水草之力，縱豺狼之心，假狐媚而竊國權，因佞倖而窺神器，興問鼎之計，運胠篋之謀，王莽董卓則梟戮於前，侯景桓玄則敗亡於後。流惡名於萬古，取大笑於四方，欲以力而爲之，其可得也？況劍聞神授，力可拔山，喑嗚則鬼伏神驚，叱吒則堅摧敵潰，終乃艤舟莫濟，刎頸陰陵。不聞聚井之祥，徒益五侯之賞，苟不及於此者，又何矯竊而欲非望哉？老君戒曰：吾見其不得已。大寶之位，已具前解。

天下神器，不可爲也。爲者敗之，

【注】大寶之位，是天地神明之器〔一〕，故不可以力爲也。故曰爲者敗之。此戒姦亂之臣也。

【疏】天下大寶之位，所以不可力爲也者，爲是天地神明之器，將以永終聖德之君，而令流布愷悌之化，豈使凶暴之夫力爲而得毒螫天下乎？是知必不可爲，爲亦必敗。此戒姦亂之賊臣也。

【義曰】天神曰神，地神曰祇，日月之照曰明。言天地日月之間，森羅萬象，必有主宰而司牧之。故天地神明以此司牧之大位授於聖德之君，而令布和平悦樂之化以養民也。愷，樂也；悌，易也。詩大雅洞酌篇召康公戒成王曰：「愷悌君子，民之父母。」言樂以强教於民，易以悦安於民，民敬愛其君如父之尊，如母之親，故云愷悌之化。若凶暴之夫力取天下，必以强兵殘忍誅害於民，如吴國爲封豕長蛇，項羽比狼貪羊狠，則生民罹其蠆毒矣。毒出於口曰螫，毒出於尾曰蠆，明此凶暴之夫，毒螫天下，必不得其大寶之位，而自致敗亡。故云爲者敗之矣。

〔一〕「器」，易縣唐碑本該字後還有「謂爲神器」語。

執者失之。

【注】曆數在躬，已得君位，而欲執有斯位，淩虐神主，天道禍淫，亦當令失之。此戒帝王者也。

【疏】人君者或撥亂反正，或繼體守文，皆將昭德塞違，恤隱求瘼。若執有斯位，淩虐神主，坐令國亂無象，遂使天道禍淫，神怒人怨，是生災沴[一]，亂離斯作，誰奉爲君，亦當失斯位矣。此戒帝王也。

【義曰】人君繼體承乾，不以其德，毒流海内，禍起寰中，號令不行，戈鋋内向，天下既亂，海嶽[二]沸騰。真主應運救人，撥亂反正，如夏禹、殷湯、周武、漢祖創業之君也。天下既定，授於子孫，故嗣主繼明，守文承統，如夏桀、殷紂、周赧、漢獻爲繼體之君也。且創業之君必資聖德，塞違補過，明德顯仁，招懷隱淪，求採瘼病，初有大寶，罕及敗亡。蓋其勵精求理故也。而繼體之君不知稼穡，長於婦人之手，生於深宫之中，八音五色亂其心，麗服淫聲溺其性。或窮兵四境，流毒九州，視赤子若仇讎，顧生人

〔一〕「沴」，唐玄宗御製道德真經疏卷四作「瀰」。

〔二〕「嶽」，道德真經廣聖義節略卷二作「内」。

如草芥，動致芟刈，不循憲章，反道違天，凌虐神主。神主者，民也。於是干戈〔一〕四起，水旱不時，神怒衆離，鬼哭人怨，遂有南巢放逐、牧野梟夷，殞身黔庶之中，失政姦雄之手，洪圖一去，大業不歸。此明執者失之，足爲後王之戒。昭德塞違者，春秋桓公二年：「宋華督殺孔嘉父，而弒殤公，立公子憑，是爲莊公。以郜鼎賂於魯桓公。公納之於廟。大夫臧哀伯諫曰：『君人者，將昭德塞違，以臨百官，猶懼失之。今寘其賂器於太廟，明示百官。百官象之，又何誅焉？昔武王克商，遷九鼎于雒邑。義士猶或非之，而況將昭違禮〔二〕之賂器於太廟，其若〔三〕之何？』」瘼，病也；沴，妖氣也。內起曰眚，外起曰災，亦天火曰災也。

故物或行或隨，或呴或吹，或强或羸，或載或隳。

【注】明爲則敗，執則失，故物或行之於前，或隨之於後，或呴之使暖，或吹之使寒，或扶之則强，或抑之即弱，有道則載事，無德則隳廢。

〔一〕「干戈」，道德真經廣聖義節略卷二作「戈鋋」。

〔二〕「禮」，傳世左傳作「亂」。

〔三〕「若」，原作「君」，據傳世左傳、道德真經廣聖義節略卷二改。

【疏】此明凡物不常，事亦倚伏也。呴，暖氣也；吹，寒氣也。强，壯也；羸，弱也。載，事也；隳，壞也。且夫爲之則敗，執之則失，亦如凡物，或行之於前，或隨之於後，或呴之使暖，或吹之使寒，或扶持之使强，或抑損之令弱，或有引而載事，或推之而隳壞。且同糺纆，不可準繩，唯當以欲從人，方可樂推不猒爾〔一〕。

【義曰】物之倚伏，固以不常。人事推移，安能長保？是以爲者敗之，執者失之，或後者居前，或前者反後，或寒者變暖，或暖者反寒，或弱者爲强，或强者爲弱，或成者致壞，或隳者獲全。如糺纆之縈紆，無準繩之正定矣。纆，大索也；準，的也；繩，正也。無道之君以人從欲，有道之主以欲從人。以欲從人者，天下悦樂而推尊之，不猒其德也。以人從欲者，春秋僖公二十年：「宋襄公欲合諸侯，臧文仲聞之曰：『以欲從人則可，以人從欲鮮濟。』」言屈己之欲，從衆之善也〔二〕。明年秋，宋公與楚、陳、蔡、鄭、許、曹盟于盂，諸侯執宋公以伐宋。言宋公無德争盟，衆共執之。如文仲之言也。文仲，魯大夫也。

〔一〕「爾」，原經誤爲「巠其」兩字，據唐玄宗御製道德真經疏卷四改。

〔二〕「言屈己之欲，從衆之善也」，乃杜光庭轉引杜預注。

是以聖人去甚，去奢，去泰。

【注】聖人覩或物之行隨，知執者之必失，故去其過分耳。

【疏】是以理天下之聖人，覩行隨之不常，知矜執之必失，故約己檢身，割貪制欲，去造作之甚者，去服翫之奢者[一]。論名數且分爲三目，徵其實乃同於一條。甚、奢、泰者，皆謂之過分耳。

【義曰】聖人之於天下也，觀倚伏之勢，見推移之機，於施爲之中，不使過分。知甚者必極，奢者必貪，泰者必盛；極則必反，貪則必怨，盛則必衰。有一於此，必爲亡敗，故皆去之。爲道之士，明執失之理，知奢泰之非，謙抑自居，沖虛内保，則可以參真矣。

[一]「者」，道德真經玄德纂疏卷八該字後還有「去其情欲之泰者」句，更恰。

道德真經廣聖義卷之二十五

唐　廣成先生杜光庭　述

以道佐人主章第三十

【疏】前章明矜執則失，是以去其甚奢泰[一]；此章明兵强好還，不可果其矜伐。首云以道戒臣，不以兵爲輔佐；「師之所處」下明好兵必致不祥，故「善者」下示不得已而用，「物[二]壯」下結恃强而必敗。

【義曰】前明人主理國，去奢泰而爲君；此戒人臣事君，用文德而匡佐。若怙兵尚武，必誘敵起争，是明兵强好還，不可以矜伐爲事也。首章直戒人臣，次言用兵非善，妨

〔一〕「去其甚奢泰」，唐玄宗御製道德真經疏卷四作「去甚去奢去泰」。

〔二〕「物」，該字前原有「果」字，據道德經原文及唐玄宗御製道德真經疏卷四删。

農害歲，是有凶年。然後果於勿强，强必喪敗。强壯非道，宜速止之也。

以道佐人主者，不以兵强天下。其事好還：

【注】人臣能以道輔佐人主者，當柔服以德，不用兵甲之威取强於天下。何則？兵者凶器，戰者危事，抗兵加彼，彼必應之。其事既好還報，則勝負之事〔一〕未可量矣。

【疏】以，用也；佐，輔也；還，報也。言爲人臣者當用道化無爲輔佐人主，致君堯舜，是曰股肱。舞干羽於兩階，修文德於四海，令執大象而天下往，太階平而寰海清。若震耀戈甲之威，窮瀆〔二〕侵伐之事，抗〔三〕兵以加彼，彼必應之。其事能還報，則勝負之事誰能預剋也哉？

【義曰】夫臣之事主，以道爲先。所宜清静匡君，勿以兵謀輔國。化既清静，君遂無爲，平泰可圖，堯舜何遠？致君者，言臣以道德助化，則君德自齊於堯舜也。股者，足也；肱者，手也。君爲元首，臣爲股肱，猶一身耳。君臣之道，其可忽乎？書云「元

〔一〕「事」，唐玄宗御注道德真經卷二、易縣唐碑本、道德真經玄德纂疏卷八作「數」。
〔二〕「瀆」，唐玄宗御製道德真經疏卷四、道德真經玄德纂疏卷八作「黷」。
〔三〕「抗」，唐玄宗御製道德真經疏卷四作「亢」。

首明哉，股肱良哉」是也。舞干羽者，尚書大禹謨曰舜以禹之功，命之嗣位。時有苗之民數干王誅，命禹徂征之。於是會諸侯之師，誓衆而往，奉辭伐罪。三旬，苗民逆命。益謂禹曰：「惟德動天，無遠不屆。至誠感神，况於有苗乎？」禹班師振旅，誕敷文德，舞干羽于兩階，七旬而有苗格。有苗左洞庭，右彭蠡，在荒服之例，去京師二千五百里。征之不服，不征自來，言以文德道化撫之也。干，楯也，羽，翳也，舞者所執之物。既還師振旅，不用干戈，乃修文德，以文舞舞於賓主兩階之間，以抑武事，而苗人來格。格，至也。禮曰：「舞者所以飾喜也。執其干戚，習其俯仰屈伸，容貌得莊焉。行其綴兆，要其節奏，行列得正焉。」羽籥干戚，舞之器也；屈伸俯仰，舞之容也；綴兆舒疾，舞之列也。故天子八佾，八人爲列，六十四人也。諸侯六佾，大夫四佾，士二佾。佾，列也，二人爲列矣。執大象者，第三十五章之詞也。太階者，三台六星爲太階六符，起文昌，抵太微，以主三公。君臣和，法令平，則其星光明，行列相類。星或明或暗，或狹或闊，或變色，或亡失不見，皆爲災凶。若三星亡失，革命易姓，六階匀明，天下太平也。今若大臣以兵謀輔主，不能以文德懷人，侵伐圖功，加兵於彼，彼必還報，則勝敗之勢未可知也。或自焚焉。負，敗也；抗，以手抗拒也；潰，亂也。

師之所處，荆棘生焉，大軍之後，必有凶年。

【注】軍師所處，戰則妨農；農事不修，故生荆棘。兵氣〔一〕感害，水旱繼之。農廢於前，災隨其後，必有凶荒之年矣。

【疏】師，軍師也。又易曰：「師，衆也。」夫興師動衆，則人勞於役，行齎居送則妨工〔二〕害農。農事不修，故生荆棘；大軍之後，積費既多。和氣致祥，兵氣〔三〕感害，水旱相繼，稼穡不生〔四〕，故必有凶荒之年，以報窮兵之怨爾。

【義曰】人臣以兵輔主，主則習用其兵。主貪不急之功，臣冒無猒之賞，或憑凌下國，侵伐鄰封。危器一施，生民受弊。行者有齎糧之苦，居者有轉饋之勞，男廢耕農，女妨蠶績，所以云懸軍十萬，日費千金，杼軸其空，輓輸莫息，田生荆棘，人遂飢荒。設無水旱之侵，已有耕耘之闕。夫和氣結則祥瑞降，兵氣盛則災害生，疾疫流亡，由斯而作。窮兵之弊，可勝言哉？惟君惟臣，所宜深戒也。修身之士，以嗜欲交侵，猶國

〔一〕「氣」，道德真經玄德纂疏卷八作「器」，易縣唐碑本也作「氣」。
〔二〕「工」，唐玄宗御製道德真經疏卷四作「功」。
〔三〕「氣」，道德真經玄德纂疏卷八作「器」。
〔四〕「生」，道德真經玄德纂疏卷八作「成」。

有兵戈也；真氣耗散，猶生民疲弊也。所以嗜好不節，則神氣散亡；神氣散亡，則疾疹交構。氣亡疾作，何福善之可冀乎？何延益之可希乎？於國於身，俱可深戒也。

故善者果而已，不敢以取强。

【疏】春秋傳曰「殺敵爲果」。今明殺敵者，令不相侵，止其爲暴，是知殺敵爲果，即止敵也。老君云：事不得已而欲用兵，用兵之善，但求止敵，令不爲寇，必不以衆暴寡，凌人取强。取强則事好却還，是以戒令不敢。故云不敢以取强。

【義曰】王者化人，貴乎道德。道德未洽，恩信未孚，或有外敵來侵，不得已而方應。應變制敵，豈在殺人？能取勝於伐謀，自可期於止殺。故於文曰「止戈爲武」，但止其敵，不在殺人，可謂止戈矣。其若封尸流血，白刃相交，或勝之於前，或敗之於後，好却還報，非曰能軍，不敢取强，是合天道矣。殺敵爲果者，春秋宣公二年：「春，鄭公子歸生受楚之命伐宋，宋華元禦之，戰于大棘。宋師敗績。囚華元，獲司空樂莒〔一〕、甲車四百六十乘，俘二百五十人，馘百人。宋大夫狂狡逆〔二〕鄭人。鄭人入於井，倒戟而

〔一〕「樂莒」，傳世左傳作「樂吕」。

〔二〕「逆」，傳世左傳作「輅」。

出之，獲狂狡。君子曰：『失禮違命，宜其爲擒也。』戎，昭果毅以聽之謂禮。常存於耳，著於心，想聞其政令〔一〕。殺敵爲果，致果爲毅。易之，戮也。」言易而反之，必爲戮矣。

果而勿矜，果而勿伐，果而勿憍，

【注】善輔相者，果於止敵，蓋在安人和衆，不敢求勝取强。故雖果於止敵，不敢爲寇〔二〕，慎勿矜功伐取，以自憍盈。憍則敗亡，故以爲深戒也。

【疏】夫用兵之善，果於止敵。止敵自矜，未名善勝。故雖能止敵，慎勿矜誇。矜誇則傷於取功，故雖果於止敵，戒云勿伐其功。伐取其功，是則自爲憍泰。憍泰則樂殺，故敗不旋踵。此爲炯〔三〕戒，可不慎乎？

【義曰】矜，誇大也；伐，自稱己善也；憍，慢也。安人和衆者，春秋宣公十二年：「楚子圍鄭。三月，克之。鄭伯肉袒牽羊以逆。楚子將舍之，左右曰：『不可許也，得國無

〔一〕「常存於耳，著於心，想聞其政令」，此句爲杜預注「聽」的文字。

〔二〕「不敢爲寇」，唐玄宗御注道德真經卷二、易縣唐碑本作「敵不爲寇」。

〔三〕「炯」，道德真經玄德纂疏卷八作「明」。

赦。』楚子曰：『其君能下人，必能信用其民矣。』退三十里而許之平。潘尪入盟，子良出質。夏六月，晉師救鄭。荀林父將中軍，先縠佐之，趙括、趙嬰齊爲大夫；士會將〔一〕上軍，郤克佐之，鞏朔、韓穿爲大夫；趙朔將下軍，欒書佐之，荀首、趙同爲大夫。韓厥爲司馬。及河，聞鄭及楚平，林父欲還，曰：『無及於鄭而勦民，焉用之？楚歸而動，不後。』士會曰：『善。會聞用軍，觀釁而動，德、刑、政、事、典、禮不易，不可敵也，不爲是征〔二〕。楚君討鄭，怒其貳而哀其卑。叛而伐之，服而舍之，德刑成矣。伐叛，刑也；柔服，德也。二者立矣。昔歲入陳，今兹入鄭，民不疲勞，君無怨讟，政有經矣。荆尸陣法也而舉，商農工賈不敗其業，而卒乘輯睦，事不奸矣。蔿敖爲宰，擇楚國之令典，軍行，右轅，左追蓐，前茅慮無，中權，後勁，百官象物而動，軍政不戒而備，能用典矣。其君之舉也，内姓選於親，外姓選於舊；舉不失德，賞不失勞；老有加惠，旅有施舍；君子小人，物有服章，貴有常尊，賤有等威；禮不逆矣。德立，刑行，政成，事時，典從，禮順，若之何敵之？見可而進，知難而退，軍之善政也。兼弱攻昧，武之善經

〔一〕「將」，原缺，據傳世左傳及文意補。
〔二〕「征」，原作「狂」，據傳世左傳改。

也。子姑整軍而經武乎！』先縠曰：『不可。晉之所以霸，師武臣力也。今失諸侯，不可謂力。有敵不從，不可謂武。由我失霸，不如死。且成師以出，聞敵而退，非夫〔一〕也。命爲軍帥，而卒以非夫，唯群子能，我弗爲也。』以中軍佐濟。荀首曰：『此帥殆哉！易有之：「師出以律，否臧，凶。」順成爲臧，逆爲否。有帥而不從，臨孰甚焉！果遇，必敗，先縠尸之。雖免而歸，必有大咎。』韓厥、林父帥軍遂濟。楚子北師次於郔。聞晉師濟，王欲還。嬖人伍參欲戰，令尹叔敖不可。參曰：『若事之捷，孫叔爲無謀矣。』令尹南轅返旆。伍參言於王曰：『晉之從政者新，未能行令。其佐先縠剛愎不仁，未肯用命。其三〔二〕帥者專行不獲，衆誰適從？此行也，晉師必敗。且君而逃臣，若社稷何？』王病之，告令尹，改轅而北之，次於管以待之。晉師〔三〕敖、鄗之間，鄭皇戌使如晉師，曰：『鄭之從楚，社稷之故也，未有貳心。楚師驟勝而驕，其師老矣，而不設備。子擊之，鄭師爲承，楚師必敗。』先縠曰：『敗楚服鄭，於此在矣。必許之。』欒書

〔一〕此處及後文兩「夫」字，原均作「失」，據傳世左傳改。

〔二〕「三」，原作「二」，據傳世左傳改。

〔三〕「師」，傳世左傳該字後有「在」字。

曰：『楚自克庸以來，其君無日不討國人而訓之于民生之不易，禍至無日，戒懼之不可以怠。在軍，無日不討軍實而申儆之：民生在勤，勤則不匱。不可謂驕。先大夫子犯有言曰：「師直爲壯，曲爲老。」我則不德，而徼怨於楚。我曲楚直，不可謂老。其君之戎，分爲二廣，廣有一卒，卒偏之兩。右廣初駕，數及日中，左則受之，以至于昏。内官序當其次〔一〕，以待不虞，不可謂無備。師叔，楚之崇也，入盟于鄭。子良，鄭之良也，在楚。楚鄭親矣。來勸我戰，我克則來，不克遂往，以我卜也，鄭不可從。』趙括、趙同曰：『帥師以來，唯敵是求。克敵得屬，又何俟智焉？』莊子〔二〕曰：『趙括、趙同，咎之徒也。』趙朔曰：『欒伯善哉。實其言，必長晉國。』楚少宰如晉師。曰：『寡君少遭閔凶，不能文。此行也，將鄭是訓定，豈敢求罪于晉？二三子無淹久。』隨會對曰：『昔平王命我先君文侯曰：「與鄭夾輔周室，無廢王命。」今鄭不率，寡君使群臣問諸鄭，豈敢辱候人？敢拜君命之辱。』先縠以爲諂，使趙括從而更之，曰：『行人失辭。寡君使群臣遷大國之跡於鄭，曰：無避敵。群臣無所逃命。』楚子又求成于晉，晉人許

〔一〕「次」，傳世左傳作「夜」。
〔二〕「莊子」，傳世左傳作「知季」。

之，盟有日矣。楚許伯御樂伯，攝叔爲右，以致晉師。晉魏錡使於楚，請戰而還。趙旃請入楚，召盟二子，皆欲晉敗。郤克曰：『二憾往矣，不備必敗。』先縠曰：『鄭人勸戰，不敢從也；楚人求成，弗能好也〔一〕；師無成命，多備何爲？』士會曰：『備之善。若二子怒楚，楚人乘我，喪師無日矣。楚若無惡，除備而盟。』先縠不可。士會使鞏朔、韓穿帥〔二〕七覆于敖前，故上軍不敗。趙嬰齊具舟于河。潘黨逐魏錡，楚子乘左廣逐趙旃。晉師使鈍車逆二子。楚人懼王之入晉軍也，遂出陣。孫叔曰：『進之。寧我薄人，無人薄我。』車馳卒奔，疾進乘晉軍。林父不知所爲，鼓於軍中曰：『先濟者有賞。』中軍、下軍爭舟，舟中之指可掬。晉師右移，上軍未動。工尹齊將右拒逐下軍。潘黨、唐侯從上軍。郤克欲待之，士會曰：『楚師方壯，若萃於我，必盡，不如收而去之。』殿其卒而退，不敗。及昏，楚師於邲。晉之餘師不能軍，宵濟，亦終夜有聲。潘黨曰：『君盍築武軍而收晉尸，以爲京觀。臣聞克敵必示子孫，以無忘武功。』楚子曰：『非爾所知也。夫文，止戈爲武。武王克商，作頌曰：「載戢干戈，載櫜弓矢。我

〔一〕「也」，原作「人」，據傳世左傳改。

〔二〕「帥」，原作「師」，據傳世左傳改。

求懿德，肆于時夏，允王保之。」又作武，其卒章曰：「耆定爾功。」其三曰：「鋪時繹思，我徂惟求定。」其六曰：「綏萬邦，屢豐年。」夫武，禁暴、戢兵、保大、定功、安人、和衆、豐財者也。故使子孫無忘其章。令我使二國暴骨，暴矣；觀兵以威諸侯，兵不戢矣。暴而不戢，安能保大？猶有晋在，焉得定功？所違民故〔一〕猶多，民何安焉？無德而强争諸侯，何以和衆？利人之幾，而安人之亂，以爲己榮，何以豐財？武有七德，我無一焉，何以示子孫？其爲先君宫，以告成事而已。武非吾功也。古者明王伐不敬，取其鯨鯢而封之，以爲大戮，於是乎有京觀，以懲淫慝。今罪無所，而民皆盡忠以死君命，又可以爲京觀乎？』祀于河，作先君宫，告成事而還。是役也，鄭石制入楚，將以分鄭，而立公子魚臣。辛未，鄭殺石制、魚臣。君子曰：『無怙〔二〕亂者，謂是類也。』」且夫伐謀而得勝，彼敵敢侵，止殺濟危，信爲善矣。若矜伐其善，自衒其功，身享功名，心必憍泰。憍泰則凌物，凌物則怨生，禍敗可期，功名難保。韓信見擒於雲夢，白起齒劍於杜郵。矜伐生憍，因憍致禍，不可不戒也。

〔一〕「故」，傳世左傳作「欲」。
〔二〕「怙」，原作「恬」，據傳世左傳改。

果而不得已，是果而勿强。

【注】前敵來侵，不得休止，故用兵以止之。如是，則果在於應敵，非果以取强。

【疏】夫果於止敵者，非好勝而凌人也。但前敵來侵，事不得已。故云果而不得已。已，止也。用兵應敵，是非求勝，能如此者，勝不恃强。故云果而勿强。

物壯則老，是謂不道。不道早已。

【注】物之用壯，猶兵之恃强。物壯則衰，兵强則敗，是謂不合於道。當須早止不爲。

【疏】凡物壯極則老，兵强極則敗。故兵之恃强，猶物之用壯。物用壯適足以速其衰老，兵恃强則不可全其善勝。兹二事者是謂不合於道。賢臣明主知其不合於道，爲〔一〕須早止不爲。故云不道早已。已，止也。

【義曰】兵之恃强，必致死敗。符堅壽春之役，李密洛口之師，王尋昆陽之兵，煬帝征遼之衆，皆號百萬，信爲多焉。而非道恃强，敗不旋踵，兵强故也。亦如物壯則老，用壯必傷矣。昔秦吞七國，一統九州，力盛兵强，天下莫敵；土崩瓦解，曾不踰時。扶蘇死於長城，子嬰降於軹道。鷹揚鶚視，夫何足云？聖人以爲非道之基，不如早止。

〔一〕「爲」，唐玄宗御製道德真經疏卷四、道德真經玄德纂疏卷八作「當」。

理身則嗜欲復性，亦猶兵焉。若制欲捐情，澡神滌慮，止其妄想，守彼虚玄，自無物壯之譏，可謂全和之要。師亦有老，春秋曰「師曲爲老」，謂出師無名，不以其理，理屈於敵，亦爲老焉。故曰師直爲壯，曲爲老也。

道教典籍選刊

道德真經廣聖義校理

下

［唐］杜光庭 述
周作明 校理

中華書局

道德真經廣聖義卷之二十六

唐　廣成先生杜光庭　述

夫佳兵章第三十一

【疏】前章明强兵好還，不可果其矜伐；此章明佳兵物惡〔一〕，不得已而用之。首則陳戒不祥，明有道者不處；次云勝而不美，示樂殺之爲非；「吉事」下舉喻以明，結以喪禮處之，所以表非樂戰。

【義曰】先戒人臣以道佐國，不以兵强。今明佳兵乃是不祥之器，以兵佐國，必果於矜伐，果矜伐則必敗亡。所以直指佳兵，物之所惡，敵來侵己，不得已而用之。有道之人不處於此，不以勝敵爲美，而以正殺爲先。此戒其樂殺也。處之以喪禮，非欲於

〔一〕「物惡」，唐玄宗御製道德真經疏卷四作「物或惡之」。

戰也。

夫佳兵者，不祥之器，

【疏】佳，好也；兵者，韜、略之屬也；祥，善也；器，材器也。君子進德修業，必慎厥初，藏器於身，俟時而動。當遊心道德之囿，閱思墳誥之林，使光昭今古〔一〕，開濟成務。

【義曰】韜，六韜也。齊太公姜子牙釣於磻溪，剖魚得玉，璜中有此書，一曰文韜，經邦立國，不越天常；二曰武韜，剋定禍亂，威伏八方；三曰龍韜，燮理陰陽，不逾時令；四曰虎韜，善用爪牙，群凶自挫；五曰豹韜，膺〔二〕時戡難，智在權機；六曰犬韜，採聽至微，或成奇變。韜者，藏也。兵機權變，不可輕以示人。故以韜藏隱晦爲義。略，三略也。三略者，謂漢留侯張子房於下邳圯橋遇黄石公，授以三略曰：「子得之可爲帝王之師。」亦機鈐用兵之術也。子牙用之佐武王，剋商伐紂而成王業；子房用之佐漢祖，滅項籍而有帝圖。進德者，德冠五帝，爲美行之一首；修業者，業兼六藝，爲習學

〔一〕「今古」，唐玄宗御製道德真經疏卷四、道德真經玄德纂疏卷八作「令名」。
〔二〕「膺」，道德真經廣聖義節略卷二作「應」。

之先。故君子務本，本立而道生。習學之業，慎其初始。習文儒道德則爲君子，習貪驕殘暴則爲小人。昔孟軻幼孤，居近葬者，乃學爲墓，軻母賢，見其所習非美，徙居避之；又近陶匠之家，軻又學爲陶瓦之器；母又徙居，近儒學之家，軻乃學習墳典，後爲大儒，道亞周孔，名高韓墨。昔孔子爲兒，好以俎豆爲戲，後爲禮樂之祖，道冠百王，化融四海。后稷爲兒，好以耕農爲戲，後爲農正，播植之業，功濟天下。漢張湯爲兒時，因鼠竊肉，爲父所責。湯薰穴得鼠，及所殘肉，笞鼠，訊鞫論報，款占其辭，如老獄吏。後仕漢爲法官，詳定刑律，垂法著令。所以習爲善者，善功必著矣。所慎善惡之習在厥初爾。厥，其也；初，始也。藏器於身者，易下繫曰：「公用射隼于高墉之上，獲之，無不利。子曰：隼者，禽也；弓矢者，器也；射之者，人也。君子藏器於身，待時而動，何不利之有？」言君子得時即有成功，不得其時，動有結閡之患，故無功也。註言公者，無私也；高墉，喻高位也。隼在高墉則難射，人處高位即難除。處高位而貪殘如隼，將除之者，在得其時，無不剋矣。言君子有可大之德，可久之業，亦當得時而可動矣。史記云：「君子得其時則駕，不得其時則蓬累而行。」所謂「邦有道，危言危行；邦無道，危行言遜」。得其時則功濟天下，失其時則獨善其身。是明進退之度也。遊心在乎道德，閱思在乎典墳。囿，園囿也；典，謨典也；墳，三皇之書，爲三墳也；

誥，訓語也，如湯誥、酒誥例也。林，叢木爲林，言書史之多也；光，大也；昭，明也；令，善也。乃能大明，善美之名也。開濟成務者，易上繫云：「夫易，開物成務，冒〔一〕天下之道如斯而已者也。」此言易道可以覆，謂天下開濟萬物，亦如君子之德業，光大昭明，爲世之範，乃復遊心道德之園囿，墳誥之叢林，美名揚顯，成其大務也。春秋宋穆公屬其臣立殤公，云「先君以寡人爲能賢，光昭令名」是也。修道之士，亦當慎其所習，遊心大道，閑思無爲，道可冀也。若其滯是非之境，束言教之墟，迷嗜翫之津，竊浮誕之牖，其道彌遠矣。人君理國，習皇風帝道，可叶於昇平；傚王業霸圖，罕偕其清静矣，況兵戰之術乎？所宜戒也。

【疏】而乃有以兵謀韜略爲佳好者。夫謀略之設，以正爲奇，兵〔二〕鈐之書，先聲後實，皆在乎攻取〔三〕殺伐，故爲不善之材器爾。

【義曰】謀，圖度也；奇，變詐也；攻，擊也；取，言其易也。言此六韜、三略之書，金

〔一〕「冒」，原作「謂」，據周易繫辭上改。

〔二〕「兵」，唐玄宗御製道德真經疏卷四該字前有「謀」字。

〔三〕「取」，唐玄宗御製道德真經疏卷四有「戰」。

版、玉鈐之術，皆圖度機謀之用，非祥善之道。兵法尚詐，故以正爲奇，先其虚聲，後其實用，開張詭譎，非君子之所宜。於國爲貪殘，於身爲不善，於物爲憎惡，豈可習而行諸？且人之所習，務在有成，業成而用，用而求達。習善器者進則利物，退則全身，用則懋功，顯則彰德。今習兵道，以詭詐爲本，欺譎爲能，殺獲爲功，誅伐爲事。譎詐則非信，殺伐則非仁，佐於國則陷君爲征伐之主，行於身則造跡於詭妄之徒。固爲不善之事矣。老君說經之時，但有戰鬭之說，則是版泉〔一〕、涿鹿、丹浦用兵，未有六韜、三略之書。然用兵亦以機討相詷，譎詐相傾，得勝爲功，殺人爲美，非爲道者所務，故切戒之。今引韜、略之書，取近而證遠爾。

物或惡之，故有道者不處。

【注】佳，好也；兵者，謀略也。凡人修辭立誠，不能以道德藏器，而以兵謀韜略爲好，謀略之用，只在於攻取殺伐，故爲不善之材器。凡物尚或惡之，是以有道之人不處身於此爾。

【疏】畜德於身，是爲能事。既爲不祥之器，是以凡物尚或惡之，况有道之君子，焉肯

〔一〕「版泉」，當即「阪泉」，相傳黄帝與炎帝戰於阪泉之野。

處身於此？故云有道者不處。

【義曰】有道之士以德潤身，以善救物，動資簡正，静合虚無，不萌殺伐之心，肯尚兵謀之事？兵以殺伐爲用，凡物望而惡之矣。修辭立誠者，易乾九三之詞：「君子忠信，所以修德也；修辭立其誠，所以居業也。」

君子居則貴左，用兵則貴右。

【注】左，陽也。陽和則發生，故平居所貴。右，陰也。陰凝則肅殺，故用兵所貴也。

【疏】左，陽也；右，陰也。陽好生，陰好殺；好生故平居所貴，好殺故用兵所貴。

【義曰】帝出乎震，物生於東。春主發生，夏爲長養。天道左旋，所以左爲陽，而順生成之道也。萬物肅殺於西，秋主殺也；藏伏於北，冬主藏也。月配陰而主刑，金居西而主兵，所以右爲陰，而逆殺伐之道也。君子體仁以利物，故平居則貴左；用兵法義而尚刑，故貴右也。

兵者不祥之器，

【注】祥，善也。好兵者尚殺，故爲不善之材器。

非君子之器，

【注】君子以道德爲材器，不尚〔一〕兵謀。

【疏】上文云佳兵者不祥之器，所以明用兵則尚右而好殺，有道者故不處之。此云兵者不祥之器，對結上文，明非君子之器。君子以道德爲材器，故無不〔二〕利爾。

【義曰】君子所習也，稽十三皇五帝之道德，祖述唐虞夏殷之仁義，憲章文武周孔之禮樂，將以經天下，濟萬物，垂後王，祐來世。時之遇也，則開物成務；時之不也，則卷而懷之。故無所不利矣。上云佳兵爲不祥之器，有道者不處，示其所習之初，務在於道德，不在於兵謀，而習兵謀者，非君子所務。習之已成，必將用之，用兵之旨，明在下文。

不得已而用之，恬淡爲上。

【注】戎狄來侵〔三〕，故不得已。善勝不争，故恬淡爲上。

〔一〕「尚」，易縣唐碑本作「貴」。

〔二〕「不」，原無，據唐玄宗御製道德真經疏卷四及文意補。

〔三〕「戎狄來侵」，唐玄宗御注道德真經卷二作「夷狄内侵」，易縣唐碑本作「戎狄來侵」。

【疏】夫文德者，理化〔一〕之器；兵謀者，輔助之材也。故云文則經緯天地，武則剋定禍亂。雖天生五材，廢一不可，而武功之用，定節制宜，是知用之有本末，行之有逆順，在乎事不得已，然後應之。謂四夷來侵，王師薄伐，所當示之以恩惠，綏之以道德。既同蚊蚋之螫，故無憑怒之心。推此而言，是以恬淡爲上。

【義曰】聖人制法垂訓也，隨時降殺，與代污降。太上之君以道爲化，其次以德，其次以仁。道德既衰，澆訛時扇，故文武之道用焉。文，訓之以禮樂仁義；武，訓之以奇正權謀。文經天地，而武定禍亂；文爲本，而武爲末；文爲體，而武爲用。夫子云「不教民戰，是謂棄民」也。有文事，必有武備。所以夾谷之會，宣武備而斬徘優，齊侯畏之，歸龜陰之田，成禮而退，斯則武爲文之輔，文爲武之主也。經緯天地者，南北爲經，東西爲緯，窮鬼神之情狀，明造化之變通，九流以清，百度以貞，所謂觀乎人文以化成天下，故文王以爲謚焉。剋定禍亂者，謂凶暴及人曰禍，反德肆逆曰亂，得獲〔二〕曰克，所以黄帝誅蚩尤，舜誅三苗，湯克桀，周克紂，秦殄六國，漢定三秦，除暴害之

〔一〕「化」，原作「伐」，據唐玄宗御製道德真經疏卷四改，道德真經玄德纂疏卷八作「代」，也可通。

〔二〕「獲」，原作「儁」，據道德真經廣聖義節略卷二改。

政，剪亂逆之根，拯活生靈，非殺人以取勝也。故武王以爲謚矣。此則明本末，審逆順，不得已而乃用之矣。四夷來侵者，周宣之時，犬戎數犯中國，出師禦之，故詩稱伐殺獫狁是也。天生五材，五者，謂金木水火土也。五行遞運，帝王執而用之，若用材器爾，故曰五材。言其所用互爲終始，闕一不可也。師禀帝王之命者，謂之王師。師，衆也。在易爲師卦，坤上坎下。薄伐者，薄，辭也，言我伐於彼也。凡曰王師，有鍾鼓曰伐，無鍾鼓曰侵。王師所征，先示武威，取其畏伏，兼示恩信，使其懷來，非逞志於梟擒，非肆怒於剪撲。師出有名曰順，無名曰逆。觀夫四夷侵斥，類蚊蚋之噆膚，非爲中國大患，固無傷於道德，所宜綏以恩惠，化以淳和。無憑怒之心，是恬澹爲上也。所以宜僚弄丸而解難，叔敖安寢而投兵，不舉干戈，坐以制勝，此其上也。

勝而不美。而美之者，是樂殺人。

【疏】夫不能以德懷來，而用兵求戰勝，故雖尅勝，猶慚德薄，不以爲美。夫勝必多殺，故以勝爲美者，是樂殺人。

【義曰】聖人之柔服四夷，底平禍亂，以文德懷之，使其化善，不在用兵。今既德之不逮，方以兵威取勝。既勝於敵，樂而美之，無内慚之德，無惻隱之心，是樂殺人也。昔季札觀大護之舞曰：「聖人之弘也，猶有慚德。聖人之難也。」言湯之伐桀，始用干戈，故有慚德。論語曰：「武盡美矣，未盡善也。」言以征伐取天下，故曰未盡善也。

夫樂殺人者，不可得志於天下。

【注】制勝於敵，必喪[一]其人，故不以爲美也。夫勝必多殺，若以勝爲美者，是樂多殺人也。樂多殺人，人必不附，欲求得志，不亦難乎？

【疏】夫天地好生，物皆含養。仁人者當順天德，以全濟爲務，焉可苟逞詐力，以快貪殘？貪殘之人，人必不附，欲求得志，不亦難乎？故好樂殺人，則不可得志於天下矣。

【義曰】夫仁者之心，稱物平施，順陽和以愛育，得慈惠以撫安。其於物類也，尚懷憫護，不欲一物失所。禮云：「見其生不忍見其死，聞其聲不忍食其肉。」又弊蓋埋狗，弊帷埋馬，弊車瘞牛。陳安世暑月不行，畏踐蟲蟻，殺伐草木。若其時昆蟲未蟄，不以火田。此皆仁憫之道也。順天養物，理在兹乎？安肯勦衆命而取功名，樂殺人而圖富貴哉？若以伐殺之多爲美，譎詐之勝爲能，恣毒貪殘，必爲人之所畏，人畏則孰敢

［一］「喪」，唐玄宗御注道德真經卷二、易縣唐碑本、道德真經玄德纂疏卷八作「哀」。

親附之矣？既無親附之衆，獨運暴横之心，欲求得志於天下，信爲難矣。東昏〔一〕歸命，昌邑〔二〕高洋，禍敗滅亡，足爲鑒戒。

吉事尚左，凶事尚右。

【疏】左陽而生則吉，故吉事尚左；右陰而殺則凶，故凶事尚右。禮記檀弓曰：「夫子與門人立，拱而尚右，二三子亦尚右。夫子曰：『二三子之嗜學也，我則有姊之喪故也。』二三子復尚左。」

【義曰】左爲陽，德主生，故居常則尚左。今人賓主之位及拱手之禮，皆左爲上而尊也。右爲陰，主死，今人喪禮皆尚右。夫子有姊之喪，拱而尚右，弟子不知其故，因而傚之。夫子言其好學也如此。及知非吉，故復尚左。檀弓，禮記第四篇名也。顔回習夫子之道，首冠諸生，稱爲亞聖。嘗問於夫子，曰：「夫子言，回亦言；夫子辯，回亦辯。夫子不言而信，不比而周，無器而成，回不知所以然而然。瞠視塵躅，則不及

〔一〕「東昏」，南朝齊蕭寶卷，齊明帝次子，即位後荒淫殘暴，曾鑿金爲蓮花布於地上，令所寵潘妃行其上，謂爲「步步生蓮花」。後爲蕭衍所殺。和帝立，追廢爲東昏侯。

〔二〕「昌邑」，漢武帝孫昌邑王劉賀，因其荒淫被廢，史稱漢廢帝，後爲海昏侯。

矣。」弟子嗜好於學也，如此尚不能盡夫子之道，況於不學乎？

偏將軍處左，上將軍處右，

【注】偏將軍卑而處左者，不專殺也；上將軍尊而處右者，主以兵謀也。

言以喪禮處之。

【注】喪禮尚右，今上將軍居右者，是以喪禮處置之。

【疏】上將軍專殺則處右〔一〕，偏將軍爲副，不專殺，故處左。今左尊而右卑，上將軍居右者，言用兵之道同於喪禮。　喪禮尚右，今上將軍居右，是以喪禮處置之爾。

【義曰】喪禮尚右，死事屬陰，上將軍專殺，故主死事。國之出軍，上將軍登壇，天子齋戒，授以斧鉞，蓋使其專殺也。鑿凶門而出，主死事也。故云兵者凶器，又云兵者人之司命也。將有謀則死者反生，將無謀則生者反死，況戰者危事，投之死也，豈非喪禮乎？　偏將軍既不專殺，居吉位而處左也。

〔一〕「上將軍專殺則處右」，唐玄宗御製道德真經疏卷四作「上將主軍則專殺，故處右」。

殺人衆多，以悲哀泣之，

【注】以生靈之貴，而交戰殺之，有惻隱〔一〕心，故以悲哀傷泣之爾。

【疏】夫戰而求勝，必殺人衆多；勝而不美，故悲哀傷泣。夫人惟邦本，本固邦寧。今交戰殺之，故仁心惻隱，爲之哀泣，不亦宜乎？

【義曰】以戰而勝者，則殺人衆多矣。且人之生也，九天分氣，十月孕神，含陰吐陽，法天象地，萬物之内，人稱最靈。國之得人，猶魚之有水。故尚書五子之歌曰：「皇祖有訓，民可近不可下；人惟邦本，本固邦寧。」此言太康尸位，盤遊無度，有窮後羿因民不忍，拒於河，以其滅德，民棄之而不固也。所以民弱則國危，民聚則國霸。今圖功名而好戰，貪土地而殺人，驅彼生靈，陷之死所，有道之士、君子之人安得不哀傷之乎？故下經云抗兵相加哀者勝。泣，悲也。

戰勝，以喪禮處之。

【注】勇士雄人戰而獲勝，勝則受爵，居於右位。尚右非吉，是以喪禮處置之。但以

〔一〕「隱」，道德真經玄德纂疏卷八作「仁」。

爲不祥之器，何必縞素爲質〔一〕也？

【疏】夫戰而獲勝，勝則受爵，武功居右，是非吉位。故云喪禮處之。但以戰爲不祥之器爾，亦何必服縗扶杖，然後稱之爲喪禮乎？諸注此義者皆云古有斯禮，尋閲墳典，既無所據，今所未安，故不録也。又引秦伯向師而哭者，此乃哀敗，非戰勝也。

【義曰】獲勝受爵者，功高遷上將之位，亦是處以喪禮也。兵爲不善之器，戰爲殺伐之資。勝則殺彼，敗則殺此，皆吾民也。安不痛哉？聖人以之悲傷，君子以之惻惘，故當處之以喪禮也。縗杖者，喪服也。但殺於人，即宜悲愍，何必縗杖然後爲哀乎？或者云古者出師，天子素服，泣而送之，禮經之中、墳典之内皆無此説。以此無據，疏特明之。典者，五帝之五典也；墳者，三皇之三墳也。秦伯向師而哭者，春秋僖三十二年：「秦伯伐鄭，秦大夫杞子戍鄭，使告于秦曰：『鄭人使我掌其北門之管籥，若潛師而來，國可得也。』秦伯訪於大夫蹇叔。蹇叔曰：『勞師以襲遠，非所聞也。師勞力竭，遠主備之，無乃不可乎？師之所爲，鄭必知之。且行千里，其誰不知？』秦伯辭焉。召孟明、西乞、白乙，使出師于東門之外。蹇叔哭之曰：『孟子，吾見師之出，而不

〔一〕「質」，唐玄宗御注道德真經卷二、易縣唐碑本、道德真經玄德纂疏卷八作「資」。

見其入也。』秦伯使人謂之曰：『爾何知？中壽，爾墓之木拱矣。』蹇叔之子預於師，哭而送之，曰：『晉人禦師必於崤，崤有二陵焉。其南陵，夏后皋之墓；其北陵，文王之所避風雨。必死是間，余收爾骨焉。』秦師遂東。過周北門，左右免冑而下，超乘者三百乘。王孫滿尚幼，觀之，言于襄王曰：『秦師輕而無禮，必敗。輕則寡謀，無禮則脱，入險而脱，又不能謀，能無敗乎？』及滑。鄭商人弦高將市於周，遇之，以乘韋先，牛十二犒師，且使遽告于鄭。鄭穆公使視客館，則束載、厲兵、秣馬矣。使皇〔一〕武子辭焉：『吾子淹久〔二〕於弊邑，唯是脯資餼牽竭矣。爲吾子之將行也，鄭之有原圃，猶秦之有具囿。吾子取其麋鹿，以間弊邑，若何？』杞子奔齊，逢孫、楊孫奔宋。孟明曰：『鄭有備矣，不可冀也。攻之不克，圍之不繼，吾其還也。』滅滑而還。晉原軫曰：『秦違蹇叔，而以貪勤民，天奉我也。奉不可失，敵不可縱。縱敵患生，違天不祥，必伐秦師。』欒枝曰：『未報秦施而伐其師，其爲死君乎？』先軫曰：『秦不哀吾喪，而伐吾同姓。秦則無禮，何施之有？吾聞之，一日縱敵，數世之患也。謀及子孫，可謂死君

〔一〕「皇」，原作「之」，據傳世左傳、道德真經廣聖義節略卷二改。

〔二〕「久」，原作「冬」，據傳世左傳、道德真經廣聖義節略卷二改。

乎？』遂發命，遽興姜戎。襄公墨縗，梁弘御戎，萊駒爲右。夏四月辛巳，敗秦師于崤，獲百里孟明視、西乞術、白乙丙以歸。遂墨以葬文公。晋於是始墨。文嬴請三帥，曰：『彼實構吾二君。寡君若得而食之，不猒，君何辱討焉？使歸就戮于秦，以逞寡君之志，若何？』公許之。先軫問秦囚。公曰：『夫人請之，吾舍之矣。』先軫怒曰：『武夫力而拘諸原，婦人暫而免諸國。隳〔一〕軍實而長寇讎，亡無日矣。』不顧而唾。公使陽處父追之。及諸河，則在舟中矣。釋左驂，以公命贈孟明。孟明稽首曰：『君之惠，不以纍臣釁鼓，使歸就戮于秦。寡君之以爲戮，死且不朽。若從君惠而免之，三年將拜君賜。』秦伯素服郊次，向師而哭曰：『孤違蹇叔，以辱二三子，孤之罪也。不替孟明，孤之過也，大夫何罪？且吾不以一眚掩大德。』蹇叔之哭，知其師必敗也；秦伯之哭，哀其師之敗也。皆非勝而哭之矣。聖旨制疏，委曲明之，恐後人增飾其謬耳。夫用兵好殺，君子不爲。大道好生，聖賢是則。但戰之勝敗，皆害於人，自可戒之而戢兵，豈必殺之而後哭？理身者，五欲内侵則五神疲散，六情中盛則六識交争，氣喪神疲，將虞殞謝，當固抑情斬欲，克保恬和。亦猶理國之君，不尚佳兵之美也。

〔一〕「隳」，傳世左傳作「墮」。

道德真經廣聖義卷之二十七

唐　廣成先生杜光庭　述

道常無名章第三十二

【疏】前章明佳兵不祥，故有道不處；此章明侯王守道，則萬物下〔一〕賓。首標無名，將以明道，次舉守道而能降瑞，「始制」下廣其制用，「譬道」下將示結成。

【義曰】兵之佳也，爲天下之凶；樸雖小也，爲天下之大。王侯能守，萬物所宗，道化既行，天地降瑞。不煩教令，民自和平。君保制御之功，物得依歸之所。萬國親附，如水朝宗于海焉。以兹善化之君，不在兵强之美也。

〔一〕「下」，唐玄宗御製道德真經疏卷四作「自」。

道常無名，

【注】道以應用爲常，常能應物，其應非一，故於常無名。

【疏】應用不窮，惟感所適，道之常也。常在應用，其應非一，故於常無名，故云道〔一〕常無名。

【義曰】道之爲用，無爲焉而無所不爲。統御陰陽，包羅覆載，乾以之動，坤以之寧。其通生也，爲天下之至通焉；其幽奥也，爲天下之至賾焉。應用無窮，周流不極，纖芥得之而生植，天地得之以圓方。而真常之道，澹然冥寂，不可得而名也。名言理絶，故常無名。

朴雖小，天下不敢臣。

【注】朴，妙本也。妙本精一，故云小而應用。匠成則至大，故無敢以道爲臣者。

【疏】朴，妙本也。語其通生則謂之道，論其精一則謂之朴。妙本精一，故云小耳；而應用匠成，通生一切，則至大也。故無敢以道爲臣者爾。

【義曰】端寂無爲者，道之真也，故謂之朴；生成應變者，朴之用也，故謂之道。道朴

〔一〕「道」，原無，據唐玄宗御製道德真經疏卷四、道德真經玄德纂疏卷九補。

一耳，非一而一，是謂真一。真一者，杳冥之精，真中之真也。一非多法，故云小。以此真一，生化萬殊，其大無大，其上無上，孰敢以道爲臣乎？臣者，下於君者也。春秋曰：「天有十日，人有十等。下所以事上也，上所以供神也。男曰臣，女曰妾。故王臣公，公臣大夫，大夫臣士，士臣皂，皂臣輿，輿臣隸，隸臣僚，僚臣僕，僕臣臺。馬有圉，牛有牧，以待百事。」普天之下，莫非王土，率土之濱，莫非王臣，而自古及今，無敢以道爲臣也。

侯王若能守，萬物將自賓。

【注】侯王若能守道精一，無爲而化，則萬物將自賓服矣。

【疏】言王侯〔一〕若能抱守妙本精一，無爲無事，則八埏仰化，四海歸仁，沐德飲和，將自賓服〔二〕矣。

【義曰】王者，四海之尊；侯者，五等之二。周設五等之爵，公、侯、伯、子、男也。先王制法，則有天子、諸侯、卿、大夫、士，亦有五等，而兼王焉。其制服土地，禮節降殺，亦

〔一〕「王侯」，唐玄宗御製道德真經疏卷四、道德真經玄德纂疏卷九作「侯王」。

〔二〕「服」，唐玄宗御製道德真經疏卷四作「伏」。

有五等。則以王統天下，諸侯各理其國，卿大夫士以爲陪臣，佐王者也。言侯王能守道者，舉其有土之尊，能守道化物，則八埏四海之人，仰其道德，歸其至仁，沐其盛德，歆其和煦，而自賓服矣。埏，封域邊陲也；賓，順也。外國順化，謂之賓服。要荒之外來附中國，則客禮而賓。附，率服也。

天地相合，以降甘露，

【疏】侯王守道以致和平，則無淩〔一〕沴災害。地平天成，二氣交泰，以相和合，降洒甘露，善瑞侯王也。

【義曰】諸侯守道於其國，王守道於天下，則能致天地和平，無災害氛沴之變。地平天成，不失其序，天地二氣交泰和合，而能降瑞也。易泰卦彖〔二〕云：「天地交，泰。」又云：「天地交而萬物通也，上下交而其志同也。」夫天地之道，陰陽相感，寒暑相循，氣交則萬物生化，各得其宜。萬物得宜，和氣交合，則禎祥降焉。甘露者，美露也，神

〔一〕「淩」，道德真經玄德纂疏卷九作「祆」。
〔二〕「彖」，按此處所引文字實出自泰卦象傳。

靈[一]之精、仁瑞之澤，其凝如脂，其甘如飴。一名甘露，一名天酒。禮斗威儀曰：「人君乘土王，其政太平，則甘露降。」稽命徵云：「稱謚正名，則甘露降於竹栢[二]。」孝經援神契云：「德至天則甘露降。甘露者，中和之氣也。」鶡冠子云：「聖人之德，上及太清，下及太寧，中及萬靈。則甘露降而物無不盛也。得而飲之，壽八百歲。」天文録云：「天乳一星在氐宿北，主甘露，星明則甘露降也。」逸書曰：「地平天成，稱也。言地平其化，天成所施，上下相稱爲宜也。」淩者，氣相亂也；沴，妖氣也；災，禍也；害，傷也；瑞，祥符也；致者，不召而至也。

人莫之令而自均。

【注】侯王抱守精一，則地平天成，交泰致和，故降洒甘露。夫甘露之降，蕭蘭俱澤，不煩教令而自均平，取譬侯王稱物平施者矣。

【疏】莫，無也。言天降甘露，惠施無心，人無命令，自均若一。亦如侯王稱物平施，無偏無黨。既惠化而大同，自東自西，亦何思而不服？又解云：言侯王守道以致善

〔一〕「靈」，道德真經廣聖義節略卷二作「虚」。

〔二〕「稱謚正名，則甘露降於竹栢」，文苑英華卷五百六十二引稽命徵作「稱謚正名，則葦竹受甘露」。

瑞，則人自和平，無煩命令，自然均一爾。

【義曰】蕭，艾蒿也；蘭，香草也；澤，潤也。侯王以道化人，天賜嘉瑞。國既有道，人自和平，不煩施令，自然均普。尚書洪範曰：「王道平平，無黨無偏；王道蕩蕩，無偏無黨。」民既和平，無偏曲之私，黨附之勢也。稱物平施者，易謙卦象曰：「君子裒多益寡，稱物平施。」言物之多與寡，皆得其施。裒其多者，以益於寡，是曰均平矣。惠化，仁化也；大同者，天下爲公也。自東自西者，詩文王之什文王有聲篇云：「自東自西〔一〕，自南自北，無思不服。」言武王作邑，鎬京行辟雍之禮，四方來觀者，皆感其德，心無不歸伏。自，從也，用也。謂有道侯王，天致善瑞，人自和平，東西南北，無不率服，不煩教令，均一平普。亦如四方之人，樂文武之化也。

始制有名。名亦既有，

【注】人君以道致平，始能制御有名之物。故有名之物，亦盡爲侯王所有矣。既，盡也。

【疏】制，御也。有名者，天下有名之物也。既，盡也。言侯王抱守精一，則天降善瑞，惠化無心，均平若一。如此始能制御有名之物。物歸有道，故有名之物亦盡爲王

〔一〕「自東自西」，今詩經大雅文王有聲篇作「自西自東」。

侯所有矣。

【義曰】有道侯王，天地合德，善瑞應之，上下無間，四海歸之，有名之物皆歸善化矣。四海者，侯王所統也。弘道建德，人皆化之。境寓之内，率土之濱，孰非侯王之物？亦猶山林非欲於飛鳥虎狼，茂盛深密，飛鳥虎狼自來歸之；江湖非欲於魚鱉蛟龍，廣大渺漫，魚鱉蛟龍自來歸之；王侯非欲於有名之物，道德仁惠，有名之物自來歸之；修身非欲於道，虚無沖寂，道自歸之。萬物感致，在於所修也；均一周普，天下和平，在於所化也；善之歸己，道之感通，物之從順，在於崇德也。

夫亦將知止。知止所以不殆。

【注】若侯王能制有名之物，則夫有名之物而〔一〕將知依止於侯王。知依止有道之君，所以無危殆之事。

【疏】殆，危殆也。侯王守道而化，萬物自賓服。則夫有名之物，亦將依止於侯王。能依止有道之君，所以無危殆之事矣。故云知止所以不殆。

【義曰】侯王道化合天，中外寧一，疆域之内，動植有名之物，皆隨其疆土爲王侯所

〔一〕「而」，唐玄宗御注道德真經卷二、易縣唐碑本、道德真經玄德纂疏卷九作「亦」，更恰。

有。物依有道之境，故無殆壞之危。任春夏以生成，隨秋冬之摇落，不夭不殰，無北無瘥，不爲外敵所侵，不爲淫刑所及，一一遂性，何危殆之有乎？此聖旨也。今釋侯王以道化人，應天降瑞，人歸其化，天下均平，侯王當守道撝謙，膺受符瑞，知止畏慎，以副天心，則無危殆之事。若覩其天瑞，束此人和，縱大其心，改易其志，矜功伐善，則祥不勝驕，其身危殆矣。昔紂宫中小鳥生大烏，以爲國興之瑞，矜憍肆欲，造作多端，以至亡滅〔一〕。老君恐後之帝王恃有祥瑞，因此憍矜，故戒之云知止所以不殆。

譬道之在天下，猶川谷之與江海。

【注】天降甘露，以瑞有道之君；在宥天下〔二〕，天則應之，猶川谷與江海通流爾。

【疏】此結侯王守道，則天必應之，故云譬有道之君在理天下，陶以仁德則自致太平，

〔一〕「昔紂宫中小鳥生大烏……以至亡滅」，孔子家語卷一五儀解：「哀公問於孔子曰：『夫國家之存亡禍福，信有天命，非唯人也？』孔子對曰：『存亡禍福，皆己而已，天災地妖不能加也。』公曰：『善！吾子之言，豈有其事乎？』孔子曰：『昔者殷王帝辛之世，有雀生大鳥於城隅焉，占之曰：「凡以小生大，則國家必王而名必昌。」於是帝辛介雀之德，不修國政，亢暴無極，朝臣莫救，外寇乃至，殷國以亡。此即以己逆天時，詭福反爲禍者也。』」

〔二〕「天降甘露，以瑞有道之君；在宥天下」，唐玄宗御注道德真經卷二作「天降甘露，以瑞有道；在宥天下」，易縣唐碑本作「天降甘露，以瑞有道。故譬有道之君，在宥天下」。

和氣感天，天瑞必應，猶川谷之水而與江海通流爾。

【義曰】守道侯王，德與天應，善化和合，以感太平。天應之禎祥，如川谷之通海。此聖旨也。今釋云若侯王上感天瑞，下得人心，四海萬方率爲臣妾，復能因其感瑞，夕惕兢修，翼翼乾乾，日慎一日。既無危殆之事，遠人慕其善化，重譯來賓，如川谷之朝宗，江波之赴海，遠近歸往，國祚繁昌矣。理身者以心爲帝王，藏府爲諸侯。若安静心王，抱守真道，則天地元精之氣納化身中，爲玉漿甘露，三一之神與己飲之；混合相守，内外均和，不煩吐納存修，各處玉堂瓊室，陰陽三萬六千神，森然備足，栖止不散，則身無危殆之禍，命無殂落之期，超登上清，汎然若川谷之赴海，而無滯著也。

知人者智章第三十三

【疏】前章明侯王守道則萬物自賓，此章明以〔一〕賓服有道之君，皆由自知自勝。自知則明了，自勝則全强；結以死而不亡，戒令不違天理爾。

〔一〕「以」，唐玄宗御製道德真經疏卷四作「所以」。

【義曰】侯王所以守道化行，萬物歸宗者，以其能了自知之明、自勝之强，知足不貪，勤行於道，所以道合天地，不失其常。得全分理之終，不爲夭枉之喪，故能允合，不違天理之戒也。

知人者智，自知者明。

【注】智者役用以知物，明者融照以鑒微。智則有〔一〕所不知，明則無所不照。

【疏】知，識察也。夫心與境合，是以生知；生知之心，識察前事，是名知法。

【義曰】心之惠照，無不周徧。因境則知生，無境則知滅，所以役心用智者，因境而起也。境正則心與知皆正，境邪則心與知皆邪。苦樂死生、吉凶善惡，皆由於此也。故心者，入虚室則欲心生，入清廟則敬心生。萬境所牽，心隨境散。善之與惡，得不戒而慎之乎？夫知人者爲智，尚書所謂「知人則哲」也。知人者，昔宋宣公捨其子與夷，而立其弟如，是爲穆公。春秋隱公三年：「秋，宋穆公疾，召大司馬孔父而屬之曰：『先君捨與夷而立寡人，寡人弗敢忘。若以大夫之靈，得保首領以没，先君若問與夷，其將何辭以對？請子奉之，以主社稷。寡人雖死，亦無悔焉。』孔父曰：『群臣願

〔一〕「有」，道德真經玄德纂疏卷九作「無」，易縣唐碑本也作「有」。

奉公之子馮也。』穆公曰：『不可。先君以寡人爲賢，使主社稷。若棄德不讓，是廢先君之本也，豈曰能賢？光昭先君之令德，可不務乎？吾子其無廢先君之功。』乃以[一]其子馮出居鄭，以讓與夷而立，是爲殤公。君子曰：『宋宣公可謂知人矣。立穆公，而其子享之，命以義夫。商頌曰：殷受[二]命咸宜，百禄是荷。其是之謂乎！』斯知人之至也。

【疏】言人役心生智，知前人之美惡者，則俗謂之智爾。若反照内察，無聽以心，了觀其心[三]，不生知法，能如此者，是謂明了。故云知人者智，自知者明。

【義曰】世人因境役心，乃至分别，察他人之善惡，考身外之短長，不求所以知，而求所不知，捨己傚人，以衒其智。是捨種種之民，而悦夫役役之佞，釋夫恬澹無爲，而悦夫啍啍之意，以亂天下者，智之過也。故上悖日月之明，下爍山川之精，中隳四時之施，蝡蝡之蟲、蛸翹之物，莫不失其性矣。孔子謂顔回曰：「無聽之以耳，而聽之以

〔一〕「以」，道德真經廣聖義節略卷二作「使」。
〔二〕「殷受」，原作「受殷」，據傳世左傳改。
〔三〕「了觀其心」，唐玄宗御製道德真經疏卷四作「了心觀心」。

心；無聽之以心，而聽之以氣。」於智忘智，在知忘知，觀妙守無，是爲明了。此莊子云孔子語顔回心齋也。

勝人者有力，自勝者强。

【注】能制勝人者，適可謂有力；能自勝其心使柔弱者，方可全其强矣。

【疏】勝人者，謂以權智〔一〕制勝於人，如此之人，適可謂之有力爾。自勝者，謂自能制勝其心，使心柔弱；柔弱之道，物不能加，故可全其强爾。故下經云「守柔曰强」，又曰「柔勝剛，弱勝强」。故云自勝者强。

【義曰】人或持君之權，以制於物，運其威勢，以臨於人，人望而畏之，是爲有力矣。而不知自以無爲之道，内伏其心，心既無爲，志則柔弱，心虚志弱，物不敢侵，是爲强矣。勝人者力盡勢移，則歸於死；自勝者心冥道契，必至乎仙。

知足者富，强行者有志。

【注】知止足者無貪求，可謂富矣；强力行者不懈怠，可謂有志節矣。

【疏】知足在心，心若知足，則無貪求，雖簞食瓢飲，傲然自足，可謂富矣。强勉力行，

〔一〕「智」，唐玄宗御製道德真經疏卷四作「勢」。

曾不懈怠，自知自勝，終久不渝，可謂有志節矣。

【義曰】貪之與廉，由心而已矣。心足者，雖顏子一瓢之飲、揚雄十金之産，不改其樂而常足焉。心不足者，雖申侯之專利不猒〔一〕、駟秦之車服滿庭〔二〕，而未嘗足矣。則顏子揚雄可謂富也。强力爲善，守道不回，可謂自勝而强，有不渝變之節矣。夫强者，在用道也。强大有道，不戰而尅；小弱有道，不争而得。信可强行於道，而堅其志節也。易曰：「君子以自强不息。」簞食者，論語云：「賢哉回也！一簞食，一瓢飲，處陋巷，人不堪其憂，回也不改其樂。」簞，小筐也。以簞爲食器，以瓢爲飲器。陋巷，隘巷也。言顏回固貧，而守道以自樂也。

不失其所者久，

【注】知足强力，不失其所恒，則是久於其道。

【疏】知足强力等行，人所常行，若不失所恒，即是久能行道者矣。又解云：動不失所

〔一〕「申侯之專利不猒」，左傳僖公七年「初，申侯，申出也，有寵于楚文王。文王將死，與之璧，使行，曰：『唯我知女，女專利而不厭，予取予求，不女疵瑕也。』」

〔二〕「駟秦之車服滿庭」，左傳哀公五年：「鄭駟秦富而侈，嬖大夫也，而常陳卿之車服於其庭。鄭人惡而殺之。」「秦」，原作作「泰」，據傳世左傳改。

者，則可以長久。

【義曰】知足不貪，安貧樂道，力行趣善，不失其常，舉動通時，自得其所者，所適皆安，可以長久。易曰：「不恒其德，或承之羞。」是則人之操行，務於恒久，不失其所也。失其所者，必蹈禍患。如鄭太叔段寵而無猒，大夫祭仲諫莊公曰：「不如早爲之所，無使滋蔓。蔓〔一〕，難圖也。蔓草猶不可除，况君之寵弟乎？」莊公不從。既而太叔命西鄙北鄙貳于己，侵地至于廩延，乃完城郭，聚人民，繕甲兵，具卒乘，將襲鄭。公命大夫子封帥車二〔二〕百乘以伐京。太叔入鄢。公伐諸鄢。五月，太叔奔共〔三〕，遂克之。初，以莊公之母武姜寤寐而生莊公〔四〕，名之爲「寤生」，遂惡莊公而愛太叔段。及段欲襲鄭，武姜將啓之。至是，既克段，乃寘武姜於城穎〔五〕，誓之曰：「不及黄泉，無相見

〔一〕「蔓」，原無，據左傳、道德真經廣聖義節略卷二補。
〔二〕「二」，原作「三」，據傳世左傳改。
〔三〕「共」，原作「恭」，據傳世左傳改。
〔四〕「寤寐而生莊公」，按「莊公寤生」之「寤」，實通「牾」，説文午部：「牾，逆也。」「寤生」指莊公出生時倒着生，即嬰兒脚先出來，乃難産。此處理解爲「武姜寤寐而生莊公」，實不明通假所誤。
〔五〕「穎」，傳世左傳作「潁」。

也。」既而悔之。潁谷封人考叔因食捨肉而諫。莊公納之，掘地及泉，與武姜隧而相見，爲母子如初。春秋書曰：「鄭伯克段于鄢，譏其失教也。」此言縱太叔之過，使其貫盈而後殺之，是不早爲其所，失所之致也。若太叔不失其所，安及此禍哉？

死而不亡者壽。

【注】死者，分理之終；亡者，夭[一]枉之數；壽者，一期之盡。夫知人勝人，必招殃咎；知足強力，動得天常。得天常者，死而不亡，是一期之盡，可謂壽矣。

【疏】死者，分理之終；亡者，夭枉之數；壽者，一期之盡。言委順得常，不失天理[二]，頹然任化，而去者得一期之盡，可謂壽矣。若不鞭其後，生理不全，雖單豹有嬰兒之色，張毅有豐高之貴[三]，不終天理，焉得謂之壽乎？故莊子曰：「天下莫壽乎殤子，而彭祖爲夭。」

〔一〕「夭」，易縣唐碑本作「殀」。

〔二〕「理」，道德真經玄德纂疏卷九作「和」。

〔三〕「雖單豹有嬰兒之色，張毅有豐高之貴」，莊子達生：「魯有單豹者，巖居而水飲，不與民共利，行年七十而猶有嬰兒之色，不幸遇餓虎，餓虎殺而食之。有張毅者，高門縣薄，無不走也，行年四十而有内熱之病以死。豹養其内而虎食其外，毅養其外而病攻其内。此二子者，皆不鞭其後者也。」

【義曰】人生天地間，有生則必有死。生者天地之委和，死者天地之委順。安其和而處其順，是得其常也。反此者，庸非夭乎？河圖曰：「人之生也，天與之筭，四萬三千二百筭，主日也；與之紀，一百二十紀，主年也。」此爲生人一期之數矣。得金丹不死之道者，則延而過之。無修養之益，有減奪之過者，則不足而夭枉之矣。黄庭經云：「百二十年猶可還，過此守道誠爲〔一〕難，唯待九轉八瓊丹，要復精思存七元，日月之華救老殘。」此明修之可以延益也。若守其素分，委任天和，乘化而來，任化而往，生也若浮，死也若休，盡所稟之一期，亦謂得其壽矣。不及此者，夭枉而亡也。莊子達生篇：「田開之謂周威公曰：『祝腎云：「善養生者，若牧羊然，視其後而鞭之。」魯有單豹者，巖居而水飲，不與人共利，行年七十而有嬰兒之色，不幸爲餓虎食之。有張毅者，高門懸箔〔二〕，無不走也，行年四十以内熱之病死。豹養其内而虎食其外，毅養其外而病攻其内。此二子者，皆不鞭其後也。』」謂其守一方之事，至於過理者，不及於會通之適者也。鞭其後者，去其不及耳。是二子不終天理，爲夭枉而亡也。達生化

〔一〕「爲」，太上黄庭内景玉經肝氣章作「甚」。

〔二〕「箔」，莊子達生篇作「薄」。

之旨，當生不樂，將死不懼，則殤子爲壽，彭祖爲夭也。莊子齊物篇云：「天下莫大於秋毫之末，而太山爲小；莫壽乎殤子，而彭祖爲夭。天地與我並生，而萬物與我爲一。」兔秋生毛曰秋毫也。凡人年十九已下爲殤。此明道與俗反爾。人世之情，小則企尚，大則驕盈。以道觀之，無盈無企，其致一也。死者，天子曰崩，諸侯曰薨，卿大夫曰卒，士曰不禄，庶人曰死。人之死生，雖賦以天命，然亦繫其所履。君子察其所履，而知其壽夭。易履卦云「視履考祥」是也。春秋：「楚伐宋，還師，鄭人享之九獻，用周人上公之禮也。庭實旅百，加籩豆六品。享畢，夜出，取鄭文芈之女二姬以歸。叔詹曰：『楚王其不以壽終乎！爲禮卒於無別，不可謂禮。將何以服〔一〕諸侯？』是以知其不遂霸也。」其後果敗於城濮，終爲商臣所弑焉。春秋僖十一年：「周襄王使内史過賜晉惠公之命，惠公受王命而惰〔二〕。史過歸，告王曰：『晉侯其無後乎？王賜之命，而墮於受瑞。先自棄也已，其何繼之有？夫禮，國之幹也；敬，禮之輿也。不

〔一〕「服」，傳世左傳作「没」，故文爲：「……叔詹曰：『楚王其不以壽終乎……將何以没？』諸侯是以知其不遂霸也。」

〔二〕「墮」，傳世左傳作「惰」，二字通。

敬則禮不行，禮不行則上下昏，何以長世？』十四年，惠公與秦戰於韓原，爲秦所擒。二十三年卒。」皆如史過、叔詹之言。是則君子察人所履之行，則知壽夭。況於修至道，餐元和，而不能長生乎？

道德真經廣聖義卷之二十八

唐　廣成先生杜光庭　述

大道汎兮章第三十四

【疏】前章明賓服有道之君，由能自知自勝；此章明能成光大之業，皆爲法道忘功。首標大道汎兮，示左右略無封畛；次云功成不有，明小大難與爲名；「是以聖人」下舉聖人不貴其身，以成光大之業。

【義曰】既明有道之君得自知自勝之用，能致壽而不亡；今舉君之德行如大道之無滯，不有其功，不恃其物，不爲其大，故能成其大業。汎兮之道言可左可右，不拘一方也。封，疆也；畛，田中道也。物生物成，不辭不有，非大非小，聖行圓通，不貴大其身，故成其尊大也。

大道汎兮，其可左右。

【注】大道汎兮，無繫而能應物，左右無所偏名。

【疏】汎兮者，無繫之貌也。言道之爲物，非陰非陽，非柔非剛，汎然無繫，能應衆象，可左可右，無所偏名。故莊子曰：「夫道未始有封。」

【義曰】大道之體也，凝而爲真一，融而爲萬化，汎然不繫，諭彼虚舟，無塊然之質。不昧然而昏者，非陰也；無赫然之象，不皎然而明者，非陽也。懸天載地，乾健而龍行，非柔也；委和順物，細入毫芒，非剛也。能顯能晦，能微能章，汎汎然無所繫著也；刻彫類狀，無所不爲，能應衆象也；旁通萬境，不局一方，可左可右也；一以貫之，爲天下式，無所偏名也；未始有封，無涯無略，涣而散也。無所不無，寂而歸也；無所復有，生化萬殊也。莊子齊物篇曰：「古之真〔一〕人，其知有所至矣。惡乎至？有以爲未始有物者，至矣盡矣，不可以加矣。未始有物〔二〕。其次以爲有物矣，而未始有封。」此言天地初分，人生其内，品物咸遂，性識真淳，心跡無爲，故無封執。其次，

〔一〕「真」，傳世莊子齊物論無。

〔二〕「未始有物」，傳世莊子齊物論無。

以爲未始有是非，是非既彰，道所以虧也。道既虧也，則有偏名矣。修身之士，當體道虛心，無所執著，以臻其妙。理國當坦然無爲，以合於道，通乎大方，歸於至理也。

萬物恃之以生而不辭，

【疏】言天地萬物皆恃賴大道通生之功，以全其生理。而大道生化〔一〕，妙本無心，雖則物恃以生，而道不辭以爲勞倦。又解云：物不辭謝於道爾。

【義曰】天之高也，道氣蓋之；地之厚也，道氣載之；萬物之繁也，道氣偏之。非大道運氣，孰能致其高廣、厚大、繁多之功哉？由道之所化，各得其生，生生成成，全備之理矣。道之生物也，無爲而物自生；道之化物也，無爲而物自化。雖因道而生化，而大道不以生化辭勞，物亦不以生化之恩歸功於大道。亦如雨露之施也，物自潤澤於下，物既不辭謝雨露之德，雨露亦不以灑潤稱功。所以聖主臨人，達賢利物，如大道生成，雨露膏潤爾。聖人忘功於上，民忘帝力於下，則合乎至化矣。

〔一〕「生化」，唐玄宗御製道德真經疏卷四作「化生」。

功成而不名有。

【注】言萬物恃賴沖用而生化，而道不辭以爲勞。功用備成，不名己有〔一〕。

【疏】功者，生成之功也。言大道生物之功備成，而不以其物爲己之有。又解：道之生物，雖則〔二〕功成，其功雖成，曾不名有，言忘功也。

【義曰】言於有也，則萬物之形各禀道氣，物得成就，皆道之功。非夫道氣禀之，則生成之功廢矣。而道之妙本，無有無名；道之妙用，無窮無已。物成而道不恃其力，物生而道不有其功。既不恃物爲我功，亦不執物爲我有，有無皆泯，功用都忘，不獨忘生物之功，亦乃忘萬物之有也。

愛養萬物而不爲主，常無欲，可名於小；

【注】愛養群材而不爲主宰。於物無欲，可則〔三〕名於小，言不可名小也。

【疏】此聲解義也。云可名於小者，不可名小爾。夫道生萬物，愛養熟成而不爲主

〔一〕「言萬物恃賴沖用而生化……不名己有」，易縣唐碑本無此句。

〔二〕「雖則」，唐玄宗御製道德真經疏卷四作「德備」，然道德真經玄德纂疏卷九也作「雖則」。

〔三〕「可則」，唐玄宗御注道德真經卷二、道德真經玄德纂疏卷九作「則可」。

宰。於彼萬物常無欲心，豈是道之狹小耶？故云可名於小者，言不可名於小耳。

【義曰】聲解義者，如修詞之人云其可得乎，是不可得也。以是詳之，則經所云可名於小，是不可名於小也。道之生化萬億之類，和氣周徧，巨細無遺，畜之養之，成之長之，愛護之功至矣，茂養之恩普矣；不爲主宰，各遂生成，無心於物，含育之恩大矣。此聖旨所解也。今釋云：有情有形，飛沉動植，纖芥之小，丘山之大，道氣覆育，力無不周，仁愛畜養而不爲主，物賴於道，不以爲功。雖鯤鵬大軀，固乘道而變化，焦螟細品，亦資道以裁成。故秋毫之小也，道氣存則温柔潤澤，道氣去則枯瘁凋零。秋毫不棄，可謂之小；充塞天下，可謂之大；不爲主宰，可謂忘功。斯則道之用也。能小能大，而非小非大，無所不小，無所不大也。

萬物歸之而不爲主，可名於大。

【注】愛養之，故萬物歸之。有萬不同而不爲主，可則名爲大。言不可名大〔一〕，非小非大，故以難名矣。

【疏】萬物歸之者，歸道生成之功也。言萬物歸道，道不爲主，而有此萬物。棄而不

〔一〕「言不可名大」，唐玄宗御注道德真經卷二無，然易縣唐碑本有。

收，豈是道不廣大？故云可名於大爾〔一〕。既云可左可右，所以非小非大。非小非大，固難與爲名。注云有萬不同者，莊子文也。

【義曰】道生成於萬物，物禀生成之功，各歸功於道，而道不爲主。任物自遂，非道之大，故聲解云可名於大乎。所以可名於小，是非小也；可名於大，亦非大也。非大非小，難可定名，是難與爲名也。有萬不同者，莊子天地篇：「孔子曰：夫道覆載萬物，洋洋乎大哉！君子不可不刳心焉，無爲爲之之謂天，無爲言之之謂德。愛人利物之謂仁，不同同之之謂大，行不崖異之謂寬，有萬不同之謂富。」此言有萬物之不同，我獨同之，可謂富有天下也。道無有二物則萬形，於物則有萬不同，於道則統之惟一，此聖旨所解也。今釋云：大道匿德藏名，怕然無象，是可名於小也。萬物生者自生，化者自化，使各遂性，不爲之主，是可名於大也。亦猶帝王以道育物，以德御民，考六氣之和，順四時之令，恩以篤之，義以正之，仁以愛之，禮以齊之，信以教之，賞以勸之，殺一草、伐一木必以其時，孜孜焉，煦煦焉，恐其失所也，可名於小矣。及夫物遂其性，民得其宜，上下交歡，天地和泰，謙恭端穆，讓德於天，不爲己有，

〔一〕「爾」，唐玄宗御製道德真經疏卷四該字後還有「言不可名大道爾」句。

不爲其主，可名於大矣。

是以聖人終不爲大，故能成其大。

【注】是以聖人法道忘功，不自爲光大，故能成其光大之業。

【疏】言理天下之聖人，布德施惠，淳風偃化，物遂生成，法道忘功，不自爲尊大，故能成其光大之業爾。

【義曰】聖人之理天下也，愛民恤物，巨細申恩，若可名於小矣；任物遂性，歸功於天，又可名於大矣。法道施化，布德及人，鼓以淳和之風，被以清静之政，忘功不有，不自尊高，故其盛業可大，聖德可大〔一〕。以其不爲大，故能成〔二〕此尊大。理身之士，汎然無著，若雲之無心，水之任器，可左可右，隨方隨圓，不滯於常，物來斯鑒。物雖廣不拘〔三〕應用之心，利物雖多不矜利濟之德。仁逮蠢動，未始爲私；衆善歸宗，不爲之主。是能彰非小非大之德，無自尊自伐之稱，可以契全真之大道矣。

〔一〕「大」，道德真經取善集卷五、宋陳景元道德真經藏室纂微卷六引杜光庭廣聖義均作「久」，更恰。

〔二〕「成」，原無，據道德真經取善集卷五引道德真經藏室纂微卷六引杜光庭廣聖義補。

〔三〕「物雖廣不拘」，道德真經藏室纂微卷五引杜光庭廣聖義作「物斯廣不伐」。

執大象章第三十五

【疏】前章明道可左右，則物被愛養之功；此章明王能用道，則人歸平泰之化。首標執象，以明歸往之義；次明樂餌，舉喻歸往之由；「道出口」下申明無爲不言之教，以勸人君用道爾。

【義曰】言理天下之聖人不自尊大而成其大業者，由其執大象而天下歸王，所以成光大之業也。象者，道也，亦猶恍惚中有象爾。天下所歸，各蒙其澤，聖人無察察之政以傷害之，故能致天地交泰。執大象而人歸者，喻以樂餌，所以八音乍奏，聞者悦其心，百味交陳，嘗者適其口，則行客爲其駐止矣。天下之人歸於有道，亦猶此也。至言不文，出口無味，大象無狀，視聽莫求。歷代用之，其用日新而未嘗窮竭矣。

執大象，天下往。

【注】大象，道〔一〕也。帝王執持大道以理天下，萬物往之矣〔二〕。

〔一〕「道」，唐玄宗御注道德真經卷二作「大道」，然敦煌道經伯三七二五道德經唐玄宗注也作「道」。

〔二〕「萬物往之矣」，唐玄宗御注道德真經卷二、易縣唐碑本、伯三七二五道德經唐玄宗注作「則天下萬物歸往矣」。

【疏】執，持也；大象，道也。此言人君執大道以理天下，無爲無事，物遂其生，候日觀風，皆歸有道。故云天下往。

【義曰】執，用也。大道非形，不可執有。聖人用道，可以理人。爲於無爲，事於無事，動植飛走，各遂其生。則航海駿奔，梯山麕至，皆歸用道之君矣。候日觀風者，昔聚窟洲在巨海之中，使者朝貢於漢，言於武帝曰：「臣之國去此三十萬里，國中常占候於天，若東風入律，百旬不休，青雲干呂，連月不散者，中國將有有道之君矣。臣國之主所以仰中土而慕道風〔一〕，薄金玉而厚靈物，故乃步天林而靖〔二〕猛獸，搜奇韞而出神香，濟弱水，度飛砂〔三〕，而朝於闕下。艱苦道途，十三年矣。」斯則有道之主，其德動天，風雲效祥，遐遠慕德矣。

〔一〕「臣國之主所以仰中土而慕道風」，海内十洲三島記之聚窟洲作「我王固將賤百家而貴道儒」。

〔二〕「靖」，海内十洲三島記之聚窟洲作「請」。

〔三〕「濟弱水，度飛砂」，海内十洲三島記之聚窟洲的相關文字作「濟弱淵」、「度飛沙」，道德真經廣聖義節略卷二也作「沙」。

往而不害，安平泰。

【注】物往而不傷害，則安於太平〔一〕矣。

【疏】言天下四方之人慕化而往，帝王以道綏撫〔二〕而不傷害之，則安於太平矣。平者，言政教之和平也；太者，功業之光大也。

【義曰】綏，宴安也；撫，安養也；泰，康泰也；平，和平也；害，傷害也。四方之人慕我道德，觀風候日，歸於聖人。聖人因而綏安養之，不以教令督責之，不以刑法傷害之，故遠近之人安其太平之政矣。政教和平，人俗康泰，然後功業光大，故曰安平泰也。論語曰：「遠人不服，修文德以來之。既來之，則安之。」斯則帝道皇風，無遠不屆矣。

樂與餌，過客止。

【注】樂，音樂也；餌，飲食也。言人家有音樂飲食，則行過之客皆爲之留止。如帝王執道以致太平〔三〕，亦爲萬物歸往矣。又解云：樂以聲聚，餌以味聚，過客少留，非長

〔一〕「太平」，唐玄宗御注道德真經卷二作「平泰」，伯三七二五也作「太平」。

〔二〕「綏撫」，唐玄宗御製道德真經疏卷五作「撫綏」。

〔三〕「太平」，唐玄宗御注道德真經卷二作「平泰」，伯三七二五也作「太平」。

久〔一〕也。是以蘧廬不可以久處，仁義覲之而多責。故人君體道清静〔二〕，淡然無味，始除察察之政，終化淳淳之人。故下文結云「用不可既」也。

【疏】樂，音樂也；餌，飲食也。此舉喻也。言人君執大象而天下之人歸往，亦如人家有音樂飲食，則行過之客皆爲留止爾。

【義曰】人君有道，天下慕之，如行過之客遇飲食、聞音樂而爲留止，莊子至樂篇云「咸池、九韶之樂，張之洞庭之野，人卒聞之，相與還而觀之」是也。夫樂者，歷代之所用也，樂以象天，奏之圓丘，則天神降；奏之方澤，則地祇升；鼓之以和八風，摟之以政四時。黄帝有咸池，堯有大章，舜有大韶，禹有大夏，湯有大濩，文王有辟雍，武王、周公有大武。樂以和之，人則安其性，故爲人之所重。王者功成而作樂，理定而制禮，所以通天地神明也。然此舉喻者，以道則長存。樂餌非久，所以樂悦於耳，樂罷而人散；餌以美口，食畢而衆離。雖留止於一時，故難期於久永。唯無爲理國，則衆歸而不可離；有道理身，神全而不可散。故下文云「道出口，淡無味」，又言「用不可

〔一〕「長久」，唐玄宗御注道德真經卷二作「久長」，伯三七二五也作「長久」。

〔二〕「静」，伯三七二五作「浄」。

既」，則非同樂餌有竭盡之期也。蘧廬者，結草之舍，非久處之所。仁義者，以兼愛而親，不可以久交。非若體道化人，人歸於道，淡然長久，詎可散乎？察察者，苛急之政也；淳淳者，和樂之風也。

道之出口，淡乎其無味。

【注】人君以道德清净爲之〔一〕教，初出於口，淡乎其無味，不如俗中言教，有親譽畏侮等爾。

【疏】道之出口者，言人君約道德清静〔二〕之法，以爲不言無爲之教者，初出於口，淡然無味，豈若俗中有親譽畏侮等以爲滋味乎？

【義曰】甘言美詞，所謂有味也。無爲之理，清净之訓，至道之言，其出淡然，安有滋味乎？俗中親譽之説，即此經第十七章之詞也，謂甘言以親之，美詞以譽之，或威令之言以畏之，狎慢之言以侮之。雖其有味，皆非至道矣。

〔一〕「之」，伯三七二五無。

〔二〕「静」，唐玄宗御製道德真經疏卷五作「净」。

視之不足見，聽之不足聞，用之不可既。

【注】道以鎮静〔一〕，初無言教，故視不足見，聽不足聞，而淳風大行，萬物殷阜〔二〕，歲計有餘，故用不可既。既，盡也。

【疏】既，盡也。道化無爲，澹然平正，既不爲察察之苛急〔三〕，又不爲滋彰之法令，故視不足見，聽不足聞，而歲計有餘，淳風和暢，動植咸遂，品物光亨，故用不可盡也。

【義曰】道之無言，其於言也，無味於口；道之無形，其於形也，無見於目；道之無聲也，無聞於耳。故咀嚼不得其滋味，視聽不得其見聞。不同苛急滋彰之令驚民耳目矣。物得其所曰平直，無私曰正，法細曰苛，徵賦迫促曰急。禁令太明，察察也；法外立辟，滋彰也。滋，多也；彰，顯也；阜，積也。所以民之耳目，日有見聞，畏淫苛狂暴之刑，逾於履薄，懼督察滋彰之令，甚若臨深，投足措手，不知其所矣。豈若以道臨御，不可見聞，淳風潛行，萬物和暢，用之不可以窮盡矣。歲計有餘者，莊子曰：「老聃

〔一〕「道以鎮静」，唐玄宗御注道德真經卷二、伯三七二五作「以道鎮浄」，易縣唐碑本、道德真經玄德纂疏卷十也作「以道鎮静」。

〔二〕「殷阜」，道德真經玄德纂疏卷十作「和泰」。

〔三〕「苛急」，唐玄宗御製道德真經疏卷五作「苛酷」。

之役有庚桑楚者，得老聃之道，居喂壘之山〔一〕。三年，其俗大穰。其民相與言曰：「庚桑子之始來，吾洒然異之。今吾日計之而不足，歲計之而有餘。庶幾其聖人乎？」言其德惠潛及於物，而致豐穰。況帝王奄有四海，爲天下君，以道垂衣，天下蒙其化信矣。人之修道於身者，心無思慮則神氣全，情無嗜好則愛惡息，不感於視聽，不泊於恬和，玄德潛充，道可冀矣。

〔一〕「居喂壘之山」，傳世莊子庚桑楚篇作「以北居畏壘之山」。

道德真經廣聖義卷之二十九

唐　廣成先生杜光庭　述

將欲歙之章第三十六

【疏】前章明能行道化，人所歸往；此章明道或用權，國之利器，歸往則安〔一〕於平泰，利器則不可示人。初標歙張之權，次示柔弱之行，終結淵魚之喻，以明權道之微。

【義曰】道之爲化，應變隨機。其於上古也，則君任於道，臣富於德，民全於和，故視不可見，聽不可聞，用不可既。及乎代云澆薄，俗已遷訛，玄妙難明，希夷靡測。將欲頓歸淳樸，遽汰澆漓，至音寂寥，尋求遐邈，聖人教理代之主，持權變之機，示歙斂開張之門，以遏奸詐，反與奪廢興之用，以檢回邪。攝奸詐可復於忠良，束回邪可歸於

〔一〕「安」，唐玄宗御製道德真經疏卷五作「歸」。

正直。明此權變，雖非至理之本，亦乃助理之方。故謂爲國家之利器也。用利器之主，亦猶用兵馬，不得已而用爾。猶須柔弱其行，微明其機，不以其權示於非人，如魚之不可失水。魚失水則死，人失機則敗。素書曰「陰謀外泄者敗」，易曰「機不密則害身」，此之謂矣。

將欲歙之，必固張之；將欲弱之，必固强之；將欲廢之，必固興之；將欲奪之，必固與之。

【疏】歙，斂也。此明聖人用權道，以攝化衆生也。夫人既有鈍根利根，故教有權有實。聖人欲量衆生根性，故以權實覆卻相明。利根衆生，見善則遷，有過則改，略示方便，深達根原。

【義曰】聖人設教，分權實二門。上士利根，了通實教。中下之士，須示權門。權門變通，其法甚廣。依經所判，略具四門。夫根者，謂智性之根也。人之所稟，真元道性，能生衆智。如草木之根，生花結實，展轉相生，故名根也。性之生智，亦如此焉。稟受之性，由其氣也有清濁不同，性有利鈍差別。氣清和者生乃穎利，才智過人，明古達今，問一知十。此人根性既利，了悟圓通，見可而進，知難而退，見善如不及，聞惡如探湯。故能見善則遷，有過則改，明方便之法，知進趣之途，不俟權道誘之，自達真實之教矣。四門者，歙、弱、廢、奪也。

【疏】鈍根衆生，惑滯滋久。自非以權攝化，不可令其歸往。故將歙斂其情欲者，則先開張，極其侈心，令自困於愛欲，即當自歙斂矣。强弱等義，亦復如是，推而行之，無不信矣。乍聞斯語，以爲非道德之意；深達玄極，然後明權實之由。故注云「君子行權，貴於合義；小人用之，以爲詐譎」，下文又云「不可以示人」者，正爲〔一〕權道之難故爾。

【義曰】鈍根之人稟氣濁雜者，則生頑鈍，智識不通，莫辯是非，豈知善惡。或復貪性狠戾，徇欲恣情，動陷罪纏，永乖人域。聖人常善救物，俯念含靈，示以權門，令其自悟。故開四門權道，以攝化之。第一「將欲歙之，必固張之」者，攝其心也；第二「將欲弱之，必固强之」者，攝其性也；第三「將欲廢之，必固興之」者，攝其欲也；第四「將欲奪之，必固與之」者，攝其貪也。夫心廉則道契，心侈則過生；因侈獲過，自思復〔二〕其廉矣。此歙斂其心之權矣。性弱則德全，性强則禍起；因强起禍，自思復其弱也。此伏性挫强之權也。寡欲則行清，多欲則神濁；欲深濁極，自思復其清矣。此廢欲清神

〔一〕「爲」，唐玄宗御製道德真經疏卷五作「以」。
〔二〕「復」，原作「獲」，據道德真經衍義手鈔卷九引杜光庭廣聖義及前後文意改。

之權也。不貪則儉約，極貪則殃身；因貪獲殃，自思復其儉矣。此修儉奪貪之權也。皆先極其侈心，使自困於貪欲，然後反性修道也。乍聞者以爲非無爲自化之旨，然性有利鈍之别，悟有漸頓之殊。頓悟者不假於從權，漸化者須資於善誘，乃有權實之别爾。權道教人，合歸乎大義，故云貴於合義也。小人輕弄權道，因其〔一〕詐欺，故不可以輕示於非道之人矣。論語云：「可與立，未可與權。」言用權之難也。陰符曰：「君子得之固躬〔二〕，小人得之輕命。」此之謂歟？

是謂微明。

【注】經云「正言若反」，易云「巽以行權」。權，反經而合義者也。故君子行權，貴於合義；小人用之，則爲詐譎。孔子曰：「可與立，未可與權矣〔三〕。」故老君前章示執大象，斯謂之實；此章繼以歙張，是謂之權。欲量衆生根性，故以權實覆卻相明，令必致於性命之域。而惑者乃云非道德之意，何其迷而不悟哉！故將欲歙斂衆生情欲，則

〔一〕「其」，道德真經衍義手鈔卷九引杜光庭廣聖義作「以」。

〔二〕「躬」，原作「窮」，據傳世陰符經改。

〔三〕「矣」，唐玄宗御注道德真經卷二、易縣唐碑本、道德真經玄德纂疏卷十、伯三七二五作「信矣」，故前後點斷爲：「孔子曰：『可與立，未可與權。』信矣。」

先開張，極其侈心，令自困於愛欲，則歙斂矣。强弱等義，略與此同。此道甚微，而效則明著。故云是謂微明爾。

【疏】權道攝化，其理甚微；校其所中〔一〕，效則明著。故云是謂微明。

【義曰】權道至微，用之則明；校量其效，可謂彰顯矣。著，明也。夫聖人屬念，上士遊心，玄契無爲，冥符至道。而權實之教安所用哉？所以權教之設，爲中下之智耳。亦猶用兵之道也。上智伐謀制敵，不在於興師，坐籌決勝，折衝千里，而下智昧於機變，必俟交兵，上決頸領，下剖肝肺，然後方知勝負之勢，徐議進退之方。如此昧於變通，必須示其權法，因權變正，可謂無棄於人矣。「巽以行權」、「可與立」之義，已具別解。

柔弱勝剛强。

【注】巽順可以行權，權行即能制物。故知柔弱者必勝於剛强矣。

【疏】易云「巽以行權」，欲明巽順謙卑則可以行於權道。故欲翕先與之張，欲弱先與

〔一〕「中」，唐玄宗御製道德真經疏卷五作「由」。

之强，而卒令其歙弱者，是柔弱之道能制勝於剛强也。故云「柔勝剛，弱勝强[一]」。若不能順時制變，則權不可行矣。

【義曰】易下繫云「巽以行權」。巽，順也，既能順時合宜，故可以行權也。夫巽者，齊也，順也。東南之卦，春夏之交，斗柄東南，萬物潔齊矣。巽主申明號令，以示法制，故云「巽，德之制也」。又巽主於風，帝王號令，猶風之行教，能稱揚號令而不彰伐，以自幽隱，故曰「巽稱而隱」。以是言之，巽有柔順、潔齊、幽隱、不伐。具此四德，復能發號施令，應變制宜，方可行於權道。由此而論，權道不可輕而議之也。若合義能行，則可以化惡爲善，興國利民；不能者則害性傷身，卒爲詭詐矣。人君教獷惡之人以權制變，然更守以柔弱，示之謙和，則剛强之人咸遵其柔德矣。

魚不可脱於淵，國有利器不可以示人。

【注】脱，失也；利器，權道也。此言權道不可以示非其人。故舉喻云魚若失水[二]，則爲人所擒；權道示非其人，則當竊以爲詐譎矣。

[一]「柔勝剛，弱勝强」，唐玄宗御製道德真經疏卷五作「柔弱勝剛强」。

[二]「水」，唐玄宗御注道德真經卷二作「淵」，道德真經玄德纂疏卷十、易縣唐碑本、伯三七二五作「泉」。

【疏】脱，失也；利器，權道也。夫魚之在水，猶人主秉權。魚失水則爲人所擒〔一〕，權道假示非其人則爲小人所竊弄而爲詐譎矣。

【義曰】魚之處淵也，失水則死，得水則生。人君用權道也，得其人則爲善，失其人則爲敗。魚能潛深潭，匿巨浸，不貪餌，不吞鉤，則無失水之憂也。人君能任賢良，委忠正，斥奸佞，塞回邪，則無失權之歎矣。魚失水則爲人所擒，君失權則小人得志。竊人君權道而弄之者，必反白以爲黑，反善以爲惡，肆其奸邪，縱其殘酷。所以豎牛之廢嫡立庶，傾陷於穆子之家；趙高之疾正害忠，隳亡於秦祖之業。民罹其禍，人怨其君，民散國危，不可以救矣。説文曰：「詐，欺也。」譎者，謬欺於天下也。譎者，春秋晋文公使楚怒而戰，乃執曹侯，卑於宋，楚果伐宋。文公因而戰楚，楚師敗績。文公復召周襄王於河陽，以諸侯見，且使王狩。故大合諸侯，而欲以尊事天子，以爲名義。自嫌强大，不敢朝周，喻天王出狩，因得盡君臣之禮，皆譎而不正之事也。仲尼曰：「以臣召君，不可以訓。故書曰：『天王狩于河陽。』非其地也。」若此尚謂之譎謬，况奸臣小人弄權欺主，得不戒而自悔乎？修道之士，内正其心，外正其行，内外惟一，貞

〔一〕「魚失水則爲人所擒」，道德真經玄德纂疏卷十作「魚之失水，猶主之失權，則爲人所擒」。

正無邪，然後屬心動念，可以昭感真靈。如其言行相違，邪而不正，雖屈伸俯仰，外飾其容，信無益矣。

道常無爲章第三十七

【疏】前章明道或用權，示以歙張之術；此章明權必合義，將鎮無名之樸。故道無爲，侯王守之而自化；樸不欲，天下以静而自清。老君因言以明無言，説教而欲遺教，故演暢此章於上經之末，將寄兼忘於玄悟之人爾。

【義曰】人君之理天下也，以實教齊君子，以權教伏小人，以無爲之道統權實二教，以爲化本。夫實教者，君君臣臣、父父子子，禮樂仁信，以正萬方。人君與君子服而行之，垂法四海。小人者進不親於仁義，退將陷於刑章，若不以權道誘之，改惡爲善，因而淪喪，斯爲棄焉。老君曰「人無棄人」，故設權道教之，亦使歸善，兼濟天下，皆可復朴矣。朴者，妙本之道也。侯王守而用之，萬物自化，設欲變易，常以無爲鎮之，則天下静而正矣。修道之士，聖人以玄功難懋，世欲易迷，設科戒儀範之文，用齊其外；著注念神凝之法，以正其心。復以鍊氣胎元之方，制其食味；祈真朝謝之品，滌其過尤。

然後趣於學無學之途，臻乎冥寂；栖於損之又損之府，契乎無爲。則邪譎之關之不開，鎮静之淳和可致。

道常無爲，而無不爲。

【疏】道性清静，妙本湛然，故常無爲也。萬物恃賴而生成，有感而必應，故無不爲也。夫有爲者則有所不爲也，故無爲者則無不爲矣。

【義曰】道性無雜，真一寂寥，故清静也；玄深不測，如彼澄泉，故湛然也。寂然不動，無爲也；感而遂通，無不爲也。無爲者，妙本之體也；無不爲者，妙本之用也。體用相資，而萬化生矣。若扣之不通，感之不應，寂然無象，不能生成，此雖無爲，何益於玄化乎？若復循迴不息，動用不休，役役爲勞，區區無已，此之有爲也，何所寧息乎？當在爲而無爲以制其動，在無爲而爲以檢其静，不離於正道，無滯於回邪，可與言清静之源矣。

侯王若能守，萬物將自化。

【注】妙本清静，故常無爲；物恃〔一〕以生，而無不爲也。侯王若能守道無爲，則萬物自化。君之無爲，而人淳朴矣。

〔一〕「恃」，唐玄宗御注道德真經卷二作「時」，伯三七二五、易縣唐碑本也作「恃」。

【疏】侯王若能守道清静，無爲無事，則萬物將自感化，君之善教而淳朴矣。

【義曰】君王理萬方，諸侯率一國，俱能用無爲之道、清静之化，萬物化於下，侯王静於上，可謂至理矣。教而後化，是從而化也；不教而化，是自化也。教而化者，無不爲而能化物也；不教而化者，無爲而自臻於化也。

化而欲作，吾將鎮之以無名之朴。

【注】人既從君上之化，已無爲清静〔一〕，而復欲動作有爲者，吾將以無名之朴而鎮静之。無名之朴，道也。

【疏】無名之朴，道也；欲作者，動作有爲也；吾者，侯王〔二〕自稱也。言人禀承善教以化，君德無爲清静矣；而復欲動作有爲者，吾則將以無名之朴以鎮静之，令其清静不動作也。

【義曰】夫應用則爲道，道有强名也；攝迹復歸朴，朴無名也。侯王以道化人，人禀其化，皆清静矣。若復他境所牽，人欲動作者，侯王復以道之妙本、無形無名之至朴鎮

〔一〕「静」，伯三七二五作「浄」。

〔二〕「侯王」，唐玄宗御製道德真經疏卷五作「王侯」。

靜其心，不令有爲動作，常合於道化清静也。人之修道，融心寂神，已有通感，而世塵妄起，外念忽生，將超躁競之途，或溺是非之境，即可急詣静室，思玄念真，以無爲之道鎮其心靈，制於妄想，如水之濁，徐以澄清，則三尸不能干，百邪不能擾，魔試都息，造於虚無之階矣。

無名之朴，亦將不欲。

【疏】上言凡人欲動作有爲者，人君則將無名之朴而鎮静之；今言於彼無名之朴，亦將不欲者。夫所以鎮無名之朴，爲衆生興動欲心〔一〕。若復執滯無名，還將有迹，令此衆生尋迹喪本，復入有爲，則與彼欲心等無差别。

【義曰】凡人既化清静而復動作有爲，以積習生常，沉迷日久，亦猶水難清而易濁，性難澄而易昏，心難静而易動，志難久而易退。人君當以妙本之朴鎮而静之。亦既静矣，又當兼忘所執，都令泯然，則冥寂玄通，洞達真妙。是令衆生不滯於迹，聖人不滯於空，空有兩忘，盡登正觀矣。

【疏】故初用無名之朴，以鎮静蒼生欲心。蒼生欲心既除，聖人無名亦捨。喻如藥以

〔一〕「夫所以鎮無名之朴，爲衆生興動欲心」，唐玄宗御製道德真經疏卷五無。

理病，病愈而忘藥；舟以濟水，水濟而遺舟。若水已濟而仍守舟，病已除而復嘗藥，豈唯不達彼岸，亦復更生患累矣。

【義曰】既已静於人性，復能遣其無名。如既濟而忘舟，病愈而忘藥，可謂達真修之要矣。夫舟藥者，喻言教也。衆生輪回世網，迷惑有無，漸染六塵，牽緣衆惱而爲病也。老君演無爲之訓，叙弘救之功，以此真經爲理病之良藥。因經開悟，迷惑自祛，洗内染之塵，絶外牽之惱，積病既愈，世網盡除。然須遣教忘言，混融歸道矣。又以世間衆惱，生死輪迴，流浪真元，漂沉正性，有如巨海陷溺，衆生逐境隨波，無由超度。老君以此經玄妙，理國濟人，於愛欲海中拯拔群品，因經得濟。如乘巨舟横截迅流，超登彼岸，欲波不能蕩其性，愛浪不能溺其心，出積苦之庭，踐長生之域。既已濟矣，然當忘所乘之舟，捨所執之行，栖神無何之境，遊心自得之鄉，是可謂虚而保真，清而容物，人貌而天，汎然皆順，獨任自然矣。若執所乘之舟，保所餌之藥，不達而生患，豈虚言哉？

不欲以静，天下將自正。

【注】言人君既以無名之朴鎮静蒼生，不可執此無名[一]而令有迹。將恐尋迹喪本，復

〔一〕「無名」，唐玄宗御注道德真經卷二作「無名之樸」。

入有爲，故於此無名之朴亦將兼忘。不欲於無欲，無欲亦忘，泊然清静〔一〕，而天下自正〔二〕矣。

【疏】夫無名之樸既將不欲，不欲之欲於此亦忘，則泊然清静，是名了出。君無爲而上理，人遂性而下化，不煩教令而天下正平。故云天下將自正。

【義曰】衆生動作之心既已静矣，而又忘舟藥之喻，仍遣無名之朴，不欲之欲亦復都忘，是則了出有無，曠然不滯。君於上也，不言而自信；人於下也，不化而自行。不言而信，是無爲而上理也；不化而行，是遂性而下化也。化及於此，何教令之有哉？天下正平，可復於太古之道矣。理身者因教而明道，悟道而忘言。不爲譽故無怨，不爲利故無害。理心術，理好憎，適情性，不惑禍福，不妄喜怒，混然與大道冥通，而忘其所習，遣其所執，心寂於中，神化於外，修於無修，學於無學，得於無得，可謂明真經之玄賾，窺大聖之堂奧矣。上經法天，故奇，有三十七章。此章居其末，更復顯明至道妙用，重訓人君侯王明此微言，可臻於了悟矣。

〔一〕「静」，伯三七二五作「浄」。

〔二〕「正」，唐玄宗御注道德真經卷二作「正平」。

道德真經廣聖義卷之三十

唐　廣成先生杜光庭　述

疏老子德經

【義曰】老子者，太上老君之内號，具如上卷所解。德者，道之用也。道不立，則德無以生；德不崇，則道無以明。道以虚通爲義，德以剋獲受名。道能通物，物能得道，物得其所得，故謂之德。或云：「道，道也；德，德也。」如孔子解易卦云：「需，須也；晋，晋也；剥，剥也。」嚴君平云：「不道之道，不德之德，正之元也。道德相須，不可散也。」古文「道」字從元從首，謂道爲諸法之元、衆聖之首也。德字從直從心，謂正觀直心，爲虚忘上德也。其餘道德相關之義，具在上卷。然此經下卷，法陰象地，其數偶，故四十四章也。夫道以虚無無形，法陽而象天；德以證實有困，故法陰而象地。或有移上經末章居下卷之末，以取上卷四九三十六章，法陽；下卷五九四十五章，法陰。

此亦後人妄爲，其意穿鑿，將恐乖失玄聖之本旨也。

上德不德章第三十八

【疏】此章首標道用之名，將明德全之化。德全則淳樸不散，代無濡沫之跡。道廢則仁義遂行，俗有澆漓之弊，將欲變而更化，以令求復其初。故先述上德之無爲，次述仁義之流遁，結以去華居實，使其復樸還淳。

【義曰】道爲德之體，德爲道之用。故云首標道用之名，指上德也。上德乃不德之德，所以德全。上德既全，則淳樸不散。淳樸不散，則德化混同，如魚相忘於江湖，各遂其性，故無相呴相濡之跡也。次言失德則仁義乃行，仁有偏愛之私，義有裁制之斷，故民化其上而澆漓焉。及至前識爲華，上禮爲亂，華亂益甚，紛争必興。故聖人使復其初，乃遣去華居實。去華居實，是塞亂之源而復樸之門也。故云使其復樸還淳爾。

上德不德，是以有德；

【疏】上者，舉時也；德者，辯用也。謂上古淳樸，無爲而理，體道之主，任物自然，是上古之淳德，故云上德。至德潛運，人無能名，故云不德。淳風和暢，物遂生成，德用常全，故云有德。注云「物得以生之謂德」者，莊子雜篇之文。

【義曰】舉上古全德之君不以德爲德，而有德也。將明其次下衰，故舉上德爲首。夫至道之代，德亦不彰矣。上德之君，亦猶上經太上之君也。潛融至化，物自生成，不彰其德，德益光大，是以有德也。然天地萬物之所禀受者，道爲之元，德爲之始。道有深淺，故有可道常道；德有厚薄，故有上德下德。則道之與德，不獨在於帝王，但行道者爲道人，行德者爲德人。行有深淺，故有上下之殊也。莊子曰：「虚無無爲，開導萬物，謂之道人；清静因應，謂之德人。德有優劣，世有盛衰，故上德之君神與化淪，體道而存，德動玄冥，天下歸之，莫見莫聞。德歸萬物，皆曰自然，所以云太上貴德也。」莊子雜篇云：「萬物任自然而各得其生，所以爲德也。」故執道者德全，德全者形全，形全者神全，神全者聖人之道也。

下德不失德，是以無德。

【注】德者，道之用也。莊子曰：「物得以生謂之德。」時有醇〔一〕醨，故德有上下。上

〔一〕「醇」，唐玄宗御注道德真經卷三、道德真經玄德纂疏卷十一作「淳」。

古淳樸，德用不彰，無德可稱，故云不德。而淳德不散，無爲化清，故云是以有德。逮德下衰，功用稍著，心雖體道，跡涉有爲，執德可稱，故云不失。迹涉矜有，比上爲麁，故云是以無德也。

【疏】此言淳風漸散，德亦下衰。故聖人美無爲之風，而百姓尚無爲之跡。尚迹爲劣，故云下德。迹著則有德可稱，故云不失。稱德不失，跡涉矜有。矜有之弊，淳樸不全，故云是以無德。

【義曰】下德之君，體德而行。德既昭著，上配於天，下民知之，或見或聞。德及於物，物歸其德，可稱可顯，故不失其德矣。執而不失，矜德有爲，有矜有執，去道甚遠。以有跡處，比於上德之君，是無德矣。

上德無爲而無以爲；

【注】知無爲而無爲者，非至也；無以無爲〔一〕而無爲者，至矣。故上德之無爲，非徇無爲之美，但含孕淳樸，適自無爲。故云而無以爲。此心迹俱無爲也。

【疏】覆釋上德也。夫上德潛運，無爲而理，淳樸不散，故無名迹。今言上德之無爲

〔一〕「爲」，該字後易縣唐碑本還有一「爲」字，故前後點斷爲「無以無爲、爲而無爲者」。

者，但含孕淳樸，適自無爲，非知無爲之美而爲此無爲，故云而無以爲。豈唯無跡可矜，抑亦無心自化？故注云「此心跡俱無爲」也。

【義曰】上德之君，性合乎道，而命合乎一，體自然爲用，運太和爲神，動合乎天，静合乎地，與道相得而無所爲也。神無思，志無慮者，此心之無爲也；不顯其功，而功若天地，不彰其明，而明並日月，此迹之無爲也。夫此無爲，非傚學無爲而爲於無爲，是無以爲也。陰陽爲之使，鬼神爲之謀，進退推移，與化無極，玄默寂寥，而與化俱，此謂心迹俱無爲矣。然德以包育於物，亦所以彰其跡也。

下德爲之而有以爲。

【注】下德爲之者，謂心雖無爲〔一〕，以功用彰著，跡涉於有爲，故云爲之。言下德無爲，有所以爲之；此心無爲而跡有爲也。

【疏】此覆釋下德也。下德爲之者，謂心美無爲之化，而爲此無爲，故云爲之。語心雖曰無爲，論跡即涉矜有。故云而有以爲。言下德之爲，有所以爲之也，故注云「心無爲而迹有爲」也。

〔一〕「爲」，原無，據唐玄宗御注道德真經卷三、道德真經玄德纂疏卷十一補。

【義曰】下古德衰，心迹明著。其君知有爲爲非，知無爲爲是。有爲則澆薄，無爲則淳和，有此分别，故韜心藏用，行此無爲之事，制彼有爲之爲，故云爲之。心欲於無爲，遊行無爲，於迹乃涉矜有也。知無爲爲美，有爲爲惡，捨惡從善，慕此無爲以分别，故是有所以而爲也。

上仁爲之而無以爲，

【注】仁者，兼愛之名，下德衰而上仁見，所以爲兼愛之仁，故云爲之。行仁而忘仁，亦欲求無爲，故云「而無以爲」。此則心有爲而迹無爲也。且上仁稱無爲者，據迹欲無爲而方止[一]義，未可以語下德之有爲也。

【疏】此下明道廢則仁義遂行。言上仁者，謂以仁爲上，佗皆倣此。仁者，兼愛之名也。大道之行，物無私惠，淳風漸散，兼愛遂存。今明所以爲兼愛之仁，故云上仁爲之。行仁而忘仁，雖有施而不求報，兼愛則難徧，終是小惠未孚。是以語心常爲有事，故云爲之；論迹則近無爲，故云而無以爲，注云「此則心有爲迹無爲」也。

【義曰】兼愛萬物，博施無極，謂之仁也，素書曰「仁者，人之所親，有慈惠惻隱之心，

〔一〕「止」，唐玄宗御注道德真經卷三、易縣唐碑本、道德真經玄德纂疏卷十一作「上」。

以遂其生成〔一〕是也。仁者博施於物，乃所以生偏私也，比夫德則劣矣。夫至道之代，兼包諸行，無所偏名。故冥寂玄寥，通生而不宰者，道也；物禀其化，各得其得者，德也；成之熟之，養之育之者，仁也；飛行動植，各遂其宜者，義也；有情無情，各賦其性者，智也；時生而生，時息而息者，信也；順天地之節，固四時之制，禮也；鼓天地之和，以悦萬物者，樂也。故恬澹無爲，無所不爲矣。及大道既隱，而德化行焉。至德之化，亦兼之以大仁大義、大禮大智、大樂大信而共化焉，泊乎！德之廢也，仁獨爲仁，義獨爲義，不能兼而化矣。夫何故哉？行仁者以慈愛爲心，故無剛斷之用，是則義缺矣。行義者以決斷裁非，有取有捨，是則仁缺矣。所以仁獨爲仁，義獨爲義，故不能兼化也。然上仁者雖有兼愛偏私之迹，能於仁忘仁，則忘其迹。其迹雖無，心有博施之念，周旋憫物，皆欲其安，故心涉有爲也。上仁忘迹，故迹無爲也。小惠未孚者，春秋莊公十年魯人曹劌對魯公之語也。是歲正月，公敗齊師于長勺。將戰，曹劌請見，其鄉人曰：「肉食者謀之，又何間〔二〕焉？」劌曰：「肉食者鄙，未能遠

〔一〕「成」，素書原始章第一作「存」。
〔二〕「間」，原作「聞」，據傳世左傳改。

謀。」乃入見。問何以戰，公曰：「衣食所安，弗敢專也，必以分人。」對曰：「小惠未徧，民弗從也。」公曰：「犧牲玉帛，弗敢加也，必以信。」對曰：「小信未孚，神弗福也。」公曰：「小大之獄，雖不能察，必以情。」對曰：「忠之屬也，可以一戰。戰則請從。」公與之乘，戰于長勺。公將鼓之，劌曰：「未可。」齊人三鼓，劌曰：「可矣。」齊師敗績，公將馳之。劌曰：「未可。」下視其轍，登軾而望之。曰：「可矣。」遂逐齊師。既剋，公問其故。對曰：「夫戰，勇氣也。一鼓作氣，再而衰，三而竭。彼竭我盈，故剋之。夫大國難測，懼有伏焉，吾視其轍亂，望其旗靡，故逐之。」此言小惠未徧、小信未孚，故皆不廣，況兼愛之人必不周普，雖力於行仁，其去道德也遠矣。

上義爲之而有以爲；

【注】義者，裁非之義，故云爲之〔一〕。有以裁非斷割，令得其宜，故云「而有以爲」。此則心迹俱有爲也。

〔一〕「義者，裁非之義，故云爲之」，易縣唐碑本、道德真經取善集卷六作「義者，裁非之謂，謂爲裁非之義，故云爲之」。

【疏】義者，宜也，謂裁非[一]斷割，令物得宜。夫淳樸已殘，是非斯起，將欲裁非就是，令得所宜，故云上義爲之。謂心欲裁非就是，有所以爲之，故[二]「而有以爲」，注云「此則心迹俱有爲也」。

【義曰】理名正實，處事之宜，謂之義也。素書曰：「義者，人之所宜。賞善罰惡，以立功立事。」淳樸之代，則無是非，是非生而淳樸散矣。辯是與非，裁制斷割者，義也。故知其是而明之，知其非而制之，明是制非則心迹俱有爲也。然義者，所以立節行，亦所以成華僞也。理國理身，偏執仁義，而無道德，何異乎鑽冰求火、北轅適楚乎？

上禮爲之而莫之應，則攘臂而仍之。

【注】六紀不和則爲禮以救，故云爲之。禮尚往來，不來非禮，行禮於彼而彼不應，則攘臂而怒，以相仍引。

【疏】禮，履也，謂可履而行也。莊子曰：「以禮爲翼，所以行於世也。」夫制禮者，所以

[一]「非」，唐玄宗御製道德真經疏卷五作「制」。

[二]「故」，道德真經玄德纂疏卷十一該字後還有「云」字，更恰。

救衰弊也。故禮經三百，威儀三千，曲爲之防，事爲之制。淳源一失，衆務事〔一〕馳，且存檢外之迹，非曰由中之數。故揖讓崇其禮文，玉帛昭其報施，往而不來非禮，來而不往亦非禮。今上禮爲之而莫之應〔二〕，則攘臂而怒，以相仍之，故云攘臂而仍之。

【義曰】謙退辭讓，敬以守和，謂之禮。素書曰：「禮者，人之所履。夙興夜寐，以成人倫之緒。」禮以成謹敬，亦所以生惰慢也。夫摘辟爲禮，澶漫爲樂，而天下始分矣。徒得形表，而不由中也。威儀者，言其恭肅矜莊，有威可畏，謂之威；進退俯仰，有儀可法，謂之儀。詩曰：「威儀棣棣，不可選也〔三〕。」又曰「朋友攸攝，攝以威儀〔四〕」是也。禮經三百，威儀三千，皆進退恭敬，屈伸俯仰之容，舉其大數爾。禮之大者，婚冠喪祭，邦國之本。動静容止，孰非禮哉？禮者，敬之體也，如首之在上，足之在下，尊卑自列，不乘天理。故君臣父子，猶一體也，上下相忘，道之實也。後之爲禮者，外備容儀，内懷欺侮，忠信不足則更相誅責，玉帛以表其志，揖讓以飾其情，施而不報，往而

〔一〕「事」，道德真經玄德纂疏卷十一作「争」。

〔二〕「而莫之應」，唐玄宗御製道德真經疏卷五、道德真經玄德纂疏卷十一作「往而莫應」。

〔三〕「威儀棣棣，不可選也」，見詩經邶風柏舟。

〔四〕「朋友攸攝，攝以威儀」，見詩經大雅既醉。

不來，則怨怒起争，因以爲亂，故攘臂仍引，曷若大禮與天地同節之美哉？以禮爲翼者，莊子大宗師篇曰：「古之真人也，其狀義而不朋，若不足而不承。以刑爲體，以禮爲翼。以刑爲體者，綽乎其殺也；以禮爲翼者，所以行於世也。」道德既失，仁義公行。仁失則兼愛之迹乖，義失則是非之儀亂。君子犯禮，小人犯刑，聖人觀事觀時，以行禮法。夷狄知逆命之誅，臣子識尊嚴之敬，因人情而設教，斯之謂歟？報施者，樂記曰「樂者，施也；禮者，報也。樂以彰德，禮以報情」，往來之謂也。曲爲之防者，防〔一〕記曰：「子言之：『君子之道，辟則防與？防民所不足者也。大爲之防，民猶踰之，故君子禮以防德，刑以防淫，命以防欲。』子曰：『小人貧斯約，富斯驕；約斯盜，驕斯亂。禮者，因人之情而爲之節文，以爲民防者也。故聖人之制富貴也，使民富不至〔二〕以驕，貧不至於約，貴不慊於上，故亂益亡。故制：國不過千乘，都城不過百雉，家富不過百乘。以此防民，諸侯猶有叛者。』子云：『夫禮者，所以章疑别微，以爲民防者也。故貴賤有等，衣服有别，朝廷有位，則民有所讓。天無二日，土無二王，家無二主，尊無二上，示

〔一〕此處及後文數處「防」字，傳世禮記作「坊」。
〔二〕「至」，傳世禮記作「足」。

民有君臣之别也。君不與同姓同車，與異姓同車不同服〔一〕，示民不嫌也。以此防民，民猶〔二〕得同姓以弑其君。』子云：『利禄，先死者而後生者，則民不偝〔三〕；先亡者而後存者，則民可以託。以此防民，民猶偝死而號無告。』子云：『修宗廟，敬祀事，教民追孝。以此防民，民猶忘其親。殷人吊於壙，周人吊於家，示民不偝〔四〕。』子云：『死，民之卒事也。吾從周。以此防民，諸侯猶有薨不葬者。升自客階，受吊於賓位，教民追孝也。未没喪不稱君，示民不争也。以此防民，子猶有弑其父者。喪父三年，喪君三年，示民不疑也。故天子四海之内，無客禮，莫敢爲主焉。父母在，不敢有其身，餽獻不及車馬，示民不敢專也。以此防民，民猶忘其親而貳其君。』子云：『先財而後禮，則民利；無辭而行情，則民争。以此防民，民猶有貴禄而賤行。君子仕則不稼，田則不漁，食時不力珍，大夫不坐羊，士不坐犬。以此防民，民猶忘義而争利，以亡其身。禮

〔一〕「不同服」，原無，據傳世禮記補。
〔二〕「猶」，原作「稱」，據傳世禮記改。
〔三〕此處及下句兩「偝」字，原作「偕」，據傳世禮記改。
〔四〕「偝」，原作「借」，據傳世禮記改。

者，防民之〔一〕淫，章民之别，使民無嫌，以爲民紀。故男女無媒不交，無幣不相見，恐其無别也。以此防民，民猶有自獻其身。』子云：『娶妻不娶同姓，以厚别也。故買妾不知其姓，則卜之。以此防民，春秋猶去其夫人之姓曰吴，其死曰孟子卒昭公娶太伯之後，同姓也〔二〕。禮，非祭，男女不交爵。以此防民，陽侯猶殺繆侯而竊其夫人，故大饗廢夫人之禮。』子云：『寡婦之子，不有見焉，則弗友也，君子以避遠。胡朋友之交，主人不在，不有大故，不入其門。以此防民，民猶以色厚於德。故君子遠色以爲民紀。男女授受不親，男女不同〔三〕席而坐，寡婦不夜哭，婦人疾，不問其所疾。以此防民，淫泆猶有亂於族者。』子云：『婚禮，壻〔四〕親迎於舅姑，舅姑承子以授壻，恐事之違也。以此防民，婦猶有不至者。』」斯皆嚴其禁，尚不能止。况不禁乎？此所以明道德既喪，仁義又隳，世亂而存禮，禮極而爲亂。去無爲之化，日以遠矣。理世之君，豈可背道德而專於禮哉？

〔一〕「之」，傳世禮記作「所」。

〔二〕「昭公娶太伯之後，同姓也」，此句爲杜預注文。

〔三〕「同」，原作「自」，據傳世禮記改。

〔四〕此處及下句兩「壻」字，原作「娶」，據傳世禮記改。

故失道而後德，失德而後仁，失仁而後義，失義而後禮。

【注】失道者，失上德也。上德合道，故云失道。夫道德仁義者，時俗夷險之名也。故道衰而德見，德失而仁存，仁亡而義立，義喪而禮救，斯皆適時之用爾。故論禮於淳樸之代，非狂則悖；忘禮於澆漓之日，非愚則誣。若能解〔一〕而更張者，當退禮而行義，退義而行仁，退仁而行德，忘德而合道。人返淳樸，則上德之無爲〔二〕矣。

【疏】此卻明智〔三〕弊之由也。失道者，失上德也。上德合道，故云失道爾。上經云：「大道廢，有仁義。」莊子云：「道隱於小成。」道無不在，而此云失〔四〕者，約人而言爾。故時淳則大道公行，俗澆則小成遂作。小成作而大道隱，仁義行而至德衰。此則代俗淳醨之殊，聖人適時之務爾。故淳樸漸散，則失道而後德；德又衰，則失德而後仁；兼愛迹存，則失仁而後義；裁非不足，則失義而後禮。且論禮於淳樸之代，非狂則悖；忘禮於澆漓之日，非愚則誣。是故聖人救代之心未嘗有異，而夷險之跡不得

〔一〕「解」，道德真經玄德纂疏卷十一作「改」。

〔二〕「無爲」，易縣唐碑本作「無以爲」。

〔三〕「智」，唐玄宗御製道德真經疏卷五、道德真經玄德纂疏卷十一作「致」。

〔四〕「云失」，原作「亡大」，據唐玄宗御製道德真經疏卷五改。

一爾。

【義曰】五者之失，隨代澆淳而然也。大樸既散，全德守之；德既下衰，仁愛繼之；仁愛不足，義以制之；義之不行，禮以救之。夫禮以救亂，亦所以生亂。何者？禮煩則俗薄，俗薄則交争，交争則亂生矣。然而理國之急，禮爲之上。春秋昭公二十六年：「晏子對齊景公曰：『禮之爲國，與天地並。君令臣恭，父慈子孝，兄愛弟敬，夫和妻柔，姑慈婦聽，禮也。君令而不違，臣恭而不貳，父慈而教，子孝而箴，兄愛而友，弟敬而順，夫和而義，妻柔而正，姑慈而從，婦聽而婉，禮〔一〕之善物也。』公曰：『善哉！寡人而今而後聞此禮之上也。』對曰：『先王所禀於天地，以爲其民也，是以先王上也〔二〕。』」則理世之道，禮爲急矣。道德既喪，禮復不行，其異類乎？道德仁義，日以喪矣，禮所以救亂理民，可不矜乎？故君子撙節以明禮，斯之謂也。非從天降，非從地出，酌在人情而已矣。

〔一〕「禮」，原作「謂」，據傳世左傳改。

〔二〕「也」，傳世左傳作「之」。

夫禮者，忠信之薄而亂之首。

【注】制禮爲忠信衰薄，而以禮爲救亂之首爾。用禮者在安上理民，豈玉帛云乎哉？

【疏】夫者，發語之端也。言末代聖人所以行於禮教者，由救忠信之衰薄爾。若使人懷忠信，復奚假於禮法乎？而亂之首者，以禮防亂則但可爲理亂之首爾，而非道德之化〔一〕也。

【義曰】亂者，理也。如周有亂臣〔二〕，乃理國之臣也。忠信既薄，上下離心，聖人設禮以教之，約法以檢之，明尊卑上下以勸之，著降殺等倫以節之。雖忠衰信薄，人不敢爲亂者，由行禮以理之矣。四者既失，而不以禮節之，則民無所措其手足矣。上文所謂曲爲之防，民猶或踰之，斯禮所以救亂致理之大務也。禮經曰：「安上理民，莫善於禮；移風易俗，莫善於樂。」故王者功成作樂，理定制禮，各因時而垂教，歷代以沿革，不可執古之道，守常不移矣。子曰：「達於禮樂者，民之父母也。能達禮樂之原，以致

〔一〕「化」，道德真經玄德纂疏卷十一作「正」。

〔二〕「周有亂臣」，左傳昭公二十四年：「大誓曰：紂有億兆夷人，亦有離德。余有亂臣十人，同心同德。此周所以興也。」

五至而行三無〔一〕。」志氣塞乎天地，禮樂通乎神明。所以「樂云樂云，鍾鼓云乎哉；禮云禮云，玉帛云乎哉〔二〕」。斯可以施及四海，以畜萬邦。故禮之救亂致理，先王之所以急也。若反淳樸，敦太和，復道德，然後禮可廢矣。

前識者，道之華而愚之始。

【注】識者，人性之識〔三〕也。謂在人性識之前，而制此檢外之禮，雖欲應時，實喪淳樸，故云道之華。禮以救亂，所貴和同〔四〕，而失禮意者，則將矜其玉帛，貴其拜跪。如此之人，故爲愚昧之始。

【疏】前識者，制禮之人也。謂之前識者，言在人識性〔五〕之前，制此檢外之禮。道順人性，禮存外跡，以之此道〔六〕，乖失質素，所以爲道之華也。而愚之始者，夫禮以静

〔一〕「達於禮樂者，民之父母也。能達禮樂之原，以致五至而行三無」，見孔子家語卷六論禮、禮記孔子閑居。

〔二〕「樂云樂云，鍾鼓云乎哉；禮云禮云，玉帛云乎哉」，見論語陽貨。

〔三〕「人性之識」，唐玄宗御注道德真經卷三、道德真經玄德纂疏卷十一作「人之性識」。

〔四〕「和同」，唐玄宗御注道德真經卷三、易縣唐碑本、道德真經玄德纂疏卷十一作「同和」。

〔五〕「識性」，唐玄宗御製道德真經疏卷五、道德真經玄德纂疏卷十一作「性識」。

〔六〕「以之此道」，唐玄宗御製道德真經疏卷五作「以之比道」，道德真經玄德纂疏卷十一作「以此之道」。

亂，因亂救之，貴在協和，歸於淳樸，而代之行禮者，不務由中之性，唯務形外之飾，敬愛不足，幣帛有餘，非達觀所存，誠爲愚之首。故云而愚之始也。

【義曰】制禮之意，所以救弊也。夫何故哉？道德既喪，仁義復衰，不制之以禮，則奸亂生矣。故制禮以救其弊焉。於人識性之間，制禮以節之，進退動静未始不拘於禮矣。謂聖人達知其事，預爲之防也。故云在識性之前，謂之前識。道以敦素，禮徇容儀，澆淳想懸，故爲道之華矣。華者，不實之謂也。失禮生弊，弊極則亂。救弊而亂息，故云静亂也。禮得其所，謂之協和。矯貌飾容，内無其實，則爲愚之首也。夫因親以教愛，因嚴以教敬，愛所以事親，敬所以事君。愛敬不由於心，玉帛以表其外，非愚而何？禮之作也，叙尊卑，明上下，别同異，正人倫，使君臣父子不失其序。今之爲禮者，中外相違，華盛而實毁，末隆而本衰，禮薄於忠，權輕於信，威不及義，德不逮仁，爲理之末，爲亂之首，詐僞所起，忿争所因也。有其禮，無其心，動不由中者，其救弊也不足，於致亂也有餘。何者？禮之繁也，則進退盤辟，一成規一成矩，從容逶迤，一如龍一如虎。其諫人也如子，其導人也如父。習之變也，以質爲鄙，以文爲高，丹賈以風聲，擅其虚飾，作巧以誇競，尚華以檢束。此謂禮煩則亂，智變則詐。所以丹朱非咸池所化，商均非九成所變。是禮樂雖設，不克救之矣。故俗之亂也，禮何爲哉？詠歌雅頌而風不能移也，鍾鼓絲簧而俗不能變也，謙退辭讓而天下不之信也，守柔復雌而天下不之親也，懸爵設賞而賢人不至也，攘臂執手而君子不來也，貌謹辭豐而心誠不施者，徒有禮容，無益於救世矣。是知感天地，動鬼神，盡敬於心，推心於道，明德惟馨，神饗之矣；潢汙行潦之水，蘋蘩蘊藻之菜，筐筥錡釜之器，可羞於王公，可薦於神明〔一〕，斯由中之禮也。苟不及此，所謂愚之始矣。

是以大丈夫處其厚，不處其薄，居其實，不居其華。

【注】有爲者，道之薄；禮義者，德之華。故聖人處無爲之事，其〔二〕厚也，不處其薄矣；退禮義之行，其〔三〕華也，自居其實也。

【疏】大丈夫者，有道之君子，即前上德之君也。道德無爲，謂之厚實；禮義有爲，謂之薄華。言聖人先道德之化，故云處厚處實；後禮義之教，故云不居華薄。

〔一〕「潢汙行潦之水，蘋蘩蘊藻之菜，筐筥錡釜之器，可羞於王公，可薦於神明」，左傳隱公三年：「苟有明信，澗溪沼沚之毛，蘋蘩蘊藻之菜，筐筥錡釜之器，潢汙行潦之水，可薦於鬼神，可羞於王公。而況君子結二國之信，行之以禮，又焉用質？」

〔二〕「其」，道德真經玄德纂疏卷十一該字前有「處」字，更恰。

〔三〕「其」，道德真經玄德纂疏卷十一該字前有「不居」二字，更恰。

【義曰】有道之君，體真之士，志趣廣大、道德弘深之謂也。大者，言道德之大；丈夫者，數極於十，人之長大極十之數，十尺爲丈，故云丈夫。舉其全與大也。所以老君十號，亦號大丈夫、大聖師是也。夫抱道之君行上德之化，無爲無事，惟精惟微，以道教人，人宗於道，居其實也；以德育物，物宗於德，處其厚也。不以前識之華、弊薄之禮而化於人，故云不居其華薄矣。通玄真經曰：「大丈夫恬然無惠，澹然無慮，行乎無路，遊乎無怠，出乎無門，入乎無房。屬〔一〕其精神，偃其知見，漠然無爲而無不爲也。」

故去彼取此。

【注】去彼華薄，取此厚實〔二〕。

【疏】彼謂禮義也，此謂道德也。聖人去禮義之浮華，取道德之厚實，故云去彼取此。推〔三〕論聖人百慮同歸，二際俱泯，豈有彼此而去取耶？設教引凡，託言之爾〔四〕。

【義曰】此自「大丈夫」已下，謂欲令行化之君尊道尚德，復樸還淳，去禮義之末跡，變

〔一〕「屬」，傳世通玄真經作「厲」。

〔二〕「厚實」，道德真經玄德纂疏卷十一作「淳厚」。

〔三〕「推」，唐玄宗御製道德真經疏卷五、道德真經玄德纂疏卷十一作「確」。

〔四〕「託言之爾」，唐玄宗御製道德真經疏卷五作「論之爾」。

浮薄之華態，使處於道德之厚，不處禮義之薄，居淳樸之實，不居玉帛之華，驅有識於玄同，躋含靈於道域。而言去彼禮義、取此道德也。所謂設教垂戒，非聖人實有去取之分别矣。若人君能捨禮而行義，去義而行仁，除仁而尚德，違德而適道，去末之華薄，歸本之實華，以兹爲化，豈不至哉？

道德真經廣聖義卷之三十一

唐　廣成先生杜光庭　述

昔之得一章第三十九

【疏】前章明上德下禮淳濟不同，故舉丈夫去取之行，示物向方；此章明物得道用而成，履道則存，矜之則喪，故叙侯王謙卑之德，以爲戒首。

【義曰】夫天地神谷萬物之得一者，所以明用道則安，失道則危，戒王侯履道則吉，違道則凶也。而侯王故履道者在於謙卑抑損，積德爲基，不欲如玉顯明，以爲至戒矣。

昔之得一者，

【注】一者，道之和，謂沖氣也。以其妙用在物爲一，故謂之一爾。

【疏】昔，往古也；一者，沖和之氣也。稱爲一者，以其與物合同，古今不二，是謂之一。故易繫曰：「一陰一陽之謂道。」蓋明道氣在陰與陰合一、在陽與陽合一爾。言昔者，將欲原始要終〔一〕，抑末歸本，引昔得以證今得，得一之數，略於下文。

【義曰】老君將欲明沖和道氣，通生萬物，歷叙得一之妙，以明生化之由。道之生化，無終無始，借古昔久遠之義，以爲布化之源。所以謂道爲一者，萬物之生也，道氣皆降之，氣存則物生，氣亡則物死。物之禀道，所禀不殊，在物皆一，古今雖移，一乃無變。故云不二，是謂之一。道非陰陽也，在陽則陽，在陰則陰，亦由在天則清，在地則寧，所在皆合。道無不在，非陰陽也而能陰能陽，非天地也而能天能地，非一也而能一，周旋反覆，無不能焉。昔既得之，今猶昔也。是知虚心則道合，冥寂則一歸。能冥寂虚心者，是謂抑末歸本矣。一陰一陽之謂道，易繫之辭也。一謂之無，無陰無陽，乃爲之道。一得爲無者，是虚無太空，不可分别，惟一而已。故一爲無也。若其有境，彼此相形，有二有三，不得爲一。故在陰之時而不見爲陰之功，在陽之時而不見爲陽之力，陰陽自然，無所營爲，此則道之謂也。以一言之爲數，以數言之謂一；以體言之謂無，而物得間通之道；微妙不測謂之神，變化應機謂之易。總而言之，皆無謂之道。故聖人以人事隨其義理，立其名號，不一而一，故能常一；常一非一，亦非非

〔一〕「言昔者，將欲原始要終」，唐玄宗御製道德真經疏卷五作「言昔得者，將明原始要終」。

一。而爲一者，蓋天地之始、萬物之元、生化之本、有生之尊也；自一而能陰能陽，所以一生二也。原始要終者，原，本也；要，明也。本其始而明其終，易繫詞也。

天得一以清〔一〕，

【疏】氣象之大者，莫大乎乾元。故先標之爲得一之首。純陽之氣由得一，故能穹隆〔二〕廣覆，資始萬物。

【義曰】陽氣浩大，乾體廣遠，又以元大始生萬物。萬象之物，皆資取乾元而得其生，故易曰「大哉乾元，萬物資始」也。夫天積氣也，故爲氣象之大，形如倚蓋，故曰穹隆。是有穹天之説，言天穹隆高，大而圓，包覆萬物。天乃純陽虚無之象，非有礙之質；然夫天也，非沖和道氣所運，則不能清浮而不息矣。易繫曰：「乾，天下之至健也。夫乾，確然示人易矣。」正義云：「此明天之得一〔三〕，剛質確然，示人以和易。由其得一無爲，物

〔一〕「天得一以清」至「侯王得一以爲天下正」，在唐玄宗御注道德真經卷三中此數句與「其致之」爲一條，只在「其致之」後有注文，與廣聖義相合。道德真經玄德纂疏卷十一於此句後引有「御注」：「氣象之大者，莫過乾穹，崇廣覆也。」

〔二〕「隆」，道德真經玄德纂疏卷十一作「崇」。

〔三〕「此明天之得一」，孔穎達周易正義作「此明天之得一之道」。

由以生，示人易也。若乾不確然，或有隤裂，是不能示其得一簡易之道也。」

地得一以寧〔一〕，

【疏】形質之大者，莫大乎坤儀。純陰之質由得一故，故能盤礴厚載，資生萬物。

【義曰】陰氣浩大，坤體廣厚，生長載物，合會無疆。地積形也，故爲形質之大，柔順安静，萬物資生焉。然夫地也，非沖和道氣所運，則不能厚載而安寧矣。易繫曰：「坤，天下之至順也。夫坤，隤然示人簡矣。」正義曰：「此明地之得一。以其得一，故坤隤然而柔，自然無爲，以成萬物。是以示人簡矣。坤不隤然，或有確然，則不能示人以簡，是乖其得一也。」

神得一以靈，

【疏】神者，妙萬物以爲言，由得一，故能通變無方，不可形詰。

【義曰】在天曰神，在地曰祇，在人曰鬼。通而言之，謂之神也。神者，陰陽不測，隱顯無方。然夫神也，非沖和道氣所運，則不能變化通靈矣。不能變化無方，通靈不

〔一〕「地得一以寧」，道德真經玄德纂疏卷十一於此句後引有「御注」：「形質之大者，莫過乎坤儀。純陰之質由得一，故能磅礴厚載，資生萬物。」或因與疏文相同而省。

測，是乖其得一也。

谷得一以盈〔一〕，

【疏】水注川爲溪，注溪爲谷。言谷得一，故能泉源流潤，盈滿不竭。

【義曰】溪谷得沖和道氣所運而水注盈滿。道氣去之，則深谷將爲陵矣。若深谷爲陵，水涸川竭，是乖其得一之用也。

萬物得一以生，

【疏】物者，通該動植、有識無情，總謂之物。得沖和〔二〕故能生成運動，而不歇滅。

【義曰】萬者，舉其大數也。春秋曰：「萬，數之大也。」物者，有質可見，總謂之物。該，約也。動者，謂鱗甲羽毛、裸蟲飛走之屬也；植者，謂山川草木之屬。有情者，謂有形而有情識者也；無情者，謂有其形而無情識者也。此物之衆，拘於億兆之類，然不得沖和道氣所運，則不能生、不能成矣。

〔一〕「谷得一以盈」，道德真經玄德纂疏卷十一此句後引有「御注」：「谷得一以盈，萬物得一以生。物者通該動植，有識無情，運動無竭。」當是對「谷得一以盈」及「萬物得一以生」兩句的注。

〔二〕「沖和」，唐玄宗御製道德真經疏卷五、道德真經玄德纂疏卷十一作「沖氣」。

侯王得一以爲天下正。

【疏】侯王，人主也。侯者，五等之爵；王者，萬乘之主。言侯王得一故能永有天下，無思不服，而爲天下正平也。本或作貞字者，貞即正也。

【義曰】王者，人君之通號也。管子曰：「通德曰王〔一〕。」古之製字者，三畫象天地人，連其中畫以通其道，故曰通德爲王。亦云人所歸往曰王。居尊位，統三才，三畫而中畫通之，以貫天地人而爲之主，故爲王字。春秋曰：「今之王，古之帝也。」昔堯舜之前，皆稱爲帝。舜授於禹，禹以謙讓，自云德不及帝，故去帝稱王。亦云禹殁禪位於益，禹之子啓居於箕山，啓賢，故諸侯去益而朝啓，禹雖有禪益之名，而天下之人皆歸於啓。啓以德不及五帝，乃自稱王。自是之後，皆以王爲號。至秦并天下，吞滅諸侯，獨爲一統，乃上採三皇，下兼五帝，通爲皇帝之號焉。今之王爵，居五等之上。漢法，非劉氏不王，非功臣不侯。自是相承，以天子之衆子爲王，嫡爲太子。自周有天下，王之子爲王子，王之孫爲王孫。國朝定法，以皇帝之孫姪爲郡王，承嗣者爲嗣王；異姓有功則封王，或别錫美號，或封郡王，然皆無列土之位矣。侯者，五等之爵，公侯伯子男也。

〔一〕「通德曰王」，管子兵法第十七：「通德者王。」

言侯王者，取文之順而舉其一，餘可知也。然夫侯王既居尊極，富有萬民，當用沖和之道、無爲之理以守其位，乃能長爲人主，理化平正。故經曰「聖人抱一以爲天下式」也。無思不服者，詩文王之風言文王之德，東西南北之人皆感其德，心無不歸服也。

其致之。

【注】〔一〕物得道用，因用立名。道存〔二〕則名立，用失而實喪矣。故天清地寧、神靈谷盈，皆資妙用以致之爾。故云其致之。

【疏】此總釋前義而生後文。致，得也。言天之清澄、地之寧静、神之靈變、谷之盈滿、物之生成、侯王之正平者，何以致其然耶？皆得道之妙用爾。此明得道之爲益。下文明失道之爲損。

【義曰】言天、地、神、谷、萬物、侯王六者，能保其常、安其所者，何哉？由得沖和道氣而各臻其妙也。天以之清，地以之寧，神靈谷盈，萬物以生，侯王正平，能不失其道，則各當其分矣。其有失者，如下文所明矣。

〔一〕「注」，原作「疏」，文字實爲唐玄宗御注道德真經卷三注的文字。

〔二〕「存」，唐玄宗御注道德真經卷三作「在」。

天無以清，將恐裂〔一〕；

【疏】無以者，致誡之詞也；以，用也。夫矜存者喪，執得者失。言天得道用則致清浮，若不守道沖和，而但矜用其清，將恐至於破裂，不成象也。

【義曰】天，陽氣也，人君象之。陽氣亢極則爲災衰，沖和氣散則致破裂矣。故占云天裂者，陽氣不足，君德衰微，天乃開裂。晋惠帝元康年中，人君德衰，天示災變，天裂數丈，殷然有聲，是失沖和得一〔二〕之道氣也。自此，西晋版蕩，惠帝哀帝皆罹其咎。君象於天氣之相感，信矣。

地無以寧，將恐發〔三〕；

【疏】言地得道用而致寧静，當須忘其寧静。若矜用其寧静，將恐至於發洩，不成形也。

【義曰】地，陰氣也，人臣象之。亦主妃后女主之位。陰氣既極，沖和氣散，則有發洩

〔一〕「天無以清，將恐裂」，道德真經玄德纂疏卷十一該句後引有「御注」：「此致誡之辭。」

〔二〕「得一」，道德真經廣聖義節略卷三無。

〔三〕「地無以寧，將恐發」，道德真經玄德纂疏卷十一該句後引有「御注」：「誡其矜用爾。」

之變矣。史記云周幽王二年辛酉，西周三川皆震，岐山崩。老君[一]曰：「夫天地之氣，不失其序。若過其序，人亂之也。陽伏而不能出，陰迫而不能蒸，於是有地震。今川實震，是陽失其所而鎮陰也。陽失而在陰，源必塞。源塞國必亡。夫水土衍[二]而人用也。土無所衍，人乏財用，不亡何待？」斯乃失沖和道氣之用矣。春秋二百四十二年，地震有五，又有梁山崩、沙鹿崩、石言等妖異。洎秦漢已降，不可勝紀。大則淪陷城邑，小則摧圮廬舍，皆分野爲災，人罹其咎矣。

神無以靈，將恐歇[三]；

【疏】言神得道用而能靈變無方，當須忘其精靈。若矜用其靈，將恐至於歇絶，不能妙用也。

【義曰】夫天地質象，萬物禀形，皆有神明主之。神明者，乃氣中之精靈者，感化而爲神焉。其大主天地，其小主邦國山川。若守常循和，則能變化不測；若肆其威福，見

〔一〕「老君」，史記作「伯陽甫」，韋昭曰：「伯陽甫，周大夫也。」唐固曰：「伯陽父，周柱下史老子也。」

〔二〕「衍」，史記作「演」。

〔三〕「神無以靈，將恐歇」，道德真經玄德纂疏卷十一該句後引有「御注」：「誡神矜用不能妙爾。」

怪於人，乖其道氣，將致歆滅矣。春秋僖公三十二年〔一〕：「七月，神降于莘，虢公享之。周惠王問内史過曰：『是何故也？』對曰：『國之將興，明神降之，鑒其德也；將亡，神亦降之，觀其惡也。故有得神以興，亦有得神以亡。虞夏商周，皆有之矣。虢多〔二〕涼德，其將亡乎？』」後虢國遂滅。昔河神爲虐，娶女於人。西門豹投巫於河，其害遂息，神亦歆滅。是乃神不守道氣，肆害于人，自取殄滅矣。

谷無以盈，將恐竭〔三〕；

【疏】言谷得道用而能虛受，當須忘其盈滿。若矜用盈滿〔四〕，將恐至於枯竭，不能流潤也。

【義曰】谷之所以虛受不竭者，由其得沖和道氣，而能無竭。道氣去之，則爲變怪，繫於邦國廢興也。老君曰：「伊雒竭而夏亡，河竭而商亡。」周幽王辛酉，川竭山崩，周亡之徵也。亡不過十年，數之紀也，數及於十；紀，猶極也。十一年庚申，西周爲犬戎所

〔一〕「春秋僖公三十二年」，此處所引春秋文字實在左傳莊公三十二年。
〔二〕「多」，原作「名」，據傳世左傳、道德真經廣聖義節略卷三改。
〔三〕「谷無以盈，將恐竭」，道德真經玄德纂疏卷十一該句後引有「御注」：「誡將矜滿爾。」
〔四〕「若矜用盈滿」，原無，據唐玄宗御製道德真經疏卷五及上下文補。

滅，平王東遷是矣。

萬物無以生，將恐滅〔一〕；

【疏】言萬物得道用而能生〔二〕，若矜而用之，將恐至於死滅，不爲生靈也。

【義曰】有形之物，有情無情之衆，禀沖和道氣則生，失沖和道氣則死也。西昇經曰：「氣散生者死〔三〕。」内觀經云：「氣來入身謂之生，神去於形謂之死〔四〕。」神與氣，皆道之一謂也。道存則生，道去則死。信哉！

侯王無以貴高，將恐蹶。

【注】得一者，不可矜其用。故戒天無以其清而矜之，將恐分裂；地無以其寧而矜之，將恐發洩；神矜則靈歇，谷矜則盈竭，物矜則生滅；侯王矜其貴，則將顛蹶矣。聖教

〔一〕「萬物無以生，將恐滅」，道德真經玄德纂疏卷十一該句後引有「御注」：「誡其有用生成爾。」

〔二〕「生」，唐玄宗御製道德真經疏卷五、道德真經玄德纂疏卷十一該字後還有「當須忘其生」句。

〔三〕「氣散生者死」，西昇經卷中聖人之辭章第十一「鼻爲通風氣，鼻口風氣門。喘息爲宅命，身壽立息端。譬如穀草木，四時氣往緣。氣别生者死，增減羸病勤。」

〔四〕「氣來入身謂之生，神去於形謂之死」，太上老君内觀經：「衆思不測謂之神，邈然應化謂之靈，氣來入身謂之生，神去於身謂之死，所以通生謂之道。」

垂代，本爲生靈。雖遠舉天地之清寧，而會歸只在於侯王守雌用道爾。故下文云〔一〕。

【疏】蹶，顛仆也。言侯王得道之用，而能爲天下之王〔二〕。當須忘其尊崇，謙以自牧。若矜其尊貴，將恐至於顛仆，不能正定天下也〔三〕。

【義曰】侯王用道化民，所以安其尊位，貴居人先，高居人上。若守謙沖之志，戒盈滿之非，因百姓之心，行清静之化，則享祚長久，天下樂而推之，欣而戴之矣。易謙卦曰：「謙謙君子，卑以自牧。」若違道反常，肆行凶德，失沖和之妙，乖執一之方，則身喪國亡，顛蹶殞仆矣。侯則晋靈公夷皋、宋昭公杵臼〔四〕、齊懿公商人、陳靈公平國是也，王則夏之太康、殷之武乙、周之幽厲、漢之桓靈是也，皆違逆天常，反道敗德，以取滅亡矣。

〔一〕「得一者」至「故下文云」，原爲疏，今將唐玄宗御注道德真經卷三和唐玄宗御製道德真經疏卷五的文字比照，該段文字實當道德經正文「天無以清，將恐裂」至「侯王無以貴高，將恐蹶」的注文，道德真經玄德纂疏卷十一、易縣唐碑本此段文字正作注，可證。

〔二〕「王」，唐玄宗御製道德真經疏卷五、道德真經玄德纂疏卷十一作「主」。

〔三〕「蹶，顛仆也」至「不能正定天下也」，原爲注，今對照唐玄宗御製道德真經疏卷五，實當爲疏。

〔四〕「臼」，原作「白」，據傳世文獻改，道德真經廣聖義節略卷三即作「臼」。

【疏】注云聖教垂代，本爲生靈者〔一〕，書云「天生萬物，惟人爲靈〔二〕」，元后作人父母，是知聖教所屬，在乎一人。雖始戒天地，使忘清寧之功，終戒侯王，無矜化育之德。用謙之道，具如下文。

【義曰】惟人萬物之靈者，尚書泰誓篇武王十三年，大會盟津，誓衆之詞也。聖教者，指此上下經。垂文於代，本爲愛養生靈，令遂其性，故戒王侯，使取則此經，清静行化。生靈者，言人爲有生之最靈也。元，長也；后，君也。一人，天子所稱也，尚書曰「在余一人」是也。天子應天順人，爲人父母，當法於道化，愛育于人，如父母之愛子爾。先引天地清寧發裂之義，以戒侯王守謙慎静之規。言天地至大，失於道氣，猶致其禍，況人君乎？

故貴以賤爲本，高以下爲基。

【注】侯王貴高，兆人賤下。爲國者以人爲本基，當勞謙以聚之，令樂其愷悌之化。

〔一〕「者」，唐玄宗御製道德真經疏卷五該字後還有「雖遠舉天地之清寧而會歸侯王守雌用道也」句，與注的文字相吻合，當是。

〔二〕「天生萬物，惟人爲靈」，尚書泰誓：「惟天地萬物父母，惟人萬物之靈。」

不然者，離散矣〔一〕。

【疏】貴高斥〔二〕侯王，賤下謂黎庶。言侯王因黎庶得貴，是知賤下爲貴高之本基也。

【義曰】夫理國者，功在一人，不可一人以爲理，必資於衆，然後侯王得深嚴其居，尊崇其位，行其教令，布其恩威，而理於衆焉。黎庶者，皆衆也。

【疏】書曰：「人惟邦本，本固則邦寧。」人君務謙聚人，可謂固邦之本也。

【義曰】人惟邦本者，尚書五子之歌：太康在位，畋遊無度，畋于有雒之表，十旬不返。厥弟五人，御其母以從，述大禹之戒，以作歌曰：「皇祖有訓，民可近，不可下。民惟邦本，本固邦寧。予視天下，愚婦愚夫〔三〕，一能勝予。」言天子當畏敬小民，所以得衆心也。太康，啓之長子，啓乃禹之子。此言太康失德，以速滅敗，故有窮氏〔四〕因人不忍，距之于河，不克反國，夏祚遽亡。及少康年長，方復社稷矣。務謙者，言人君當以謙

〔一〕「不然者，離散矣」，唐玄宗御注道德真經卷三、道德真經玄德纂疏卷十一作「不有離散」。

〔二〕「斥」，道德真經玄德纂疏卷十一作「言」。

〔三〕「愚婦愚夫」，傳世尚書作「愚夫愚婦」。

〔四〕「有窮氏」，即后羿所在的部落。

下爲務。易曰：「謙，德之柄〔一〕也，謙尊而光。」又曰：「天道虧盈而益謙，鬼神害盈而福謙，人道惡盈而好謙。」謙以下人，故爲德柄。如刀斧之有柄，然可執而用之。人君執謙，可御天下；位既尊矣，而能守謙，益致光大。謙則人衆歸往，故曰聚人。邦者，國也；本者，基也。人爲國之本基，豈可不愛而育之乎？

【疏】注云令樂其愷悌之化者，詩云：「愷悌君子，民之父母。」愷，樂也；悌，易也。君子有樂易之德，愛養於人，故百姓思之，如子之於父母也。若爲德反是者，則人離散矣。

【義曰】詩者，大雅泂酌篇之詞也。召康公戒成王，言皇天親有德、饗有道也。侯王有道則天饗之，有德則天親之。與天相通，則民歸之，如子之親父母矣。若違道敗德，則衆叛親離，不能克有其位也。

是以侯王自謂孤、寡、不穀。此其以賤爲本耶？非乎？

【注】孤、寡、不穀，凡情所惡，侯王自稱，以謙爲本。非乎者，則〔二〕是以賤爲本也。

〔一〕「柄」，原作「枘」，據傳世周易改。

〔二〕「則」，易縣唐碑本、道德真經玄德纂疏卷十一作「明」。

【疏】是以者，結前義也。侯王自爲〔一〕孤、寡、不穀者，按春秋云「孤與二三臣悼心失圖」是也。

【義曰】孤與二三臣者，春秋昭公七年：「二月，楚子成章華之臺，願與諸侯落之。宫室始成，祭之爲落也。太宰薳〔二〕啓疆曰：『臣能得魯侯。』薳啓疆來召公，辭曰：『昔先君成公命我大夫嬰齊曰：「吾不忘先君之好，將使衡父照臨楚國，鎮撫其社稷，以輯寧爾民。」嬰齊受命于蜀盟，蜀盟在成二年。奉承以來，弗敢失隕，而致諸宗祧。自〔三〕我先君恭王引領北望，日月以冀，傳序相授，於今四王矣。謂恭、康、郟敖、靈王也。嘉惠未至，唯襄公之辱臨我喪。孤與二三臣悼心失圖，社稷之不遑，況〔四〕能懷思君德？今君若步玉趾，辱見寡君，寵靈楚國，以信蜀之役，致君之嘉惠，是寡君既受貺矣，何蜀之敢望？其先君鬼神實嘉賴〔五〕之，豈惟寡君？若不來，使臣請問行期，寡

〔一〕「爲」，道德真經玄德纂疏卷十一作「謂」。
〔二〕「薳」，傳世左傳作「薳」，二字同音通用。
〔三〕「自」，傳世左傳作「日」。
〔四〕「況」，原作「汎」，據傳世左傳改。
〔五〕「賴」，原作「類」，據傳世文獻及道德真經廣聖義節略卷三改。

君將承贄帛而見于蜀，以請先君之貺。』公將往，夢襄公祖。梓慎曰：『公不果行。襄公之適楚也，夢周公祖而行。今襄公實祖，君其不行。』子服惠伯曰：『行。先君未嘗適楚，故周公祖以導之。襄公適楚矣，而祖以導君。不行，何之？』三月，公如楚。鄭伯勞于師之梁。孟僖子爲介，不能相儀。及楚，不能答郊勞。四月，享公于新臺，使長鬣者相。好以大屈之弓。既而悔之。薳啓彊聞之，見公。公語之，拜賀。公曰：『何賀？』對曰：『齊與晋、越欲此久矣。寡君無適與也，而傳諸君。君其備禦三鄰，慎守寶矣，敢不賀乎？』公懼，乃反之。此言楚靈無信，所以不終也。九月，公至自楚。孟僖子病不能相禮。乃講學，苟能禮者從之。遂令南宫敬叔已下學禮於孔子。孔子與敬叔適周，問禮於老君焉。」

【疏】稱寡人者，即「先君以寡人爲賢」之例是也。

【義曰】春秋隱公三年：「宋穆公和有疾，將立其姪與夷，謂大司馬孔父曰：『先君以寡人爲賢，使主社稷。舍與夷，立寡人。寡人弗敢忘，若以大夫之靈，得保首領以殁，先君若問與夷，其將何辭以對？請子奉之以主社稷。寡人雖死亦無悔焉。』對曰：『群臣願奉馮也。』公曰：『若棄德不讓，是廢先君之舉也。豈曰能賢？吾子其無廢先君之功。』使公子馮出居于鄭。八月，穆公卒，立與夷，是爲殤公。」所謂先君者，宣公也，乃穆公之兄也。雖弟繼兄位，亦稱先君，言臣繼於君也。謂之先君，得其禮矣。

【疏】稱不穀者，即「不穀惡其無誠德」之例是也。

【義曰】春秋成公十一年：「秦晉爲成，將會于令狐。晉侯先至，秦伯不肯涉河。晉厲公、秦桓公也。秦伯次于王城，使大夫史顆盟晉侯于河東。晉郤犨盟秦伯于河西。范文子曰：『是盟也何益？齊盟，所以質信也；會所，以〔一〕信之始也。始之不從，其可質乎？』秦伯歸而背晉成。十三年四月戊午，晉侯使吕相絶秦。時秦桓公既與晉厲公爲令狐之盟，而又召狄與楚，欲導之以伐晉。諸侯是以睦賓於晉。吕相語秦伯曰：『楚人惡君之二三其德，亦來告我曰：「秦背令狐之盟而來求盟于我，昭告昊天上帝、秦三公、楚三王曰：『余雖與晉出入，余惟利是視。』不穀惡其無誠德，是以宣之，以懲不一。」諸侯備聞此言，斯是用痛心疾首，暱就寡人。寡人帥以聽命，唯好是求。君若惠顧諸侯而賜之盟，寡人承寧，諸侯以退。君若不施大惠，寡人不佞，不能以諸侯退矣。敢盡布之執事，俾執事實圖之。』晉欒書、士燮、韓厥、趙旃將四軍，郤毅御戎，

〔一〕「以」，傳世左傳無。

欒鍼爲右。五月丁亥，晋師以諸侯之師及秦師戰于麻隧。秦師敗績。獲秦成差〔一〕及不更汝父。」此言秦伯背盟，秦曲晋直，有是敗也。

【疏】又按禮，無父稱孤，無夫曰寡。轂，善也，不轂猶不善也。凡此三名，人之所鄙，而王侯以爲稱首者，蓋謙以自牧，不矜其尊也。

【義曰】孤、寡、不轂，皆非美稱，侯王以謙下爲基，故自以不善不美爲己之號而稱之也。自牧，易謙卦云：「謙謙君子，卑以自牧。」牧，養也；矜，誇也。大此明居人上者，以謙柔爲本，卑讓爲基，故經云：「欲上人，以其言下之；欲先人，以其身後之。處上而人不重，處前而人不害，天下樂推而不厭。」此其謂歟？古人有言曰：「有道之君，以樂樂人；無道之君，以樂樂身。」樂人者衆悦而身安，樂身者衆怨而身殞。理國理人之主，得不戒哉？

【疏】此其以賤爲本耶者，言若此，豈非以賤爲本？非乎者，假問之辭，應答云：實是以賤爲本爾。

【義曰】老君欲顯明貴以賤爲本，高以下爲基，故發問答之辭，用彰其義。夫有問即

〔一〕「差」，原作「羌」，據傳世左傳改。

答，有唱即和。亦猶形分即影見，聲出即響隨。假爲問答之端，重彰戒勸之意爾。

故致數輿無輿。

【注】數輿則無輿，輪轅爲輿本；數貴則無貴，賤下爲貴本。轅爲輿本，當存轅以定輿；賤爲貴本，當守賤以安貴。將戒侯王以賤爲本，故致此數輿之譚。

【疏】故者，仍上之辭。前明侯王因賤得貴，貴無定相，其理難明，故借數輿以況〔一〕之。極輿之數，竟無輿名，乃是輪轅假合爲輿之名本。以喻侯王，數侯王之貴，竟無貴名，乃是賤下假借爲侯王之貴本。輪轅爲輿本，當存本則有輿，無本則無輿；賤爲貴本，當存本則有位，無本則無位。言此者欲戒侯王愛養下人，不弃惸獨爾。

【義曰】聖人説經，義有多種。或直指事理，徑入法門；或假借諭辭，用符玄意。欲明侯王貴位以賤爲本，輪轅衆名爲輿之號，意欲存輪轅則有成輿總號，存卑賤則有侯王尊名，不忘其源，不棄其本爾。所云貴無定相者，自混淪之始，逮澆季之前，變化殊方，立名著號，德有優劣，世有盛衰，民命不同，風離俗異，故有冥寂玄默，無名無稱。即有鴻蒙廣大而爲皇，潢然沐浴而爲帝，或廓然昭顯而稱王，或通達參錯而稱霸，其

〔一〕「況」，唐玄宗御製道德真經疏卷五作「比」。

下則后辟公侯子男，卿相大夫元士，皆因時立名，隨世興號，紛綸等級，卑高不同，皆貴而牧人者也。既處其上，臨御于人，不宜以尊極自高，抑人矜己。自高必傾覆，侮物必危身。當以謙下持心，損抑爲志。故聖人立號垂戒，以孤寡惸獨之義、不穀非善之名，使以爲稱，表其以賤爲本，貴不忘賤，尊不忘卑，則可以天禄永終爾，景福者矣。違於此者，未或不忘。又與無輿字，或云車無車，亦指就車而求無車之實，但有廂轂雜號、輳輞衆名，總而爲車爾。莊子則陽篇曰：「太公調答少知曰：合異以爲同，散同以爲異。今指馬之百體而不得馬，立其馬於前，總其百體而謂之馬。」此明合皮毛蹄尾則爲馬，總輪輳廂轂則爲輿，與此義同矣。或云譽無譽者，欲尊位之人尚其質朴，不貴浮譽。此義雖異，亦戒勸之旨也。又想爾注云：「故致數譽，俗人貪名譽也；無譽，不欲俗人無有不名譽者也。」此析句分理，亦申戒勸之人，惟當恭己下心，愛人恤物，以從玄元之教也。

不欲琭琭如玉，硌硌如石。

【注】琭琭，玉貌；硌硌，石貌。以賤爲本。

【疏】夫玉貴而石賤。如玉者，自貴也；如石者，自謙也。侯王既以賤爲本，不欲琭琭如玉而自尊貴，當硌硌如石，以守謙卑也。

【義曰】夫玉與石者，所以明貴賤也；車與輿者，所以諭總衆也。此兩句重結侯王以賤爲本之義。夫上德之君，託神太虚，隱貌玄冥，動反柔弱，静歸和平，戴規履矩，鏡視太清，而不以名稱自尊，亢極自大也。下世德衰，君有九重之尊，萬乘之貴，四海之富，六合之殷。崇高擬天地，光明配日月，出令象寒暑，震威象雷霆，不以萬物爲心，不以群生爲念，繁奢自處，尊極自居，雖有孤、寡、不穀之言，而不達其意。洎秦始皇虎噬天下，鯨吞諸侯，并滅海内，總爲一統，而鄙斥孤、寡、不穀之名，自稱曰朕。朕、余、吾，我也，以此爲號，失其謙光之旨，而彰尊大之名矣。自此人君矜尚浮譽，比堯舜以稱榮；輕陋賤名，將瓦石而同棄。斯則輾敗亡之轍，踐凋落之塗，可不痛也？太上格言殷勤垂戒者，欲使冥心於玉石之間，不多不少，不貴不賤，以一爲紀綱，以道爲楨榦，德制天下而不爲有。理身之士，其志若此，則處貴而無樂，處賤而無憂，高而不殆，卑而愈泰。得不勉而修之乎？

道德真經廣聖義卷之三十二

唐　廣成先生杜光庭　述

反者道之動章第四十

【疏】前章明天地得一，以戒矜執之弊；此章明權實兩行，將申反經之義〔一〕，不矜則全。夫貴本合義則方可與權，欲令深悟道元，所以再明沖用。

【義曰】夫沖用之道、妙本之元，包括有無，貫穿天地，天地得之以寧以永，萬物得之以生以成。理國之君當法道化以無爲，不可徇名稱而矜執必矣。故戒之以賤下爲基，忘元喪本，故示之以權變爲用。權變以反本，合沖用於玄功矣，此章之大旨也。

〔一〕「義」，原作「美」，據唐玄宗御製道德真經疏卷五改。

反者道之動，

【注】此明權也。反者，取其反經合義。反經合義者，是聖人之行權。行權者，是道之運動。故云反者道之動。

【疏】反以反俗爲義，動是變動之名，謂權道也。言衆生矜執其生，而失於道。故聖人變動設權，令物反俗順道爾。

【義曰】夫物順道則生，失道則死。其故何哉？道本無事無爲，人尚有爲有事；道本無情無欲，人尚有欲有情。故俗與道反，而去生從死也。經云「動之死地，以其生生之厚」，又云「人之輕死，以其求生之厚」。是以輕死所謂求生之厚者，耽欲羨利，徇俗趨名，役性勞神，圖功慕賞，本爲養身之具，不知求非其分，反喪其生。吴子〔一〕云：「天地之生禽鳥也，猶衣之以毛羽，供之以蟲粒，況於人乎？」衣食者，雖養身之所切，亦可委心任運，豈在躁求乎？不能體道全生，委心順命者，是謂執其生而失於道矣。若能祛躁求之妄，安順命之懷，體彼恬愉，生可全矣。理國者任物之性，順天之時，息苛暴以惠人，輕賦徭而育物，無拓土開疆之欲，自戢五兵，無崇臺峻宇之奢，自清庶

〔一〕「吴子」，指唐代著名道士吴筠。

務，躋生靈於壽域。斯可謂反俗順道乎？

【疏】注云「反經合義」者，經，常也；義，宜也。令貴以賤爲本，高以下爲基，有以無爲用，初則乖反常情，而後順合〔一〕於道，故謂此之爲運動也〔二〕。

【義曰】經者，常法也，垂訓而不移；義者，通理也，因宜而適用。世以高貴爲重，卑賤爲輕，咸慕高而弃卑，捨輕而從重。經文垂教，言高因下而顯，貴假賤而明，故以賤下爲高貴之基，孤寡爲侯王之稱，使其貴不忘賤，受福於無窮，高不忘卑，保身於不殆。斯爲道之動用，使反常俗之情，各復自然之道也。

【疏】孔子曰：「可與立，未可與權。」道〔三〕反常而難曉，故舉棠棣〔四〕之喻，言其華反〔五〕而後合，以喻權道先逆而後順也。

【義曰】論語子罕篇：「孔子曰：可與共學，未可與適道。可與適道，未可與立。可與

〔一〕「順合」，唐玄宗御製道德真經疏卷五作「合順」。

〔二〕「故謂此之爲運動也」，唐玄宗御製道德真經疏卷五作「故謂此爲道之運動也」。

〔三〕「道」，唐玄宗御製道德真經疏卷五、道德真經玄德纂疏卷十一作「權道」。

〔四〕「棠棣」，原作「當棣」，據唐玄宗御製道德真經疏卷五、道德真經玄德纂疏卷十一及上下文改。

〔五〕「反」，唐玄宗御製道德真經疏卷五、道德真經玄德纂疏卷十一作「先反」。

立，未可與權。」此言人適於學，或得異端，未能之於道，或能之於道，未能有所立，未必能權。權者，量其輕重也。「棠棣之華，偏其反而；豈不爾思？室是遠而」，此逸詩也。棠棣，栘也，其花先反而後合。賦此詩，意蓋喻權道，先逆思後至於大順也。思其人而不得見者，其室遠也，以言思權而不得見者，其道遠也。子曰：「未之思也，夫何遠之有？」言思者當其反，是不思所以爲遠，能思其反，何遠之有？言權可思知，惟不知思耳，思之有次序，斯可知也。故謂權道者，爲國之利器，用須得其人，得其人則反俗而合道，非其人則反而爲亂矣。

弱者道之用。

【注】此明實也。弱者，取其柔弱雌静。柔弱雌静者，是聖人之所實處，實道之常用〔一〕，故云弱者道之用。

【疏】此明實道也。人皆賤弱而貴强，是知强梁雄躁者，是俗之用也。道以和柔而勝剛，是知柔弱雌静者，是道之常用。故云弱者道之用。

〔一〕「是聖人之所實處，實道之常用」，唐玄宗御注道德真經卷三、道德真經玄德纂疏卷十一作「是聖人處實，處實者，是道之常用」。

【義曰】道先柔弱，俗貴强梁。柔弱爲保生之徒，强梁爲取敗之本。經云：「强梁者不得其死，吾將以爲教父。」執此以訓，使人棄强守柔，捨躁歸静也。夫教有權實兩門，上士達識，以實教示之，自然冥合，中於道智；下士則以權教悟之，亦猶「將欲奪之，必固與之」之義耳。理國之道，務先愛民，民爲國本，不可棄也。然而上古淳朴，與道相符，故以實教教之；末代澆季，奸詐互興，則以權教教之。權教者，先以善道誘之；不從，以恩賞勸之；勸之不從，以法令齊之；齊之不從，以科律威之；威之不從，以刑辟禁之。刑辟者，所謂五刑之屬也。謂刻其顙而涅之，爲墨刑；截其鼻，爲劓刑；男子去其勢、婦人幽閉，次於死也，禁其淫也，曰宫刑；刖其足，曰剕刑；處死曰大辟。五刑者，先定其兩造之詞。兩造具備，聽於五辟。五辟簡字，正于五刑。五刑不簡，正於五罰。言從輕也。五罰不服，正于五過。不應罰者，正於五過，而從赦免。五過之疵，其罪惟均，刑疑從罰，罰宜從赦。將用刑，猶當嚴敬天威，不可輕用刑也。故墨刑之罰百鍰，劓刑二百鍰，剕刑五百鍰，宫刑六百鍰，大辟千鍰。所謂金作贖刑是也。墨劓之屬各千，剕刑之屬五百，宫刑之屬三百，大辟之屬二百，故五刑之屬三千。其言鍰者，黄鐵爲之，鍰重六兩。書云：「功疑〔一〕惟重，罪疑惟輕。」雖權法以禁勸於人，而聖人哀矜之道、好生之心，亦云至矣。故勸教之所不及，而後用刑也。是故刑之使民懼，賞之使人勸，勸以趣善，懼以止惡。雖刑之及人謂爲害也，而懲一勸百，被刑者寡而從善者衆。如櫛髮焉，惜而不櫛，踰旬而一櫛，則棄者多矣，旦旦櫛之，理者多矣。權教者，帝王南面之術也。理身者體柔順之道，去剛强之心，久而勤之，長生何遠乎？

天下之物生於有，有生於無。

【注】實〔二〕之於權，猶無之生有。故行權者貴〔三〕反於實，用有者必資於無。然至道沖寂，離於名稱，諸法性空，不相因待。若能兩忘權實，雙泯有無，數輿無輿，可謂超出矣。

【疏】言天下有形之物，莫不以形相禪，故云生於有；窮其有體，必資於無。

【義曰】無者道之本，有者道之末。因本而生末，故天地萬物形焉。形而相生，是生

〔一〕此處及下句兩「疑」字，原均作「宜」，據傳世尚書改。

〔二〕「實」，唐玄宗御注道德真經卷三作「天實」。

〔三〕「貴」，道德真經玄德纂疏卷十一作「責」。

於有矣。考其所以，察其所由，皆資道而生，是萬有生於妙無矣。能自有而復無者，幾於道矣；若執有而不移者，趣於終矣。莊子智北遊篇：「夫子謂冉求曰：未有子而有孫，可乎？」是祖父子孫世世相續，形形相生，天地萬物皆形而相生者也。理身養神以存形，形可長久；勞形而役神，神將不守。神因形而生，神從道而禀。神形俱全，可以得道，形滅神遊，道何求哉？理國者執法以訓人，人趣善矣。人趣於善，而和氣應之，國泰民和，隆昌之道也。

【疏】故列子曰：「形動不能生形而生影，無動不能生無而生有。」故曰虚者天地之根，無者天地〔一〕之源。言此者，欲令衆生窮源識本而悟道爾。權〔二〕實亦然。故注云「實之於權，猶無之生有」也。

【義曰】形動不能生形者，列子天瑞篇曰：「黄帝書云：『形動不能生形而生影，聲動不能生聲而生響。』」此言有形必有影，有聲必有響，自然而並生，俱出俱没，豈相資先後而差哉？非謂影隨形生，響因聲出，而立爲喻，此自然相感因待之理也。道以妙

〔一〕「天地」，道德真經玄德纂疏卷十一作「萬物」。
〔二〕「權」，唐玄宗御製道德真經疏卷五、道德真經玄德纂疏卷十一該字前還有「有無既爾」句。

無生成萬物，謂之自然。物之生物，形之生形，謂之因緣。言物之形兆，大若天地，微若昆虫，皆資自然妙道氣化而成，然而因形緣類，更相生，更相成。修道者縱心虛漠，抱一復元，則能存已有之形，致無涯之壽。形與道合，反於無形，變化適其宜，死生不能累，則可謂自有而歸無也。吴子曰：「修道之士，道與俗反。自老而反壯，自壯而還嬰，自嬰而得道。」此所謂捨其麤有，歸其妙無，還元復本也。世人不能察道之元，窮道之本，自人於死，淪化隨時，故可傷矣。聖人憫之，設以權教，使去奢從儉，去僞從真，去有欲有爲，行無爲無欲。徇此權教，漸階實門，默契真修，可以得道矣。理人爲政，以權實化俗，理亦然哉。

【疏】又云「至道沖寂，離於名稱，諸〔一〕法性空，不相因待」者，言道至極之體，沖虛凝寂，非權亦復非實，何可稱名？諸法實性，理中不有，亦復不無，事絶因待。所言物生於有，有生於無者，皆是約代法而言爾。若知數輿無輿，即知數諸法無諸法，豈有〔二〕權實而可言相生乎？悟斯理者，可謂了出矣。

〔一〕「諸」，唐玄宗御製道德真經疏卷五該字前有「謂」字。

〔二〕「有」，道德真經玄德纂疏卷十一該字後有「有無」二字。

【義曰】道惟沖寂，不可名稱，隨代化凡，假說言教。言教者，即諸法也。法以約人，使革惡爲善。垂之訓俗，事有多門，故云諸法爾。因有法故得悟於道，悟既得道，諸法亦無。教立權門，國垂權法。權以化俗，除其惡根。惡既已除，俗歸正理。因正爲善，權法亦忘。若執權實而不移，局教法而無改者，不可與言道矣。能忘權實而達道者，可謂了然明悟，出代登真者矣。莊子秋水篇：「海若語河伯曰：知道者必達於理，達於理者必明於權，明於權者不以物害己。」此言道以循理守常，權以臨機制變。大人通理，誰害之焉？

上士聞道章第四十一

【疏】前章明權實兩門是道之動用；此章明明道若昧，唯上士勤行。初明三士聞道信毁不同，次「建言」下明道德之行門，後「夫唯」下結善貸之功用。

【義曰】至理幽玄，非下士能曉；明道若昧，唯上智勤行。既性識之不同，彰信毁之無爽，要在設權教以善誘，俾建德之有歸，不可任性識之所拘，求沉淪而無教。故下文開悟令入法門，斯謂善貸之功矣。

上士聞道，勤而行之；

【注】了悟故勤行。

【疏】上智之士，深識洞鑒。聞道權則微明，實則柔弱，聞斯行諸，曾不懈怠。故云勤而行之。

【義曰】人之生也，氣有清濁，性有智愚。雖大塊肇分，元精育物，富貴貧賤，壽夭妍媸，得之自然，賦以定分，皆不可移也。然道無棄物，常善救人。故當設教以誘之，垂法以訓之，使啓迪昏蒙，參悟真正。「琢玉成器，披沙得金」，斯之謂矣。按孔子所云：「生而知之者上也，學而知之者次也，困而不學，民斯下矣。」此與三士事理玄同。又論語雍也篇云：「子曰：中人已上，可以語上；中人已下，不可以語上也。」此謂教化之法也。師說云：「就人之品識，大判有三，謂上中下也。細而分之，則有九品。上上品者，即是聖人；聖人自知，不勞於教。下下品者，即是愚人；愚人不移，教之不入。所可教者，謂上中以下、下中以上，凡有七品之人，可教之耳。所謂中人已上可以語上者，即以上道語於上分也，是則以孔子之道教顏回，以顏回之道教閔損，是中人已上可以語上也。其中人已下不可以語上者，猶可語之以中，及語人以下。如以閔損之道可以教中品之上，此乃中人亦可以語上也。又以中品上道教中品之中，以中品之中道教中品之下，斯則中人亦可以語之中也。又以中品之下道教下品之上，斯則中人已下亦可以語中。又以下品之上道教下品之中，斯則中人已下可以語下也。」此中人已下，大略言之耳。既有九品，則第五品爲正中人也。其二三四爲上，六七八爲下，惟下下之士教而不移，聞道則笑矣。吴先生曰：「上士不教而自知，下士雖教而不移。神道設教，爲中士耳。夫中士者，語之以善則遷善，導之以惡則趣惡，故教之所設，爲中士之人，可上可下也[一]。」太上之旨誘以多方，教以善道，俾其遷革，漸脱愚迷，俾有向風進善之門，則所謂人無棄人矣。上士既悟之於自然，故勤行不怠也。

中士聞道，若存若亡；

【注】中士可上可下，故疑。疑則若存若亡。

【疏】中庸之士明昧未分，聞説妙道或信或否，謂明則若存而信奉，昧則若亡而疑或[二]。未果决志，故謂若存若亡。

[一]「上士不教而自知……可上可下也」，吴筠玄綱論天稟章第四：「睿哲不教而自知，頑兇雖教而不移，此皆受陰陽之純氣者也。亦猶火可滅，不能使之寒。冰可消，不能使之熱。理固然矣。夫中人爲善則和氣應，爲不善則害氣集。故積善有餘慶，積惡有餘殃，有慶有殃，教於是立。」

[二]「或」，唐玄宗御製道德真經疏卷六作「惑」，道德真經玄德纂疏卷十二作「貳」。

【義曰】若存若亡者，可上可下之意，未果决也。代俗之情，爲富貴所誘、利害所牽，娱樂難忘，驕奢自恣。聞玄默之道，孰肯勤勵而修之？遂乃五色瞽其明，五聲聵其耳，迷情溺性，自掇敗亡。苟能聞惡如探湯，慕善如不及，知過必改，見賢思齊，效上士之所修，捨中庸之所樂，皆可以躡景淩虚矣。

下士聞道，大笑之。

【注】迷而不信，故笑之。

【疏】下士識不及理，聞道不信，謂爲虚誕，則嗤笑之。亦猶章甫致賤於越人，和璞見遺於楚國。故莊子云：「曲士不可以語於道爾。」

【義曰】大笑者，謂愚昧之士智識昏庸，不聞聖人之言，聞亦不曉，不見先王之教，見亦不知。所謂識不及理也。聞真真之道，能生成天地，孕育乾坤，包舉陰陽，彌綸造化，修身則延生久視，理國則凝拱垂衣。反爲虚誕，相與嗤笑。故云大笑之。章甫者，鄒魯之冠也；越人者，百越之國也。夏禹理水，極于東夷，子孫居之，遂以爲國。其舊俗被髮文身，至勾踐平吴，方通中國。既不尚冠冕，則章甫非彼所好也，故云致賤爾。和璞者，卞和，楚人，居荆山之下，得玉璞焉，以獻楚王。使玉工視之，曰：「石也。」以爲欺妄，刖一足。如此，歷二王，再獻之，刖其兩足。和抱玉璞哭於荆山之下，楚王知而召之，使玉工琢石得玉，因而寶之。後傳入趙，自趙入于秦。秦皇平天下，廢諸侯爲郡縣，刻其玉爲傳國璽焉。言卞和三獻其璞，方爲時主所知。故云見遺於楚也。莊子秋水篇：「海若語河伯曰：『井蛙不可語於海，拘於墟也。曲士不可語於道，束於教也。』」所謂曲士者，執一家之偏見，滯彼有爲。河伯恃秋水之滂流，不知其小。海若曰：「天下之水莫大於海，萬川歸之，不知何時止而不盈；尾閭泄之，不知何時止而不虛。春秋不變，水旱不知。此其過江河之流，不可爲量〔一〕矣。而吾未嘗以此自多者，自以比〔二〕形於天地，受氣於陰陽，計四海之在天地間，猶礨空之在大澤耳。」夫雖越俗賤冠，楚人遺璞，洎乎刻秦皇寶篆，襲中國衣瓔，垂範後王，同軌六合，和璧章甫何賤乎？理化之端，隨機設教，道之從善，引之向方。雖下士至愚，亦可以語於道矣。

不笑不足以爲道。

【注】不爲下士所笑，不足以爲玄妙至道。

〔一〕「量」，傳世莊子作「量數」。

〔二〕「比」，原作「此」，據傳世莊子改。

【疏】至道幽玄，深不可識，明而若昧，理反常情〔一〕，所以致笑。若不爲下士所笑，未得〔二〕精微，乃是淺俗之法，不足以爲道。道非代間法，故爲凡愚所笑，是以爲妙道也。

【義曰】道惟潛還，寂默希夷，不察察以繩人，不昭昭而顯狀。體道之士，其行亦然，内合虚無，外混塵滓。故至明若昧，人所不知。豈惟順俗和光，兼亦守卑處下？所以下士侮而笑之。然至人之隱身修道，不爲下士所笑，未合乎大道也。理國行化，亦在乎澄澹無爲，任物自化，以慈柔潛布，恩煦周行。使其民也日出而作，日入而息，昏昏默默，不知帝力，不知其上之有君也。雖下民不知帝力，而聖德遐被，玄風普覃，所以爲至化矣。

建言有之：

【注】建，立也。將欲立言，明此三士於道不同也。

【疏】建，立也。將立言釋上士勤行之道，中士存亡之致，下士大笑之由。有之〔三〕，指

〔一〕「情」，唐玄宗御製道德真經疏卷六該字後還有「下士蒙愚」句。

〔二〕「得」，唐玄宗御製道德真經疏卷六、道德真經玄德纂疏卷十二作「曰」。

〔三〕「有之」，唐玄宗御製道德真經疏卷六、道德真經玄德纂疏卷十二作「有之者」。

下明道等也。

【義曰】太上將立言顯道，以表三士不同之由，故有此句。

「明道若昧，

【疏】明，照了；昧，昏暗也。謂道德行人〔一〕，以昧養明，遺形去智，而實明了，故云若昧。言上士勤行，於明若昧；下士不達，是以笑之；中士初聞明道故若存，後聞如昧故若亡爾。

【義曰】夫大道之君，體道而處，神與化合，處於自然，萬彙任真，莫有聞見。性合道之玄妙，命得一之精微，動作順於太和，取捨合於天理，無思無慮，冥寂鴻蒙。齊日月之照，而民不以爲明；均雨露之恩，而民不以爲惠。其至明也，而若昏默焉。上士修道，隱智藏輝，含見匿知，反視内照，而外若嬰兒。此固非中士之所及，乃爲下士之所嗤也。若有若亡，抑亦其冥矣。又言天之德也，雖赫赫在上，常如冥昧耳。

〔一〕「行人」，道德真經玄德纂疏卷十二作「修行之人」。

進道若退，

【疏】進道之人，内心不起，外事都忘，功名日損，大成若缺。下士觀之，似如退敗。

【義曰】弘道之君也，天下童蒙，四海爲一，務其損而不益，其事然而不作，所爲者寡，所守者約，民忠厚而敦信，世和順而質朴。王如天地，民如草木，不以萬乘爲尊，不以九重爲樂，謙弱撝退，恬和無欲，而其道博施，其德恢廓，此若退之道也。上士以此理身，而玄德潛施，而不矜不衒，陰功默運，而不識不知，讓善於人，退身度物，而其丹籙之名克著，青華之簡昇聞。李意期乞食於人寰〔一〕，陰長生受辱於都市〔二〕，俟道華寓

〔一〕「李意期乞食於人寰」，神仙傳卷十：「或遊行不知所之，一年許復還，於蜀中乞食，所得以與貧乏者，於成都角中作一土窟而居其中，冬夏單衣，髮長剪去之，但使長五寸許，啜少酒脯及棗果，或食百日不出窟，則無所食也。」

〔二〕「陰長生受辱於都市」，神仙傳卷五：「陰長生者，新野人也，漢陰皇后之屬，少生富貴之門，而不好榮位，專務道術。聞有馬鳴生得度世之道，乃尋求，遂與相見，執奴僕之役，親運履之勞。鳴生不教其度世之道，但日夕與之高談當世之事、治生佃農之業。如此二十餘年，長生不懈怠。同時共事鳴生者十二人皆悉歸去，獨有長生不去，敬禮彌肅。鳴生乃告之曰：『子真是能得道者。』乃將長生入青城山中，煮黄土而爲金以示之，立壇四面，以太清神丹經授之。」

跡於傭保〔一〕，皇甫獺〔二〕示疾於丘林，聲子佯〔三〕狂，壺公韜晦〔四〕，皆卑躬損志，乃翥〔五〕景沖真也。又言地之德也，雖蒸蒸在下，常如卑退也。

夷道若纇，

【注】上士勤行，於明若昧〔六〕，於進若退，於夷若纇，故中士疑而下士笑。

〔一〕「侯道華寓跡於傭保」，雲笈七籤卷一百一十三紀傳部：「侯道華，自言峨嵋山來，泊於河中永樂觀，若風狂人，衆道士皆輕易之。而道華能斤斧，觀舍有所損，悉自修葺，登危歷險，人所難及處皆到。又爲事賤劣，有客來，不問道俗凡庶，悉爲擔水汲湯，濯足浣衣。又淘溷灌園，辛苦備歷，以資於衆。衆益賤之，驅叱甚於僕隸，而道華愈忻然。」

〔二〕「皇甫獺」，不見其人，疑爲皇甫謐或皇甫隆。

〔三〕「佯」，原作「伴」，據文意改，道德真經廣聖義節略卷三作「徉」，也當即「佯」。「聲子」或爲郭聲子。真誥卷五「晉初有真人郭聲子，在洛市中作卜師，時劉、石、張、臧四姓并欲學道，常自嘆，云不遇明師。」元始上真衆仙記：「郭聲子爲閬風真人。」

〔四〕「壺公韜晦」，神仙傳卷九：「壺公者，不知其姓名……汝南費長房爲市掾時，忽見公從遠方來，入市賣藥，人莫識之。其賣藥口不二價，治百病皆愈，語賣藥者曰『服此藥必吐出某物，某日當愈』，皆如其言。得錢日收數萬，而隨施與市道貧乏飢凍者，所留者甚少。常懸一空壺於坐上，日入之後，公輒轉足跳入壺中，人莫知所在，唯長房於樓上見之，知其非常人也。」

〔五〕「翥」，原誤作「者習」二字，據道德真經廣聖義節略卷三改。

〔六〕「於明若昧」，原無，據唐玄宗御注道德真經卷三、易縣唐碑本及文意補。

【疏】夷，平也。纇，絲之不匀者。夫識心清凈〔一〕，塵欲不生，坦然平易，與物無際，而外若絲之有纇〔二〕。

【義曰】絲之無纇，即爲人所用。齊紈楚練，霧縠雲羅，皆入彼化機，忘其本質，以至靡壞，不復爲絲矣。人之捨道，即爲俗所運馳，各競禄，滯色耽聲，流浪惡緣，迷喪真性，以至淪滅，不保其生矣。達士理身，内則夷坦，外示同塵，履苦遇樂，隨時應跡，若絲之有纇也。仲尼大聖之德，而伐樹削跡，歷聘諸邦；玄元大聖之尊，而伏柱藏書，行化絶域。此其内懷至道，外若有纇焉。又言君之德也，雖法地則天，不敢標異，常若有滯纇焉。

上德若谷。

【注】虚緣而容物也。

【疏】言勤行之士謂之上德，德用光備，無不含容，故云若谷。

【義曰】有道之君，託神太漠，隱貌玄冥，被道含德，無不包括。萬國之廣，貯於胸中，

〔一〕「凈」，道德真經取善集卷七作「静」。
〔二〕「纇」，唐玄宗御製道德真經疏卷六作「纇節」。

不恃其有；萬物自化，曠乎域中，不矜其大。豈若谷之可諭乎？又言國君含垢，如溪谷之受汙也。上士體道德無不周，固亦然矣。

大白若辱，

【注】純潔而含垢也。

【疏】白，純净也；辱，塵垢也。得純净之道者，混〔一〕迹同塵，故稱若辱。而實純白，獨全備爾。

【義曰】堯湯之德，至明也，而時有襄陵鑠石之數，民無〔二〕墊溺菜色之憂。亦大白之有塵垢矣。修道之士外汙，若干吉託形，而齒劍惠風，示跡以沉泉，内明道功，旁混塵濁，亦斯義也。

廣德若不足，

【注】大成而執謙。

【疏】言至人德無不被廣也。守柔用謙，故常若不足。史記曰：「良賈深藏若虚，君子

〔一〕「混」，唐玄宗御製道德真經疏卷六、道德真經玄德纂疏卷十二作「晦」。

〔二〕「無」，疑作「有」。

盛德，容貌若愚[一]。」

【義曰】上德之君，化被九圍，不恃其德，九圍自化。不知其功，固若不足爾。修道之士，功濟幽顯，德洽昆虫，立功不息，崇德不倦，常若不足。良賈深藏者，史記云：「孔子與南宫敬叔適周，問禮於老君。老君曰：『子之所言，其人骨已朽矣，獨其言在爾。吾聞之，良賈深藏外若虚，君子盛德，容貌若愚。去子之驕氣與多欲、態色與淫志，皆無益於子之身。吾所以告子者，若是也。』」此蓋責孔子以三綱五常之教汩亂於人，不尚大道，矯飾禮義，豈若善爲賈販之人，藏寶積貨，外畏人知，常若虚匱之者耳？

建德若偷，

【注】立功而不衒也。

【疏】建，立也；偷，盜也。言建立陰德之人，潛修密行，如彼盜[二]竊，當[三]畏人知，故曰若偷。

[一]「愚」，唐玄宗御製道德真經疏卷六該字後還有「若愚，不足」四字。

[二]「盜」，原訛作「盈」，據道德真經取善集卷七引唐明皇注改。

[三]「當」，唐玄宗御製道德真經疏卷六、道德真經玄德纂疏卷十二及道德真經取善集卷七作「常」。

【義曰】人君施德行道，潛育於人，不伐不矜，惟沖惟寂，不令天下知覺，故云若偷。上士修身，常持密行，故有若偷之義。又偷，薄也。論語大伯篇：「孔子曰：君子篤於親，則民興於仁。故舊不遺，則民不偷。」包氏注云：「興，起也。君能厚於親屬，則人皆化之，起爲仁厚之行，不偷薄也。」此言建立陰德之人，所行之行，有功則立，不計其名，有善必行，不務其厚，吴子曰「功不在大，遇物斯拯〔一〕」是也。

質真若渝，

【注】淳一而和光也。

【疏】真，淳一也；渝，變改也。言道德行人，其德淳一而無假飾，若可渝變，與物同波而和光也。

【義曰】質，素也；真，淳也。真淳質素之人，惟善是適，方圓任器，不局一隅，若可渝變爾。

大方無隅，

【注】不小立圭角。

〔一〕「功不在大，遇物斯拯」，吴筠玄綱論立功改過章第二十：「然功不在大，遇物斯拯；過不在小，知非則悛。不必馳騁於立功，奔波於改過；過在改而不復爲，功惟立而不中倦。是謂日新其德，自天祐之。」

【疏】方，正也；隅，角也。夫砥礪名節，以作廉隅，此爲〔一〕束教之人，非曰大方之士。磨而不磷，在涅不緇，大方也；而能和光同塵，不自殊異〔二〕，無隅也。故曰大方無隅。

【義曰】至道之君，玄德浩邈，無不包容，籠虛無而不爲大，亘天地而不爲遠，若鳴鳳之昇寥廓，若神龍之逸層霄，豈隅可以圍測哉？上士弘道，異夫儒術，不局名分，不拘廉隅。坦然其量也，眇若太虛；汎然其志也，杳若冥鴻。不緇不磷，有在於是矣。論語陽貨篇：「佛肸召孔子，孔子欲往，子路曰：『昔者由也聞諸夫子曰：「親於其身爲不善者，君子不及〔三〕入也。」佛肸以中牟叛，子之往也，如之何？』子曰：『然，有是言也。不曰堅乎？磨而不磷；不曰白乎？涅而不緇。』」磷，薄也，至堅之物，磨之而不薄；緇，黑也，至白之物，涅之而不黑。喻君子雖在濁世，不能汙也。聖人不爲世俗所染，如至堅至白之物也。上士之行，聖人之德，固無方隅可拘矣。

〔一〕「爲」，道德真經藏室纂微卷六引開元御注（實爲御疏）作「謂」。
〔二〕「不自殊異」，道德真經藏室纂微卷六引開元御注作「行不崖異」。
〔三〕「及」，傳世論語無。

大器晚成，

【注】且無近功。

【疏】備物之用曰器，以晚故能成大。是以上士勤行積功，而證得之於漸，非一朝一夕，故曰晚成。

【義曰】積和而成人，積功而成道，非朝夕之可就，故曰晚成。用道之君化於人也，抱無爲，任因循，忽忽昧昧而不苛察，純純悶悶而不滋彰，任物自然，而四海之内臻於道矣。理身之士，積功累行，不其然乎？故曰功滿三千，白日昇天；弘道無已，自致不死。非朝行而夕至也。備物之用曰器者，春秋定公九年：「夏，陽虎歸寶玉、夏后氏之璜。大弓。封父之繁弱〔一〕。書之曰：『得器用也。』凡獲器用曰得，得用曰獲。」故器者，備物之用也。

大音希聲，

【注】不飾小説〔二〕。

〔一〕「封父之繁弱」，原在「大弓」前，今據文意後移。

〔二〕「説」，唐玄宗御注道德真經卷三作「言説」。

【疏】夫道能應衆音，大音也；聽之無聲，希聲也。以況聖人開演一乘則法音廣被，待感而應，故曰希聲。

【義曰】大音若雷，不可以四時震擊；聖人微旨，不可以終日諠傳。此明道不可聞也，必在滅智内求，灰心默契，然後聽之非耳，聞之以神，得無聲之聲，證真道矣。一乘者，大乘之道也。道貫萬法，而演爲三乘。初法以戒檢心，以律檢行，以存修静其内，以齋潔嚴其外。然漸進中道，習於無爲，隳體黜聰，忘形絶念。而次登大乘之行，次來次滅，隨念隨忘，不滯有無，玄契中道。證此道者，鍊凡以登仙，超俗而度世，淩倒景之上，享無窮之齡。天地有傾淪，而真道無渝壞，法音周普，拯度群生。此聖人一乘之用也。

大象無形。」

【注】故能應萬類。

【疏】夫涉形器者，則滯於一方矣。惟大象之道，本無形質，隨感而應，能狀衆形。故曰大象無形。

【義曰】大象，道也。道非象，故摶之則微，豈善清浮爲天，濁厚爲地，大爲日月，小爲星辰，而昭昭可見乎？必在乎反視内明，含光中朗，然後見非色之色，覩無形之形也。夫道惟大象，寂寥無形，能成生衆形，彫刻萬象，萬象生化，在大象之中矣。唯得道者，能窺其形兆焉。

道隱無名，

【注】功用不彰，無名氏也。

【疏】語〔一〕其通生則强謂之道，忘其功用則隱無名氏。欲明名以詔〔二〕體，而妙本無象，則體不可名，故曰道隱無名。

【義曰】道無名稱，本非有法。法既非有，故曰隱焉。能忘强名之名，可階衆妙之妙。道生萬有，不矜其功，是忘其功用也；道應一切，不爲主宰，是隱無名氏也。是曰無象之象，無名之道。自非反神内鑒，胡可得而言之？

夫惟道，善貸且成。

【注】雖隱無名氏，而實善以沖和妙用，資貸萬物且成熟之。

〔一〕「語」，唐玄宗御製道德真經疏卷六作「因」，道德真經玄德纂疏卷十二作「目」。

〔二〕「詔」，唐玄宗御製道德真經疏卷六作「銘」。

【疏】此結道之功用。夫，嘆也；唯，獨也；貸，施與也。歎美〔三〕此道雖復無名無氏，無形無聲，獨能布氣施化，貸施萬物且成熟之，故曰善貸且成。

【義曰】道之功也，生成不息，運用無窮。秋毫之微，庶類之衆，皆資道氣假借而後能生能成。貸，假借於物也。無名無氏，爲萬有之根，無聲無形，爲萬物之源，布氣十方，成就一切。非妙本之道，孰能與於此乎！

〔三〕「美」，唐玄宗御製道德真經疏卷六作「羨」。

道德真經廣聖義卷之三十三

唐　廣成先生杜光庭　述

道生一章第四十二

【疏】前章明三士所聞之道能生萬物，此章明萬物生化之由必資三氣。初明沖氣柔弱，令萬物抱以爲和；次云孤、寡、不穀，戒王公以謙自處；結以「强梁不得其死」，示其修學之元。

【義曰】天地不能自生者，天地者大道，大道運用，惟一爲先，故云生一，則明前章三士所聞之道也。道惟一爾，而愚智聞之不同，由是有信有疑，或勤或笑，乃顯明昧進退之旨，示世人修習之由。又述谷辱偷渝之方，表上士謙虚之行。既云善貸萬物，彰萬物抱道而生，是知謙虚卑下之基，損之而益矣；格悍强梁之性，益之而損焉。必資三氣者，即靈寶生神章經云玄氣、元氣、始氣也〔一〕。始氣白，凝爲清微天，號玉清境，天寶君所掌，元始天尊統九聖居之。元氣黄，凝爲禹餘天，號上清境，靈寶君所掌，大道君統九真居之。玄氣青，凝爲大清境，號大赤天，太上老君統九仙居之。以此三氣，每氣復各生三氣，下爲九天，通三境爲十二天。又以十二天各分三天，凡三十六天也。又以其精凝爲三才，即始氣爲天，玄氣爲地，元氣爲人。始氣積陽，玄氣積陰，元氣積陰陽之華，而總爲人倫，散爲萬物。沖氣者，是元和沖寂之氣也，萬物得之以生，失之以死。人能寶之則返老還嬰，革凡成道。孤、寡、不穀之義，前章已明。重戒强梁，益明柔弱爲契道之行也。論語云：「禮之用，和爲貴。」是知和者陟道之徑，不可忽也。

道生一，一生二，二生三，

【注】一者，沖氣也。言道動出沖和妙氣，於生物之理未足，又生陽氣。陽氣不能獨

〔一〕「靈寶生神章經云玄氣、元氣、始氣也」，洞玄靈寶自然九天生神章經：「此三號雖年殊號，異本同一也，分爲玄、元、始三氣而治。三寶皆三氣之尊神，號生三氣三號，合生九氣九氣，出乎太空之先，隱乎空洞之中，無光無象、無形無名、無色無緒、無音無聲，導運御世，開闢玄通，三色混沌，乍存乍亡，運推數極，三氣開光。氣清高澄積陽成天，氣結凝滓積滯成地，九氣列正，日月星宿、陰陽五行、人民品物並受生成。」

生，又生陰氣。積沖氣之一，故云一生二；積陽氣之二，故云二生三。

三生萬物。

【注】陰陽含〔一〕孕，沖氣調和，然後萬物阜成。故云三生萬物。

【疏】道者，虚極之神宗；一者，沖和之精氣。生，動出也。言道動出和氣，以生於物，然於應化之理猶自未足，更生陽氣，積陽氣以就一，故謂之二〔二〕。純陽又不能生，更生陰氣，積陰氣以就二〔三〕，故謂之三〔四〕。三生萬物者，陰陽交泰，沖氣〔五〕化醇，則徧生庶彙也。此明應道善貸，生成之義爾。

【義曰】道以無形無名、不無不有、自然妙化而生乎一。一者，道之子也。天得以清，地得以寧，人得以長存，萬物得以生。故此妙一，修道者守之抱之，存之得之，以爲證

〔一〕「含」，原作「合」，據唐玄宗御注道德真經卷三、道德真經玄德纂疏卷十二改。

〔二〕「故謂之二」，道德真經藏室纂微卷六引開元御注作「故曰一生二」。

〔三〕「二」，原作「三」，據唐玄宗御製道德真經疏卷六、道德真經玄德纂疏卷十二及道德真經藏室纂微卷六引開元御注改。

〔四〕「故謂之三」，道德真經藏室纂微卷六引開元御注作「故曰二生三」。

〔五〕「沖氣」，唐玄宗御製道德真經疏卷六作「沖和」。

道之根矣。所言一者，即前始氣爲天也；一生二者，即玄氣爲地也；二生三者，即元氣爲人也。所以沖和妙氣生化二儀，凝陰陽之華，成清濁之體。然後人倫畢備，品物無遺，四序調平，五行運象。若交感而順，則物保其常；或否塞而逆，則物罹其患。故周易乾下坤上爲泰。天地交而萬物通也，上下交而其志同也。内陽而外陰，内健而外順，内君子而外小人，君子道長，小人道消也。故陽氣在上而下感於陰，坤爲陰也，陰氣在下而上感於陽，二氣交感而生萬物，是則孤陰孤陽不能生化。其或反此，則坤自居下，乾自居上，二氣不交，天地隔塞，在易爲否。天地不交而萬物不通，上下不交而天下無邦，亦不能生化，故疏云「陰陽交泰，沖氣化醇」，易曰「天地絪緼，萬物化醇」也。

萬物負陰而抱陽，沖氣以爲和。

【注】萬物得陰陽沖氣生成之故，故負抱陰陽，含〔一〕養沖氣，以爲柔和。

【疏】言物之生也，既因陰陽和氣而得成全，當須負荷陰氣，懷抱陽氣，愛養沖氣，以爲柔和。故廣成子告黄帝曰：「我守其一，以抱其和，故我修身千二百歲，而形未嘗

〔一〕「含」，原作「合」，據唐玄宗御注道德真經卷三、道德真經玄德纂疏卷十二改。

衰。」是知元氣沖和，群生所賴。老君舉此者，明人既禀和氣以生，則氣爲生本，人當固〔一〕柔和、守雌弱以存本也。

【義曰】萬物之生也，道氣生之，陰陽氣長養之。一晝一夜，一陰一陽，更相遞代，養育萬物。其大也，陰爲寒，陽爲暑；其細也，陽爲明，陰爲晦。以寒暑明晦，晝夜長育，萬物各成其形，非妙道沖和之氣無以生也。雖有寒暑而無道氣者，亦殂落矣。二氣更爲内外，故萬物負之抱之，不可離矣。人之生也，道以元一之氣降之，爲精爲神；天以太陽之氣付之，爲動爲息；地以純陰之氣禀之，爲形爲質。生神經曰：「人之既生，天神一萬八千，地神一萬八千，故三萬六千神〔二〕。」氣一時生形，夫向之者陽也，背之者陰也。故曰負陰而抱陽。至矣哉，人生天地之間，驚天駭地，三元育養，九氣結形，萬神恭諾，司馬敬順，天真鑒映，擢形太陽亦不輕也。但人得生而自不能尊其氣，貴

〔一〕「固」，唐玄宗御製道德真經疏卷六作「因」。

〔二〕「人之既生，天神一萬八千，地神一萬八千，故三萬六千神」，文句不見今洞玄靈寶自然九天生神章經，然太上洞玄靈寶業報因緣經卷八生神品曰：「九月神降，無想無結無愛天炁下浹身中。天神一萬八千，身神一萬八千，内外相合三萬六千神。一時生神，金樓玉閣，紫户青門，分靈布化，匝繞身中，表裏相應。聲尚神具，十月而生。」

其形，保其命，愛其神，自取死壞，離其本真，豈不痛哉！莊子在宥篇：「黄帝於崆峒山問廣成子：『理身之道，奈何可以長久？』廣成子蹶然而起曰：『善哉問乎！吾語汝。至道之精，杳杳冥冥；至道之極，昏昏默默。無視〔一〕無聽，抱神以静，形將自正，必静必清，無勞汝形，無摇汝精，乃可長生。目無所見，耳無所聞，心無所知，神將守形，乃可長生。慎汝内，閉汝外，多知爲敗。我爲汝遂於大明之上矣，至彼至陽之原也；爲汝入於杳冥之門矣，至彼至陰之原也。天地有官，陰陽有藏，慎守汝身，物將自壯。我守其一，以處其和，故我修身千二百歲矣，而形未嘗衰。』」此謂天有日月星辰，地有岳瀆百川，皆有尊卑，遞相運用。帝王無事，物自昌壯矣。豈在多事乎？廣成子乃太上所化之身，應號於世，以道授於帝王，豈有生死終始之數？寓言千二百歲耳。又曰：「得吾道者上爲皇，而下爲王；失吾道者上見光，而下爲土。」又曰：「人其盡死，而我獨存。」此得沖和之妙也。

〔一〕「視」，原作「現」，據傳世莊子改。

人之所惡，惟孤、寡、不穀，而王公以爲稱。

【注】萬物皆以沖和之氣爲本，而沖氣柔弱〔一〕。守本者當須謙卑柔弱，故王公至尊而稱孤、寡、不穀者，以謙柔爲本。

【疏】沖氣柔弱，爲生之本，故舉王公謙卑以敦其本。孤、寡、不穀，不善之名，非尊崇之稱，人所惡之，而王公以爲名者，謙之至〔二〕也。言王公爲風化之主，存亡所繫，天下具瞻。若不崇尚謙柔，以安社稷，則物所不歸。故取謙柔爲本，以致巍巍之功。

【義曰】守柔弱者，生而不匱；懷謙抑者，高而不危。所以柔弱爲保生之元，謙抑爲全高之本。故大國者宜爲下，崇臺者固其基。此守道之常，立身之要，但人不能行之耳。具者，衆也。居尊高之位，衆所瞻仰。毛詩小雅節南山篇：「赫赫師尹，民具爾瞻。」既居高位，爲師長尹正，故能宣行風化，以育黎元。詩序云「上以風化下」，言王侯以德風化於下民。論語曰：「君子之德風，小人之德草。草上之風，必偃。」言民從順其上之化也。王侯行道德，四方之人歸從其化，故曰歸往。解云：「民所歸往之謂

〔一〕「柔弱」，唐玄宗御注道德真經卷三、易縣唐碑本、道德真經玄德纂疏卷十二作「和柔」。

〔二〕「至」，唐玄宗御製道德真經疏卷六作「志」。

王。」王公有道，其功崇高，如山之固，故曰「巍巍乎！其有成功」。巍巍者，高峻之貌也。

故物或損之而益，益之而損。

【注】自損者人益之，自益者人損之。故朝宗者善於下，謙弱者德之柄。孤寡而稱，不亦宜乎〔一〕？

【疏】故者，仍上之詞也；損，貶毀也。言王公稱孤寡以自毀損，則爲百姓樂推尊敬而事之而致益也。或益之而損者，若王公貴寵其身，居上而驕，則下人離散而致損也。書曰：「滿招損，謙受益。」斯之謂也。

【義曰】理國以謙光爲本，立身以柔弱爲先。易曰：「謙謙君子，卑以自牧。」或反於此，必貽其損。易説卦〔二〕曰：「緩之必有所失，故受之以損。損而不已必益，故受之以益。益而不已必決，故受之以夬。」則損益倚伏，終始相循。若謙己不已，物常益之，故無顛覆。修道之士割榮華，去繁盛，捨悦樂，甘寂寥，損之甚矣。其得道也，延

〔一〕「故朝宗者」至「不亦宜乎」，唐玄宗御注道德真經卷三無，易縣唐碑本、道德真經玄德纂疏卷十二有。

〔二〕「説卦」，按此處所引文字實出自序卦。

景福，享遐年，逍遥無爲，天地齊永，豈非益之乎？滿招損者，尚書大禹謨：「舜曰：『咨！爾禹，惟時有苗不率，汝往徂征。』禹乃會群后，誓師征之。三旬，苗人逆命。益贊禹曰：『惟德動天，無遠不届。滿招損，謙受益。是乃天道。』禹拜昌言曰：『俞！』帝乃誕敷文德，舞干羽于兩階，七旬而有苗格。」故理國理身，謙爲本也。

人之所教，亦我義教之：

【注】老君曰：人君所欲立教教人者，當以吾此柔弱謙虚之義以教之。

【疏】人，謂人君也。人君爲政教之首，一國之風，繫乎一人而化。故老君昌〔一〕言之曰：人君欲行言教以化人者，當須用我沖虚柔弱之義以教之也。

【義曰】理化之本，其惟元首乎？元首者，人君也。尚書曰：「元首明哉！股肱良哉！庶事康哉！」此言人君教之善也。又曰：「元首叢脞哉！股肱惰哉！庶事隳哉！」人君叢脞細碎而無大略，則臣下懈惰，萬事隳廢。此言人君教之不善也。政教由於元首，可不慎耶？詩序曰：「一國之事，繫一人之本，謂之風。天下之事，形于四

〔一〕「昌」，唐玄宗御製道德真經疏卷六作「唱」。

方之風，謂之雅。雅〔一〕，正也。言王政之所由廢興也。」人君以謙損柔弱以教於人，人醇朴而宗道矣；以仁義苛察以化於人，人智詐而歸於亂矣。理身者謙静而事簡，事簡而心泰，則生可保；躁動而心競，心競而事繁，則去道遠矣。昌，大也。

「强梁者不得其死」，

【注】强梁之人，動與物亢。求益而損，物或擊〔二〕之，故不得其死。

【疏】强梁，謂剛暴屈强之人也。剛暴之人失養生之要，必自夭其天素〔三〕，不得壽終而死。嚴仙人曰：「强秦以專制而滅，大漢以和順而昌。」

【義曰】老君所戒，柔必勝剛，弱必勝强。故舌柔則存，齒堅則亡。是則强梁非全身之道，爲失生之基耳；剛暴非進道之階，殊保壽之旨矣。深宜戒之。嚴仙人者，蜀郡嚴遵，字君平，常於成都市以卜筮之道潛化於人，人有不正之問，必以陰陽之理制而止之。日閲百錢而閉肆，下簾以受老子，乃作指歸數萬言，明理國理身之要。其解此

〔一〕「雅」，原文前還有「風」字，據傳世詩序删。

〔二〕「擊」，原作「繫」，據周易繫辭下、道德真經玄德纂疏卷十二及後疏、義改。

〔三〕「夭其天素」，唐玄宗御製道德真經疏卷六作「失其天命」，道德真經玄德纂疏卷十二作「夭其天數」。

義云：强秦以專制而滅者，言秦皇吞滅七國，一統天下，威制四方，殺伐無已，違謙抑守柔之道，故子嬰降而祚滅，不得其死。理實然乎？秦，嬴氏，顓頊伯翳之後，至非子與周孝王養馬，封於汧渭之間。平王東遷，秦襄公衛助有功，因命列爲諸侯。至繆公乃下士用賢，得由余、子桑、百里奚，乃强盛。昭王五十一年伐周，取九鼎寶器、三十六邑，遷周於憚狐。昭王稷〔一〕卒，孝文王戍〔二〕立。一年戍死，莊襄王子楚立。三年而卒，始皇正立。元年乙卯至二十六年庚辰，平諸侯，滅六國，自號始皇。三十八年卒，二世胡亥立。三年卒，子嬰立。四十六日降漢於軹道。項羽至，斬之，國滅。漢祖劉邦，字季，彭城豐沛人。帝堯劉累之後，父太上皇煓。起布衣，推賢用能，與項羽力戰而取天下。德制强楚，仁及生靈，智士爲之謀，賢士爲之輔，相三傑而成帝業，約二章而安疲人，有長者大度之美，傳祚兩漢二十四帝四百餘年。裔孫王蜀，亦及兩世。此柔德制强之驗也。理身理國，足爲鑒乎？

【疏】强梁者失道，剛武者失神。生主以退，安得長存？注云「動與物亢」，亢，敵也。

〔一〕「稷」，原作「俾」，據傳世文獻秦昭襄王名稷，故改。

〔二〕「戍」，大多傳世文獻中秦孝文王名柱，元胡一桂史纂通要則作「戍」。

「物或擊之」者，易益卦上九爻辭云：「莫益之，或擊之。」

【義曰】理代者以强梁失國，理身者以强梁喪生。與物抗敵，豈能無患？或擊之者，易益卦上九曰：「莫益之，或擊之。」言處益之極，過盈者也。求益無已，是心無恒，無厭而求，人莫之與，獨唱莫和，適是偏辭。人道惡盈，怨者非一，故或擊之也。益，與也；擊，傷也。神爲生主，人爲神主，相須而立，闕一則亡。用剛失神，故非善也。

吾將以爲教父。

【注】吾見强梁者亡，柔弱者全，故以此柔弱之教，爲衆教之父也。

【疏】父，本也。此句結修學之元。老君舉强梁者亡，以之爲戒；柔弱者全，以之爲勸。以爲教父者，父爲子本，言吾將此柔弱之教爲衆教之本，如子之於父，故云以爲教父。

【義曰】父者，尊也。柔弱必全，尊於衆教。衆教之本〔一〕，謙柔爲先。故易曰：「謙尊而光，卑而不可踰。」言尊者能謙光而益明，卑者能謙不可踰越。禮曰：「傲不可長，慎以避禍。恭以遠耻，敬讓以行。」皆謙慎之旨也。尚書曰「願而恭」，愨愿而恭恪也。

〔一〕「本」，原文模糊，似作「求」或「末」，據文意改。

柔而立，和柔而立事也。詩云「靖恭爾位」，守柔敬也。春秋曰：「使之以和，臨之以敬，行之以禮，守之以信，奉之以仁，教之以務，閑之以義。」經曰：「兵强不勝，木强則共，强大處下，柔弱處上，高者抑之，下者舉之。」此衆教之中皆以柔弱謙敬爲本也。爲教之父，豈虚也哉？理天下，修其身，守柔行謙，無思不服矣。

道德真經廣聖義卷之三十四

唐　廣成先生杜光庭　述

天下之至柔章第四十三

【疏】前章明衆生背道，强梁所以不得其死；此章示人正性柔弱，修之則與道合同。文殊途以發明，理會歸而齊致。首標舉道性柔弱之本，人有失之〔一〕，成堅强之過；後「吾是以」下明無爲之道廣有利益，衆教莫之能先。

【義曰】既以前章示强梁極則之於死，此乃明至柔失即爲至堅，用顯無爲之益，更彰不言之利。欲使人捨强服柔，宗無去有，從麤入妙，深契道元爾。

〔一〕「人有失之」，唐玄宗御製道德真經疏卷四作「人儻有得失之」。

天下之至柔馳騁，天下之至堅。

【注】天下之至柔者，正性也。若馳騁代務，染雜塵境，情欲充塞，則爲天下之至堅矣。

【疏】夫人之正性，本自澄清，和氣在躬，爲至柔也。若馳騁情欲，染著代塵，爲聲色所誘，則正性離散，爲至堅也。

【義曰】道以至柔，無乎不在，貫通萬物，流注群形，得之則生，失之則死。故保養道存則生全而柔弱，馳騁氣散則枯槁而堅强。理國有道則襁負而歸仁，無道則蕭墻搆敵矣。染著代塵者，謂六根起於六識，六識恣於六情，六情生於六欲。六欲謂之六塵，六塵謂之六染，六染謂之六入。從根而生，染有輕重，皆在修鍊，漸而制之。所以理身所務，眼絶五色，耳絶五聲，鼻絶五香，口絶五味，身絶五觸，心絶五緣，即六塵净矣。六塵净則世利不能動，聲色不能誘，自歸柔弱之道，豈有堅强之患哉？

無有入於無間。

【疏】無有者，謂人了悟諸法，一無所有，則返歸正性，與道合同，入無間矣。無間，道也；入，謂與道同也。以道爲無間者，明道性清净〔一〕，混然無際而無間隙矣。

〔一〕「净」，唐玄宗御製道德真經疏卷四作「静」。

【義曰】天地有形位，清濁殊矣；陰陽有分別，昏明殊矣；氣象有代謝，四時殊矣。惟道廣包天地，微貫陰陽，總四時，運氣象，無處無道，故云無間隙也。人能融神觀妙，返一歸元，息則爲人，消則爲氣，與道爲一，常存不亡，乘無有之和，入無間之道，何四序之能運，生死之能局哉？

吾是以知無爲之有益。

【注】無爲[一]者，不染塵境，令心中一無所有。無間者，道性清净，妙體混成，一無間隙矣。不爲可欲所亂，令心境俱净[二]，一無所有，則心與道合，入無間矣。故聖人云：「吾見身心清净，即能合道。」是知有爲之教，不如無爲之有益。

【疏】吾者，老君自稱也。此章亦通戒人君以無爲化理天下，故老君云吾見衆生正性柔弱，及乎馳騁奔競，則至堅强。若使照了心境，則一無所有，即合道矣。是知清净無爲，理身理國，有益於人也。以此[三]推之，有爲之教，不及無爲之有益也。

[一]「無爲」，唐玄宗御注道德真經卷三、易縣唐碑本、道德真經玄德纂疏卷十二作「無有」。

[二]「净」，唐玄宗御注道德真經卷三、易縣唐碑本、道德真經玄德纂疏卷十二作「静」。

[三]「此」，唐玄宗御製道德真經疏卷四作「法」。

【義曰】老君垂教以清靜爲用，無爲爲宗。清靜則國泰身安，無爲則道成人化。夫道德無爲也，天地成焉，萬化行焉，萬物生焉。天地無爲也，四時運焉，六氣和焉，八風鼓焉。聖人虚心以原道德，靜氣以存神明，棄其聰，聽於無聲，杜其明，視於無形，覽天地之變動，覩萬物之自然。以是而知有爲者亂，無爲者理。所以至柔之性本無爲也，至堅之患由馳騁也。息馳騁之有欲，復柔弱之無爲，以教天下，弘益之道廣矣。照了心境者，神奇莫測，内察於一心，妙用無窮，外忘於萬象。理國則忘其所理，修身則忘其所修，洞入虚無，泯然合道，是謂内照。内明之旨也。

不言之教，無爲之益，天下希及之。

【注】言天下衆教，少能及之也。

【疏】至道無言，物以之生；聖人無爲，化以之清。即不待〔一〕立言然後成教。天下希及之者，言九流百氏，希有能及無爲之教者。又云：自非體道之君，莫之能及，故曰希也。

【義曰】人君以無爲爲理，率土以自然而化。復何言哉？夫無爲之至妙，包於道德，

〔一〕「待」，道德真經玄德纂疏卷十二作「恃」。

統於仁義，合於禮樂，制於信智，囊括萬行，牢籠二儀，至廣無涯，至細無間，凝寂玄寥，與道混合，是無爲之至也。九流者，漢書云：「道家流者，使人精神專一，動合無形，贍足萬物。其爲術也，因陰陽之大順，與時遷徙，應物變化，本清虚以自守，卑弱以自持，此人君南面之術也。儒家流者，蓋出司徒之官。助人君明教化，祖述堯舜，憲章文武，宗師仲尼，以重〔一〕其言，於道最高。此其所長也。或失精微而僻，又隨時抑揚，違離道本。苟以譁衆取容，後進僻儒之患。名家流者，蓋出於春官。名位不同，禮亦異數。子曰：『必也正名乎。』此其所長也。及徼爲之，則苟鉤鈲析辭〔二〕而已。爲君者愼器與名，故曰『惟名與器不可以假人』。縱横家流者，蓋出於行人之官。子曰：『使於四方，不能專對。』又曰：『使乎使乎！』言當權事制宜，受命不受辭，此其所長也。邪而爲之，則尚詐而棄其信矣。雜家流者，蓋出於議官。合儒墨，兼名法，此其所長也。盪者爲之，則羡無歸心矣。農家流者，蓋出於農官。播五穀以足衣足食，洪範八政，其一曰食〔三〕，此其所長也。鄙者爲之，欲使君子並耕矣。小説家流者，

〔一〕「重」，原作「垂」，據漢書藝文志改。

〔二〕「辭」，漢書藝文志作「亂」，據文意「辭」也可通，故不改。

〔三〕尚書洪範：「八政：一曰食，二曰貨，三曰祀，四曰司空，五曰司徒，六曰司寇，七曰賓，八曰師。」

蓋出於稗官。稗，小米也。王者欲知風俗，立稗官采街譚巷議之説。子曰：『雖小道，必有可觀，致遠恐泥。』此亦芻蕘狂夫之義也。墨家流者，出於清廟之宇。茅屋采椽，兼愛〔一〕選士，敬者爲推也。陰陽家流者，出於天官。五行之説，使人多拘忌也。兵家流者，出於司馬之官。所以威不軌而昭文德，兼弱攻昧，以遏亂略，以靖四國，此其威也。止戈爲武，武有七德，佐文而理。文武之道，不可廢也。」百氏者，六經正史之外自爲述作，自周已來立理著書，凡百餘人，皆稱曰子。子者，男子之通稱也。不敢侔於六經，皆目之爲子，爲論，爲記，爲書。或以姓氏立稱，或以因時表號，則有鬻子、曾子、晏子、孟子、管子、荀〔二〕卿子、魯連子、列子、莊子、庚桑子、王孫子、尹文子、公孫尼子、吕氏春秋、鄧析子、鬼谷子、陸賈、晁錯、賈誼、桓譚、崔寔、周生、列子、魏朗、任嘏、裴玄、蘇彦、傅玄、唐滂、秦菁、阮武、商君、陸雲、牟子、符朗、孫武、氾勝之是也。或自立別號者，子思子、太公、金匱、淮南子、鹽鐵論、説苑、新序、論衡、潛夫論、風俗通、文子、申鑒、昌言、典論、篤論、中論、萬機論、忠經、意林、道言録、歲時記、耆舊記、

〔一〕「愛」，原作「受」，據漢書藝文志改。

〔二〕「荀」，道德真經廣聖義節略卷三作「孫」。

法訓、五教、蒭蕘、典語、默記、正書、正論、物理論、韓子、人物志、成敗志、通論、正部、士緯、通語、國語、越絶書、抱朴子、世要、新論、析言、幽求、長樂子、家語、太玄經、方言、法言、志林、搜神記、博物志、義訓、山海經、水經、大荒記、十洲記、拾遺録、本草、相牛經、相馬經、相鶴經、周髀、竹譜、孫子兵法、司馬兵法、孫子筭經、黄石公記、相貝經、萬畢術是也。或採玄經奥義，或探儒術禮書，或宗律曆天文，或附陰陽象緯，或拘以名法，或約以機權，各盡所長，互陳其自然有爲。或作乍弛乍張，各滯一隅，罕能通貫。以兹量較，難以及之於無爲之道焉。惟體道之君，上德之主，志無所慮，神無所思，動若無形，寂若無有，與道相得，曠然大通，可以繼躅玄元，追蹤大白矣。

名與身孰親章第四十四

【疏】前章明正性柔弱，馳騁所以至堅；此章明名貨親疏，愛藏所以爲患。初三句標問得亡孰病，次兩句詳答致患之由，後「知足」下結勸令守分，則可長久爾。

【義曰】貨者身之所資，名者身之所美；滯於貨則有焚軀之咎，溺於名則有損命之災。藏貨愛名，斯爲大患。老君哀世人迷執名貨，不知致病之由，故三句問之於前，兩句答之於後，示以止足之善，息其藏愛之心。軫慮群生，斯亦至矣。

名與身孰親？

【注】名者實之賓，代人徇名以亡身，設問誰親，欲令去功與名，而全其真矣。

【疏】此以名較量身也。孰，誰也。詳問云：夫以矜徇功名，保養身命，兩者既異，誰者與保壽全身〔一〕之道爲親乎？傷代人不能忘名以全真〔二〕爾。

【義曰】聖人憫俗間之士貪愛功名，名立於前，身危於後。誰能棄名而修道，絶俗而全身？所以伯夷死於仁，聶政死於義，尾生死於信，比干死於智，荆軻死於勇，龍逢〔三〕死於諫，伍員死於忠，介推死於怒，是皆名顯身殁，形骨飄零，披面剖心，火焚水溺，齒劍抉眼，自取滅亡。殊不知儒者之訓，全而歸之，賈彼虚名，去道遠矣。

身與貨孰多？

【注】徇利者將以求財，財得而亡身。設問孰多，欲令擲玉毁珠，以全其和矣。

〔一〕「保壽全身」，唐玄宗御製道德真經疏卷四、道德真經玄德纂疏卷十二作「全真保年」。

〔二〕「全真」，唐玄宗御製道德真經疏卷四、道德真經玄德纂疏卷十二作「存身」。

〔三〕「龍逢」，即關龍逢。夏之賢人，因諫而被桀所殺，後用爲忠臣之代稱。

【疏】多者，可貴重之意也。言身與貨兩者既别，誰可多貴耶？云此者，欲令悟身爲多，不貴於貨可也。注云擲玉毁珠者，莊子外篇之詞也。

【義曰】老君以舉世所惑財貨爲先，貨積而身憂，財多而禍至。誰能散財卻害，樂道安貧？所以慶封〔一〕死於富，駟顓〔二〕死於侈，齊簡公〔三〕死於貪，榮夷公〔四〕死於利。故莊子至樂篇云：「天下所尊者，富貴壽善也；所樂者，味服聲色也；所下者，貧賤夭惡也；所苦者，饑寒憂懼也。而富者苦身疾作，積財而不得盡用，其爲形也，亦以外矣；貴者夜以繼日，思慮常若不足，其爲形也，亦以疏矣。」而至於豐屋蔀家，名亡身辱，殊不知達者所誚，積財累患，保壽全生，固亦遠矣。擲玉毁珠者，莊子胠篋篇云：「脣竭則齒寒，聖人生而大盜起。若掊擊聖智，縱捨盜賊，而天下始理矣。夫川竭而谷虛，丘夷而泉實。聖人已死，大盜不起。絶聖棄智，大盜乃止；擲玉毁珠，小盜不起。」此所謂聖智者，作盜之利器；珠玉者，起盜之貪心。棄而不用，奸盜自然息矣。

〔一〕「慶封」，春秋齊大夫，與崔杼殺莊公，立景公，後滅崔氏，驕奢淫逸，耽於酒色，後逃亡楚國，被滅族。

〔二〕「顓」，原作「遄」，據傳世文獻改。「駟顓」，春秋鄭大夫，殺鄧析子而用其竹刑，後「浸欲崇侈不可盈厭」。

〔三〕「齊簡公」，名壬，齊悼公子，後被田恒所殺。

〔四〕「榮夷公」，西周時榮國國君，後得周厲王寵信重用。

得與亡孰病？

【注】問得名貨與亡名貨，孰者病其身。

【疏】此總問上二句，得名貨與亡名貨，誰爲病耶？得名貨則亡身，存身則亡名貨，曆然殊致〔一〕，爲病可知，而迷倒之徒莫之先覺，故後文詳答之爾。

【義曰】大聖説經，義存匡救。將顯以身爲重，名貨爲輕。輕重設問辭，復爲詳答。殷勤指喻，迷者尚或懵焉。

是故甚愛必大費，多藏必厚亡。

【注】甚愛名者必勞神，非大費乎？多藏貨者必累身，非厚亡乎？

【疏】此二句總答前問。甚愛必大費，此答名與身孰親。費，猶損也；親，猶愛也。甚愛名者矯企情性，損費心神，所愛既甚，所費彌大矣。多藏必厚亡者，此答身與貨孰多。藏貨既多，其亡亦厚。劍玉賈害，譬諸懷璧，詩書發塚，只爲含珠，惟貨之損，可爲殷鑒。

【義曰】徇名則害己，藏貨則亡身。已如前解。河上公云：「生多藏於府庫，死多藏於

〔一〕「致」，唐玄宗御製道德真經疏卷四此句作「歷然殊致」，據改。「歷」「曆」通。

丘墓。生有攻劫之憂，死有發掘之患。」劍玉賈害者，春秋桓公十年：「虞公之弟虞叔有玉，虞公求之。弗與，既而悔之。曰：『周諺有之：疋夫無罪，懷璧其罪。吾焉用此？其以賈害也。』乃獻之。又求其寶劍。叔曰：『是無厭也。無厭，將及我，恐將殺我也。』遂伐虞公。故虞公出奔共〔一〕池也。」詩禮發冢者，莊子外物篇：「儒以詩禮發冢。大儒臚傳曰：『東方作矣，事之若何？』小儒曰：『未解裙襦，口中有珠。詩固有之：青青之麥，生於陵〔二〕陂。生不布施，死何含珠爲？』大儒曰：『接其鬢，壓其顪，徐以金鎚控其頤，無傷口中珠。』」大儒，大寇也；小儒，小寇也。東方作矣，言日將出也。詩，古詩也。麥宜下田，今種陵陂，非其所也；生不布德施惠，死乃含珠，非其藏也。致有發冢，理亦宜然。詩以温良，禮以莊敬，先王理世之法也，今用發冢。稱儒爲盜，誠有之哉。

知足不辱，知止不殆，可以長久。

【注】知足者不甚愛，知止者不多藏。既無辱殆，故可長久也。

〔一〕「共」，原作「洪」，據傳世左傳改。

〔二〕「陵」，原無，據傳世莊子補。

【疏】辱，損累也；殆，危亡也。不邇聲名，知足也；不殖財貨，知止也。知足故名當其實，而無過分之累；知止故貨不多藏，而無貪求之害。既不辱不殆，乃可長存而久壽也。

【義曰】人之生也，大道降氣，三元炳靈，九天所錫，稟有其數。修道者積功而延壽，爲過者負釁而夭年。既貪過分之名，名不稱實；又積難得之貨，貨必致災。小則耻辱及身，大則危亡其命。身辱命夭，自貽其殃，深可憫也。老君戒之，使絶其叨名之過，革其瀆貨之心。知足知止，無貪無欲，則卻夭年之禍，造延壽之庭，固可長久也。

大成若缺章第四十五

【疏】前章明身貨孰親，愛藏所以爲患；此章明成盈若缺，其用所以不窮。初七句標立行之楷模，次兩句明静躁之優劣，後「清静」下結釋清静則可爲天下正爾。

【義曰】上德之君、達道之士，其履行也有兮若無，實兮若虛，汎然與天地同體，浩然與陰陽同波，不矜盈成之所能，故若沖缺之不足。代人覩屈拙之外狀，罔知巧直之内明，挫辯躁之機，明訥静之要，爲天下正，無以加焉。顯前章名貨之非，表後章貪欲之咎，以清以静，爲修道之階。此其大旨也。

大成若缺，其用不弊。

【注】學行大成，常如玷缺。謙則受益，故其材用無困弊時。

【疏】凡曰學人，功行大成，衆德圓備。常自虚忘，有如玷缺，如是則材用不窮也。道德大成之君，亦復如是。等天地生育之功，齊日月照臨之德。所成理大，故曰大成。然不恃其成，有如虧缺，以斯爲用，用則無窮。

【義曰】人君以大道化物，與道相符。上士以大道修身，與道冥合。是以天高地廣，日照月臨，寒暑陰陽，自相遞代，道不伐其功矣。人君法道爲理，上行下隨，不伐其功，與道同矣。修學之士，功圓德備，不矜其能，道益彰矣。故皆若虧缺，而其實圓成也。於國則聖理常存，於身則體和無極。雖云若缺，固無弊竭之時矣。

大盈若沖，其用不窮。

【注】禄位盈滿，常若沖虚。儉不傷財，故用不窮匱。

【疏】沖，虚也；窮，匱也。此明聖人禄位充盈，恭儉自牧，不爲盈滿，故若沖虚。所謂有若無，實若虚，故其運用而無窮匱也。

【義曰】不矜其有，故盈而若虚；不恃其盈，故用而無乏。主有餘德，民有餘財，周流六虚，放曠四極。爲國則民自富，理身則德自充。其用無涯，何窮匱之有也？

大直若屈，

【注】直而不肆，故若屈也。

【疏】直，正也；屈，曲也。前四句兼明體用，下三句但出其體，不書其用，略文以見義，類可知也。夫潔己而垢人，舉直而措枉，小直也；不執是以辯非，不正己以矯物，大直也。曲隨物宜，故云若屈。注云「直而不肆」，此卷之經文也。

【義曰】道以和氣順物，物自生成；君以大道化人，人自貞正。上士體道，與物逶迤，物感其和，各從其直。此直廣博，旁該萬殊，可謂大矣；此化隨順，忘功不宰，可謂若屈矣。舉直措枉者，論語爲政篇：「魯哀公問孔子曰：『何爲則民服？』孔子對曰：『舉直措諸枉，則民服。舉枉措諸直，則民不服。』」哀公魯君，春秋隱公第十二君，名蔣，謚曰哀。時哀公失德，民不服從，哀公患之，故問孔子，求民服從之法也。直，謂正直之人；措，置也；枉，謂邪曲之人。若舉正直之人爲官，則邪枉之人廢置，民服君德矣。若舉邪佞之人，廢正直之人，則民不服矣。此孔子譏哀公捨賢任佞，欲使改之爲理也。直而不肆，此卷第二十一章經文也。

大巧若拙，

【注】巧不蕩於分外，故若拙也。

【疏】矜粉繪之工，是鈎繩之妙，小巧也；因材致用，任物成功，不失其宜，大巧也。無所裁割，不見其功，似若朴拙爾。莊子稱造化刻彫衆形而不爲巧。

【義曰】天地大化，陰陽大鈞，吹萬流形，不見其用，人君端拱，垂教萬方，各盡其能，萬物各施其用，方圓曲直盡得其宜，貴賤賢愚各宣其力，大巧之謂也。天地爲而不宰，陰陽施而不有，人君化而不恃，故若拙焉。粉繪之工者，論語八佾篇云：「繪事後素。」言以五色畫成文謂之繪。五色既具，然後以素分布其間，以成其文。素者，粉也，是謂粉繪焉。鈎繩者，莊子馬蹄篇云：「陶者曰：『我善治埴，圓者中規，方者中矩。』匠人曰：『我善治木，曲者應鉤，直者應繩。』夫埴木之性，豈欲中規矩鉤繩哉？然且世世稱之。」此言土之性也，種之得五穀，掘之得甘泉。木之性也，曲則爲輪，直則爲桶。今陶者以規矩，匠者以鈎繩，圓者則矩之使方，方者則規之使圓，曲者繩之使直，直者鈎之使曲。此失其真性，誠至小巧爾。造化刻彫衆形者，莊子大宗師篇：「意而子問許由曰：『願遊於至道之藩。』由答曰：『噫，吾師也。(𩐋)萬物而不爲義，澤及萬世而不爲仁，長於上古而不爲老，覆載天地、刻彫衆形而不爲巧。此所遊已。』」此謂吾師自然之道，無心自爾，莊子師之。吾師之遊，自然而已。

大辯若訥。

【注】不飾小説故若訥。

【疏】合譬飾詞，結繩竄句，小辯也；行不言之教，辯彫萬物，窮理盡性，大辯也。至言去言，無所抑揚，如謇訥爾。

【義曰】合譬者，引事合意，譬諭殷繁，非真理也；結以華文，竄擇詞句，非至言也。聽言則對小説也。夫聖人之旨，上士之行，出名言之域，超語默之津，無述作而萬彙區别，無稱喻而重玄了悟。此辯之大也。無言無説，默識無爲，此若訥也。聖人鶉居以撫伐，上士凝拱而通玄，真化自流，不知其力可以臻於清静矣。

躁勝寒，静勝熱。

【疏】舉此諭以示教也。以執成者必敗，持滿者必傾。故聖人功濟天下，不見成功；其如缺，所以無弊。位尊萬乘，不視成位，其若沖〔一〕，所以不窮也。恐人不曉，故寄陽氣動静以喻之。躁，動也；勝，極也。言春夏陽氣發於地上，萬物因之以生。陽氣動極則寒，寒則萬物以衰死。明躁爲死本，盛爲衰源。喻功成不缺者必敗，持盈不沖者

〔一〕「不視成位，其若沖」，道德真經玄德纂疏卷十二作「視盛位其若沖」。

必傾，有爲剛躁者必死。靜勝熱者，謂秋冬陽氣靜於黄泉之下，靜極則熱，熱則和氣發生也。萬物因之以生，生託靜而起，故知靜爲生本，亦爲躁君。取喻大成大滿而能缺能沖，所以無弊無窮，至〔一〕致生爾。夫能無爲清靜者，則趣生之本。此勸人當務靜以祈生，不當輕躁而赴死也。

【義曰】至理之君、修道之士，革惡除患，虚心嗇神，猶躁能勝寒，靜能勝暑。躁體春夏，極則萬物凋落；靜喻秋冬，極則品彙發生矣。禮經曰：「春者，蠢也，萬物蠢然而生。夏者，極也，萬物得陽而盛〔二〕。」此則仲冬既至，一陽漸萌，陽動而生，故謂之躁。躁極則凋落而死矣。秋，愁也；物將凋落，故謂之愁。冬，藏也；物則閉藏，陽氣潛伏，潛伏未動。未動故謂之靜，靜極則煦嫗而生矣。二氣則靜爲生之本，躁爲死之根。陰符所謂「生者死之根，死者生之根」，是陰陽相勝之義，終始之機也。天元經曰：「立夏之後，日行於地北，入地〔三〕少，故夜短而晝長，爲熱。立秋之後，日行地南，

〔一〕「至」，唐玄宗御製道德真經疏卷四、道德真經玄德纂疏卷十二作「而」，更理順。

〔二〕「春者，蠢也……萬物得陽而盛」，禮記鄉飲酒義曰：「春之爲言蠢也，産萬物者聖也。南方者夏，夏之爲言假也，養之長之假之。」

〔三〕「地」，原作「也」，據後文及道德真經廣聖義節略卷三改。

入地多，故夜長而晝短，爲凉。」日行去極，遠近不同，故有暄凉寒暑之異。是則寒暑躁静，陽氣之所運也。若夫用道之君，無爲致理，政静而物泰，國安而人康，四表來王，五兵不用，清虚凝寂，澄默恬和，奸詐不敢侵，强梁不敢暴，烽燧不起，鼙柝不驚，海内晏如。此静而勝矣。及其化之，至則謳歌，洽敬讓興，九族雍和，四門穆穆，制禮作樂，舉賢用能，梯航屬望而來庭，書軌順規而禀化，八表讋至，群方駿奔，天地感通，人神交暢，熙熙然一變於道，内絶窺窬之孽，外無伺隙之隣，歌之詠之，舞之蹈之。此静理無爲之所致也。若其君以躁弁，臣以詐欺，動摇甲兵，振耀威福，强師百萬，北登單于之臺，旌旗千里，來涉湏遼之岸，老弱被勞役，婦女助轉輸，四海沸騰，六合搔擾。及其人之弊也，户口凋〔一〕耗，生靈轉移，野絶人煙，晝聞〔二〕鬼哭。此躁勝之所致〔三〕也。前以静理而勝，則煦然而人和；此以躁强而勝，則寂然而寒薄。可不戒哉！

〔一〕「凋」，道德真經廣聖義節略卷三作「減」。
〔二〕「聞」，原作「間」，據道德真經廣聖義節略卷三改。
〔三〕「致」，原作「故」，據道德真經廣聖義節略卷三改。

清静爲天下正。

【注】於躁勝者則寒；寒，薄也。於静勝者則熱；熱，和也。故若屈者大直，清浄〔一〕者爲正〔二〕。

【疏】此結明前義也。夫聖人有以觀陽氣之進退，知躁爲趣死之源，静爲發生之本。理人事，育群生，持本以統末，以務清静之道，則可爲天下之正爾。

【義曰】聖人知沖缺之行可以持盈，澄静之方可以制動。成其動則清静自著，抑其躁則柔和自彰，可以率天下於無爲，歸萬方於貞正，法陰陽寒暑之運，見生死得失之源，於兹明矣。

〔一〕「浄」，唐玄宗御注道德真經卷三、易縣唐碑本作「静」。

〔二〕「正」，道德真經玄德纂疏卷十二該字後還有「節躁勝寒，謂形動則津液流注」句。

道德真經廣聖義卷之三十五

唐　廣成先生杜光庭　述

天下有道章第四十六

【疏】前章明五大之行，用廣修學之門；此章明三大之愆，以彰可欲之弊。初標有道無道之損益，次明爲罪爲咎之所由，後結知足之爲德，以戒貪求之爲患。

【義曰】天，聖人之御宇也。負〔一〕斧扆而南面，前巫後史，卜筮瞽侑列於左右，無爲而守至正也。三公在朝，三老在學，百辟奉職，修文德以懷遠，敷道化而育人。使俗洽和平，家興禮讓，來琛賮於四塞，息征戍於三邊，倒載干戈，休牛歸馬，然後樂耕耨，糞

〔一〕「負」，原作「身」，據道德真經廣聖義節略卷三改，本卷末也有「負斧扆」。逸周書明堂解：「天子之位，負斧扆，南面立。」

田疇，多稼如雲，餘糧栖畝。苟或違此，則怨敵交侵，戎馬載馳，甲兵復用。夫何故哉？以其上有貪得可欲之非，恣拓土無厭之禍，窮兵黷武，必致自焚。老君戒以知足之文，欲使安其分。分既常足，可以言於理道歟！

天下有道，卻走馬以糞。

【注】天下有道之主，無爲化行，既不貪求，固〔一〕無交戰，屏卻走馬之事，人得糞除田園。

【疏】却，屏却也；糞，謂理田也。天下有道，謂以道爲理，無爲化行，守在四夷，疆埸無事，不得多貪土地以困黎元，所以屏卻兵車走馬之事。人得俶載南畝，以糞理田園也。

【義曰】古人有言曰：「君猶舟也，人猶水也。」人非君不理，舟非水不行。舟水相須，不可暫失。故理國之本，養人爲先。有道之君，守在四夷，外無兵寇，戈楯不用，鋒鏑不施，却甲馬於三邊，闢田疇於四野。深耕淺種，家給國肥，食爲人天，邦之大務也。俶載南畝者，詩小雅甫田〔二〕篇之詞也。俶，始也；載，事也。春作既興，始事南畝。

〔一〕「固」，唐玄宗御注道德真經卷三、易縣唐碑本、道德真經玄德纂疏卷十三作「故」。

〔二〕「俶載南畝」，實爲詩經小雅大田之詞。

南畝，田名也。詩云：「南東其畝〔一〕。」畝，百步也，廣六尺，長六百尺，言可以母養於物，故云畝也。修道之士，以意爲馬，以情爲田，却意馬之奔馳，神將静矣，使情田之逸暇，心將泰矣，而後道可修也。禮記云：「人者，天地之德，陰陽之交，鬼神之會，五行之秀〔二〕。」故聖人作則，必以天地爲本，陰陽爲端，四時爲柄，日星爲紀，鬼神以爲徒，五行以爲質，禮義以爲器，人情以爲田，四靈以爲畜。故人情者，聖王之田也。情田無爲，幾於道矣。天下者，統言理國矣。

天下無道，戎馬生於郊。

【注】天下無道之君，縱欲攻取，故兵士戎馬〔三〕寄生於郊境之上矣。

【疏】郊者，交也，謂二國郊境之際、拒守之地。天下無道〔四〕之君，則荒塞有不賓之虜。故兵戎軍馬生育於郊境之上，謂久而不還。

【義曰】理國不以道，則開拓邊土，侵伐戎夷，封域不寧，征役無已。或貪蒟醬起番禺

〔一〕「南東其畝」，見詩小雅信南山。

〔二〕「秀」，傳世禮記作「秀氣」，然道德真經廣聖義節略卷三、孔子家語卷七等文獻後均作「氣」，故不補。

〔三〕「兵士戎馬」，唐玄宗御注道德真經卷三作「兵戎士馬」。

〔四〕「道」，唐玄宗御製道德真經疏卷六、道德真經玄德纂疏卷十三作「用道」。

之役，好名馬起大宛之師，骨委[一]窮荒，血塗草莽，營魄流飄於異域，戎車淪滯於遠郊，綿歲月以長征，及瓜時而不返，轉輸莫息，杼軸其[二]空，人怨國亡，禍非天與，所宜深戒也。豈若宇内不擾，諸侯咸賓，君民協和，上下相保。使壯士無所施其力，辯士無所衒其詞，武士無所鋭其鋒，智士無所申其策，鑄劍戟以爲犁鋤，貨佩刀而市耕犢，無爲無役，以全永圖也。

罪莫大於可欲，

【注】心見可欲，爲罪大矣。

【疏】犯法爲罪，貪求爲欲。言戎馬生郊之罪，由人君貪求土地，見土地可欲，欲心興動，將起貪求。此罪之大者。故云罪莫大於可欲。

【義曰】法者，所以禁民戢亂，懲惡繩違，干而犯之，斯爲罪矣。罪字從罒下非，言網羅以制其非法也。罪之大者欲，莫大乎因心起貪，謂之欲也。興可欲之心於富貴者，則雕墻峻宇，瀆貨稱兵。外禽内色之荒，迷而莫返；雁塞龍堆之役，困而莫休。以至

〔一〕「委」，唐玄宗御製道德真經疏卷六作「壅」。
〔二〕「其」，唐玄宗御製道德真經疏卷六作「甚」。

于天下離心，舟中敵國，然後傾敗。其何惑歟！興可欲之心於其身者，騁利馳名，耽聲滯色，悅黼黻雕華之觀，彌目不迴；徇輕肥音酒之娱，終身不寤。以至於筋骸疲苶，耳目聾盲，然後喪身。何其愚也！故春秋僖公二十年：「宋襄公欲合諸侯，魯大夫臧文仲聞之曰：『以欲從人則可，以人從欲鮮濟。』言屈己之欲，從衆善也。」明年，宋公爲鹿上之盟。宋公子目夷曰：『小國争盟，幸而後敗。』是年秋，楚人執宋公，遂伐宋。」此言以人從欲，乖其道也。老君設教垂訓，明此罪之因，申能刳可欲之心，必享無涯之祉，理國可期於九五，理身可企於神仙。勉而行之，道之要也。

禍莫大於不知足，

【注】求取不已，爲禍大矣。

【疏】禍，害也，神不祐也。夫亡敗之禍，緣何而來？由貪土地，求而無猒，不知止足，致神道不祐而嬰禍害。人之有過，過非一途，貪之爲禍，禍之大也。

【義曰】夫罪之與禍，皆起於身。身之生惡，由于心想。故身心口爲三業焉。三業之中，共生十惡。十惡之内，貪罪愈深。故生死忿争，皆因貪致。貪者，心業之一也。人君貪則外殘四境，下困群生。既上求取不休，則下供應致闕，人怨神怒，由此而興，國將亡敗矣。理身而貪，則嗜欲無猒，魂馳神逝，福善不祐，年夭身殂。苟能内制貪源，外息貪取，既無仇怨，身安國昌，即知足常足，終身不辱者矣。

咎莫大於欲得。

【注】殃咎之大，莫大於欲，所〔一〕欲必令皆得，皆得則禍深，故云咎也。

【疏】咎，殃咎也。夫貪冒之雄，欲心增侈，得之不已，而又求之。非道得之，敗〔二〕不旋踵。自招殃咎，不亦宜乎？可欲謂欲而未得，初起貪心，罪輕於禍；不知足者，得之〔三〕更須，禍重於罪。莫甚於欲得者，謂已得〔四〕，欲心尚未猒足，則咎之爲過，斯又甚於禍也。

【義曰】得而復求，求之不已，民則應之以怒，而兵寇興焉，仇敵起焉。爲殃爲咎，於斯爲大罪者，言人違於禁令，初犯其非，名之爲罪。老君悔過經曰：「初犯爲罪，亦名爲過。過，言誤也。犯過一千八十爲禍，禍重於罪矣。犯千二百六十過爲咎，咎又重

〔一〕「所」，唐玄宗御注道德真經卷三作「於」。

〔二〕「敗」，唐玄宗御製道德真經疏卷六、道德真經玄德纂疏卷十三作「則」，故前後文點斷爲「則不旋踵自招殃咎，不亦宜乎？」「敗」也可通，故不改。

〔三〕「之」，唐玄宗御製道德真經疏卷六、道德真經玄德纂疏卷十三作「而」。

〔四〕「已得」，唐玄宗御製道德真經疏卷六作「求之已得」。

於禍矣。」夫欲者莫過於色，言愛重而可欲也；禍者莫過於財，言貪不知足也；咎者莫甚於名，言苦求欲得也。人之過罪，條目甚多，財色與名，三者爲大，傾家殞命，亡國殺身。職此之由，可爲明戒也。

知足之足，常足矣。

【注】物足者非知足，心足者乃知足也。若心知足，此足常足矣。

【疏】此結有道之君也。言有道之君無欲廣大，不貪土地，故〔一〕於本分而知足，則爲天下樂推，身安國理。此知足之足，乃至于交讓而常足也。注云「物足者非知足，心足者乃知足」，知足者，謂足在於心，不在於物。循涯守分，雖少而多；有欲無猒，雖多亦少矣。

【義曰】貪之與足，皆出於心，心足則物常有餘，心貪則物常不足。貪者雖四海萬乘之廣，尚欲旁求，足者雖一簞環堵之資，不忘其樂。適分知足，惟在於心，所宜勗也。

〔一〕「故」，唐玄宗御製道德真經疏卷六作「固」。

不出户章第四十七

【疏】前章明天下有道，欲令知足常足；此章明教不出户，示以不爲而成。初兩句標不出則能知，次兩句明人和則天順，又兩句示彌出之爲失，後四句結無爲而化成。

【義曰】聖人達觀，不出户庭；上士冥心，玄契天地。玄契則無遠不察，目繫則雖遠益達。不行而知，斯之謂矣。

不出户，知天下。

【疏】有道聖君，無爲而理，言教不出於户外，淳風自洽於寰區。此可謂知理天下之道爾。又解云：人君善教，天下應之以善，則不煩出户而天下可知。故易曰：「君子出其言善，則千里之外應之，況其邇者乎？」此之謂矣。

【義曰】聖人之理，以身觀身，身正則天下皆正，身理則天下皆理，故曰恭己南面而已矣。夫何爲哉？且既闢混元，是生萬物，群分類聚，魚沉鳥翔，尊卑定矣，天地位矣。雖六合之繁、九有之廣，亦猶四支百體耳。可以心鑒，豈在足行？不出户而知之，信矣。君子出其言善者，易上繫之詞。期謂言出乎身加乎民，行發乎邇見乎遠，言行君子之樞機也。樞機之發，榮辱之主也。遠猶若此，況於近者乎？

不窺牖，見天道。

【注】垂拱無爲，不出教令於户外。是知理天下之道，人事和則天象順，故不煩窺牖而天道可知也。

【疏】人天相應，精氣交通，人君爲政以德，則象緯以之不迷；威侮五行，陰陽由其舛候。故書曰：「休徵則肅，時雨若；咎徵則蒙，恒風若。」是知行發於〔一〕己，象著于天，豈俟窺牖然後能見？易曰：「言行，君子所以動天地也。」

【義曰】帝王之理也，法天之覆，法地之載。曆象日月，敬授人時，璿璣玉衡，以齊七政，所以順天之道也。天垂象，聖人則之，所以法天之行也。既法順天象，正己而行，則人君所爲，天道交應，吉凶在我，理亂在心，得不乾乾而夕惕耶？象緯者，垂文謂之象，占揆謂之緯。自大慢法，謂之威侮；躔次差錯，謂之舛候。此由人君行之所感也。風若雨若者，尚書洪範傳曰：「休徵則肅，時雨若。」休，善也。言人君行敬而時雨順也。肅，敬也。「咎徵則蒙，恒風若。」咎，凶也；蒙，暗也；恒，常也；若，順也。言

〔一〕「於」，原作「心」，據唐玄宗御製道德真經疏卷六、道德真經玄德纂疏卷十三改。

人君蒙暗則常風順之也。言行動天地者，易上繫曰：「言行，君子所以動天地。可不慎乎？」此謂君子出處默語，不違其中，其迹雖異，道同則應也。

其出彌遠，其知彌少。

【注】若不能無爲，假使出令彌遠，其所知理天下之道彌少也。

【疏】此明失道之君也，不能處無爲而恭己，將欲申教令以化人，令出彌遠，既失無爲，所知政理更爲寡少。

【義曰】其身正者，不令而行；其身不正，雖令不從。人君不能拱默謙光，融心體道，無爲以化天下，雖廣行威令，人不從之。豈若任賢勿疑，從善不倦，恭己於上，推誠於下，不言而化，不令而行哉？

是以聖人不行而知，

【注】不出户，故云不行。無爲淳朴，而知爲理之道也。

【疏】此覆釋不出户而知天下也。無事無爲，教令不出，故云不行。近取諸身，遂〔一〕知來物，故我無爲而人自化。豈待言教出户，然後謂之知乎？

〔一〕「遂」，道德真經玄德纂疏卷十三作「遠」。

【義曰】理國聖人，率身從道，道與天合，冥契上玄，萬方順之，應猶響答，不俟行化而後能知。近取諸身者，易下繫云：「古者庖羲氏之王天下也，仰則觀象於天，俯則觀法於地。觀鳥獸之文與地之宜，近取諸身，遠取諸物。始作八卦，以通神明之德，以類萬物之情。」此言以身之耳目鼻口與八卦相應，身之所行，吉則應之，凶則違之，禍福無門，惟人所召。我無爲而人自化者，此經第五十七章之詞也。

不見而名，

【注】不窺牖，故云不見。人和天順，而能名其太平。

【疏】此覆釋不窺牖見天道也。夫鶴鳴則子和，行感則天動，原小可以知大，審己可以知物。元吉所召，在乎其人，則太平之化可得而言爾。何必窺見然後名乎？故云不見而名也。

【義曰】天道坦坦，去身不遠。天人相感，影響無差，凶吉合符，由乎其行。身既理矣，固亦宜然。天應人和，不俟窺牖矣。鶴鳴子和者，易繫云：「鶴鳴在陰，其子和之。」此明擬議以成其變化之理也。若擬議於善，善來應之；擬議於惡，惡亦隨之。鶴鳴則子和，脩誠則物應。鶴鳴幽陰之中，子猶和之；人欺於暗室，物必知之。憂悔吝者，存乎纖介；定得失者，在乎樞機。君子擬而後言，議而後動，慎微之理也。雖微必應，夫何遠哉？不見而名，道既玄同，心與道合，萬物符契，故不俟見之而後名也。

不爲而成。

【注】不爲言教，而天下化成。

【疏】此總結不出不窺之義也。夫以上有所爲，下必有擾〔一〕。今聖人凝神端扆，玄默朝〔二〕堂，君無爲，人無事，百姓家給，萬化自成。

【義曰】凝，静定〔三〕也；端，莊肅也；扆，龍屏也；朝堂，聽政之所也。聖人無爲致理，無事化人，不出户而自知，不窺牖而自見。融神觀妙，造化生乎身；垂拱端旒，宇宙在乎手。民不知有君於上，君無所求用於民。倉庾豐盈，家給人足。夫何故耶？以其上無爲而國泰。神既凝寂，故不言而化成矣。扆，謂倚也，形若屏風，畫爲斧文，於明堂之中牖間〔四〕而設之。昔周公輔成王於明堂，以朝諸侯，負斧扆，南面而立，以正君臣之位焉。

〔一〕「擾」，原作「優」，據唐玄宗御製道德真經疏卷六、道德真經玄德纂疏卷十三改。

〔二〕「朝」，唐玄宗御製道德真經疏卷六、道德真經玄德纂疏卷十三作「廟」。

〔三〕「定」，唐玄宗御製道德真經疏卷六無。

〔四〕「間」，原作「開」，據道德真經廣聖義節略卷三改。書顧命：「狄設黼扆綴衣。」孔傳：「扆，屏風，畫爲斧文，置户牖間。」

道德真經廣聖義卷之三十六

唐　廣成先生杜光庭　述

爲學日益章第四十八

【疏】前章明不出不窺可〔一〕以知政理之道，此章明爲學爲道則至乎無爲之事。首兩句示進修忘遺之漸，次三句明損有歸無之益，後四句結成其意，戒有事不足以化人。

【義曰】理世之教，以勤學而成功；修身之階，以損知而契道。勤學則日益而進業，契道則日損而無爲。倚伏本殊，語默互致，此明日益之爲劣；局世居常，日損之爲優。超凡證道，固以符合於不出不窺之冥寂，戒彌遠彌少之煩勞，示無爲可以握圖，有事不足理國。此其旨也。

〔一〕「可」，原作「不」，據唐玄宗御製道德真經疏卷六改。

爲學日益，爲道日損。

【注】爲學者日益見聞，爲道者日損功行。益見聞爲修學之漸，損功行爲悟道之門。是故因益而積功，忘功而體道矣。

【疏】爲，修爲也；損，忘損也。言初修學者日求聞見以爲益，因益爲道，則忘遺功行以爲損。所以者何？夫爲學者，莫不初則因〔一〕學以知道，修功而補過，終則悟理而忘言，遺功而去執。故注云益見聞爲修學〔二〕之漸，蓋言其初也；損功行爲悟道之門，蓋言其終也。

【義曰】學道之人先立功行，後忘其心，所以契無爲之道。理國之道，先弘德化，後忘其迹，所以成太平之基也。此亦一致也。夫立身之道，不可不學。春秋曰：「學者，殖也。不學將落。」於是乎下陵上替，能無亂乎？白虎通云：「學者，覺也，悟也。」言以先王之道開道情性，使覺悟也。幼則迷昏〔三〕而不悟，未可以學；長則悍〔四〕格而難

〔一〕「因」，原作「日」，據唐玄宗御製道德真經疏卷六、道德真經玄德纂疏卷十三改。
〔二〕「學」，唐玄宗御製道德真經疏卷六作「道」。
〔三〕「迷昏」，道德真經廣聖義節略卷三作「昏迷」。
〔四〕「悍」，道德真經廣聖義節略卷三作「捍」，二字形近音同，易混用。

入，不可以教。學有三時，一就人身中爲時者，十三歲之後可以習業也。故學記云：「發然而後禁，則悍格而不勝；時過而後覺，則勤苦而難成。」二就年中爲時者，内則云：「人之養子，六年教之數，一至十，十至百千萬也；與方名，東西南北也。七年，男女不同席，不共食。八年，出入門户，及即席飲食，必後於長者，教之讓也。九年，教之數日，朔望與甲乙至壬癸六甲也。十年，出就外傅，居宿於外，學書計。十有三年，學舞勺，誦詩，背文而讀曰誦也。十五年成童，舞象，學射御。先舞籥，籥似笛，執而文舞也；後舞象，武舞也。二十而冠，始學禮。三十有室，理男事，學無方。四十而仕，出謀發慮。五十，服官政是也。」三就日中爲時者，言隨時節氣受業易入。王制云「春夏習詩樂〔一〕」，言春夏是陽，陽體清，詩樂是聲，聲以輕清故也；「秋冬習書禮」，秋冬是陰，陰體重，書禮是事，事以重濁故也。以輕清之時習輕清之業，以重濁之時習重濁之事，故其氣相感，皆易入也。然三時之學雖有定規，所習善道，日不可廢，豈可拘於三時哉？故學記曰「藏〔二〕焉修焉，息焉遊焉」是也。若修道之士，先務博聞，後

〔一〕「春夏習詩樂」及後「秋冬習書禮」，禮記王制原文爲：「春秋教以禮樂，冬夏教以詩書。」

〔二〕「藏」，原作「斯」，據傳世禮記改。

乃日損，反乎冥寂，以期通玄矣，藏亦自有而歸於無也。

損之又損之，以至於無爲。

【疏】損之者，謂損爲道者之功行也；又損之者，謂除忘功行之心也。斯乃前損忘跡，後損忘心。心跡俱忘，可謂造極，則以至於無爲矣。

【義曰】修道之階，漸臻其妙。初則由學而開悟，因悟而遵修，修則以立功補過，積微成著。功不在大，遇物斯拯；過不在小，知非則悛。過在改而不復，爲功在立而不中倦。洞玄經曰：「功滿三千，白日昇天。修善有餘，坐降雲車〔一〕。」斯皆從凡慕道，誘勸立功之旨也。夫立功之義，蓋亦多途，或拯溺扶危，濟生度死，苟利於物，可以勤行；或内視養神，吐納鍊藏，服餌導引，猿經鳥伸，遺利忘名，退身讓物，皆修道之初門也。既得其門，務在勤久。勤而能久，可以積其善功矣。善功既積，不得自恃其功，矜伐於衆。爲而不有，旋立旋忘，功既旋忘，心不滯後，然謂之雙遣兼忘之至爾。經曰：「上德不德，是以有德。」忘德不恃，其德益彰；忘功不居，其功益廣。理國契無爲之化，修身成不死之基矣。

〔一〕「功滿三千，白日昇天。修善有餘，坐降雲車」，見太上洞玄靈寶智慧罪根上品大戒經。

無爲而無不爲。

【注】爲學者積功行，爲道者忘損之。雖損功行，尚有欲損之心，兼忘此心，則至於泊然無爲。方彼鏡象，而無不應，故無不爲也。

【疏】夫有爲則有礙，有礙則有所不爲。今既無爲，無爲則無礙，故能無所不爲也。此謂契道，則應用而周普也。故上卷云「道常無爲而無不爲」也。

【義曰】功行既忘，忘心亦遺。無爲之智，了能自明。既達兼忘，脗合於道。與道冥契，則無所不了，無所不知，無所不爲，細合乎稊稗秋毫，大合乎陰陽天地。非無非有，非有非無，無所局滯，始可與言道矣。道常無爲而無不爲者，上經第三十七章之詞也。

取天下常以無事，

【注】無爲無事，天下歸懷，故可取天下也。

【疏】此勸人君行無爲也。取猶攝化也。攝化天下，必須爲無爲，事無事〔一〕；無事則天下不擾，無爲則百姓自安。以斯臨莅，于何不可？言常者無事御物，不可斯須

〔一〕「爲無爲，事無事」，道德真經玄德纂疏卷十三作「無爲無事」。

離也。

【義曰】取謂聚也。爲國失道，衆叛親離；爲國以道，人必悦服。離叛則散，悦服則聚；聚則國泰而昌，散則國虚而亡。欲聚人之法，常以無事爲先。莅，猶臨也；御，猶制也；攝，追也。易萃卦正義云：「萃，聚也。」情同而後聚，氣合而後群。故方以類聚，物以群分。聚而無主，不散則亂，惟有大德之人能弘正道，得常通而利正。大人爲主，聚道乃全。此謂理國聖人，以道德聚民而安天下也，故曰取。若言取天下，非人力所能乎？

及其有事，不足以取天下。

【注】有事則有勞煩〔一〕，勞煩則弊〔二〕，故不足以取天下矣。

【疏】夫有事謂政令煩苛，禁網凝密。令苛則人擾，網密則刑煩，百姓不安，四方離散，欲求攝化，不亦難乎？故有此事，則不足以取天下矣。

【義曰】以道以德，爲有國之基；無事無爲，乃聚人之本。及其有事，不足安民，但有

〔一〕「有事則有勞煩」，道德真經玄德纂疏卷十三、道德真經取善集卷八作「有事則煩勞」。

〔二〕「弊」，唐玄宗御注道德真經卷三、易縣唐碑本、道德真經玄德纂疏卷十三、道德真經取善集卷八作「凋弊」。

叛離，故難懷聚矣。秦皇法嚴而人叛，以一統致亡；漢武令峻而刑煩，故三邊起怨。所以秦季年也，法如秋察，網如脂凝，嗷嗷生民無所措其手足矣。故土崩瓦解，一旦隳亡。苛，細也；煩，急亂也。理身者常以無事，則心逸而神安；及其有事，則神疲而心擾。擾則喪道，逸則契真，不可不戒也。

聖人無常心章第四十九

【疏】前章明爲道日損，示修學忘遺之門；此章明聖人無心，表虛懷應物之用。初六句標聖人無心而應物，次兩句示聖人混迹而用心，後兩句結百姓歸善之由，明聖人均養之德爾。

【義曰】理國者在於無事，應化亦在於虛心。虛心則應物不常，無事則臨人可久。所以善不善等以善應，善化攸同；信不信皆以信之，信誠無間。所謂融心混化，萬國所歸；安而撫之，俱爲赤子。此聖人之大旨也。

聖人無常心，以百姓心爲心。

【注】聖人之心，物感則應。應在於感，故無常心。心雖無常，惟在化善，是常以化百

姓心爲心矣。

【疏】聖人虚心〔一〕，物感斯應，應必玄〔二〕感。感既不一，故應無常心。心雖無常，義存慈救。以百姓有不信不善之心，故混同用心而以化導。故云無常心。

【義曰】廣無不覆，微無不通，大道也；化無不周，感無不應，聖人也。聖人化既周普，心亦無常。從善者固以感通，不善者亦令開悟。惟德是輔，人無棄人，周布慈心，不遺毫末，而聖人無心，未始有滯也。

善者吾善之，

【疏】此應感之義也。吾者，聖人也。善者迴向正道之心，聖人獎之〔三〕進修，以果其行，使至夫忘〔四〕善之大善也。

【義曰】夫善者，因心所起，對惡得名。善因惡而彰，善勝則惡滅。人既善矣，聖人因而善之，所以誘其進也。

〔一〕「心」，唐玄宗御製道德真經疏卷七、道德真經玄德纂疏卷十三作「忘」。

〔二〕「玄」，唐玄宗御製道德真經疏卷七、道德真經玄德纂疏卷十三作「緣」。

〔三〕「之」，唐玄宗御製道德真經疏卷七、道德真經玄德纂疏卷十三該字後有「以」字。

〔四〕「忘」，道德真經玄德纂疏卷十三作「吾」。

不善者吾亦善之，德善。

【疏】不善者，謂習染增迷，信邪背道，聖人亦以善道而引汲之。德善者，令化聖德而爲善也。

【義曰】人不知善之可修，惡之可改，積習爲惡，迷而不迴。聖人愍其執愚，亦以善道開化。化惡爲善，賴于聖功。人無棄人，於是乎在。信邪者謂世人不知正道，迷溺於邪，亦猶聵者不預金石之音，瞽者不悦玄黄之色。邪既增迷，故背於正道矣。聖人亦以善教教之，使分别邪正而歸於善也。

信者吾信之，

【疏】信謂聞道勤行，心無疑〔一〕執，聖人應之以至誠，贊成其善，以至於深信也。

【義曰】信者亦起於心，因疑以彰信；信因疑而立，信勝則疑忘。人既信焉，聖人因而信之，所以勸其志也。

不信者吾亦信之，德信。

【注】欲善信者，吾因而善信之；不善信者，吾亦以善信教之，令百姓感吾德而善信矣。

〔一〕「疑」，道德真經玄德纂疏卷十三作「凝」。

【疏】不信謂强梁背教之人，聖人亦以平等正信而導化之，令化聖人之德，捨僞而歸信也。故云德信。

【義曰】人之滯俗，積習生疑，不知信之可行，疑之可捨，執疑守惑，不信正真。此弱喪之忘歸同，下士之大笑，聖人亦以正信之理漸開悟之。知信捨疑，賴于聖德。德信德善，其在兹乎。强梁背教者，謂執疑之人以疑爲是，以信爲非，亦猶夏蟲疑冰，井蛙陋海，以兹執見封彼邪心，聖人亦誘而教之，使分別信疑而歸於信。所以誘之歸善歸信者，聖人恐其因疑獲罪，滯惡罹殃，勸而勉之，蓋惜人憫物之至也。

聖人在天下，慄慄爲天下渾其心，

【注】聖人在理天下，化引百姓，常慄慄用心，令得〔一〕善信。而聖人〔二〕凝寂，德照圓明，渾同用心，皆爲天下，故云「爲天下渾其心」。

【疏】此明聖人渾跡用心也。慄慄，憂勤也。聖人在宥天下，統御寰中〔三〕，懼衆生不

〔一〕「得」，唐玄宗御注道德真經卷三、易縣唐碑本、道德真經玄德纂疏卷十三作「德」。

〔二〕「人」，易縣唐碑本、道德真經玄德纂疏卷十三作「心」。

〔三〕「中」，唐玄宗御製道德真經疏卷七、道德真經玄德纂疏卷十三作「區」。

歸善信，故惵惵憂勤也。然聖人無心，復何憂喜？今所言惵惵者，皆爲天下百姓未能信善，故聖人混同於物，而用其心。故云爲天下渾其心。

【義曰】聖人應天御時，順人臨極，黄屋左纛，黈纊垂旒。雖身處九重，而心周萬國。察臣子邪正，知稼穡艱難，宥罪寬刑，輕徭薄賦。既悶悶而不撓，亦惵惵而垂憂，導惡化疑，令歸善信。而聖人澹寂，常若無心，以其無事無心，物亦自寧自化矣。宥者，寬而簡正也；寬宥故道行焉。混者，内外混融，無分别之貌也。

百姓皆注其耳目，

【注】百姓化聖德爲善，故傾注耳目，皆〔一〕觀聽聖人也。

【疏】百姓被聖德而歸善，仰〔二〕淳化而觀風，故皆傾注耳目以觀聽，則〔三〕於聖人。

【義曰】聖德所覃，人皆率化，上行下傚，君唱臣隨。四海生靈，傾耳以聽其言，目以觀其事，是則是傚，以歸於道焉。聽者，側聞也；觀者，徧覽也。

〔一〕「皆」，唐玄宗御注道德真經卷三、易縣唐碑本、道德真經玄德纂疏卷十三作「以」。

〔二〕「仰」，唐玄宗御製道德真經疏卷七作「即」。

〔三〕「則」，唐玄宗御製道德真經疏卷七、道德真經玄德纂疏卷十三作「取則」。

聖人皆孩之。

【注】聖人念彼蒼生，猶如慈母；凡視百姓，皆如孾孩〔一〕。

【疏】百姓既傾注耳目觀聽聖人，聖人視之，如慈母之於赤子。故云皆孩之。又解云：百姓有分別之心，聖人化使從善，令如嬰孩，無所分別。

【義曰】有道聖人，慈育萬有；萬有奉之如慈母，聖人視之如嬰孩。如此者則道德周行，上下交感，人和俗泰，不亦宜乎？理身者寶氣嗇神，氣全神王。形神交固，則命紀遐延，斯神仙可致也。聖人化使爲善，誘以修真，先袪不善之心，盡歸崇善之行。善行既著，乃忘爲善之心，無知無爲，不矜不伐，淳淳默默，内外混融，如彼嬰孩，無分別相，可謂合於道矣。

出生入死章第五十

【疏】前章明聖人無心，混融〔二〕應善信之行；此章明出生入死，善攝超患累之門。前

〔一〕「孾孩」，唐玄宗御注道德真經卷三、道德真經玄德纂疏卷十三作「嬰兒」。

〔二〕「融」，唐玄宗御製道德真經疏卷七作「心」。

五句標安時處順之人，次五句明探變求化之類，後八句結善攝之行，示長生久視之門。

【義曰】天地之德，惟生爲大。得其生已，當守道以安之，谷神以養之，適來不爲榮，適去不爲懼，不貪生而喪道，不越分而傷生，可謂安時而處順矣。迷之者求生太厚，反失其生。善攝者以道自全，固無其害，以其無死地，誠哉！言乎安時處順者，莊子大宗師篇：「子祀謂子輿曰：『且夫得者時也，失者順也，安時而處順，哀樂不能入。此古之所謂懸解，而不能自解者，物有結之矣。』」此言得生者，時有生也，失死者，順化死也。處生而安生，得生理矣；處死而順死，得死理矣。既無生無死，豈有哀樂哉？此古之真人無所繫也。若在生而惡死，樂極之哀來，知此之流，爲生死哀樂之所結矣。長生久視之道者，此經第五十九章之詞也。

出生入死。

【注】了悟則出生，迷執則入死。此〔一〕標也。

【疏】了悟生死，不厚其生，名爲出生。迷執人我，動往死地，名爲入死。此標章

〔一〕「此」，唐玄宗御注道德真經卷三作「正」。

門也。

【義曰】元精播氣，大冶匠形，禀陽和則出生，歸陰寂則入死。將明輟死延生之路、喪生趣死之由。標此章門，似若設問，具如下句以答之也。

生之徒十有三，

【疏】徒者，類也。此汎論衆生能安生理，不自矜貴，適來爲時，一無封執。如此之者，大汎而論，十中有三爾。此謂順理者少，而逆理者多也。

【義曰】將生不以爲樂，而安其生，此生之徒也。夫當其生也，不以利欲亂其心，不以厚養傷其性，安於澹默，順其沖和，則神守於形，氣保於神，志和於氣，心寂於志，静定其心。如此則不求於延生，生自延矣；不求於進道，道自至〔一〕矣。

死之徒十有三，

【注】此汎論衆生當生安生得生理，處死順死得死理。如此者，十中有三人爾。

【疏】此亦汎論安死之道，不拒變化，適去爲順，一無驚怛。如此者，亦十中有三人爾。

〔一〕「至」，道德真經衍義手鈔卷十四引杜光庭廣聖義作「進」。

【義曰】將死不以爲憂，而順其死，此死之徒也。達人處世，了悟有無，知道之運化委和，所禀有厚薄。厚於陽和之氣者則壽，薄於淳粹者則夭。知壽夭皆由於分，則生死可齊矣。生死既齊，則憂樂不入，泰然而身心無撓也。況髑髏見夢於莊子曰：「死無君於上，無臣於下，無四時之事，汎然以天地爲春秋。雖南面而王，樂不能過矣。」莊子不之信，曰：「吾欲使司命復子之生，可乎？」髑髏深臏蹙頞曰：「吾安能棄南面王樂，復爲生人之勞乎？」此雖寓言立理，而莊子以世人樂生者爲生所拘，樂死者爲死所繫，滯於生死，所以有死有生。唯至人在生無生，不爲生之所繫；在死無死，不爲死之所拘。既而不繫不拘，故能無生無死。然而變而生也不可以止，變而死也不可以留，但冥契大道，則爲達生死爾。其出死之表、長生爲期者，在乎修真鍊形，可以與語議其玄要爾。

人之生，動之死地十有三。

【注】徇生太厚，以養傷生。既心矜此生，故動往死地。此則生理既失，死理亦虧。如此之輩，亦十中有三人爾。

【疏】此釋迷執之人，養生失理之徒也。言人雖欲修生，不能悟了，動往喪生之地。安生之理既失，順死之道又乖。如此之輩，亦十中有三人爾。

【義曰】愚迷之人不知生生者不生，化化者不化，以生爲樂，以死爲哀，畏死貪生，故養生過分。希生乖其道，則反喪其生。十中有三人，約其大數爾。又解云：人之稟生有三業十惡。三業者，一身、二心、三口業也。十惡者，身業有三惡，一殺生，二偷盜，三邪淫；心業亦有三惡，一貪欲，二嗔怒，三愚癡；口業有四惡，一兩舌，二惡口，三妄言，四綺語。此三業十惡，合爲十有三矣。人能制伏三業十惡，則可得道長生，可謂生之徒，由此十有三也。人若縱此三業十惡，則必從生趣死，可謂死之徒，由此十有三也。且衆生善必難搆，惡乃易成，三業十惡日有所犯，犯即趣死之徑。故云動之死地，亦由此十有三也。夫三業十惡，衆罪之源，捨之則可以出生，行之則可以入死。修身之戒，戒之元急。此十惡事，又各有四緣，皆爲罪〔一〕惱之本。何者？殺生罪中有四種緣，一實是衆生，二起衆生想，三有欲殺心，四令斷他命。偷盜罪中亦有四緣，一實是他物，二起他物想，三有欲盜心，四使移本處。邪淫罪中亦有四緣，一實是邪境，二起邪境想，三發邪淫心，四身受染樂事。兩舌罪中亦有四緣，一是所聞人，二起前人想〔二〕，三起

〔一〕「罪」，道德真經廣聖義節略卷三作「煩」。
〔二〕「一是所聞人，二起前人想」，道教義樞卷三十惡義作「一是所聞人，起前人想，二發相謗語」。

離間情，四發分搆語。惡口罪中亦有四緣，一是所駡人，二起前人想，三起惡駡心，四發惡駡語。妄言罪中亦有四緣，一是所欺人，二起前人想，三有欺妄心，四成虚違説。綺語罪中亦有四緣，一是所對〔一〕人，二起前人想，三發綺語心，四吐非義語〔二〕。凡此十惡三業，計五十三條，動罹此罪，即之死地。慎哉戒哉！

夫何故？

【疏】此設問衆生動之死地之由。

【義曰】將攝化之要、趣死之因重自設問，謂下句也。

以其生生之厚。

【注】所以動之死地，夫緣何故？但以其求生此生太厚故也。

【疏】此正答言衆生動之死地者，以其耽滯有爲，溺情縱欲，厚自奉養，以全其生，養之太厚，故動之死地爾。

【義曰】天生蒸民，愛之甚矣。五味以食之，五色以章之，五聲以悦之，五香以娱之，

〔一〕「對」，道德真經廣聖義節略卷三作「詐」，然道教義樞卷三十惡義也作「對」。

〔二〕「此十惡事，又各有四緣」至「四吐非義語」，也見於道教義樞卷三十惡義。

五利以用之，五氣以和之，五官以司之，五緯以主之，五教以勸之，五常以稟之，五福以將之。居五靈之首，爲萬彙之長，得不自貴而保愛之乎？而縱欲適情，樂生畏死，養之過分，自掇死亡，非天怒神責，由貪生太厚所殺爾。故前之十惡三業五十條罪，動有所犯，寧無過乎？且夫躁進者亡，勇退者傷，得其中者可以議於修身爾。

蓋聞善攝生者，

【疏】攝，衛也。謂善能以道衛生之人，妙觀生本，本來清静，於生忘生，不以情欲而滑其和，唯以沖虚而養其性，物莫能害，故稱善攝。

【義曰】其生也有涯，而事也無涯。以有涯之生，役無涯之事，能無傷乎？善攝生者，於事無事，以全其和，不以欲嬰心，不以利傷己，任沖和之自運，託虚寂以冥懷，忘生而生能全，體道而道自致。虚室生白，冥心契玄，攝生之善也。

陸行不遇兕虎，入軍不被甲兵。

【疏】不期而會曰遇。按山海經，兕出湘水南，蒼黑色〔一〕。爾雅曰：「形如野牛，一角重千斤。」善攝生之人，不起心害物，所以陸行不求遇於兕虎，入軍不被帶於甲兵〔二〕，

〔一〕「兕出湘水南，蒼黑色」，山海經海經之海内南經：「兕在舜葬東，湘水南，其狀如牛，蒼黑，一角。」

〔二〕「陸行不求遇於兕虎，入軍不被帶於甲兵」，唐玄宗御製道德真經疏卷七作「陸行不遇於兕虎，入軍不被於甲兵」。

故虎兕甲兵無傷之意。

【義曰】瀟水、湘水出九疑、零陵，其地有犀兕焉。兕虎皆害人之者也。兕虎害人，甲兵傷敵，遇之必有所害，敵之必有所傷。而善攝生者不干預於兵甲，故不爲其所傷；不求遇於兕虎，故不爲其所害。昔晋人郭文字文舉，栖於餘杭大滌山，與猛虎同處。每出城市，虎必隨之。人或問之曰：「先生有道乎？何摯獸之馴擾若是也？」文舉曰：「人無害獸之心，獸無害〔一〕人之意。亦何術乎？」

兕無所投其角，虎無所措其爪，兵無所容其刃。

【注】善攝衛生理之人，心照清静，無貪取之意，則凡是外物不可加害。陸行不求遇兕虎，入軍不被帶甲兵。此不求害物，則物無害心，故無投角、措爪、容刃之地〔二〕。

【疏】前明善攝生之人内無害心，所以外不求〔三〕遇兕虎；此明設使逢遇，此無傷害之心，自然彼無容措之處。是知忘情於物者，則海上之鷗可馴而狎，陸行之獸可繫而

〔一〕「害」，道德真經廣聖義節略卷三作「傷」。
〔二〕「地」，易縣唐碑本作「所」。
〔三〕「求」，唐玄宗御製道德真經疏卷七無。

遊，况傷害乎？故無是也。

【義曰】攝生之人性與道合，慈心廣運，己無傷物之心，和氣内充，物無傷己之執。雖遇兕虎，必無爪角之傷；或值甲兵，亦無鋒刃之害。以其道德充備，物物皆柔服焉。狎鷗者，有人居於海上，其子每於海濱與鷗鳥群相狎而戲。其父異之，將往觀焉。其子先詣嘗遊之所，群鷗見之，飛翔而不下。以其無機心，而鷗鳥狎之；今有機心，則翔而不下。則知苟有害物之意，虎兕寧容不傷？所不傷者，機心息於内也。神仙傳：「劉剛字伯鸞，與妻樊夫人俱得神仙之道。剛爲上虞令，遊四明山遇虎。虎見剛俯伏不敢起。以語夫人，夫人徑往，以繩繫虎而歸，如家犬焉。」蓋道德所攝也如此。措，置也；容，受也；狎，近也，習也。無置爪受刃之所也。

夫何故？

【疏】此問虎兕兵刃是害人之物，今不投措其爪角，無容其兵刃者，其故何也？假問其故，以曉於人。

【義曰】欲明善攝生之人無趣死之地，復重發問，將以勉勵於修行耳。

以其無死地。

【注】夫何故兕虎甲兵無容措之所乎？以其順化無私，不以死爲死，則物不得害其

生。故云無死地。

【疏】此正答也。夫見有其身者累，生生之厚者死。今善攝生之人，照法性空，悟身相假，故能於生忘生，不爲厚養之過，無私順化，故無死地可處爾。既心無死地，夫何虎兕兵刃能害其生乎？

【義曰】大聖演經，廣弘道要，欲使人皆趣善。衆盡寶生趣善，則無過無疵。寶生則懷道懷德，無過疵則不履死地。懷道德則可致遐齡，自無兵刃爪角之傷，可合清净希夷之道。理國之君不懷五兵之力，四境協寧，能開三面之羅，百獸率舞，何所加害乎？

道德真經廣聖義卷之三十七

唐　廣成先生杜光庭　述

道生之章第五十一

【疏】前章明出生入死，善攝超患累之門；此章明道生德畜，不宰有自然之貴。首標妙本應感生成之美，次明萬物尊貴道德之由，故道生之；下覆贊生畜之功，生而不有；下結歎忘功之德。

【義曰】道爲妙本，能生群物；德爲道用，能畜衆形。動物屬于天，植物配于地。天地之所長育，造化之所生成，非道氣物莫能生，非道用物莫能遂，因道而立，賴道之功。有情有識之徒，無情無識之類，尊道貴德，不忘本乎道，爲萬物所尊者，非有爵位之重，非有權勢之威。蓋以失道必亡，固須尊貴，况南面之術，失道無以寧；萬邦修真之功，離道無以成萬行。而道於萬類，未嘗自伐其功，功德益自玄深爾。

道生之，

【注】妙本動用降和氣。

【疏】道生之者，言道降沖和之氣，陶冶萬物，萬物得之以生，故云道生之。注云妙本動用降和氣者，妙本，道也，至道降氣，爲物根本，故稱妙本。德畜之者，德，得也，畜，養也，謂萬物得道用而能畜養斯形，則約道畜養之處而受德名，故云德畜之。

德畜之，

【注】物得以生養萬類。

【義曰】生而不畜，德無以表其功；畜而不生，道無以明其妙。生以從無爲始，畜以養有爲終。終始循環，惟道爲本，故云妙本。道無動用，物無以生。既有稟生，賴乎畜養，是相循之理也。

物形之，

【注】乾知坤作兆形位。

【注】寒暑之勢各成遂。

勢成之。

【疏】道生德畜，品物流形。注云「乾知坤作兆形位」者，易繫云：「乾知太始，坤作成物。」天地爲形，上下爲位，斯皆道功，寄乾坤以爲用也。勢成之者，言爲萬物化天時地利陰陽之勢〔一〕，而物資之以成，故云〔二〕勢成之也。

【義曰】萬物之生也，道德稟之以氣，乾坤稟之以形。氣稟道德之功，形資天地之化，因寒暑之運，假陰陽之資，以生以成，以終以始。生成終始，斯謂勢乎？乾知太始者，始，初也，乾是天，爲陽氣，萬物初得天陽之氣而生。坤作成物者，坤是地，爲陰氣，萬物得地陰氣而形。既分動植形位，然賴寒暑之氣以成其功。然生化之本，皆本於道，豈天地寒暑能生化哉？

是以萬物莫不尊道而貴德。

【注】萬物由道德以生畜，故尊貴之。

【疏】以道德有生畜之功，故凡厥懷生，莫不尊尚於道，敬重於德。此勸示衆生，令敦本而崇道也。

【義曰】尊者，高上之稱，喻於父也；貴者，重敬之義，喻於母也。道生德畜，物受其

〔一〕「言爲萬物化天時地利陰陽之勢」，唐玄宗御製道德真經疏卷七作「言道爲萬物作天時地利陰陽之勢」。

〔二〕「云」，原作「去」，據唐玄宗御製道德真經疏卷七、道德真經玄德纂疏卷十四改。

形，以道德爲父母，得不尊而貴之乎？苟忘其本，非人也哉！

道之尊，德之貴，夫莫之爵而常自然。

【注】言道德之尊貴，非假爵命，但生成之功被物而常自然尊貴爾。

【疏】夫代之尊榮者，必由君[一]爵命然後爲尊。今道之所以尊、德之所以貴，蓋以生成之功被物，故物尊貴之，非假爵命而常自然尊貴爾。

【義曰】人之處世，上以事君，其有材器也，君舉而用之，然後爵之而尊，寵之而貴，而此尊貴有窮極之時。今道以生物，爲物所尊，德以畜物，爲物所貴。生生不絶，故生物之功常尊；成成不窮，故成物之功不極。則常尊常貴，豈有窮極之期乎？其次於此者，則孔子以文教，五常之道垂於萬世，百王之尊；太公以武教，七德之訓傳於萬世，百王貴之。顔閔以德行，夷齊以仁義，十哲[二]以四科，貽則於後世，歷代仰而行之。此固非當代之君爵命所及，而其德常尊常貴。但玄功廣大，不階於太上玄元之道德耳。夫爵命者，人君尊賢任士所重也。古者帝王以萬彙之殷、四方之大，不可一

[一]「君」，唐玄宗御製道德真經疏卷七、道德真經玄德纂疏卷十四作「人君」。

[二]「十哲」，當指孔子的十個弟子：顔淵、閔子騫、冉伯牛、仲弓、宰我、子貢、冉有、季路、子游、子夏。

人以理之，故設官命爵，長之於民。爵者，禄位也；命者，名品也。正則官不濫，官不濫則各當其材。如此，則人理矣。官者，管轄之謂也，亦猶網之有綱，衣之有領，舉綱領則物自理矣。故大昊以龍紀官，神農以火紀官，黄帝以雲紀官，少昊以鳥紀官，各以其瑞爲其官矣。從少昊以降，德不及遠，不能以他物命官，以民爲紀，皆佐天子以理四海也。唐虞稽古，建官惟百。夏商官倍，亦克用乂。居方以理俗，策名以叙功，所以爵禄以尊之，威權以重之，使萬物瞻仰而遵行其教令。聖人在上，賢以爲佐，如魚水相須，不可闕也。爵之大者，有皇，有帝，有后，有王，有君。其次者，公侯伯子男，列五等之國。是以帝王之域，四面各五百里爲甸服，方千里也。千里之内所納有五等，百里納禾藁，二百里納穗，三百里納秸藁，四百里納粟，五百里納米。甸服之外五百里爲侯服，分爲三等：百里爲采，供王事而已；二百里男邦，男，任也，任王事也；三百里諸侯，侯爲斥候也，以衛於王。此合三爲一名也。侯服之外五百里爲綏服。綏，安也，服王之政教而已。亦有二等：三百里揆文教，揆度王之文教而行之；一百里奮武衛，天下所以安之。綏服之外五百里爲要服。要，約也，要約束以安文教也。亦有二等：三百里夷。夷，平也，守平常之教，事王者而已。又外二百里蔡。蔡，法也，差簡而已。要服之外五百里爲荒服，言其簡略而遠也。亦有二等：三百里蠻，以文德蠻來之，不制以法也；二百里流，言流移也，政教所及，隨其俗而已。五服相距五千里，分一十四等，遠近不同也。又王制，公侯之國，地方百里；方伯之國，地方七十里；子男之國，地方五十里。此古之設官命爵，差以等級，佐於帝王，共理天下，古之制也。禀帝王之爵命，而長於民矣。

故道生之畜之，

【疏】此覆結初章道生之義。始之爲生，養之爲畜。

【義曰】初言道生德畜，今只云道生之畜之，然德爲道之用，生畜於物，皆道之動用功爾，故不復言德。

長之育之，

【疏】〔一〕增進曰長，撫字曰育。

【義曰】萬物既生，則陰陽之候，寒暑之勢，增進撫字之，非人之功，亦道之力也。

〔一〕「疏」，此句原缺御注，然道德真經玄德纂疏卷十四於「道生之畜之」後引御注：「增進曰長。」於「長之育之」後引御注：「安撫爲育。」廣聖義或因與御疏相近而省。

成之熟之，

【疏】輔相曰成，遂終[一]曰熟。

【義曰】道既生萬物，秋成冬熟，亦道運四時之氣而成熟之也。輔相者，輔助也，相，佐也，周易泰卦云「輔相天地之宜，以佐佑民」是也。

養之覆之，

【注】是以人莫不尊道貴德也。

【疏】資給曰養，廕庇曰覆。八者皆道德功用之謂，所以萬物尊之而貴之。

【義曰】生畜長育成熟養覆，八者以利於物，皆道德之玄功也。故天人萬物，含識有情，至於蛸翹動植，未有不資道化功用而有其生也，得不尊之貴之，宗於妙本乎？

生而不有，

【疏】道生萬物，不見其有，生之可生，忘生之功[二]。結上「道生之」義也。

【義曰】道能生物，不恃爲有，而物禀道之功，道亦不矜其力。

[一]「遂終」，唐玄宗御製道德真經疏卷七作「成遂」。

[二]「生之可生，忘生之功」，唐玄宗御製道德真經疏卷七作「生之可名，忘生之義」。

爲而不恃，

【疏】德之爲養，不見有物之可爲，不恃其功。結上「德畜之」之功〔一〕也。

【義曰】德以養物，不矜其功，而物稟道之力，道亦不恃其有。

長而不宰，

【疏】以道德忘生育之功，故雖居萬物之長，長育成熟，不爲主宰，責望於物。言此者，欲令人君法道生育而忘其功爾。

【義曰】道生物而不爲有，德畜物而不爲功，道德長於物而不爲主，故能常爲物所尊貴。人君化育萬物，不伐其能，施及四海，不求其報，澤普天下，不矜其恩，讓德於天，推功於物，超然其心，不以九重爲貴，故保其社稷，享福無窮矣。

是謂玄德。

【注】具如載營魄章所釋。彼章明人修如道，此章明道用同人爾。

【疏】此歎忘功之德也。玄者，深遠不測之名。大道雖能生能畜，而終不恃不宰，德施周普，而名跡不彰。豈非深遠不測之德乎？

〔一〕「功」，道德真經玄德纂疏卷十四作「義」。

【義曰】道德之功，不恃不宰，可謂深玄矣；聖人之德，不恃不矜，可謂廣大矣。道德玄深，故常爲萬物尊貴；聖功廣大，固能克永宗祧。修道之士積德而不居，陰功而不恃，享壽彌遠，而證道登真可也。

天下有始章第五十二

【疏】前章明道生德畜，不宰有自然之貴；此章明守母存子，歸明無遺身之殃。首七句標能生之本，勸令守母存子〔一〕；次六句示絶欲之戒，開塞對明〔二〕；後六句歎美修證之功，結成襲常之行。

【義曰】道化既彰，天下有始，道爲物母，含孕群生。理國之君，修道之士，覩萬有之畢備，知妙本之所生，守道而居，用道而理，則國無危殆，身保寧長也。夫守道之要，收聰閉視，緘口静身，察微抱柔，韜光返照，常所服守，至道可階。若衒明矜功，道去

〔一〕「守母存子」，唐玄宗御製道德真經疏卷七作「知子守母」。

〔二〕「開塞對明」，唐玄宗御製道德真經疏卷七作「塞兑閉門」。

遠矣。此其旨也。

天下有始，以爲天下母。

【注】始者，沖氣也。言此沖氣生成萬物，有茂養之德，可以爲天下母。

【疏】資氣曰始，資生曰母。言道能以沖和妙氣生成萬物，物得以生，如母之生子，故云以爲天下母。始母雖殊於道氣，布化常一，故上經云「無名，天地始；有名，萬物母」。言此者，欲令人知源識本，守母而存子也。

【義曰】資，稟也。物稟道生，道爲物本，仰含育之德，同母養之慈，當須覩流識源，鑒柔知本。用道守道，理國理人，可以泰寧矣。沖，中也。無名天地始者，上經第一章之詞。

既得其母，以知其子。

【注】萬物既得沖氣〔一〕茂養，以知其身即是沖氣之子。

【疏】言人既得沖和之氣茂養爲母，當知其身是沖氣之子。

【義曰】道爲身母，有生成茂養之恩；身爲道子，識茂養生成之本。能知此道，當體用

〔一〕「氣」，唐玄宗御注道德真經卷三作「和」。

於中和，以全其身也。

既知其子，復守其母，殁身不殆。

【注】既知身是沖氣之子，當守此沖和妙氣，不令離散，則終殁其身，長無危殆。

【疏】言人既知身是道氣之子，從道〔一〕氣而生，常守道清净，不染妄塵，愛氣養神，使不離散。人從道生，望道爲本，今卻歸道守母，故云復守爾。殁身不殆者，言人常能無欲以歸道，則可以終竟天年而無危殆也。

【義曰】既知身之所禀，道生我身，即洗心返神，復守其道，無是非之惑，絶聲利之塵，終身行之，道可得矣。

塞其兑，閉其門，終身不勤。

【注】兑，愛悦也。目悦色，耳悦聲，六根各有所悦，縱則生患，是故塞之。不縱六根愛悦，則禍患之門閉矣，故終身不勤勞矣。

【疏】此明絶欲守母之行也。兑，悦也，謂耳目愛悦聲色，鼻口愛悦香味，六根各有所悦。門以出入爲義，言諸根色塵之所由也。若塞其愛悦之視聽，則禍患之門閉矣。

〔一〕「道」，唐玄宗御製道德真經疏卷七作「沖」。

禍患之門閉，則終身無有勤勞也。

【義曰】惟道集虛，惟神集無，灰心滅智，道自歸之。不視之見，與天同明；不聽之聞，與天同聰；不爲之事，與天同功。六根不染，行與玄通；六欲不起，與道相同。身安物順，而終身不勤矣。易曰：「兑之言乎悦也。」又以兑爲目，門爲口，亦以戒其閉絶禍患爾，西昇經云「鼻口所嬉〔一〕，香味是怨」是也。此言六情嗜欲相因爲用，眼見耳聞，心則運動。心既所悦，口則興言，口爲禍患之門，心爲愛悦之主，故可塞而閉之。夫此禍患，用之於國則政亂，行之於身則道虧。閉塞得宜，則身國俱理矣。

開其兑，濟其事，終身不救。

【注】開張六根，縱其視聽，以成濟其愛悦之事，則常有禍患，故終身不救。

【疏】此明失道之行也。開其視聽之門，濟其愛悦之事，則禍益患增，故終身不能救理也。

【義曰】道不欲煩，力視損其明；道不欲諠，力聽損其聰。心智競撓，道不可留。耽聲冒色，貪利悦名，萬慮滋起，衆患並興，動貽悔吝，坐陷災蒙，神明不能祐，造化不能生

〔一〕「嬉」，西昇經卷上邪正章第七作「喜」。

者，以其縱欲害身，故終身不能救。

見小曰明，

【注】人能於事微小見而改行，可謂明矣。

【疏】此示防患之源也。惡兆將興，細微必察，故憂悔吝之時則存乎纖介，令守母之人防萌杜漸，理之於未亂。能如〔一〕此者，可謂之明。

【義曰】守道之人，理國之主，防微於未兆，慮患於未萌，杜邪佞之門，賢良進用，閉嗜欲之鍵，樸素日臻矣。憂悔吝者，易繫辭云：「辯吉凶者存乎辭，憂悔吝者存乎纖〔二〕介。」言吉凶悔吝之來，雖纖介之微不可慢也。防，備豫也；杜，閉塞也；萌，微兆也，漸小至大也。理於未亂者，此經第六十三章之詞也。尚書云「致〔三〕治于未亂，保邦于未危」，皆防其萌漸也。夫萌者，如草木甲坼，先有萌芽；漸者，善惡之來，非一朝一夕，必由其漸。故要杜而塞之，勿使滋蔓。蔓，難圖也。

〔一〕「如」，唐玄宗御製道德真經疏卷七作「知」。

〔二〕「纖」，傳世周易無。

〔三〕「致」，傳世尚書作「制」。

守柔曰强。

【注】守柔弱則人不能加，可謂强矣。

【疏】守柔弱之行者，處不競之地，人不能加，同道之用。能如此者，可謂之强。

【義曰】力强者人折之，智强者人害之，勢强者人謀之，氣强者人制之，德强者人伏之。守弱體柔，不犯於物，其德如此，可謂之强。如道之用，孰敢害之也？

用其光，復歸其明，

【注】見小則明，守柔則强。若矜明用强，將失守柔見小之義。故當用光外照，復歸守内明，則長無患累矣。

【疏】光者，外照而常動；明者，内照〔一〕而常静。由見小守柔，爲明爲强，不矜明而用强，故雖用光〔二〕外照，還歸内明。此轉釋見小守柔之義，使息外歸内，故曰復歸其明。

【義曰】外明者，其照有極，謂五里之外牛馬不辯也；内明者，其照無窮，謂一心密照則遠近皆察也。所以外則萬境所牽，勞神傷性；内則重玄默悟，造静歸根。復其内

〔一〕「照」，道德真經玄德纂疏卷十四作「融」。

〔二〕「光」，原作「先」，據唐玄宗御製道德真經疏卷七、道德真經玄德纂疏卷十四及上下文意改。

明，幾乎道矣。

無遺身殃。是謂襲常。

【注】遺，與也。言還守内明，則無與身爲殃咎者。如此是爲密用真常之道。

【疏】遺，與也；殃，咎也。言用光照物，於物無著，還守内明，不自矜耀，守母存子，反照本源，自無殃咎。是謂襲常者，密用曰襲，能察微遠害，守柔含明，如是等行者是謂知子守母，密用真常之道。

【義曰】既了復明内照之理，故無殃累及身。殃累不侵，真常密契矣。理國若矜其外照，察察繩非，其政益煩而人益亂。復能見微防患，謙己守柔，晦智含輝，任賢垂拱，三五之理，夫何遠哉？

道德真經廣聖義卷之三十八

唐　廣成先生杜光庭　述

使我介然章第五十三

【疏】前章明守母存子，故〔一〕歸明無遺身殃；此章明介然用知則行道，有唯施之畏。初三句明有知則乖道，次兩句示道正而人邪，又七句明有知之生弊，後兩句歎盜夸之非道，而以爲戒爾。

【義曰】前以歸明襲常爲所修之至要，此舉有知行道，所施畏有所傷。而大道坦夷，人趨邪徑，雖庭華服侈，且田廢廩虛，處位者食猒財豐，在下者家空力竭。以此爲理，誠謂盜夸。欲使斥彼淫奢，節其劍服，勤三農之稼穡，使萬井之豐穰，國其永寧，人不

〔一〕「故」，唐玄宗御製道德真經疏卷七作「欲」。

爲盜。修身者約己窒欲，務道疏財，介然獨修，可俟飛翥矣。

使我介然有知，行於大道，唯施甚畏〔一〕。

【注】老君言若使我耿介然矜〔二〕其有知，欲行大道。既與道不合，故惟所施爲，是皆所可畏也。

【疏】使我者，老君假設之詞也；介然，謂耿介然有知之貌。夫道非知法，而代人欲以有知行道，故老君患其蔽蒙，昌言〔三〕曰使我耿介然矜其有知，欲行無爲大道於天下者。有知則與道相乖，而失無爲清静之化，唯所施爲，將害於物，故可畏懼也。

【義曰】至道之君，勤行之士，不以多智而爲道，不以博識而探真。道不可知，知之益遠矣。莊子智北遊篇曰：「智遊於玄水之上，問無爲謂曰：『何思何慮則知道？何處何服則安道？何從何道則得道？』三問不答，非不答，不知答也。智返於白水之南，以問狂屈。狂屈曰：『唉！余知之矣。』欲言而忘其所言。智又返於黃帝之宮，

〔一〕「唯施甚畏」，原無，據唐玄宗御注道德真經卷三補，後文疏、義均包含有對該句的解釋，該句王弼本作「唯施是畏」，然唐李榮道德真經注、宋趙志堅道德真經疏義也引作「唯施甚畏」。

〔二〕「矜」，原作「於」，據唐玄宗御注道德真經卷三、道德真經玄德纂疏卷十四及後文杜光庭義改。

〔三〕「昌言」，唐玄宗御製道德真經疏卷七作「唱言之」。

以問黃帝。黃帝曰：『無思無慮始知道，無處無服始安道，無從無道始得道。』智謂黃帝曰：『我與汝知之，無爲謂、狂屈不知也。其孰是耶？』黃帝曰：『無爲謂真是也，狂屈似之，我與汝終不近也。知者不言，言者不知。故聖人行不言之教。』」此謂道離有説而非説能明，故知之者與道遠矣。此欲使帝王行不言之教，不欲介然而知也。又泰清問於無窮曰：「知道乎？」曰：「不知。」又問無爲，曰：「知之。道也可以貴，可以賤，可以約，可以散。」泰清以此言問於無始曰：「無窮與無爲兩者孰是？」無始曰：「不知深矣，知之淺矣；不知内矣，知之外矣；道不可聞，聞而非也；道不可見，見而非也；道不可言，言而非也。」此則介然有知，欲行於道，既乖道矣，能無畏乎？

大道甚夷，民甚好徑。

【注】大道平易，是畏有知。而人多故，欲心求捷，如彼行人，好從邪徑。邪徑之弊，其如下文。

【疏】夷，平也；徑，邪捷之道。言大道坦然平易，而人好從邪徑。且大道之化，貴夫無爲，無爲則平易。而代之從事，不能息智於無欲，將役心以應務。始雖好徑而求捷，終則失道而焚和，故云人甚好徑。

【義曰】道本坦夷，無爲即可致；人好邪徑，涉迹則乖真。邪捷則行之者多，平夷則好之者寡。其故何哉？邪教順俗，率下士之易從；大道澹然，非上智而難守。故造邪徑者多也。孔子弟子有澹臺滅明字子羽，居武城，行不由徑，樂道安貧，爲儒教之所重。況修真參道而溺於邪徑者，過莫大焉。理國者在於去奸邪，崇正直，進忠讜，黜佞人，然後至理可期，太平可致爾。焚和者，莊子外物篇云：「陰陽錯行，天地大駭。水中有火，乃焚大槐。利害相摩，生火甚多，衆人焚和。」言害生於欲，欲火焚其真性，而傷天和也。

朝甚除，

【注】尚賢矜智生巧僞。除，理也。

【疏】除，理也。言好徑之君不尚無爲之化，但以有爲爲理。雖云甚除，有爲則傷巧詐，故注云「尚賢矜智生巧僞」。又解云：朝廷修理，峻宇雕墻，故云甚除。

【義曰】上即進智巧之人，矜朝廷之理；次則竭生靈之力，壯華侈之居。用巧智則朝雖崇嚴，下民困弊；華侈則君迷隆盛，百姓崩離。豈若茅屋采椽，垂衣致理，修身者被褐懷玉，無徇繁奢以傷其行也。峻宇雕墻者，尚書五子之歌詞也。夏啓之子太康嗣位，樂于盤遊，兄弟五人作歌曰：「外作禽荒，内作色荒，酣〔一〕酒嗜音，峻宇雕墻。有一於此，未或不亡。」峻宇者，宫殿崇高也；雕墻者，垣墻雕麗也。

田甚蕪，

【注】浮食墮業，廢農事也。

【疏】草長曰蕪。淫巧浮食，則農事荒蕪。既闕嘉生之報〔二〕，何望如坻之積？

【義曰】智巧在朝，邪佞居位，尚浮華則墮業，重雕峻則傷農。田畝蒿萊，人力疲瘵，何以致人安國霸乎？詩曰：「不稼不穡，胡取禾三百廛兮？」夫士農工商，各守其業，則無墮遊冗食之人矣。既廢農尚詐，則浮食者多，國力困矣。如坻者，積土曰坻，言豐年稼穡所積如京如坻，多也。京，大也。

倉甚虚；

【注】南畝不收，無儲積也。

【疏】年登則廪實，農廢則倉虚，自然之理也。

〔一〕「酣」，傳世尚書作「甘」。
〔二〕「報」，道德真經玄德纂疏卷十四作「熟」。

【義曰】肆邪任智，害政傷農，浮冗既多，倉廪不實，理固然矣。欲使君慕清虚，臣懷端慤，奸邪徑塞，正直門開，無華宇崇臺，絶浮遊冗食，勸農則廪實，静理則人安。至於澡雪修真，洗心守道，於身於國，何莫由斯也？

服文彩，

【注】刻雕綺繡害工利。

【疏】青赤爲文，色絲爲彩。言賤質而貴文也。

【義曰】朝既除理，君尚浮華，文彩飾裝，理無爽也。

帶利劍，

【注】文德不修尚武備。

【疏】利劍者，武備也。夫文德者，理國之器用，武功者，文德之輔助；而文爲本，武爲末。今專事武功，是棄本而崇末也。

【義曰】利劍之用，制敵所先，非理國之大器。今重而帶之，是輕於文而棄於本矣。武備者，春秋定公十年夏〔一〕，與齊景公會于夾谷，孔子攝行相事。曰：「臣聞有文事

〔一〕「春秋定公十年夏」，此事左傳叙述較簡，所引文字主要源於孔子家語相魯。

者必有武備，有武事者必有文備。諸侯出疆，必具官從，請具左右司馬。」定公從之。會所爲壇位，土階三等，以遇禮相見，揖讓而登。獻酬〔一〕已畢，齊使萊人以兵鼓譟，劫定公。孔子歷堦而進，不盡一等，以公退，曰：「士兵之〔二〕。吾兩君爲好，而裔夷之俘敢以兵亂之，非齊君所以命諸侯也。裔不謀夏，夷不亂華，俘不干盟，兵不逼好，於神爲不祥，於德爲愆義，於人爲失禮。君必不然。」齊侯心怍，麾而避之。有頃，齊侯奏宮中之樂，倡優侏儒戲於公前。孔子趨進，歷階而上，不盡一等。曰：「疋夫而熒侮諸侯者，罪應誅。請有司速加法焉。」於是斬侏儒，手足異處。齊侯懼，有慚色。既盟，齊侯歸，責其群臣曰：「魯以君子之道輔其君，而子獨以夷狄之道教寡人，得罪於魯君。」乃歸所侵魯鄆、讙、龜、陰之田。此文事有武備也。

猒飲食，

【注】烹肥擊鮮重滋味。猒，飫〔三〕也。

〔一〕「酬」，孔子家語卷一相魯作「酢」。

〔二〕「士兵之」，孔子家語卷一相魯作「士以兵之」。

〔三〕「飫」，唐玄宗御注道德真經卷三、易縣唐碑本、道德真經玄德纂疏卷十四、道德真經取善集卷八作「飫足」。

【疏】䭃，飫[一]食也。庖厨豐厚，䭃飫芳鮮。上多玉食之資，下有凍餒之患矣。

【義曰】國用智詐，君尚有爲，道化不行，農畝弛廢。而嘉羞美饌，䭃於庖燔，疲人有凍餒之悲，朝市有珍鮮之飫。豈不痛哉！

財貨有餘，

【注】聚斂積實饒珍異。

【疏】財貨，謂錢帛珠玉之流也；多藏厚斂，有餘也。未學不貪爲寶，但欲多財累，愚爾。

【義曰】古之所謂「寧積於人，無藏府庫」，誠哉言乎！孔子曰：「百姓不足，君孰與足？」斯則民豐國安矣。若積聚無已，谿壑難盈，帑藏有餘，民力困竭。非王霸之道也。

是謂盜夸。非道也哉！

【注】矜其有知，動以成弊，行同盜竊，仍自矜夸。夸盜非道，適令興歎。也哉者，歎之辭也。

[一]「飫」，原作「飲」，據唐玄宗御製道德真經疏卷七改。道德真經玄德纂疏卷十四作「飫足」。

【疏】非理而取爲盜，矜其所有爲夸。且頭會而[一]斂，取於不足，縱欲而費，奉其有餘。傲然自得，以爲夸尚，謂之爲盜，不亦宜乎？所爲如此，則非吾所行之道矣。也哉者，傷歎之辭也。

【義曰】不以道德臨人，而任智詐爲國，内尚奢巧，下竭黎元，私室不足於糟糠，公府有猒於粱[二]肉，貨財豐衍，壠畝榛蕪，而伐善矜能，大爲夸尚。理身者聲色蕩心，珠翠亂目，嗜欲傷性，機智鶩愚，真氣耗於三田，赤子淪於六藏，尸居餘氣而徇禄矜夸。斯爲盜也，去道遠矣。老君以此垂文，用申炯戒。修身理國，可以爲殷鑒焉。盜者，説文云：「私利物者曰盜，從次從皿。」次，口液也，口液在於皿器之上，欲得物也，故謂之盜。字林云：「取非己之物曰盜。」言飲食珍異，財貨殷豐，猒飫有餘，而不修己德，財富德薄，叨竊無殊，不自省循，乃復矜伐，非盜而何？特宜謙戒哉。

〔一〕「而」，唐玄宗御製道德真經疏卷七作「箕」，「頭會箕斂」乃成語，均可通。

〔二〕「粱」，通「粱」。管子小匡：「九妃六嬪，陳妾數千，食必粱肉，衣必文繡。」一本作「粱肉」。

善建不拔章第五十四

【疏】前章明好徑之君若盜夸而非道，此章明善建之主享不拔而長存。首標以道立國，修身之益；次「故以身」下明觀身觀家之法；後「吾何以」下結歎惠〔一〕照所知之驗。

【義曰】立國以道德，國不可拔；率人以道德，人不可離。所以享國無窮，子孫不絕。其何術哉？身修道以正其家，家修道而正其鄉，鄉修道而正其國，國修道而正天下。以修道之益，觀不修道之損，其理亂可知，存亡可見矣。旨在息盜夸之行，悛好徑之心。於國於身，吉凶斯兆矣。

善建者不拔，

【注】善能以道建國立本者，不可傾拔。

〔一〕「惠」，唐玄宗御製道德真經疏卷七作「慧」。

【疏】建，立也；不拔，不傾拔也。言人君善能以道建邦立本者，因百姓之所[一]爲，任兆人之自化，然後陶以淳朴，樹以風聲，使儀刑作孚，樂推不猒，則功業深固，萬方歸德，斯所謂善建者，何可傾拔乎？

【義曰】立國不以道，衆叛親離；立身不以道，犯危蹈禍，敗不旋踵，傾拔可期。唯道德爲基，則無危殆矣。儀刑作孚者，詩大雅曰：「儀刑文王，萬邦作孚。」孚，信也。文王以道垂化，萬邦歸信也。樂推不厭者，此經第六十六章之詞也。言聖人欲上人，以其言下之，欲先人，以其身後之，處上而人不重，處前而人不害，天下樂推而不猒，以其不争，故天下莫能與之争。此善霸國立身之旨矣。風聲者，德風之聲。

善抱者不脱，

【注】善能以道懷抱百姓者，不可脱離。

【疏】抱，守也；脱，離也。善以道懷抱百姓者，動而悦隨，何可脱離也。且夫樂餌所在，過客猶止，况夫道德有[二]進於此乎？以之御物，爲物所歸，固其宜也。

[一]「所」，唐玄宗御製道德真經疏卷七、道德真經玄德纂疏卷十五作「不」。

[二]「有」，唐玄宗御製道德真經疏卷七作「者」。

【義曰】聖人乘時立極，任物爲心，四海歸仁，萬方順化。國之基不可以傾拔，人之心不可以脱離。昔周大王紹[一]古公亶父之德，始王於邠，迫於犬戎，狄人攻之，事之以皮帛而不受，事之以車馬而不受，事之以珠玉而不受。曰：「狄人所求者，貪吾之土地也。不可禦備以勞人，征伐以役人，而存吾身乎！與人兄居而殺其弟，與人父居而殺其子，吾不忍也。子皆勉居矣。爲吾臣與狄人之臣，亦何以異？且吾聞之，不以所用養害所養。」因策杖而去之，民相連而隨之，成國於岐山之下。有三子，其小子季歷生文王，文王爲西伯，律身修德而興周業八百餘年。此蓋善得人心，不可脱而離之也。樂餌所存者，上經第三十五章之詞也。曰「樂與餌，過客止」，言嘉樂所奏，肴膳所陳，過客聞而聽之，見而美之，爲之留止。況道德昭著，人固悦而隨之也。

子孫祭祀不輟。

【注】言善以道德建抱之君，功施於後，愛其甘棠，況其子孫乎？而王者祖有功，宗有德。故周之興也，始於后稷，成於文武；周之祭也，郊祀后稷，宗祀文王。故雖卜代

[一]「紹」，疑衍文。據西周歷史，周大王即古公亶父，此處的相關文字主要見於莊子讓王篇，後者即説「大王亶父居邠」。

三十，卜年七百，毀廟之主流溢於外，而后稷、文王郊宗之祀不輟止也。

【疏】祭，薦也；繼代曰祀。謂後代子孫薦祀[一]於祖宗也。輟，止也。

業無窮矣。愛其甘棠者，詩甘棠篇曰：「蔽芾甘棠，勿翦勿敗，召伯所憩。」昔周武王之有天下，使周公旦分理陜東，召公奭分理陜西。召公有德，民樂其化，常不欲勞人之力，乃坐於甘棠樹下以聽訟焉。後人懷其德而存其樹，不翦不伐，詩以美之也。祖有功者，帝王立國，必藉積代之福而有天下。及功成制禮，必本其先祖有功者而祀之，有德者而尊之。宗，尊也。后稷，姬姓之後，名棄，爲堯之臣，歷事於舜，黎民阻飢，后稷播植百穀，以濟於民，功格於物也，爲農正。其後子孫亶父至于文王武王，乃有社稷。故其宗廟郊祀后稷以配天，宗祀文王以配地。雖親盡廟祧，其后稷文王始祖之廟，世世祀之。至秦漢革命，祭祀方止。漢承堯後，唐堯有聖德，功及於民，其後子孫乃興漢業，代世宗祀。及魏受漢禪，祭祀方止。德明皇帝臯繇，佐堯事舜，種德及民，故我唐承其遐福，受命享國，追尊爲德明皇帝焉。

【義曰】理國以善立善抱，則祚流子孫；修身以善立善抱，則年踰禀受，祭祀不輟，弈

[一]「祀」，唐玄宗御製道德真經疏卷七、道德真經玄德纂疏卷十五作「禮」。

修之身，其德乃真；

【注】修道於身，德乃真淳也。

【疏】此下明少修少證，多學多得。故修之身謂一身修，修之家謂一家修。始於一身，終[一]於天下，例可知也。言善立之人照了真性，真性清凈[二]，無諸僞雜。僞雜既盡，德乃真純也。

【義曰】夫千里之行，跬步爲始；修身理國，先己後人。故近修諸身，遠形于物，立根固本，不傾不危，身德真純，物感自化矣。

修之家，其德乃餘；

【注】一家盡修，德乃餘羨。

【疏】修道於家，上和下睦，故其德有餘慶也。故易曰：「積善之家，必有餘慶。」

【義曰】身既有道，家必雍和。所謂父愛、母慈、子孝、兄友、弟恭、夫信、婦貞，上下和睦，如此則子孫流福，善及後昆矣。積善者，易坤卦文言曰：「坤道其順乎，承天而時

[一]「終」，原作「修」，據唐玄宗御製道德真經疏卷七、道德真經玄德纂疏卷十五改。

[二]「凈」，唐玄宗御製道德真經疏卷七作「静」。

行。積善之家，必有餘慶；積不善之家，必有餘殃。」此明吉凶有漸，先明所行善惡，故後彰其吉凶。一家修道，善必有餘矣。

修之鄉，其德乃長；

【注】一鄉盡修，德乃長久。

【疏】按周禮萬二千五百家爲鄉，言一鄉修道，禮義興行，尊卑有序，閭閈相比，不黨於親；一家修道，德猶未廣，一鄉盡修，德乃長久。

【義曰】君子之立行也，正其身以及其家，正其家以及其鄉。尊其長老，敬其幼少，教誨愚鄙，開導昏蒙，少長得宜，尊卑有序，風教肅肅，禮樂詵詵。由一身之所修，乃萬家之所禀。道之化物，善莫大焉，所以優長久永也。

修之國，其德乃豐；

【注】一國盡修，德乃豐盈。

【疏】修道於國，風易俗移，還淳反朴，不偏於所近。一鄉修道，德猶未偏；一國盡修，德乃豐厚。

【義曰】一國者，諸侯之國也。公侯伯子男，各主一國，所以藩屏王室，輔衛帝居。若一國之中，自能修道，則禮行化美，君信臣忠，境内無虞，其德豐大矣。

修之天下，其德乃普。

【注】若天下盡修其德，施乃周普也。

【疏】普，徧也。夫百姓歸厚，在君之化。修之廟堂，德流海外者，蓋正其身，不言而化，不教而理，下之應上，如響應聲，德無不周，乃施〔一〕普也。

【義曰】道之行也，先諸身而後諸物，故曰未聞身理而國亂，身亂而國理也。所以身修於內，物應於外；德發乎近，及乎遠。一夫感應，尚猶若此，况於帝王乎？天子昧道耽玄，敬天順地，凝心玄默，端己無爲，書軌大同，梯航入貢，四夷款附，萬國來王，道無不被，故其德周普矣。廟堂者，天子政事之所也。德施普者，易乾卦象云：「見龍在田，德施普也。」言龍潛於初九，見於九二，當潛之時功未濟，時德未及物，待時而動，静以全身。及九二出見，布德行化，周及萬方，所以徧普也。夫龍者，喻陽氣也。陽氣當子月初生，潛於幽泉之底，丑月出見，乃能生化萬物。感其發主之功，故周施陽氣，普及於物也。

〔一〕「施」，唐玄宗御製道德真經疏卷七、道德真經玄德纂疏卷十五作「爲」。

故以身觀身，

【注】以修身之法觀身，能清净者乃真。

【疏】觀者，照察也。注云以修身之法觀身，能清净者乃真，謂觀身實相，本來清净，不染塵雜，除諸有見。有見既遣，知空亦空，頓捨二偏，迴[一]契中道，可謂清净契真矣。

【義曰】不修道之身，動違正理，名辱身危。修道之身，外絶衆緑，内染一氣，除垢止念，守一凝神，以慧照自觀，證了實相，不滯空有，深入妙門，可以得道。理國之君，允執厥中，則永享天禄也。

以家觀家，

【注】以修家之法觀家，能和睦者有餘。

【疏】以修家法觀家，家人和睦[二]，則福善有餘。

【義曰】不修道之家，不睦六親，不遵五教，動掇災否，上下崩離。修道之家，九族允

〔一〕「迴」，原作「迴」，據唐玄宗御製道德真經疏卷七改。

〔二〕「睦」，唐玄宗御製道德真經疏卷七作「穆」。

和，衆善咸萃。易家人卦九五象曰：「王假有家，交相愛也。」此言居於尊位而明於家道，六親和睦，移之於政，即天下化之，交相愛樂也。

以鄉觀鄉，

【注】以修鄉之法觀鄉，能順序者乃長。

【疏】以修鄉之法觀鄉，鄉人盡修道，尊卑順序，道化漸廣，德乃延長。

【義曰】不修道之鄉，禮敬不行，長幼失序，貴賤陵虐，上下交争。修道之鄉，德既優長，人叶其序，肅静喜順，境泰人和也。

以國觀國，

【注】以修國之法觀國，能勤儉者乃豐。

【疏】以修國之法觀國，國人盡修，勤而且儉，德乃豐盈。

【義曰】不修道之國，干戈構役，虐害其民，瘥毒流行，人罹其酷。修道之國，神明助祐，風雨以時，善化所覃，嘉祥自應，人豐德富，理使之然矣。

以天下觀天下。

【注】以修天下之法觀天下，能無爲者乃普。

【疏】夫以天下觀天下者，復何所觀哉？亦但觀身爾。人君清静無爲，以道〔一〕善建善抱，自然百姓胥附，國祚乂〔二〕安。

【義曰】以不修道之天下者，桀紂是也。生人塗炭，寰海判離，骨肉仇讎，社稷〔三〕塗地。雖有謀臣武士，不能用也；雖有金城湯池，不能守也。以萬乘之貴，希疋夫之生不可得也。修道之天下者，堯舜是也。四海之内，比屋可封，慈惠浹於殊庭，正朔頒於萬寓。雖有水旱之災，年不害也；雖有征伐之師，人不怨也。其何故哉？以正身九重，天下自順。然後登真證道，常存不亡，昭昭乎萬代師範矣。

吾何以知天下之然哉？以此。

【注】以此觀身等觀〔四〕觀之則可知矣。

【疏】此假設之詞也。老君言我何以知天下善建則不拔，善抱則不脱，福德弘益之然

〔一〕「以道」，唐玄宗御製道德真經疏卷七作「爲道化」。

〔二〕「乂」，唐玄宗御製道德真經疏卷七作「人」。

〔三〕「社稷」，道德真經廣聖義節略卷三作「肝腦」。

〔四〕「觀」，唐玄宗御注道德真經卷三無。

乎？蓋[一]以此觀身等觀而觀之，自家[二]刑國，由内及外，則知爾。易曰「觀我生」，又曰「觀其生」，將欲自觀而觀人也。

【義曰】老君聖慈，愍物垂教，殷勤重明於家於國理亂之由，修之與不修之證。再自舉問，廣示群迷，何以知天下興亡，蓋以此五觀之法觀其善惡損益之驗爾。觀我生者，易觀卦六三云「觀我生」，謂進退之象也。我生，身所動也。六三居下體之極，是有可進之時；又在上體之下，復在可退之位。遠而非物，不爲童觀之卑；上非九四，未能觀光於國。既居進退之地，可以自觀。我生可進即進，可退即退。觀風相機，其道未失。此以卦象之理，進退則然。若夫觀國觀身，義在力修道德。道德修則國不傾拔，享福登真；失道德則國削祚危，禍至身辱。以爲君臣至誠，得不自勗哉？所云觀其生者，最處上極，高尚其事，生亦道也，爲天下觀其已之道，故云觀其生也。以爲特處異地，爲衆所觀，既居天下可觀之地，可不慎乎？君子謹慎，乃得無咎。正義云「我生」、「其生」，皆動出生長之義也。

〔一〕「蓋」，道德真經玄德纂疏卷十五作「善」。
〔二〕「家」，唐玄宗御製道德真經疏卷七作「我」。

道德真經廣聖義卷之三十九

唐 廣成先生杜光庭 述

含德之厚章第五十五

【疏】前章明善建之主享不拔而長存，此章明含德之人獨知和而不害。首五句標含德所以不搏；次「骨弱」下五句明全和所以不嗄，知和則明了，使氣則强梁；「物壯」下申勸强梁之人，欲令不爲是行。

【義曰】於國既能善建善抱，於身所要含德全和。善建則國不傾危，含德則物無傷害。和至則益生爲善，物壯則非道早亡，不唯戒在修身，抑乃勸於理化。此章之大旨也。

含德之厚，比於赤子。

【注】至人含懷道德之厚者，其行比於赤子矣。

【疏】含，懷也。言至人含懷道德之深厚者，内爲道德之所保，外爲神明之所護，比若慈母之於赤子也。此理難曉，故借喻以明之。故寄赤子之全〔一〕和，以況至人之全德。赤子，嬰兒之小者，取其内無分別，不生害物之心。

【義曰】至道之士，韜德含和，内外混凝，不忤於物，如赤子之純粹，若嬰兒之未孩。其德既然，所以物不能害。物不害者，以至人無害物之心故也。赤子者，子生三月而眼轉，睛微眴，能分別人。其未分別之前，即號爲赤子，和氣全也。既有所別，和氣分矣，不可謂爲赤子也。

毒蟲不螫，猛獸不據，攫鳥不搏。

【注】至人神矣，物不能傷。既無害物之心，故無搏螫之地。此至人之含德也。

【疏】此釋至人之全德也。毒蟲，蜂蠆之屬；猛獸，虎兕之屬；攫鳥，鷹鸇之屬。螫，謂尾端行毒；據，按也，謂以足據〔二〕物；搏，持也，謂以爪搏持物也。言至人德全於内，和氣充〔三〕盈，心冥乎道，故有毒之蟲不能螫，猛毅之獸不能據，鷙攫〔四〕之鳥不能

〔一〕「全」，唐玄宗御製道德真經疏卷七作「生」。
〔二〕「據」，唐玄宗御製道德真經疏卷七、道德真經玄德纂疏卷十五作「據按」。
〔三〕「充」，唐玄宗御製道德真經疏卷七作「沖」。
〔四〕「攫」，唐玄宗御製道德真經疏卷七、道德真經玄德纂疏卷十五作「玃」。

摶，蓋以其至順德厚之所致也。

【義曰】含德之行，與道混冥。動順物宜，物故不害；静與道合，害所不加。雖蜂蠆毒螫之徒，猛毅鷙攫之類，自然遠矣，何能害人？人君含德臨人，全和御物，禍亂不作，戈甲不侵，外服四夷，内清六合，靡然物化，其含德之謂乎？

骨弱筋柔而握固。

【疏】此下明赤子之全和也。赤子筋骨柔弱，持握不當牢固。今拳手執物能自固者，豈非和氣不散之所致乎？

【義曰】和之所用，其大矣哉。禮之用，和爲貴；師之用，和爲先；地利不如人和；師克在和不在衆。書曰：「紂有億兆之人，離心離德；周有十臣，同心同德。」故春秋：「鄖人伐楚，屈瑕患之。鬬廉對屈瑕曰：『師克在和不在衆。商周之不敵，君所聞也。』屈瑕欲卜之，曰：『卜以決疑，不疑何卜？』敗鄖師於蒲騷。」今赤子以和握持，既能牢固；立身以和處衆，必無交争；王者以和君臨，固能化洽。和之全也，與含德理同。所解赤子全和，謂如下文爾。

未知牝牡之合而峻作，精之至。

【疏】雌曰牝，雄曰牡。峻者，氣命之源也。言赤子心無情欲，未辯陰陽之配合，而含氣之源動作者，豈不由精氣純粹之所致乎？

【義曰】上清洞真品云：「人之生也，禀天地之氣〔一〕爲神爲形，禀元一之氣爲液爲精。天氣減耗，神將散矣；地氣減耗，形將病矣；元氣減耗，命將竭矣。故帝一迴元之道泝流百脉，上補泥丸〔二〕。腦實則神全，神全則形全〔三〕。形全者，百關調於内，邪氣亡於外。髓凝爲骨，腸化爲筋，純粹不雜，而長生可致矣。」

終日號而嗌不嗄，和之至。

【注】赤子骨弱筋柔而能握拳牢固，未知陰陽配合而含氣之源動作者，精〔四〕粹之至；終日號啼而聲不嘶嗄者，由〔五〕純和之至。此知赤子之全和也。

〔一〕「氣」，雲笈七籤卷五十六諸家氣法之元氣論作「元氣」。

〔二〕「丸」，雲笈七籤卷五十六諸家氣法之元氣論該字後還有「下壯元氣」。

〔三〕「神全則形全」，雲笈七籤卷五十六諸家氣法之元氣論作「神全則氣全，氣全則形全」。

〔四〕「精」，唐玄宗御注道德真經卷三、道德真經玄德纂疏卷十五該字前還有「猶」字，「猶」通「由」。

〔五〕「由」，唐玄宗御注道德真經卷三作「猶」，二字通。

【疏】嗄，聲破〔一〕也。赤子終日號啼，其聲不嘶破，豈非精氣純粹之能致乎〔二〕？

【義曰】含德之人，全和之士，德行周厚，和氣精純，如赤子也。赤子純和既積，元氣内充，執握能牢，啼號不嗄，純之至也。夫啼極無聲，謂之嗄。赤子和氣未散，真精固存。喻彼理國純和，群生貞粹，玄化彌遠，德聲益彰而不竭也。又骨弱筋柔而能握固，非因其力，由赤子心專，以喻含德之人屈身順物，柔心從道，衆欲所不能開，由心業浄故也。未知牝牡之合而峻作，由含德之人無心應物，動任自然，非情欲所侵，由身業浄故也。赤子號而不嗄，如含德之人法音演教，以法利物，聲化無窮，而不衰歇，由口業浄故也。赤子純浄，外欲不侵，内心不亂，自然而然也。含德之人三業清浄，有如赤子，乃修之使然。理國之道，君抱淳素，臣任忠良，法綱不施，德化周布。若赤子自然端樸，如含德修勵日新，和氣潛充，人歸於道矣。

知和曰常，

【注】能如嬰兒固守和柔，是謂知常之行。

〔一〕「破」，唐玄宗御製道德真經疏卷七、道德真經玄德纂疏卷十五作「嘶破」。

〔二〕「豈非精氣純粹之能致乎」，唐玄宗御製道德真經疏卷七、道德真經玄德纂疏卷十五作「豈不由和氣至純之所致乎」。

【疏】赤子以和氣至純而聲不敗，因之以示教。言人能如嬰兒知和柔之理，修而不失者，是謂知真常之行。

【義曰】五常備具曰和。於身和則德充而合真，於國和則化周而祚永；處衆和則合禮，行師和則有功。和之爲義大矣哉！

知常曰明。

【注】守和知常，是曰明了。

【疏】人能知真常之行而保精愛氣者，是曰明達了悟之人。知和知常，歎同德之美；益生使氣，舉失道之過。

【義曰】既備五常，是謂和矣。復知其和，不可斯須離而常行之，斯謂於道益明，於理益達。理國以和爲常，加以明達，所謂合天地之德，齊日月之華矣。以和御物，物無不順；以和從道，道無不成。太上五厨經曰：「和乃無不和〔一〕，玄理同玄際。」抱和守

〔一〕「和乃無不和」，唐尹愔老子説五厨經注、雲笈七籤卷六十一之五厨經氣法、上清靈寶大法、道法會元、太上三洞神咒均引作「和乃無一和」，然雲笈七籤卷五十七諸家氣法之太清行氣符、卷一一九道教靈驗記之僧行端輒改五厨經驗也引作「和乃無不和」。唐尹愔在作注時乃據「無一和」作注，疑當爲正。

常，道可異也。

益生曰祥，

【注】祥者，吉凶之兆。言人不知守常，而求益生過[一]分，動之死地，是曰凶祥。

【疏】祥者，吉凶之兆。不能全和於知常，而營生於分外。殊不知分外求益，所亡滋多，則求益生過分是凶祥也。莊子云：「常因自然而不益生。」

【義曰】人能知和知常也，爲明達於道；更求益生過分，是必兆其凶祥。斯則求生之厚，爲妖祥矣。而不益生者，莊子德充符篇：「莊子謂惠子曰：『是非吾所謂情也。吾所謂無情者，不以好惡内傷其身，常因自然而不益生。』」此莊子以是非爲情，不以喜怒滑性，哀樂傷神，受之天然，不營分外，人理自具。何用情以益生乎？道與其貌，天與其形，無以好惡内傷其身也。

心使氣曰强。

【注】心有是非，氣無分別，若役心使氣，是曰强梁之人。

【疏】夫心有是非，而氣無分別，故任氣則柔弱，使心則强梁。今失道益生之人，役心

〔一〕「過」，唐玄宗御注道德真經卷三作「越」。

使氣，氣爲心使，是曰强梁。故莊子云：「無聽之以心，而聽之以氣。」

【義曰】含德必任氣而柔弱，益生則使心而强梁。柔弱合於真常，强梁乖乎修鍊。理國亦以柔和爲上，不以强大爲能。棄柔任强，喪身敗國矣。無聽之以心者，莊子人間世篇：「孔子謂顔回曰：『若一志，無聽之以耳而聽之以心，無聽之以心而聽之以氣。聽止於耳，心止於符。氣也者，虚而待物者也。唯道集虚。虚者，心齋也。』」此言心虚則嗜欲無入，神清則玄覽無疵。遺其色聲，忘其境智。境智忘而玄道自至，色聲一而物相盡空。心止於符，氣合於漠，此謂之心齋也。惟孔子顔回得之矣。

物壯則老，是謂不道，不道早已。

【注】凡物壯極則衰老，故戒云矜壯恃强。是謂不合於道，當須早已。

【疏】此明强梁失道之過。壯者，剛毅也；老者，衰憊也。夫物盛則衰，壯極則老。夫用心使氣，矜其强壯者，自致衰老，謂之不道者。道貴柔弱，今恃强梁，既與道不合，故勸令早止。

【義曰】夫物自壯而得老，自盛而得衰，自榮而得枯，自老而得死，世之常也。守和含德之士，反於此焉。老君以衆生未解知常，不能含德，不及赤子之無害，果爲强梁以喪真，勸其早止，俾令知道而勤修也。若理國之主捨和棄明，不能謙抑於九重，而肆其鋒於外境，人疲國耗，必致自焚。未若體道全柔，以安其社稷，所謂早已也。

知者不言章第五十六

【疏】前章明含德之人獨知和而不害，此章明悟道之士能了言而無執。首兩句示理暢而言忘，次七句明静塵而不染，「是謂」下明不染者與玄同德，「故不可」下明同德則不可毁譽爾。

【義曰】至道無言，有言則乖□□□□□□□□□□□，與道同矣。如此則親疏不此〔一〕，利害難欺，不爲貴賤所排，是明天下之貴。此亦欲使人君自恬〔二〕，任道忘功，不爲利欲所嬰，遠懷近悦，不爲貴賤所惑，合道同玄，常爲天下之尊，克享無期之祚，與夫含德全和之理，亦何異乎？

〔一〕「此」，原經模糊，疑當作「訾」。

〔二〕「恬」，原經模糊，據文意擬。

知者不言，言者不知。

【注】知，了悟也；言，辯説也。

【疏】知者，了悟也；言者，辯説也。夫至理精微，玄宗隱奥，雖假言而詮理，終理契而言忘。故了悟者得理而忘言，辯説者滯言而不悟，故曰「知者不言，言者不知」爾。

【義曰】無爲之要，訣之於心，以言而傳，斯非道矣。西昇經云：「道可以心得，不可以言傳。」易曰：「得理而忘言，得意而忘象。」滯於辯説，非道也哉！

塞其兑，

【注】了悟者，於法無愛染，於言無執滯，故云塞其兑。

閉其門，

【注】既無愛染，則嗜欲之門閉矣。

【疏】具如天下有始章所釋，彼則約道清静，以塞六根愛悦；此則因教辯忘，將息滯言之累。於言無執，故云塞其兑；不爲榮辱之主，可謂閉其門。

【義曰】欲忘言者，塞其兑；兑，口也；言語理絶，自契忘言矣。欲忘象者，閉其門；門，目也；形象混冥，自契忘形矣。塞兑則辯説不施，固無滯於言教；閉門則榮觀自息，無溺於是非。然後紛鋭盡銷，光塵共混，方叶玄同之德矣。人君尚不言之化，敦不宰之功。其功益崇，其化彌廣矣。

挫其鋭，解其紛，和其光，同其塵，

【疏】此四句已出上經道沖章，彼則就道以論功，此則據人以明行。上下兩經，互舉其文者，以其於濟物修身之義有功，故重言之。

【義曰】鋭以躁進，挫之以歸和；紛以交争，解之以歸寂；光以獨顯，不若和之爲貴；塵以衆晦，不若同之爲能。此四行，體道表道之功於人，勉人之行於國，則刑賞合度於身，則貞吉攸長。老君重舉此言，益明勗勵之旨。

是謂玄同。

【注】五句解如道沖章。彼則約道，此則約人，言人能體道，是謂與玄同德。

【疏】歎夫體道之人既已不滯言教，又能和光混跡，行符於道，是謂玄同〔一〕。

【義曰】以上明四行體道，於人既彰其利，理身理國，克叶其功，是謂與道同德。玄謂道也。

〔一〕「是謂玄同」，唐玄宗御製道德真經疏卷七、道德真經玄德纂疏卷十五作「是謂與玄同德」。

故不可得而親，

【注】玄同無私，故不可得而親。

不可得而疏。

【注】汎然和衆，不可得而疏。

【疏】言玄同之人，心無偏私，不可得親而狎之；和光順物，不可得疏而遠之。

【義曰】心既玄同，親疏混一。夫世俗之常者，偏愛則親之，偏惡則疏之。有道之士，愛惡不關於心，則親疏不彰於物矣。理國之道，刑賞不濫，功過無欺，推之以公，則無偏親偏疏之事矣。

不可得而利，

【注】無欲故不可得而利。

不可得而害。

【注】無争故不可得而害。

【疏】恬惔無欲，故不可得從而利之；處不競之地，故不可得犯而害之。

【義曰】迹既玄同，利害不加矣。夫有道之士不可以利誘，不可以害加，以其無欲無爲，惟清惟静，故利害無由而入矣。世人反於此，故利可誘之，勢可移之。所以害可加矣。

不可得而貴，

【注】體道自然，故不可得而貴。

不可得而賤。

【注】洸[一]然無滓，故不可得而賤。

【疏】體道自然，非爵禄所得貴也；超然絶累，非凡俗所得賤也。

【義曰】情既玄同，貴賤一矣。體道之士，榮禄不能勸，威刑不能沮，如玉投泥不能污也，豈貴賤干其慮哉？

故爲天下貴。

【注】體了無滯，言忘理暢，紛鋭盡解，光塵亦同。既難親疏，不可貴賤，故爲天下貴。

【疏】玄同之士，悟理忘言，塞兑閉門，根塵無染。紛鋭既解，光塵亦同，其行如此，故爲天下之所尊貴。

【義曰】既彰四行，玄與道同。心不涉於親疏，跡不交於利害，貴之不爲喜，賤之不爲憂，混合大道，爲天下貴。人君弘此四德，以化萬邦，與道混同，不言而理矣。

〔一〕「洸」，唐玄宗御注道德真經卷三、道德真經玄德纂疏卷十五作「洸」。

道德真經廣聖義卷之四十

唐　廣成先生杜光庭　述

以政治國章第五十七

【疏】前章明悟道之士能了言而無執，此章明以政之君失無爲之自化。首三句標門以示義，次十句設問以明理，後五句反〔一〕無事可以取天下爾。

【義曰】理國以政，其迹必彰；用兵以奇，其詐非道。不若無事以聚萬方，其或多忌諱，廣機權，縱淫工，明法令，去道殊遠，而國益危。惟可以無事臨人，去欲歸靜，兵革不用，奇詐不施，政令不煩，刑法幾措。此章之大義也。

〔一〕「反」，唐玄宗御製道德真經疏卷八作「示」。

以政治國，

【疏】此下三句並標宗也。以，用也；政，教也。言有爲之君矜用政教而欲爲理，不能無爲任物自化，欲求致理，未之前聞也。

【義曰】以道理天下者，不言而民信，不令而民從，不刑而民威，不賞而民勸。夫何故哉？民化其上，皆歸於善，不在賞而勸也；民稟於和，自革其惡，不待刑而威也；民復樸素，不待令而從也；民齊貞正，不待言而信也。此無言教而理矣。以言教理民涉有爲也，非道也哉。

以奇用兵，

【疏】奇，變詐也。不祥之器，君子惡之，况加變詐之名，而無節制之用。是兵猶火也，不戢將自焚。故知奇變之兵，非制勝之道也。

【義曰】以奇詐而用兵，乖於大道。何者？國以政刑爲本，政在於簡易因循；兵以變詐爲先，變在於應權合理。政失於道則刑賞濫，詐失於道則殺害多。濫刑賞以爲功，恣殺害而求勝，而欲興邦致理，不亦難乎？與夫任物自化，有征無戰遠矣。兵猶火者，春秋隱公四年：「春，衛公子州吁弒其君完。初，衛莊公娶于齊東宮得臣之妹，曰莊姜，美而無子，衛人爲賦碩人之詩。娶于陳，曰厲嬀。生孝伯，早死。其娣戴嬀生桓公。莊姜以爲己子。公子州吁，嬖人之子也，有寵而好兵。公弗禁，莊姜惡之。石碏諫曰：『臣聞愛子教之以義方，不納於邪。驕奢淫佚，所自邪也。四者之來，寵禄過也。將立州吁，乃早定之。若猶未也，階之爲禍。夫寵而不驕，驕而能降，降而不憾，憾而能眕〔一〕者鮮矣。且夫賤妨貴，少凌長，遠間親，新間舊，小加大，淫破義，所謂六逆也。君義臣行，父慈子孝，兄愛弟敬，所謂六順也。去順效逆，所以速禍也。君人者，將禍是務去，而速之，無乃不可乎？』弗聽。石碏之子厚與州吁遊，禁之，不可。桓公立，碏乃老。二月戊申，州吁弑桓公而自立。將修先君之怨於鄭，而求寵於諸侯，以和其民，使來告於宋曰：『君若伐鄭，以除君害，君爲主，弊邑以賦與陳、蔡從，則衛國之願也。』宋人許之，於是陳、蔡方睦於衛，故宋與陳、蔡、衛伐鄭，圍其東門，五日而還。宋公乞師於魯，魯辭之。隱公問於衆仲曰：『州吁其成乎？』對曰：『臣聞以德和民，不聞以亂理亂。理亂猶理絲而棼之也。夫州吁阻兵而安忍，阻兵無衆，安忍無親。衆叛親離，難以濟矣。夫兵猶火也，不戢將自焚。夫州吁殺〔二〕其君，而虐用其

〔一〕「眕」，原作「修」，據傳世左傳、道德真經廣聖義節略卷四改。
〔二〕「殺」，傳世左傳、道德真經廣聖義節略卷四作「弑」。

民，不務令德，而欲以亂成，必不免矣。』州吁未能和其民。厚問定君於石子。石子曰：『王覲爲可。』曰：『何以得覲？』曰：『陳桓公方有寵於王，陳、衛方睦，若朝陳使請，必可得也。』厚從州吁如陳。石碏使告于陳曰：『衛國褊小，老夫耄矣，無能爲也。此二人者實弒寡君，敢即圖之。』陳人執之，而請莅於衛。九月，衛人使右〔一〕宰醜殺州吁于濮。石碏使其宰獳羊肩殺石厚于陳。君子曰：『石碏，純臣也。惡州吁而厚預焉。大義滅親，其是之謂乎？』」所謂子從殺君之賊，國之大逆，不可不除，故云大義滅親，明小義則兼愛其子也。

以無事取天下。

【注】在宥天下，貴乎無爲。若以政教理國，奇詐用兵，斯皆不合〔二〕。唯無事無爲，可以取天下。此三句標也。

【疏】此示〔三〕標也。有道之君，無爲而理。夫無爲則無事，無事則不煩，不煩則百姓

〔一〕「右」，原作「石」，據傳世左傳改。
〔二〕「不合」，唐玄宗御注道德真經卷三作「不合於道」，然易縣唐碑本也作「不合」。
〔三〕「示」，唐玄宗御製道德真經疏卷八、道德真經玄德纂疏卷十五作「亦」。

自化，而天下太平矣。

【義曰】政教理國，奇詐用兵，豈若無事無爲而化天下，民聚國泰以致和平也。

吾何以知天下其然哉？以此：

【注】以此，下文知之。

【疏】吾何以知，發問也。其然，猶如是也。以此，答也。老君詳問我何以知取天下必須無事，以下文云多忌諱，則人彌貧，我無爲而人自化，驗可知矣。

【義曰】以政教求理，以奇詐用兵，固不可以致理矣。上多忌諱，下多利器，奇物滋起，法令滋彰，皆非太平之本。唯無事無爲，乃可化物。以此觀之，理亂之道昭然矣。

天下多忌諱，而民彌貧；

【注】以政理國，動多忌諱。人失作業，故令彌貧。

【疏】此覆釋以政理國也。爲天下之主，不能敦清静以化人，崇簡易而臨物，政煩網密，下人無所措其手足，避諱無暇，動失生業，日就困窮，所以彌貧也。

【義曰】上多忌諱，謂法令多門也。動有拘於忌犯則獲罪，民不聊生，怨叛憂虞，農桑隳廢，故其民彌貧。釋曰無財曰貧。君上無爲，法令寬簡，人無拘忌，適性自安，鑿井耕田，以飲以食，故民富而國昌矣。

人多利器，國家滋昏；

【注】利器，謂權謀也。人主以權謀爲多，不能反實，下則應之以詐譎，故令國家滋益昏亂也。

【疏】此釋上以奇用兵也。利器者，權謀也。夫權道在乎適時，不得已而方用。人君若多用權謀，不能反實，下必應之以詐譎，故云滋益昏亂。

【義曰】昏亂，不明也。君好奇變，民尚欺詒，上下交詐，正道不明，故爲昏亂也。

人多伎巧，奇物滋起；

【注】人主以伎巧爲多，不能見素，下則應之以奢泰，故令淫奇之物滋起。

【疏】伎，能也；巧，工巧也。奇物謂刻鏤雕琢、寶貨珍玩之屬。言人君不尚淳朴而好浮華，百姓效上而爲，奢泰馳競，淫飾日以繁多也。

【義曰】淫巧悦目，珍奇蕩心。上耽玩而不除，下增飾而彌甚。華侈既作，朴素遂忘，固可戒矣。春秋「丹桓宫之楹」、「刻桓宫之桷」，書而譏之；臧文仲山節藻棁，亦以爲過〔一〕。蓋欲人君尚於儉素也。

法令滋彰，盜賊多有。

【注】無爲既失，法令益明，竊法爲奸，盡成盜賊。豈非多有乎？

【疏】法，刑法也；令，教令也。君嗜欲〔二〕以御人，而欲彰法令以齊物。人既苟免而無耻，竊法〔三〕而爲奸，上下相蒙，故令盜賊多有矣。

【義曰】法令所以齊於民也，令煩則民姦生矣。奸詐既作，盜賊日多，謂之亂政。禮運曰：「大道既隱，天下爲家。城郭溝池以爲固，禮義以爲理〔四〕，故謀用是作，而兵由

〔一〕「丹桓宫之楹」、「刻桓宫之桷」及「山節藻棁」，據古代禮法，均爲失禮行爲。論語公冶長：「子曰：『臧文仲居蔡，山節藻棁，何如其知也？』」漢書貨殖列傳「及周室衰，禮法墮，諸侯刻桷丹楹，大夫山節藻棁」顏師古注：「桷，椽也。楹，柱也。節，栭也。山，刻爲山形也。棁，侏儒柱也。藻，謂刻鏤爲水藻之文也。刻桷丹楹，魯桓宫也。山節藻棁，臧文仲也。」

〔二〕「君嗜欲」，唐玄宗御製道德真經疏卷八作「君上不能寡欲」，道德真經玄德纂疏卷十五作「君上不能寡嗜欲」，後兩者當更恰。

〔三〕「法」，唐玄宗御製道德真經疏卷八作「盜」。

〔四〕「理」，傳世禮記作「紀」。

此起。」法令滋彰，盗賊多有。春秋曰：「夏有亂政而作禹刑，殷有亂政而作湯刑，周有亂政而作九刑。三辟之興，皆叔世也。」民是以亂免而無耻者，論語爲政篇：「孔子曰：『導之以政，齊之以刑，民免而無耻。』」言爲政者導民以法制，齊民以刑罰，民畏威，苟且百方巧避，求免脱罪辟，而不暇避於耻辱。故注云苟免罪也。民既免而無耻，必假竊法制以爲奸詐，則弄法舞文，害於人矣。莊子云大盗之生，則並竊聖智之法而盗其國，况於盗賊乎？蒙，蔽也。竊法作奸，下欺其上，上害其下，上下相蔽，恩化不行，大亂之本也。

故聖人云：「我無爲而民自化，

【疏】此釋無事以取天下也。我，謂聖人也。夫聖人之德不尚伎巧，體道之主所貴無爲，無爲之爲，無所禁忌，下化上之無爲，故云而人自化。

【義曰】人化無爲，自歸於理也。夫有爲則多事，多事則政煩。煩政事多，而民愈亂。無爲則事簡，事簡則政清。政清事簡，而人不待教令而化於善也。

我無事而民自富，

【疏】上無賦斂，下不煩擾，耕田鑿井，家給人足，故云而人自富也。

【義曰】多財曰富。君無勞民之事，民得勤而耕農。農功不妨，穀稼豐贍，故人富也。

鑿井耕田者，古詩云：「鑿井而飲，耕田而食。」此言唐堯在上，人遂無爲，不知上之有君，不知君之養己，自飲自食，無患無憂，所以家自給而人自足也。

我好静而民自正，

【疏】人生而静，天之性也。上好安静，無以動摇，則下被君德，率性而自正也。

【義曰】禮云：「人生而静，天之性也。」言人之禀生，本乎道氣，六塵未染，六欲未侵，任以元和，體乎澄静。及既孩之後，愛惡生焉，喜怒形焉。若人君静以理之，天下之人復歸簡易，則自清而正也。

我無欲而民自樸。」

【注】無爲則清静，故人自化；無事則不擾，故人自富。好静則得性，故人自正；無欲則可全〔一〕，故人自樸。此無事取天下也。

【疏】人君誠能内守沖和，外無營欲，則下之感化，自淳朴矣。

【義曰】人君無欲於物，物遂其宜；無欲安民，民自朴素。此自然之理也。理身之道，莫大於無欲知足；理國之道，莫大於無事無爲。誠能實而行之，身泰而國理矣。又一

〔一〕「可全」，唐玄宗御注道德真經卷三、道德真經玄德纂疏卷十五、道德真經取善集卷九作「全和」。

本有兩句云：「我無情而民自清。」此亦義理相符，而御註闕之，故輒詳載於此。

其政悶悶章第五十八

【疏】前章明以政之君失無爲之自化，此章明以政必敗，示禍福之所由。初標二政寬急不同，次明禍福二門倚伏無準，「人之迷」下歎〔一〕衆生之迷執，「是以聖人」下舉聖德以勸修爾。

【義曰】前明以政以奇用兵理國，法令伎巧，率下化人，既非無爲，是皆資亂。此又明悶悶之政爲是，察察之政爲非，執於善則善反爲妖，執於政則政反爲譎，所尚者在於無滯無執，不有不爲，不割不穢，不肆不耀，而能祛久迷之俗也。

其政悶悶，其民淳淳。

【注】政教悶悶，無爲而寬大，人則應之淳淳而質朴矣。

【疏】悶悶，無心寬裕也；淳淳，質朴敦厚也。言無爲之君政教寬大，任物自成，既無苛暴，故其俗淳淳而質朴矣。

〔一〕「歎」，原作「致」，據唐玄宗御製道德真經疏卷八改。

【義曰】政簡則人淳，人淳則務省，務省則刑罰不用，賞勸不勞。君拱默而任賢，臣因循而順物，國泰無爲之理，漸於兹乎。苛者法細而急也，暴者不令而刑也。夫先令而後刑，民知教矣；法簡而事緩，民知禁矣。苟犯其禁而後加刑，則刑一人而千萬人懼矣。朝令夕刑，民未知法，得非暴乎？况不令而刑，害人甚矣。

其政察察，其民缺缺。

【注】政教察察，有爲苛急，人則應之缺缺然而凋弊矣。

【疏】察察，有爲嚴急也；缺缺，凋弊離散也。有爲之君，其政峻急，以法繩人，法令滋彰，盜賊多有，故人則凋弊而離散矣。

【義曰】政刑則民亂，民亂則國殘。凋散之事，漸於兹矣。素書曰：「國將衰者，人先弊。」根枯則枝朽，人困則國殘，固當寬政養人，而康其國也。察察者，伺人之過，强明而急也。缺缺，凋敗不全，傷和害物也。

禍兮福所倚，福兮禍所伏。孰知其極？

【注】倚，因也；伏，藏也。上言其政悶悶，俗則以爲無政理之體，人乃〔一〕淳淳然而質

〔一〕「乃」，唐玄宗御注道德真經卷三、道德真經玄德纂疏卷十五、道德真經取善集卷九作「反」。

朴。此則禍爲福之所因也。其政察察，俗則以爲有政理之術，人乃缺缺然而凋弊。此則福爲禍之所藏矣。

【疏】禍兮福所倚者，前言悶悶之政，俗以爲惡，而人反淳淳，質朴敦厚，豈非福因倚禍中而生也？福兮禍所伏者，伏，藏也，察察之政，俗以爲善，物卻缺缺而凋弊，豈非禍伏藏福中而發也？孰知其極者，夫失道喪德，習僞尚華，故禍福循環，倚伏無準，誰有知其窮極者？

【義曰】天地有休否，日月有虧盈，此倚伏之數也。禍藏福中，福極則禍至；福隱禍內，禍盡則福來。拘彼俗纏，此爲常矣。惟有道之士，上德之君，抱道體和，陰陽不能制，全真反俗，善惡不能移。故禍不能加，福不能利，超然出得喪榮衰之外矣。夫以國言之，亦賢哲不能料，倚伏不可窮。齊有仲孫之難，而桓公興，遂霸其國；晉有里克之難，而文公起，乃統諸侯。是二國因禍而昌也。衛方寧静，狄人滅之；邢方晏安，衛人滅之〔一〕。是二國無禍而喪也。故伏藏因倚，莫知其極，故春秋云「有禍而啓其疆

〔一〕「齊有仲孫之難」至「衛人滅之」，左傳昭公四年：「齊有仲孫之難，而獲桓公，至今賴之；晉有里丕之難，而獲文公，是以爲盟主。衛、邢無難，敵亦喪之。」

土，無禍而喪其守宇〔一〕，不可知也。

其無正耶？

【疏】此言禍福之極，豈無正定耶？但由於人不能體道無爲，妄生迷執，失其正爾。

【義曰】常俗之人惑於禍福，寵至則喜，辱至則驚，愈失其正，致爲妖祥矣。豈知側身修德，雊雉不足以貽災〔二〕；坦慮忘懷，失馬未必以爲禍〔三〕。悔吝無準，召之由人爾。

〔一〕「宇」，原作「守」，據道德真經廣聖義節略卷四改。左傳昭公四年：「或多難以固其國，啓其疆土；或無難以喪其國，失其守宇。」

〔二〕「雊雉不足以貽災」，書高宗肜日序：「高宗祭成湯，有飛雉升鼎耳而雊。」孔傳：「耳不聰之異。」孔穎達疏：「雉乃野鳥，不應入室，今乃入宗廟之內，升鼎耳而鳴。孔以雉鳴在鼎耳，故以爲耳不聰之異也……漢書五行志劉歆以爲鼎三足，三公象也，而以耳行，野鳥居鼎耳，是小人將居公位，敗宗廟之祀也。」後因以「雉雊」爲變異之兆。

〔三〕「失馬未必以爲禍」，淮南子人間訓：「夫禍福之轉而相生，其變難見也。近塞上之人有善術者，馬無故亡而入胡，人皆弔之。其父曰：『此何遽不爲福乎？』居數月，其馬將胡駿馬而歸，人皆賀之。其父曰：『此何遽不爲禍乎？』家富良馬，其子好騎，墮而折其髀，人皆弔之。其父曰：『此何遽不爲福乎？』居一年，胡人大入塞，丁壯者引弦而戰，近塞之人死者十九，此獨以跛之故，父子相保。故福之爲禍，禍之爲福，化不可極，深不可測也。」後因以「塞翁失馬」比喻禍福相倚，壞事變成好事。

正復爲奇，善復爲妖，

【注】禍福之極，豈無正耶〔一〕？但衆生迷執，正者復以爲奇詐，善者復以爲妖祥。故禍福倚伏，若無正爾。

【疏】此釋迷正所由也。言衆生迷於禍福，正處於正不明，以正者爲奇詐，於善不了，以善者爲妖祥。故若無正爾。

【義曰】修道之要，在乎應變無心，方圓任器，不滯於禍福，不惑於正邪。滯於福則善復爲妖矣，惑於正則正復爲奇矣。帝王乘時任人，隨才適用。求正過切，矯正者必來；求善過切，矯善者必至。若虚心無滯，推公任賢，奇詐妖祥，幾乎息矣。

民之迷，其日固久。

【注】以正爲奇，以善爲妖，如此迷倒，其爲日也固已久矣。

【疏】此歎衆生迷於正善，反以爲奇爲妖，其所由來尚矣。故曰其日固久矣。

【義曰】俗之迷妄，積習生常，爲日且久，終不開悟。老君歎彼群迷，丁寧垂訓，將以祛其迷也。迷，謂失方也。夫不爲禍福所惑，不爲邪正所拘，曠蕩乎襟靈，均齊乎得

〔一〕「耶」，唐玄宗御注道德真經卷三作「邪」。

喪，則何正善之能迷其方哉？

是以聖人方而不割，

【疏】方，由正也。此舉聖德以勸修。聖人弘道濟代，萬物向方，身行正方，物則應之以自正，非立言教、裁割於物使從己也。

【義曰】聖人正方以約己，人自正方以從化。夫人既失其正，所以迷方，由邪正不分，禍福所撓爾。聖人於禍無辱，於福無榮，不矯正以飾其心，不徇邪而溺其志。卓立物表，允執大中，則人皆向方，從其正也。

廉而不穢，

【疏】廉，清廉也；穢，濁也。聖人率性清廉，自然化下，非〔一〕穢彼之濁以揚其清。有本爲「劌」，劌，傷也。聖人廉以成行，不傷於物。

【義曰】聖人清廉以澡身，人自廉潔以順教，豈復滓穢乎？世人行教令也，制之以法，威之以刑，勸之以利，誘之以賞，而人順其教者十無二三矣。今聖人不以賞刑，不以法制，但清其己，廉其行，人自化之。豈俟宰割正方，而後知勸也。

〔一〕「非」，唐玄宗御製道德真經疏卷八無。

直而不肆，

【疏】肆，申也。聖人之行不邪，彼自從而正直，非爲彼之不正，而申直以正曲。

【義曰】聖人自然正直，故非申而正之。以正直率人，人自清正，所以上下俱正，而天下正矣。若上行回邪，下爲諛諂，何因正哉？尚書冏命曰：「僕臣正，其后克正；僕臣諛，其后自聖。」此由臣之不正，以佞於上也。春秋曰：「其身正，不令而行；其身不正，雖令不從。」此申上化下，以成其邪正也。

光而不耀。

【注】聖人善化，不割彼以爲方，不穢彼以爲廉〔一〕，不申彼而爲直，不耀彼而爲光。修之身，而天下自化矣。

【疏】光者，謂明智也。聖人雖有明智而韜晦之，不以炫耀。故云光而不耀。聖德如此，自然百姓淳淳而從化也。

【義曰】聖智光明，非强炫耀也。此四者，皆聖人之行，借以開喻於人。以此而王大下，乃可稱其聖德。然大旨在乎知吉凶倚伏，袄奇不常，韞廉方而內明，含光直而內照，棄嚴暴之事，澄寬裕之懷。既除迷固之由，自叶希夷之妙也。

〔一〕「不割彼以爲方，不穢彼以爲廉」，唐玄宗御注道德真經卷三作「不割彼而爲方，不劌彼而以爲廉」。

道德真經廣聖義卷之四十一

唐　廣成先生杜光庭　述

治人事天章第五十九

【疏】前章明無爲之政，人致淳和；此章明理人事天，無過用儉。初標理人事天莫先乎嗇，次「夫唯」下轉通前義，「是謂」下舉深根之喻，以況長久之道。

【義曰】前章舉方廉直光聖人四德，以教理國；此章明用嗇四翻，以教事天。善理國其祚延洪，善事天其壽長久。此續前章之義也。

治人事天莫若嗇。

【注】嗇，愛也。人君將欲理人事天，莫若愛費，使倉廩實，人知禮節。三時不害，則天降之嘉祥。人和可以理人，天保可以事天也。

【疏】嗇，愛也。言人君將欲理化下人，敬事上帝，爲德之先，無如愛費，即儉德也。

儉即足用，可以聚人；粢盛豐備，天享明德。故云莫若嗇。

【義曰】夫儉者，理務之先；財者，聚人之本。故易曰：「何以聚人？曰財。」則財者，非儉約則易散；民者，非豐財則難聚。所以節財則省費，省費則人豐，人豐則國安而力足矣。國之大用有四：一曰祭祀，二曰戎事，三曰賓客，四曰庖膳。祭祀者，昭事上帝也。天子郊祀上帝，宗祀明堂，言有尊也。得不蠲潔恭恪乎？粢盛豐備者，春秋桓公六年：「楚武王侵隨，使其大夫薳章求成焉，軍於隨之瑕地以待之。隨人使少師董成。鬬伯比言於楚子曰：『吾不得志於漢東也，我則使然。我張吾三軍而被吾甲兵，以武臨之，彼則懼矣，而和協以謀我，故難間〔一〕也。漢東之國，以隨爲大。隨張，必棄小國。小國離，楚之利也。少師侈，請羸師以張之。』熊率音律且十余切比曰：『隨賢臣季良在，何益？』鬬伯比曰：『以爲後圖，季良諫，不過一見從。少師得其君。行少師之計。』王毀軍而納少師。少師歸，請追楚師。隨侯將許之。季良止之曰：『天方授楚。楚羸其師，誘我也。君何急焉？臣聞小之能敵大也，小道大淫。所謂道者，忠於民而信於神。上思利民，忠也；祝史正詞，信也。今民餒而君逞欲，祝史矯舉以

〔一〕「間」，原作「聞」，據傳世左傳改。

祭，臣不知其可也。』隨侯曰：『吾牲牷肥腯，粢盛豐備，何則不信？』對曰：『夫民，神之主也。是以聖王先成民而後致力於神。故奉牲以告曰博碩肥腯，謂民力之普存也，謂其畜之碩大蕃滋也，謂其不疾瘯蠡也，謂其備物〔一〕咸有也。奉粢〔二〕盛而告曰潔粢豐盛，謂其三時不害而民和年豐也。奉酒醴以告曰嘉栗旨酒，謂其上下皆有嘉德而無違心。所謂馨香〔三〕，無讒慝也。務其三時，修其五〔四〕教，親其九族，以致其禋祀，於是乎民和而神降之福，故動則有成。今民各有心，而鬼神乏主，君雖獨豐，其何福之有？君姑修政，而親兄弟之國，庶免於難。』隨侯懼而修政，楚不敢伐矣。」三時者，春耕、夏種、秋收，農之三時也。

夫唯嗇，是謂早服。

【注】「何以聚人？曰財。」故能儉愛，則四方之人將襁負而至，早服事其君矣。服，事也。

〔一〕「物」，傳世左傳作「腯」。

〔二〕「粢」，傳世左傳無。

〔三〕「馨香」，原作「三時」，據傳世左傳改。

〔四〕「五」，原無，據傳世左傳補。

【疏】夫唯嗇，疊出上文也；是謂早服，釋儉嗇之義。凡有七轉，義皆倣此。夫唯者，發語之詞也；服者，事也。夫唯能儉愛之君，理人事天，以儉爲政，是以普天之下，亦當早服事於君矣。

【義曰】儉嗇爲政，國必豐財。上無甚貴之奢，下無箕斂之怨。以此理人則人順，事天則天明，天下之人相率而歸其德矣。「何以聚人曰財」者，易下繫云：「天地之大德曰生，聖人之大寶曰位，何以守位？曰仁；何以聚人？曰財。」財所以資生者也，將聚於衆，必先有財，財豐則人可聚。若財用有節，正而理之，民不爲非，則可聚而安之也。

早服謂之重積德。

【注】夫能儉嗇，已〔一〕是有德。人歸有德，早事其君。故云重積德。

【疏】何故普天仰化，率土歸仁？由行節儉。節儉則百姓早服事之，是重積其德爾。

【義曰】君行節儉，是重積其德，民益歸之。普天率土者，詩北山篇云「普天之下，莫非王土；率土之濱，莫非王民」是也。溥，大也；率，循也；濱，涯也。

〔一〕「已」，唐玄宗御注道德真經卷三、道德真經玄德纂疏卷十六作「以」。

重積德則無不克。

【注】聖人積德，四海歸仁，則無有不能制伏者矣。克，能也。

【疏】克，能也。君若厚積其德者，其爲政也，人力普存；其事天也，吉無不利。則四方向化，無有不能制伏者矣。

【義曰】儉以理國，敬以事天，重積其德，四方率化，無思不服矣。

無不克則莫知其極。

【注】人君之德，無有不能制御者，則無遠不至，故四方莫知其窮極也。

【疏】此謂君德無有不能制服者，則殊俗慕化，絶域觀風，無遠不至，故莫知窮極。

【義曰】君積厚德，國有豐財，萬寓歸王，九圍貢賮，人服德化，豈有限極耶？殊俗絶域者，皆要荒之外，與中國殊庭，邊域敻絶也，言異域之人思戀聖人之化，自遠而至，由道德所服也。觀風者，十洲記云：「聚窟洲在西海中，申未之地，地方三千里，去中國三十萬里。國中常占，東風入律，百旬不休，則中國將有好道之君。故漢武延和三年，其國遣使貢返魂香、猛獸，乘飛車而濟弱水，策天驥而度飛砂。一十三年，方達中國。」此觀風而慕化也。

莫知其極，可以有國。

【注】莫知窮極〔一〕，然後可以爲有國矣。

【疏】言人君德化，無遠不及，萬人所歸往，神明所福享，然後可稱爲有國，易曰「王假有廟有家」是也。過此以去，豈有國乎〔二〕？

【義曰】有國者，車軌所及，書文所同，人服其德，遠懷其化，可以謂之有國矣。或以武威所制，詭道所臨，苟有其邦，人所未服，或承平統曆，嗣位守圖，厥德有愆，恩化不浹者，皆非謂其國矣。王假有廟有家者，易萃卦云：「王假有廟，致孝享也。」假，聚也。王以聚人，至於有廟，有廟乃能致其孝享，故曰「利見大人」。聚以正也，觀其所聚，則天地萬物之情可見矣。

【義曰】天下崩離則民怨，雖有享祀，與無廟同。王至大聚之時，孝德乃洽，始可謂之有廟矣。以此而用大牲，神明降福。聚道既合，以至有廟，能致孝享爾。王假有家

〔一〕「莫知窮極」，道德真經玄德纂疏卷十六作「莫知其德窮極」。

〔二〕「過此以去，豈有國乎」，唐玄宗御製道德真經疏卷八作「過此以往，豈爲國乎」，道德真經玄德纂疏卷十六作「過此以往，豈爲有國乎」。

者，易家人卦九五詞云：「王假有家，勿恤。」象曰：「王假有家，交相愛也。」王能有家道，在下莫不化之。天下既化，六親和睦，故曰交相愛也。渙卦亦云「王假有廟」，其義同也。

有國之母，可以長久。

【注】有國而茂養百姓者，則其福祚可以長久。

【疏】母者，道也，以茂養爲義。夫所以得稱有國者，祇緣有道而茂養蒼生，若爾福祚永昌，可以長久。

【義曰】積德臨御，用道養人，萬方歸之，若子之親於母也。則天道所覆，神明感通，卜年八百，未足爲永固，可以長久享國矣。

是謂深根固蔕、長生久視之道。

【注】積德有國，則根深蔕〔一〕固矣。深固者，是長生久視之道。

【疏】夫積德之君以道爲國，則可以長久。故舉根蔕之喻，以申其義理也。蔕，花趺也。夫草木根深則榮茂，蔕固則不落，乃長久也。以喻積德之君埋根於道，固蔕於

〔一〕「蔕」，唐玄宗御注道德真經卷三作「花蔕」。

德，命延謂之長生，恒照謂之久視。故云深根固蒂、長生久視之道。

【義曰】人君以道德養生靈，以儉嗇理天下。豐財則國富，積德則祚隆，遠近歸心，華戎率服。又能母養萬物，子愛群生，根深則祚曆無疆，蒂固則子孫延永。長生久視，弈葉重光，不可得而倫矣。修道之士，嗇神以安體，積氣以全和，内固三關，外祛萬慮，百神率服，衆行周圓，變化莫窮，享年長久，固蒂於混元之域，深根於何有之庭〔一〕，與夫九老七元，差肩接武矣。

治大國章第六十

【疏】前章明理人儉愛，則萬方早服；此章明莅物〔二〕不擾，則其德交歸。初舉理國之喻，不可有爲；次明德及鬼神，兩無傷害；後結歎交歸之德，以勸有國之君。

【義曰】大國者有二：其一天子之國，其二公侯之國。夫天子君臨大國，子育萬民，綏

〔一〕「何有之庭」，道德真經藏室纂微篇卷八引杜光庭廣聖義作「無何之鄉」。

〔二〕「莅物」，唐玄宗御製道德真經疏卷八作「早服」。

之則不恭，急之則離散。以烹鮮爲喻，理固然矣。莅之以道，則鬼神賓服，幽明各遂，德善交歸。此勸人君用道理化之旨也。天子之國，四海之内有九州，州方九千里，每州建百里之國三十，七十里之國六十，五十里之國百有二十，凡二百一十國。名山大澤不以封，其餘以爲附庸閑田。大國三十者，三公之國也。次國六十者，六卿之國也；小國百二十者，十二小卿之國也。名山大澤與民同財，不得障管，立賦稅而已。此古制也。殷制，天子之國地方九千里，中一千里爲天子之畿，餘八爲州也。周公所制，九州大界方七千里。方千里者四十有九，其一爲王畿，餘四十八爲八州，各有方千里者六也。殷法，凡一州封地方五百里者不過四，謂之大國。又封四百里者十一，謂之次國。方二百里者不過二十五，其餘方百里者謂之小國，並四十六國。一州二百二十國，則餘方百里者百六十四。凡處地方千里者五，方百里者五十九，其餘方百里者四十一，爲附庸地也。天子畿内，方百里之國有九，方七十里之國有二十一，方五十里之國有六十三，凡九十三國。名山大澤不以叙班，其餘以禄士爲閑田。天子所居，亦謂之縣，亦謂之畿。凡九州千七百七十三國。堯舜禹時，諸侯之國有方百里、七十里、五十里。禹時要服内地方七十里。周公復堯舜舊域，以五服爲九州，要服之内方七千里。又云：周以千八百諸侯列布於五千里内也。天子百里之内供官，千里之内以爲御衣食，千里之外設方伯。五國以爲屬，屬有長；十國爲連，連有帥；三十國爲卒，卒有正；二百一十國爲州，州有伯。八州有八伯、五十六正、一百六十八連帥、三百三十六長。八百各以其屬屬於天子之老，二人以爲天子左右，曰二伯，即周公、召伯，分理於陝是也。千里之内曰甸；甸，理也。千里之外曰采；采，取其美物也，亦謂之流，或貢或否。天子置三公、九卿、二十七大夫、八十一元士。大國三卿，皆命於天子，下大夫五人、上士二十七人。次國三卿，二卿命於天子，一卿命於其君，下大夫五人、上士二十七。小國卿二人，命於其君，下大夫五人、上士二十七人。斯乃周約唐虞夏殷之法，而增減之，以爲國之制度也。成王在豐，既黜殷命，滅淮夷，乃作周官，立太師、太傅、太保，兹惟三公，論道經邦，燮理陰陽。少師、少傅、少保曰三孤，貳公弘化，寅亮天地。天官冢宰掌邦理，統百官，均四海。司徒掌邦教，敷五典，擾兆民。宗伯掌邦禮，理神人，和上下。司馬掌邦政，統六師，平邦國。司寇掌邦禁，詰奸慝，刑暴亂。司空掌邦土，居四民，時地利。六卿分職，各率其屬，以倡九牧，阜成兆人。此周制也。唐虞設官惟百，夏商官倍，倍於唐虞。周官備，故天下乃理矣。

治大國若烹小鮮。

【注】烹小鮮者不可撓，理大國者不可煩，煩則人勞，撓則魚爛。

【疏】此喻説也。烹，煮也；小鮮，小魚也。言烹小魚不可撓，撓則魚潰，喻理大國不可煩，煩則人亂，皆須用道，所以成功爾。

【義曰】言理國之難，喻烹鮮之旨，不煩則人化，不撓則魚全，務在安舒，漸臻其化矣。

以道莅天下，其鬼不神。

【注】以道臨莅[一]天下，不求有妄之福，故鬼無以見其神明也。

【疏】以，用也；莅，臨也。人神處幽爲鬼。神者，靈效之謂，夫人求則神爲應。今若上德之化，人自安全，豈惟上忘帝力，亦不旁請鬼神，故處幽之鬼，無以效其明靈也。

【義曰】爲君以道，天下悦隨。鬼神無以見其靈，吉凶無以施其變。雖神鬼之靈怪，豈能干於有道乎？天神曰神，地神曰祇，人神曰鬼，皆晦而不顯，幽而不明。苟逢道德之君，必無侵傷之害矣。

〔一〕「莅」，原作「位」，據唐玄宗御注道德真經卷四改。

非其鬼不神，其神不傷民。

【注】上言其鬼不神，非謂鬼歘滅而不神，但有其神而不見怪〔一〕以傷人。

【疏】此覆釋鬼無效靈之義。非其鬼不神者，非謂鬼歘滅而不爲神，但祅之將興，由人有舋〔二〕。人恒其德，則神不見怪而傷人。春秋曰：「其氣餤〔三〕以取之。」

【義曰】道德之主，正直無私。天神不能傷人，人鬼不能害物，幽靈潛匿，祅怪不興。故國之興也，明神降之，以觀其德。四海之神，素車乘雲，來謁武王是也。國之亡也，神亦降之，觀其惡也。石言乎晋〔四〕，神降于莘〔五〕，乃鬼神之見怪也。且壺子冥心而

〔一〕「怪」，唐玄宗御注道德真經卷四作「神怪」。

〔二〕「舋」，道德真經玄德纂疏卷十六作「釁」。

〔三〕「餤」，唐玄宗御製道德真經疏卷八、道德真經玄德纂疏卷十六作「焰」。

〔四〕「石言乎晉」，左傳昭公八年：「石言於晉魏榆。晉侯問於師曠曰：『石何故言？』對曰：『石不能言，或馮焉。不然，民聽濫也。抑臣又聞之曰：「作事不時，怨讟動於民，則有非言之物而言。」今宫室崇侈，民力彫盡，怨讟並作，莫保其性，石言，不亦宜乎？』」

〔五〕「神降于莘」，見卷三十一昔之得一章第三十九「神無以靈，將恐歘」杜光庭義。「莘」，原作「萃」，據卷三十一及傳世左傳改。

大巫波遁〔一〕，鄰令謦折而河神以亡〔二〕。此鬼神不能害於有道也。其氣燄以取之者，春秋莊公十四年：「夏，鄭厲公自櫟侵鄭。及大陵，獲大夫傅瑕。傅瑕曰：『苟舍我，我請納君。』與之盟而赦之。六月甲子，傅瑕殺鄭子儀及其二子，而納厲公。初，鄭有祅焉，内蛇與外蛇鬭南門之中，内蛇死。六年而厲公入。公聞之，問於申繻曰：『猶有祅乎？』對曰：『人之所忌，其氣燄以取之。言若火燄，燄未成而進退之時，以喻人心不堅正也。妖由人興，人無釁焉，妖不自作。人棄常則妖興，故有妖。』厲公入，遂殺傅瑕。使謂原繁曰：『傅瑕貳，周有常刑，既伏其罪。納我而無二心者，吾皆許之上大夫之事，吾願與伯父圖之。且寡人出，伯父無惠〔三〕言。入，又不念寡人，社稷有主而外其心，寡人憾焉。』對曰：『先君桓公命我宗人典司宗祏。社稷有主而外其心，其何

〔一〕「壺子冥心而大巫波遁」，列子卷二黄帝篇：「有神巫自齊來處於鄭，命曰季咸，知人死生、存亡、禍福、壽夭，期以歲、月、旬、日，如神。鄭人見之，皆避而走……明日，又與之見壺子。立未定，自失而走。壺子曰：『追之！』列子追之而不及，反以報壺子，曰：『已滅矣，已失矣，吾不及也。』壺子曰：『向吾示之以未始出吾宗。吾與之虚而猗移，不知其誰何，因以爲茅靡，因以爲波流，故逃也。』」

〔二〕「鄰令謦折而河神以亡」，即史記滑稽列傳所記西門豹的故事。

〔三〕「惠」，傳世左傳、道德真經廣聖義節略卷四均作「裹」。

貳如之？苟主社稷，國内之民其誰不爲臣？臣無二心，天之制也。子儀在位十四年矣，而謀召君者[一]，庸非二乎？莊公之子猶有八人，若皆以[二]官爵行賂勸貳而可以濟事，君其若之何？臣聞命矣。』乃縊而死。」

非其神不傷民，聖人亦不傷民。

【注】鬼見神怪則傷人，聖人有爲則傷人。今神[三]所以不見神怪而傷人者，蓋以聖人無爲清静故爾。

【疏】所言神不傷人者，豈但神靈無效而不能傷害於人。而聖人以道臨人，無爲不擾，百姓自正，故云聖人亦不傷人。則鬼神不能見怪以傷人者[四]，由聖人以道莅天下爾。將欲發明聖德，故重云亦不傷人。

【義曰】聖人行大道以君臨，鬼神禀聖德而自静。既絶有爲之擾，自無見怪之傷。此乃鬼神化聖人之道德，不敢傷人，聖人以清静垂衣，不勞役於群庶也。

〔一〕「者」，原作「昔」，據傳世左傳改。
〔二〕「以」，原作「有」，據傳世左傳改。
〔三〕「神」，唐玄宗御注道德真經卷四作「怪」，道德真經玄德纂疏卷十六作「鬼」。
〔四〕「聖人亦不傷人。則鬼神不能見怪以傷人者」，唐玄宗御製道德真經疏卷八無。

夫兩不相傷者，故德交歸焉。

【注】鬼神傷人，則害國虧本；聖人傷人，則匱神乏祀。今兩不傷〔一〕物，故德交歸。

【疏】兩者，謂聖人與神也。夫人，國之本，亦神之主者。鬼神傷人，則害國之本；聖人傷人，則匱神之主。兩不傷害人〔二〕，故德交歸。豈惟神聖獨豐，抑亦兆人咸賴。

【義曰】人爲邦本，本固則邦寧；人爲神主，主安則神享。聖人以道爲理，既不傷於人，鬼神感聖之功，亦不害於物。兩者相悦，二德交歸。春秋：「隨季良諫隨侯曰：『夫神依於人。人者，神之主也。』」尚書甫刑曰：「一人有慶，兆民賴之。」十億曰兆，舉其多也。天子以道不傷於人，神感其化，兩無傷害，四海並安，故云兆民咸賴。賴，倚賴也；匱，乏也；虧，損也。此蓋顯明以道爲國，其利弘多，不唯寰海宅心，信亦鬼神賓服。理身若此，何妖惑之能干耶？人爲神主者，春秋僖公十九年：「宋桓公使邾文公用鄫子於次睢之社，司馬子魚曰：『古者六畜不相爲用，小事不用大牲，而況敢用人

〔一〕「傷」，唐玄宗御注道德真經卷四作「相傷」。

〔二〕「兩不傷害人」，唐玄宗御製道德真經疏卷八作「今兩不相害」。

乎？祭祀所以爲人也。夫人，神之主也。用人，其誰享之？齊桓存三亡國〔一〕以屬諸侯，義士猶曰薄德。今君一會而虐二〔二〕國之君，言執滕子、用鄫子也。又用諸淫昏之鬼，將以求霸，不亦難乎？得死爲幸。』」恐其亡國也。子魚，宋公子目夷也。睢水自汴入泗，而有妖神，東夷殺人以祭之焉。六畜不相爲用者，如祭馬祖不可用馬，況用人乎？今聖人以道育之，鬼神交福，兩不相害〔三〕，可謂玄德乎！

〔一〕「三亡國」，指魯、衛、邢。
〔二〕「二」，原作「三」，據傳世左傳、道德真經廣聖義節略卷四改。
〔三〕「害」，原作「咨」，據道德真經廣聖義節略卷四改。

道德真經廣聖義卷之四十二

唐　廣成先生杜光庭　述

大國者下流章第六十一

【疏】前章明以道莅物，則其德交歸；此章明以德下人，則物歸謙讓。初標大國用謙，故能攝化；次「故大國」下叙大小各得所欲；後「故大國者〔一〕」偏戒大國特宜用謙。

【義曰】謙乃德基，下爲貴本。大國以謙爲用，則小國歸仁；巨海以下爲資，則百川朝會。故喻牝以柔勝，政以静彰，故大國以謙下聚人，小國以卑順奉上，各安其位，互得其宜。理國理身，斯爲至訓矣。春秋昭公三十年：「鄭游吉對晋大夫士景伯曰：『小

〔一〕「故大國者」，唐玄宗御製道德真經疏卷八作「故大者下」，由於經文作「故大者宜爲下」，後者更恰。

國事大在恭〔一〕其時命，大國字小在恤其所無。先王之制也，取備而已。所以交其好也。』」此固大國切於用謙，不在乎以大制小矣。

大國者下流，天下之交。

【注】下流者，謙德。大國當下流開納，則天下之人交至。

【疏】江海處衆流之下，百川委輸，故曰下流；施之於人，是謙德也。夫人君者有道則國存，無德則人散。故處大國者，當下流開納，令天下之人交會而至，則能全其大。故曰「下流，天下之交」。

【義曰】蠢蠢群生，君爲司牧，開邦立國，道德爲先。德以下人，道以育物，國益大而心益下，人愈歸而君愈謙，億兆樂推，遐邇交會，不其韙歟？

天下之交，牝。牝常以静勝牡，以静爲下〔二〕。

【注】天下之人交至者，歸於謙德，則如牝以雌静常爲牡動所求，由以静爲下故〔三〕。

〔一〕「恭」，傳世左傳作「共」。

〔二〕「以静爲下」，原無，後文注疏均有對該句的解釋，據傳世道德經補。

〔三〕「天下之人交至者……由以静爲下故」，此處注文原爲後疏文「『天下之交』疊出前文，以結下流之義也」，據唐玄宗御注道德真經卷四、道德真經玄德纂疏卷十六改。

【疏】「天下之交」疊出前文，以結下流之義也〔一〕。天下之人所以交會至者，由大國謙下之故。喻如牝者常以雌静爲牡動所求。此云以静爲下，則明牝常以雌静而能勝牡者，由以安静爲下故爾。

【義曰】静以理身，必氣和而神暢；静以理國，必德廣而人歸。以静爲下，斯之謂矣。

故大國以下小國，則取小國。

【疏】故者，仍上之文，以結成前義也。言大國之君所以不事威武而用謙卑之德，以柔服之者〔二〕，將欲懷來附庸之君，取其小國之人而爲臣妾爾。

【義曰】大國以謙静率人，人所親附，不施威武，不恃權謀，故小國懷仁，求爲臣妾，國愈廣而衆愈繁矣。大國能安撫小國，如晋爲盟主，而衛國逐其君而立剽，晋欲討其罪。晋侯問故於中行獻子，偃對曰：「不如因而定之。伐之未必得志，而勤〔三〕諸侯。

〔一〕「天下之交……結下流之義也」，此句原爲注文，據唐玄宗御製道德真經疏卷八、道德真經玄德纂疏卷十六調整。

〔二〕「以柔服之者」，唐玄宗御製道德真經疏卷八作「以柔服之小者」。

〔三〕「勤」，原作「動」，據左傳襄公十四年、道德真經廣聖義節略卷四改。

史佚〔一〕有言曰：『因重而撫之。』仲虺有言曰：『亡者撫之，亂者取之。推亡固存，國之道也。』君其定衛以待時。」冬，會于戚以定衛。此所謂大國之撫小國也。又大國之聚小國者，謂群方朝會，無代無之。故夏啓有鈞臺之享，在河南也；商湯有景亳之命，在偃師也；周武有孟津之誓，成王有岐陽之蒐；康王有酆宫之朝，在鄠杜也，穆王有塗山之會，在壽春也；齊桓有邵陵之師，晋文有踐土之盟。皆以大國恤下、小國事上，各得其所也。大國不能撫小國者，如晋侯不能字育諸侯，强令於鄭，鄭子家與趙宣子書曰：「古人有言：『畏首畏尾，身其餘幾？』又曰：『鹿死不擇音。』小國之事大國也，德則其人，不德則其鹿也。鋌而走險，急何能擇此言晋若虐命於鄭，鄭將庇於楚矣？命之罔極，亦知亡矣，將悉弊〔二〕賦以待於儵音〔三〕叔，晋之境也。」居大國之間而從於强令，豈其罪也？此由大國不能撫懷於小，將致其叛。故大國之於小國，當謙和以下之，柔静以懷之。取言聚也，以聚於人也。

〔一〕「佚」，原作「供」，據左傳、道德真經廣聖義節略卷四改。

〔二〕「弊」，傳世左傳作「敝」。

〔三〕「音」，原無，據道德真經廣聖義節略卷四補。

小國以下大國，則取大國。

【注】大取小以爲臣妾，小取大以爲援助也。

【疏】言大國之君既以卑謙之道而柔服小國，小國之君則朝聘會盟，不敢離叛，以卑下之禮而事大國者，則欲取大國之威以爲援助爾。

【義曰】小國謙卑推忠，盡敬以事大國，則大國懷而安之，柔而服之。若小國不能致禮竭誠奉事大國者，如宋人爲鹿上之盟以求諸侯於楚，楚人許之。宋公子目夷曰：「小國争〔一〕盟，禍也。宋其亡乎！幸而後敗。」及盟，目夷曰：「禍其在此乎？君欲已甚，其何以堪？」於是楚執宋公。冬，會于亳〔二〕，乃釋之。目夷曰：「未也。未足以懲君。」此小國不能事大國也。夫小國能事大國者，如隱公元年三月，邾儀父盟于蔑魯地，邾以附庸之君未王命，故書名。然其小國能適〔三〕大國，繼好息民，書字以貴之是也。朝聘者，大國適小國爲聘，大事小也；小國適大國爲朝，小事大也。繼好，結信

〔一〕「争」，原作「事」，據傳世左傳、道德真經廣聖義節略卷四改。

〔二〕「亳」，傳世左傳作「薄」。

〔三〕「適」，道德真經廣聖義節略卷四作「通」。

也。謀事補闕，禮之大也。孟子曰：「唯仁者能以大事小，湯事葛伯，文王事昆夷〔一〕是也；唯智者能以小事大，大王事熏鬻，句踐事吴〔二〕是也。大事小謂之樂天，小事大謂之畏天。樂天者保天下，畏天者保其國。」詩曰「畏天之威〔三〕，于時保之」，此周頌美成王畏天之威，能安其太平也。

故或下以取，或下而取。

【注】以者，大取小；而者，小取大。

【疏】春秋曰：「師能左右之曰以。」或下以取者，言大國用謙卑之道以取小國，則令其可左可右，故云「以取」。或下而取者，言小國用謙卑〔四〕之道歸事大國，但可承奉而求援助，不能令左右隨意，故云「而取」。

〔一〕「湯事葛伯，文王事昆夷」，趙岐注：「葛伯放而不祀，湯先助之祀。詩云『昆夷兑矣，惟其喙矣』，謂文王也。是則聖人行仁政，能以大事小者也。」

〔二〕「大王事熏鬻，句踐事吴」，趙岐注：「獯鬻，北狄强者，今匈奴也。大王去邠，避獯鬻；越王勾踐退於會稽，身自臣事吴王夫差。是則智者用智，是故以小事大而全其國也。」

〔三〕「威」，原作「畏」，據傳世詩經周頌我將篇、孟子梁惠王改。

〔四〕「卑」，唐玄宗御製道德真經疏卷八作「下」。

【義曰】師能左右之者，春秋僖公二十六年：「秋，宋叛楚而善於晉。楚令尹子玉、司馬子西帥師伐宋，圍緡。公以楚師伐齊，取穀。凡師能左右之曰『以』。謂進退在己〔一〕。寘桓公之子雍於穀，以爲魯援。楚申公叔侯戍〔二〕之。桓公之子七人，爲七大夫於楚。言齊孝公不能撫之故也〔三〕。二十八年，楚子使申叔去穀也〔四〕。」此言左右由己，取捨因〔五〕時也。

大國不過欲兼畜人，小國不過欲入事人。

【注】大國執〔六〕謙德而下小國者，不過欲兼畜小國爲臣妾；小國執〔七〕貢賦以下大國者，不過欲入事大國爲援助也。

〔一〕「謂進退在己」，乃「凡師能左右之曰以」的杜預注。

〔二〕「戍」，原作「成」，據傳世左傳、道德真經廣聖義節略卷四改。

〔三〕「言齊孝公不能撫之故也」，乃「桓公之子七人，爲七大夫於楚」的杜預注。

〔四〕「二十八年，楚子使申叔去穀也」，乃「楚申公叔侯戍之」的杜預注。

〔五〕「因」，原作「固」，據道德真經廣聖義節略卷四改。

〔六〕「執」，原無，據唐玄宗御注道德真經卷四、道德真經取善集卷十補。

〔七〕「執」，唐玄宗御注道德真經卷四、道德真經玄德纂疏卷十六、道德真經取善集卷十作「贄」。

【疏】言大國崇謙下以取小國者，更無餘意，不過兼畜小國之臣，爲人君之長〔一〕；小國用謙陳薦贄幣而取大國者，不過欲入事大國，資爲援助爾。

【義曰】大國以小國内爲臣妾，小國以大國外爲援助，兩者其志不逾於此矣。薦，進也；贄，執也；幣，帛也。諸侯覲王，兩國交聘，則必陳進珪玉貨帛，執以爲禮，故曰贄幣也。小國求大國爲援助者，春秋文公十三年冬〔二〕，鄭伯與魯公宴于棐，鄭大夫歸生子家賦鴻雁之什，取其哀恤鰥寡之義，使魯侯恤之；又賦載馳之四章，言鄭國寡弱，取其小國有急，欲引大國以爲援助是也。

兩者各得其所欲，故大者宜爲下。

【注】一求臣妾，一求援助，是兩者各得其所欲。然大國者常戒於滿盈，故特云大者宜爲下。

【疏】大欲畜養，小欲入事，兩遂所願，故云各得其所欲。大者宜爲下者，夫物未〔三〕常以小

〔一〕「爲人君之長」，道德真經玄德纂疏卷十六作「爲之君長」。

〔二〕「十三年冬」，原作「十四年秋」，據傳世左傳改。

〔三〕「未」，原無，唐玄宗御製道德真經疏卷八、道德真經玄德纂疏卷十六此句作「未嘗以下輕大」，「常」通「嘗」，據文意補「未」字。

輕大，而必以大淩小，將恐大國之君驕盈致禍，鮮能下下〔一〕，故戒之大者特宜爲謙下爾。

【義曰】居匹夫之上，亦以爲難，況居國之上乎？在上者承天順地，撫衆和民，不以國大自尊，不以兵强自恃，謙柔爲志，畏慎在懷，若履薄冰，如馭朽索，兢兢業業，祇敬上玄，然可以保其社稷矣。老君恐其恃强爲失，故特戒之也。理身者在乎富貴不驕，滿盈致戒，謹身約己，可以有終也。若大國不能爲下，或會之以侈，示之以忲，人必離之。夏桀爲有仍之會，而民叛之；商紂爲黎之蒐，東夷叛之；周幽爲太室之盟，戎夷叛之；宋襄爲鹿上之會，而諸侯叛之；楚子爲申之會，而人心去之。懷不以德，綏不以禮，人人各有心，其可服乎？

道者萬物之奥章第六十二

【疏】前章明以德下人則大小各得所欲，此章明以道化物則善惡皆蒙所怙〔二〕。初標

〔一〕「下」，唐玄宗御製道德真經疏卷八作「之」。

〔二〕「蒙所怙」，唐玄宗御製道德真經疏卷八作「蒙其資怙」。

道體沖奧，次明立教化人，後「古之」下歎道之功，可謂〔一〕尊貴爾。

【義曰】前以大國小國各在謙光，此以所寶不保俱明道用。美言尊行，表以訓人，開國設官，俾之行教，不貴拱璧，不棄於人，顯妙本深奧之功，故爲天下之貴。怙，恃也。

道者，萬物之奥，

【注】萬物皆資妙本以生成，是萬物取給之所，故與言爲萬物之奥。奥，内也。

【疏】道者，妙本之强名；奥，内也。言道包含無外，是萬物資始之所，故爲萬物之奥内。西昇經云：「道深甚奥，虚無之淵。」此之謂也。

【義曰】道之深也，無不吞納，無不制圍。圓蓋之高，方輿之厚，日月之照，動植之繁，皆道氣所育，居大道之内，故爲萬物之奥内。西昇經者，老君於周昭王二十五年癸丑四月，於終南之陰尹喜草樓之内，授道德二經既畢，欲西化流沙。尹喜問存三守一之方、習道修身之要，後以聖言編纂，以昇入太微，西化流沙之義。西昇經凡三十六章，九百七十二句，四千二百七十八言。其大旨與道德經相出入，言大道甚深甚奥，爲虚

〔一〕「謂」，唐玄宗御製道德真經疏卷八作「爲」。

無之淵藪也。

善人之寶，

【注】善人知守道者昌，失道者亡，故常寶貴之而無患累〔一〕。

【疏】寶者，珍寶之謂也。善人者體道無爲，身心清浄，故寶貴之無暫忘〔二〕也。

【義曰】善人屬念運心，與道符合，故常寶貴於道矣。子罕曰：「人以玉爲寶，我以不貪爲寶。」又理國之君以賢爲寶，況於善人？心不遺忘道，故以道爲寶也。

不善人之所保。

【注】保，任〔三〕也。不善之人不能寶貴至道，及有患難，即欲以身保任於道，自求免也。

【疏】保，任也，倚也。不善之徒心無明智，惑於積習，平居則忽道，嬰難則求之，以身保任於道，倚以求安也。

〔一〕「善人知守道者昌，失道者亡，故常寶貴之而無患累」，道德真經取善集卷十作「善人知守道者昌，故常寶貴之以爲用也」。

〔二〕「忘」，唐玄宗御製道德真經疏卷八、道德真經玄德纂疏卷十六作「違」。

〔三〕此處及後文「保任」之「任」，唐玄宗御注道德真經卷四均作「住」。

【義曰】不善之人行與教違，固遠於道矣。雖欲保身倚道，解難救危，亦不可得矣。又經或云：不善人之所不寶，言不善之人違反於道，故不寶於道也。何者？道好柔弱，不善人好强梁；道好恬和，不善人好剛躁；道好沖寂，不善人好諠譁；道好謙卑，不善人好格捍；道好無事，不善人好有爲；道好生成，不善人好傷害。行與道違，故不善之人不寶貴於道也。

美言可以市，尊行可以加人。

【注】甘美其言可以求市，尊高其行可以加人。以況聖人以甘美法味之言、尊高清静之行以化不善之人，亦如市賈之售〔一〕，相率而從善矣。故下文云。

【疏】此喻説也。言不善之人亦在教之而已。

【義曰】道之立言，澹泊無味，不善之人安得而悦之？故聖人設美言以誘之，故從之者如求利之赴市矣。示尊高之行以化之，隨之者如慕羶而歸受矣。不善之人因此所化，亦皆修道，所謂道無棄人也。

〔一〕「售」，唐玄宗御注道德真經卷四、道德真經玄德纂疏卷十六同，然唐玄宗御製道德真經疏卷八引及注文中該字作「集」。

人之不善，何棄之有？

【注】不善之人，亦在化之而已。何棄遺之有乎？

【疏】言人言行不善，何棄遺之有乎？當導之以善道，冀從化而悛惡，不可棄之而不化。故云何棄之有。

【義曰】聖人弘慈，道無棄物。雖不善之人，憫其未悟於道，故甘詞以誘之，善教以勸之，使其從善，無所遺弃。悛，改也。

故立天子，置三公。

【注】共教不善之人。

【疏】故立三公，謂太師、太傅、太保也。天子無爲，三公論道，皆所以垂訓立教，化不善之人。書云：「天工人其代之。」此之謂也。

【義曰】四海之大，萬有之殷〔一〕，厥初生人，不可無主，故立天子以牧之。天子者，尊事上帝，父事於天，母事於地，謂天之子也。一人不可以廣理，置百官以臨之。百官之長有三公焉。尚書周官云：「其惟三公，論道經邦。」太師者，智足以爲泉源，行足以

〔一〕「殷」，道德真經取善集卷十、道德真經藏室纂微篇卷八引杜光庭廣聖義作「富」。

爲儀表，問焉則應，求焉則得，謂之太師，亦曰尚父。太言大也，爲王之師。安車青蓋，金印紫綬。太傅者，訓也，保也。大戴禮云：「傅天子以德義。若天子無恩於父母，不惠於庶人，失禮於大臣，不中於制獄，皆太傅之失職也。」太保者，保，倚也，任也。大戴禮曰：「天子處位不端，受書不敬，語不序聲，音不中律，進退即席無升降揖讓之禮，皆太保失職也。」復置三公，太尉、司徒、司空，主佐天子，理陰陽，親爲人〔一〕，廣教化，此其職也。天工人其代之者，尚書咎繇謨曰：「一日二日萬機，無曠庶官，天工人其代之。」曠，空也；庶，衆也。居其位者惟其人，非其人則闕之。言人代天理官，不可以天官爲私，用非其材也。

雖有拱璧，以先駟馬，不如坐進此道。

【注】三公輔佐，雖有合拱之璧，先導駟馬之乘〔二〕以獻之，猶不如坐進此無爲之道〔三〕。

〔一〕「爲人」，道德真經藏室纂微篇卷八引杜光庭廣聖義作「萬民」，更恰。

〔二〕「駟馬之乘」，易縣唐碑本、道德真經玄德纂疏卷十六作「駟乘之馬」。

〔三〕「道」，唐玄宗御注道德真經卷四、易縣唐碑本、道德真經玄德纂疏卷十六該字後還有「於君以化人爾」語，更恰。

【疏】合拱之璧，璧之大者；駟乘之馬，馬之良者。言三公輔相，雖以璧馬獻之至尊，未足珍貴，不如坐進無爲之道，令化惡歸善爾。拱璧先駟馬者，古者朝聘，將進駟馬，以璧爲導，故稱先也。春秋云「乘韋先，牛十二犒師」之類是也。

【義曰】合拱者，說文云：「兩手相合爲拱。」璧者，瑞玉也。合拱之璧，瑞玉之大者也。駟馬者，馬四匹爲乘，共駕一車也。古者諸侯朝於天王，會於大國，聘於小國，或遇於野，兩君相見，皆有贄幣之禮。以先貨幣爲導，謂之爲先。今三公當以論道爲務，經邦爲事。雖欲以駟馬大璧獻之於君，有益淫奢，無裨政理，不若此無爲清靜之道進之以化天下。使不善者從善，不悛者悛心，道化周行，帝德遐被，何用璧馬之爲乎？輔相者，輔毗也，相助也；亦云視其善惡也。天子象四輔之星以立輔相，輔其闕失，相其禮儀，導以道德，贊以政化也。先牛十二者，春秋僖公三十三年：「秦〔一〕師伐鄭，及滑，鄭商人弦高將市於周，遇之，以乘韋先，牛十二犒師曰：『寡君聞吾子將出師於弊邑，敢犒從者，不腆弊賦，爲從者之淹，止則具一日之積，行則備一夕之衛。』且使遽告于鄭，因有備焉。」

〔一〕「秦」，原作「晉」，據傳世左傳改。

古之所以貴此道者何？

【注】何，問辭也。

【疏】舉古證今，令物生信。古人即前寶道人也。問其所以寶貴此道，其意何也？

【義曰】拱璧不足以爲貴，駟馬不足以爲珍。自古及今，唯貴於道者，何也？老君將明道之功用，和寧天地，濟佐邦家，行之則理，違之則亂，重顯其利物之義。更自詳問貴此道者何。

不日求以得，有罪以免耶？故爲天下貴。

【注】道在於悟，不在於求，不如財帛可以日日求而得，故云「不日求以得」。既悟則無罪累，豈待〔一〕有罪方求免耶？故可爲天下貴爾。

【疏】此答釋貴道之意，不日求以得者，言道在於悟，悟在了心，非如有爲之法，積日計年，營求以致之爾。但澄心窒欲，則純白自生也。故云不日求以得。「有罪以免耶」者，夫妄心起染，則業累斯生。若悟道虚心，則罪因自滅。豈如執滯之人，動生悔吝，嬰彼罪罰，方求免耶？以是之故，故爲天下善人之所寶貴。

〔一〕「待」，原作「得」，據唐玄宗御注道德真經卷四改。

【義曰】道之所以爲天下貴者，頓悟而得，不在營求，纔遣妄心，即通正道。妄心既遣，塵累亦消，求可以得，罪可以免，故天下所共寶貴。老君以至道玄邈，了悟者稀，發問贊明，欲其悟入。且爲俗學之士尚輕尺璧而重寸陰，豈至道之君不崇妙本希微之功，而貴合拱結駟之物乎？

道德真經廣聖義卷之四十三

唐　廣成先生杜光庭　述

爲無爲章第六十三

【疏】前章明妙本沖奧，坐進是輔相之門；此章明玄默無爲，息怨成修證之行。首標坐忘絕欲，次示杜患防萌，後「是以」下舉聖人之德，以申結勸爾。

【義曰】前以不貴璧馬之翫，進道爲理化之源，頓悟即通玄，通玄即無咎；此乃無爲無事，味道守常，自無怨嫌，寧勞德報，不爲難大輕寡之過，故合道以無尤。此欲使人君貴道而體無爲，率身而弘清静也。

爲無爲，事無事，味無味。

【疏】爲，造作也。修道行人，坐忘去欲，心無造作。凡所施設，功與化冥，於爲非爲，故曰無爲，此明心也；即事不滯，故於事而無事，此明身也；即味不耽，故於味而無味，此明口也。三業既净，則六根塵自息矣。

【義曰】夫人之禀生，即有三業。心業所起，有用而無形，凡所作爲，起於心也，無爲則心業净矣。身業所起，有用而有質，所執之事關於身也，無事則身業净矣。口業所起，有言有味，故所知之味、非道之言，由於口也，無味忘言則口業净矣。既無三業，自息諸塵，塵累清静，脗契真道，此行人所修爾。夫理國之無爲者不滯於有作，則三時不奪，萬姓不勞，垂拱握圖，超然宴處矣。無事者不勤力役，不務軍功，無瑶臺瓊室之華，無阿房虎祁〔一〕之麗，則卑宫茅宇，人力存矣。無味者不酣於酒，不味於珍，飛走遂其生，水陸全其命，菲食自安矣。忘言者正身化下，言令不煩，澹爾無營，兆人自化。如此，則符於無爲之道也。

大小多少，報怨以德。

【注】於爲無爲，於事無事，於味無味。假令大之與小，多之與少，既不越分，則無與爲怨。若逐境生心，違分傷性，則無大無小，皆爲怨對。今既守分全和，故是報怨以德。

〔一〕「虎祁」，據文意當爲宫殿，不詳所本，暫闕如。

【疏】夫大小之爲，多少之事，苟涉有爲之境，無非怨對之讎。若能體彼無爲，捨茲有欲，悟真實相，無起滅[一]心，自然怨對不生，可謂報怨以德。

【義曰】人君於爲不爲，於事無事，恬然自得，獨與道游，下無怨咨，邊無戈甲。設有肆逆，必自馴柔，舞干羽而格有苗，斯乃報怨以德矣。修身者三業既净，衆惡不生，物莫能干，豈有怨怒？既無怨怒，專任清虚，亦乃報怨以德也。

圖難於其易，爲大於其細。

【注】肆情縱欲者，於爲無不難，於事無不大。今欲圖度其難，營爲其大，當須於性未散，於其分未越，則是於其易細矣。

【疏】圖，謀度也；爲，營[二]也。夫情欲傷性，皆生於漸，無不始於易而終成難，初於細而後成大。今謀度其始易之時，則於終無難；營爲於初細之日，則於後無大[三]。若謀難於難，爲大於大，禍亂已作，縱欲圖而爲之，將無益於患難也。

[一]「滅」，唐玄宗御製道德真經疏卷八作「慮」。

[二]「營」，唐玄宗御製道德真經疏卷八作「營爲」。

[三]「今謀度其始易之時……則於後無大」，原無，據唐玄宗御製道德真經疏卷八補。

【義曰】無事無爲，固不爲難大之事矣。皆萌心之際已息機緣，既不爲之於大於難，不俟制之於細於易，此理心則虚寂，理化則安貞也。

天下難事必作於易，天下大事必作於細。

【注】明上文所以預圖爲也。

【疏】作，起也。此疊上文，原禍難之所起。難事必起於易，欲令於易而圖之；大事必起於細，欲令於細而去之。其類寔繁，不可具舉，故以天下而總言之爾。

【義曰】防禍於未兆，絶患於未萌，慎之至也。夫病生於稍稍，禍起於微微。早爲之防，寧有難大之患矣？普言天下者，欲使動静防微也。

是以聖人終不爲大，故能成其大。

【注】因云大事必作於細，將明聖人所以能成大者，以不爲難事大事，故能成其尊大爾。

【疏】前明凡人常爲難大之事，故改作[一]多敗多難。是以舉聖人終不爲難大之事，故

〔一〕「改作」，唐玄宗御製道德真經疏卷八、道德真經玄德纂疏卷十六無。

能成其尊大〔一〕。

【義曰】凡人觸途徇境，屬念成非，難事成而過不可除，大事搆而罪不可解。聖人了知虛妄，洞達真常，終不爲大爲難，故能證於尊大。

夫輕諾必寡信，多易必多難。

【注】輕諾許〔二〕人，必寡於信；動作多易，後必多難。

【疏】此結喻也。夫不三思而後言，輕易於然諾者，必少忠信；不謀始而慎終，多易行其事者，後必生難而爲患累。

【義曰】立身之先，忠信爲首。慎終如始，禍患莫侵。若輕以許人，易爲行事，患累所及，理亦信然。所以解揚無貳命〔三〕，仲由無宿諾〔四〕，古今美之。

〔一〕「前明凡人常爲難大之事，故改作多敗多難。是以舉聖人終不爲難大之事，故能成其尊大」，道德真經取善集卷十作「前明凡人常爲難大之事，故令圖而去之；此明聖人不爲難大之事，故能成其尊大」，更理順。

〔二〕「許」，唐玄宗御注道德真經卷四作「詐」。

〔三〕「解揚無貳命」，即「解揚守信」，見左傳宣公十五年。

〔四〕「仲由無宿諾」，論語顔淵：「子曰：『片言可以折獄者，其由也與？』子路無宿諾。」

是以聖人猶難之，故終無難。

【注】難爲輕諾多易，故終無難大之事也。

【疏】聖人，即有道之君也。猶難之者，難爲輕諾多易，故終無難大之事爾。

【義曰】有道之君、修身之士，不爲輕諾之約，重静以循常，不興多易之心，恬和而應物，所以於國則咸服誠信，於身則外息過尤，自絶難大之瑕，以契無爲之道矣。

其安易持章第六十四

【疏】前章明無爲玄默，示息怨修道之門；此章明思患預防，標絶情去欲之行。初六句迭明防患之漸，次六句舉喻生患之由，復兩句論爲執之迷，又六句申異凡之行，後七句推聖人不欲不學之意，觀凡俗易持易謀之心。

【義曰】前章戒二爲之難，自無患累；此乃明四易之行，周勸精修。戒慎其纖微，忘遣其爲執，將表聖人之行，以塞衆民之非。至於欲學皆除，貴愛不染，以叶後章善爲道之旨爾。

其安易持，

【疏】安，静也；持，執也。言人之受生，正性清静，感物而動，則逐欲無窮。今明欲心未動，安静之時，將欲守之，令不散亂，則易持執。故云其安易持。

【義曰】夫正性安静，嗜欲未萌，就而守之，執持爲易。絶堅冰於履霜之際，理固非難；復推輪於大輅之前，樸猶可覩。任乎修鍊，用含真常爾。感物而動者，禮記樂記篇之詞。

其未兆易謀；

【注】言人正性安静之時，將欲執持，令不散亂；次雖欲起心，尚〔一〕未形兆，謀度絶之，使令不起，甚爲易爾。

【疏】兆，萌漸也；謀，度也。情欲將起，未有萌兆，謀度〔二〕絶之，亦爲甚易。故云其未兆易謀。

【義曰】欲之將萌，未有形兆，謀度除絶，其易可知。然而明在於察微，能在於杜欲。

〔一〕「尚」，原作「向」，據道德真經玄德纂疏卷十七改，道德真經取善集卷十作「尚未有形兆」，可證。

〔二〕「度」，唐玄宗御製道德真經疏卷八作「杜」。

察而能杜，善莫大焉。

其脆易破，

【疏】言欲心已動，柔脆未堅，將欲除之，易消破也。

【義曰】欲兆既彰，未成堅執；破柔攻脆，於理非難。在於斷自誠明，復其純粹爾。

其微易散。

【注】欲心初染，尚自危脆，能絶之者，脆則易破。禍患初起，形兆尚微，將欲防之，微則易散爾。

【疏】微，細也。禍患細微，未至於大，防之於初，欲令散釋，亦甚易爾。

【義曰】欲既堅成，事猶微細，抑情以解散，挫欲以安排，滌慮洗心，去道非遠。此上四句，通明防微之行。言理國理身之道，防患慮禍爲先。禍成而救之，患成而攻之，用力益多，而禍患未可除也。

爲之於未有，

【注】覆上易持易謀也。所以易者，爲營爲之於未有形兆爾。

【疏】爲，修除也。此一句釋前「易持」、「易謀」兩句也。所以易者，明欲心未起之時，修除杜絶，則欲惡不生，故云爲之於未有。

【義曰】爲者，爲之防也，防患於未然。雖覆釋易持之意，亦旁演防未然之旨。文選詩曰「君子防未然[一]」，此所謂防患避嫌也。

治之於未亂。

【注】覆上易破易散也。所以易者，除之[二]於未成禍亂也。

【疏】此一句釋上「易破」、「易散」兩句也。所以易者，明欲惡雖有，尚自脆微，未成禍亂，故易理爾。

【義曰】理者，救理也。嗜欲之生，亂於正性，正性將復，理之爲先。於理既明，禍亂息矣。此雖覆釋易破易散之義，亦存救理之旨。此六句約之於身，以欲心興起之漸，修行制伏之門，割欲違情，卻禍除患是矣。語之於國，則安不忘危，理不忘亂，理之於未亂也；慮患於冥冥，爲之於未有也；慎禍於細微，其微易散也；防萌杜漸，其未兆易謀也；興小善去小惡，其脆易破也；勿以小善爲無益而不修，勿以小惡爲無傷而不去。以斯六者，蓋理國之要焉。

〔一〕「君子防未然」，見文選所收陸士衡君子行。

〔二〕「除之」，唐玄宗御注道德真經卷四作「爲理之」，道德真經玄德纂疏卷十七作「爲除理之」。

合抱之木，生於毫末；九層之臺，起於累土；千里之行，始於足下。

【注】此三者喻其不早良圖，使成後患也。

【疏】此言患生於微而成於著。喻如合抱之木，始生如毫毛之末，此明自性而生也；九層之高臺，起乎一簣之土〔一〕，此明積習而成也；千里之遠行，始於舉足之下，此明遠〔二〕行不止也。則天下之事，誠〔三〕以細微爲始，而人多忽之，遂成患本。故舉三喻以證上文。

【義曰】人之所以不防患，國之所以不慎微，禍形而務除，亂成而務理，此皆失之遠矣。毫末至於合抱，自小而成大也；累土成於層臺，自下而爲高也；千里始於舉足，自近而及遠也。世人但見合抱之大〔四〕、層臺之高、千里之遠，方欲執柯以伐之，聚鍤

〔一〕「土」，唐玄宗御製道德真經疏卷八作「上」。

〔二〕「遠」，唐玄宗御製道德真經疏卷八、道德真經玄德纂疏卷十七作「遂」。

〔三〕「誠」，道德真經玄德纂疏卷十七作「誡」。

〔四〕「大」，道德真經取善集卷十引杜光庭廣聖義作「木」。

以壞之，馳騖以追之，勞亦云甚，禍不可救。亦猶倚都〔一〕門而長嘯，終亂晉朝〔二〕；崩沙鹿以貽祆，幾傾漢室〔三〕。默識遠鑒，所宜留神矣。

爲者敗之，執者失之。

【注】凡情不能因任，營爲分外，爲事〔四〕求遂，理必敗之；於事不能忘遺，動成執著，執者〔五〕求得，理必失之。

【疏】爲，謂營爲也；執，謂執著也。言人不能爲之於未有，理之於未亂，而更有所營爲於性分之外，執著於塵境之中，故必禍敗而失亡也。

〔一〕「都」，道德真經取善集卷十引杜光庭廣聖義作「市」。

〔二〕「倚都門而長嘯，終亂晉朝」，當指王廙。晉書王廙傳：「廙性俊率，嘗從南下，旦自尋陽，迅風飛帆，暮至都，倚舫樓長嘯，神氣甚逸。王導謂庾亮曰：『世將爲傷時識事。』亮曰：『正足舒其逸氣耳。』」王廙在荆州屢被杜曾所敗，且大失民望，故曰「終亂晉朝」。

〔三〕「崩沙鹿以貽祆，幾傾漢室」，指漢成帝母親孝元皇后王政君，據漢書元后傳，春秋晉國有史官以爲沙麓崩陷乃「陰爲陽雄，土火相乘」之象，斷言六百四十五年後宜有聖女興，即王政君。王政君在后位六十一年，外戚亂政，後王莽篡權，故謂「幾傾漢室」。

〔四〕「事」，唐玄宗御注道德真經卷四、道德真經玄德纂疏卷十七作「者」。

〔五〕「者」，唐玄宗御注道德真經卷四作「着」。

【義曰】世人不能知道，妄動營爲；非道營爲，必至隳敗。或妄於教體，執著有無，不能任以自然，守常知分，有執必失，有爲必敗。此乃常理也。欲使化理之君無爲則無敗，修道之士無執則無失也。

是以聖人無爲，故無敗；無執，故無失。

【疏】聖人無爲安静，故素分成全而無敗；虚忘無執，故真性常存而無失。

【義曰】聖人知有爲乖道，無爲故無敗；知有執違真，無執故無失。是知冥寂其心，混通於道。道尚虚寂，修道之士當宜體聖人之心，恬神安漠，不思不慮，無營無爲，然後虚室生白矣。

民之從事，常於幾成而敗之。

【注】人之始從事於善者，常於近成而自敗也。

【疏】幾，近也。言常俗之人從於善事，常以功業近成，不能慎終，乃復忘〔一〕敗也。

【義曰】世態紛綸，真心難固，嗜欲牽役，妙道易忘，始從事而立功，忽進退而生惑，亦緣有爲有執，所以敗於垂成爾。

〔一〕「忘」，唐玄宗御製道德真經疏卷八作「亡」，然道德真經玄德纂疏卷十七也作「忘」，二字通，「亡」爲本字。

慎終如始，則無敗事。

【注】慎其終末，常如始從善之心，則必無禍敗之事。

【疏】此老君重申勸戒也。人若能慎末如初，始終常一，則其事無敗也。詩云：「靡不有初，鮮克有終。」

【義曰】修道之人不能委心順道，分外營爲，執著即喪真，有爲則隳敗，故云「修道如初，得道有餘；弘道無已，自致不死」。蓋愍其初勤中怠，誠不終也；末常如始，從善不移者，難矣。故重戒之。靡不有初者，詩大雅蕩之什也。此言民初教之以誠信忠厚，今則更化於惡俗，言其爲善者不能終。靡，無也；鮮，少也；克，能也。

是以聖人欲不欲，不貴難得之貨；

【注】難得之貨，謂性分所無者。今聖人於欲不欲，不營爲於分外，故常全其自然〔一〕，是不貴難得之貨。

【疏】此明聖行以斥凡也。難得之貨，内謂性分所無，外謂珠犀寶貝。聖人於欲無欲，内不務於性分之無，外不營於累德之寶。故云不貴難得之貨爾。

〔一〕「自然」，唐玄宗御注道德真經卷四作「自然之性」。

【義曰】大聖之行，迫出塵煩，愛欲不能干，榮枯不能迫，外無潤屋之望，内無越分之求。將勸理國之君，惟賢是寶；欲使修真之士，惟道是從矣。珠者，大或徑寸，光照十二乘，乃古人之所貴也。犀者，南徼之外有牛，重千餘斤，一角在鼻端，可以爲寶，中斷其角，有文通達成形象者；有辟塵者，有辟水者，磨而服之，可解蠱毒之疾，雞見之夜驚，故曰駭雞犀。亦今古所貴也。寶者，金玉珍異、草木毛羽，衆所奇重者，皆曰寶焉。貝者，出東海中，如螺，有文，有長尺者，可以爲寶；在海爲介蟲，居陸名猋，在水名蜬甘音〔一〕。古者貨貝而寶龜，周有泉貝，到秦廢貝而行錢。貝字者，象形也。今凡貨賄贈賚、賞賜賧賫，凡財之屬皆從貝矣。古詩曰「積財爲累愚」，明財多累德也。古有三幣，珠玉爲上，黄金爲中，刀布爲下，帝王以之御四海也。

學不學，復衆人之所過，

【疏】凡夫貴難得之貨，故矯徇矜〔二〕尚，以學性分之所無。聖人不求過分之學，常全自然之性，是於學不學，如此者將欲歸復衆人所過分之學爾。

〔一〕「甘音」，道德真經廣聖義節略卷四作「音甘」，更合常例。

〔二〕「矜」，原作「務」，據唐玄宗御製道德真經疏卷八、道德真經玄德纂疏卷十七改。

【義曰】聖人心冥太虛，道貫天地，固不營過分之學，所以戒學於不學，是戒凡夫矜徇之求耳。行人能晤聖旨，絶此矜求，即無越分瀆財之過矣。

以輔萬物之自然，而不敢爲。

【注】聖人不求過分之學，是於學不學，將以歸復衆人過分之學，以輔其自然之性。故不敢爲俗學與多欲也。

【疏】輔，佐也；自然，物之性本〔一〕也。衆生起妄，失於性本。聖人慈誘，勸學無爲，將以輔佐物之自然真性〔二〕，故不敢爲於俗學與多欲也。

【義曰】俗學蔓衍，難復於無爲；多欲紛綸，必迷於正性。聖人令學不學以敦素，欲不欲以恬愉，漸窺正道之光，用輔自然之性。不貪難得之貨，不務過分之能，自敗而反成，慎終其若始，察微防害，復於易持之安。國所以晏寧，身所以貞固，然後可擬於古之善爲道爾。

〔一〕此處及後文「失於性本」之「性本」，唐玄宗御製道德真經疏卷八作「本性」。

〔二〕「真性」，唐玄宗御製道德真經疏卷八作「真性不敗」。

道德真經廣聖義卷之四十四

唐　廣成先生杜光庭　述

古之善爲道章第六十五

【疏】前章明思患預防，標絶情去欲之行；此章明好智生患，示玄德大順之規。初明爲道之化，次辯以智之賊，「知此」下示料簡以爲法，「常知」下歎功用〔一〕而勸修。

【義曰】古之爲道，非欲明示於民，使成强知之患，令其韜晦智用，潛超無有之津。故以智理國則亂生，晦智爲君則福至。智詐興則難理，智詐息則參玄。玄德於是彌深，反俗而歸大順，亦與夫祛俗學多欲之累，而證百谷朝宗之順焉。

古之善爲道者，非以明民，將以愚之。

【注】人君善爲道者，非以其道明示於人，將導之以和，使歸復於樸，令如愚爾。

〔一〕「功用」，唐玄宗御製道德真經疏卷九作「用功」。

【疏】言古之人君善能用道爲化者，貴夫無爲恬澹，非衒耀其道，明示於人，將導以淳和，杜絶智詐，令質樸如愚爾。

【義曰】古者，玄古之時也。善爲道者，玄古有道之君也。其志玄默，其心杳冥。其爲理也，無刑無德；其爲事也，無將無迎。茫乎視之不可見，闃乎聽之不可聞。其人若姑射之人，其俗若華胥之俗，民不知曆數，不違盈虚，不以親爲親，不以己爲己，蒙兮昧兮，將無所有也。固不以常道之教而教之，但以無爲之化而化之，所以天下質樸淳白，若令其愚也。

民之難治，以其智多。

【注】君將明道以臨下，人必役智以應上。智多則詐興，是以難治〔一〕。

【疏】人之所以難〔二〕理化者，正以其智太多。智之太多，由人君明道〔三〕以臨下，是使下人役用其智而生姦詐，故難理爾。

【義曰】夫上明道以臨下，下飾智以奉君。本用明以理人，所務易理。及變智而爲

〔一〕「治」，原無，據唐玄宗御注道德真經卷四、道德真經玄德纂疏卷十七補，易縣唐碑本作「理」。

〔二〕「疏：人之所以難」，原無，據唐玄宗御製道德真經疏卷九、道德真經玄德纂疏卷十七補。

〔三〕「明道」，唐玄宗御製道德真經疏卷九作「不明道」。

詐，始自有爲，是由上明察而下詐僞。欲求静理，不亦難乎？舉此義者，欲使法玄古之君，示民以淳樸則易理。

以智治國，國之賊；

【注】以，用也。人君任用多智之臣，使令理國。智多必作法，法作則姦生，故是國之賊也。

【疏】以，用也；賊，害也。言人君任用智詐之臣，使之理國，智多則權謀將作，謀用則情僞斯起，僞起則道廢，有害於國。故云國之賊。

【義曰】用智爲政，務欲理人。智變姦生，禍亂滋起。所以詐妄賊害之事勃然而興矣。曹參守法而漢以之安，商君變法而秦以之弊。故上經云「智惠出，有大僞」是也。

不以智治，國之福。

【注】若不用巧智之臣，但取淳德之士，使偃息蕃魏〔一〕，弄丸解難，自然智詐日薄，淳

〔一〕「偃息蕃魏」，指子夏弟子段干木遇於魏文侯。班固幽通賦：「木偃息以蕃魏兮，申重繭以存荆。」吕氏春秋期賢：「魏文侯過段干木之閭而軾之，其僕曰：『君胡爲軾？』曰：『此非段干木之閭歟？段干木蓋賢者也，吾安敢不軾？且吾聞段干木未嘗肯以己易寡人也，吾安敢驕之？段干木光乎德，寡人光乎地；段干木富乎義，寡人富乎財。』其僕曰：『然則君何不相之？』於是君請相之，段干木不肯受。則君乃致禄百萬，而時往館之。於是國人皆喜，相與誦之曰：『吾君好正，段干木之敬；吾君好忠，段干木之隆。』居無幾何，秦興兵欲攻魏，司馬唐諫秦君曰：『段干木，賢者也，而魏禮之，天下莫不聞，無乃不可加兵乎！』秦君以爲然，乃按兵，輟不敢攻之。」

樸日興。人和則年豐，故是國之福也。

【疏】人君不任智詐之臣，但求淳德之士，坐〔一〕進無爲之道，行宣大樸之風，交泰致和，是國之福也。

【義曰】君猶表也，表正則影端，表邪則影曲。正則人隨而正，邪則人從而邪，邪正淳瀉，匪由他矣。用智謀之臣則權令起，用忠厚之士則風教淳。人化淳和，國乃豐泰，此爲福也。偃息蕃魏者，段干木爲魏文侯之師，以安静爲先，道德爲化，故偃息無事，而藩屏魏國矣。偃者，偃仰也；息，宴息也；藩，籬屏也。弄丸解難者，楚白公勝與大夫子西兩家舉兵相伐，兩家大夫曰：「市南宜僚，陸沉之士也。一人當五百人。」並遣使往召之。宜僚高枕安卧，以見二大夫之使。卧而不起，以兩手弄丸不止〔二〕，承之以劍不動。二大夫之使各還，具論宜僚之狀。二大夫曰：「高枕安卧者，示我無爲也。承之以劍不動者，兵不足恃也。兩手者，喻兩家也。丸者，形圓無爲之物，兩手弄之不止者，俱止於困也。明兩家稱兵不止，必至滅亡。」二大夫解兵而歸，是兩家難解

〔一〕「坐」，唐玄宗御製道德真經疏卷九、道德真經玄德纂疏卷十七該字前有「使」字。

〔二〕「止」，道德真經廣聖義節略卷四作「亡」。

也。事見莊子也。夫無爲既興，有爲遂息；貞素既顯，智詐自亡，勢使然也。爲國之福，其在茲乎？

知此兩者，亦楷式。

【注】役智詐則害於人，任純德則福於國。福德之臣，是亦爲君楷式，以祐於國，人君能知此者，可委任之〔一〕。

【疏】兩者謂用智與不用智也。楷，模也；式，法也。人君知用智則爲賊，不用智則爲福，當去賊取福。如〔二〕此者，可爲理國之楷模法式也。

【義曰】用智則國亂，息智則人安。去亂就安，理之要也。夫智謀之士、辯説之徒，飾智以惑於諸侯，縱辯以亂於時主；離堅合異，反白爲黑，所務者在乎干名譽，要寵榮，逞是非，肆胸臆；不以安全爲志，不以惡殺爲心，苟得恣彼筌簧，鼓其頰舌以爲榮矣。

〔一〕「福德之臣，是亦爲君楷式，以祐於國人，君能知此者，可委任之」，原作「人君常知所委任，是謂深玄之德」，後者實乃後句注文而錯位，唐玄宗御注道德真經卷四此處注文作「人君能知此兩者，委任淳德之臣，是以爲君楷模法式」，可證。按，易縣唐碑本、道德真經取善集卷十、道德真經玄德纂疏卷十七引唐明皇注作「任智詐則害於人，任純德則福於國，人君知此兩者，委任純德之臣，是以爲君楷模法式」，更恰。

〔二〕「如」，唐玄宗御製道德真經疏卷九作「知」。

理國之主，當鑒而斥之，則淳素化行，人復於樸矣。

常知楷式，是謂玄德。

【注】人君常知所委任，是謂深玄之德[一]。

【疏】玄，深也，妙也。人君常能知此，則兩者爲楷式[二]，是謂深遠玄妙之德也。

【義曰】人君知用智用德，以定安危，常法之而行，則其德深遠矣。

玄德深矣，遠矣，與物反矣。然後乃至大順。

【注】玄德深遠，能與物反，歸復其本，令物乃至大順於自然之性爾。

【疏】此結歎也。玄德之君無爲而化，不測其量，深也；所被無外，遠也。故能與萬物反歸妙本，然後乃至大順於自然真性爾。

【義曰】大順者，本乎人情。禮記禮運篇曰：「人情者，聖王之田也。故聖王修義之

〔一〕「人君常知所委任，是謂深玄之德」，原作「福德之臣，是亦爲君楷式，以祐於國，人君能知此者，可委任之」，實乃與前句注文互竄，唐玄宗御注道德真經卷四、易縣唐碑本、道德真經玄德纂疏卷十七作「人君常知所委任，是謂深玄至德矣」，可證，故移還。

〔二〕「人君常能知此，則兩者爲楷式」，唐玄宗御製道德真經疏卷九、道德真經玄德纂疏卷十七作「人君常能知此兩者爲楷模法式」。

柄、禮之序，以理人情。以情爲田，修禮以耕之，和剛柔也；陳義以種之，樹善道也；誦學以耨之，存是去非也；本仁〔一〕以聚之，合其所成也；播樂以安之，感動使堅固也。理國不以禮，猶無耜以耕也；爲禮不本於義，猶耕而不種也；爲義而不講之以學，猶種之而不耨也；講之以學而不合之以仁，猶耨之而弗穫也；合之以仁而不安之以樂，猶穫之而不食也；安之以樂而不達之於順，猶食之而不肥也。夫四體既安〔二〕，膚革充盈，人之肥也。父子篤，兄弟睦，夫婦和，家之肥也。大臣法，小臣廉，官職相序，君臣相正，國之肥也。天子以德爲車，以樂爲御，諸侯以禮相與，大夫以法相序，士以信相考，百姓以睦相守，天下之肥也。是謂大順。」故天子用民爲順，則天不愛其道，地不愛其寶，人不愛其情，衆瑞出焉，順之寶也。君以玄德居上，臣以忠信處下，其化廣遠深厚，歸萬物於淳風，斯謂大順於道矣。古之帝王皆順考古道以行其教令，任於樸素，牧以謙和，所以書稱「稽古」，帝堯之例是也。天下大順，萬方歸之；江海謙順，百川歸之。故江海之章，可繼大順之德爾。

〔一〕「仁」，原作「人」，據傳世禮記改。
〔二〕「安」，傳世禮記作「正」。

江海爲百谷王章第六十六

【疏】前章明好智生患，示玄德大順之規；此章明善下爲王，標聖人不争之德。初舉江海之喻，善下則爲王；次明聖人用謙，樂推而不厭；後結不争之德，以示修學之門爾。

【義曰】江海處下，百川所歸；人君用謙，萬國朝會。由是處上而人不重，後己而人樂推；江海以之爲王，聖人以之有國。前符玄德之主，克諧大順之規；後應不肖之詞，常叶以慈之訓也。

江海所以能爲百谷王者，以其善下之，故能爲百谷王。

【注】江海所以能令百谷委輸歸往者，以其善能卑下之，故百川朝宗矣。

【疏】言江海所以能令百川朝宗而爲王者，以其善居下流之所致也。故易云「地道變盈而流謙」，此舉喻也。故地道用謙，則百川委輸而歸往；聖人用謙，則庶人子來而不猒爾。

【義曰】下爲高之本，謙爲德之基。百川東注以如歸，歸於善下；萬姓北趍而拱聖，聖在用謙。庶人子來，理在斯矣。嚴君平曰：「天地不舍群類，群類舍之衆物，不求爲王，物自往之。」故天地億萬，而大道爲之王；陽氣赫赫，而天爲之王；陰氣肅肅，而地爲之王；生靈億兆，而聖人爲王；羽者翔虚，而神鳳爲王；毛者蹠實，而麒麟爲王；鱗者水處，而神龍爲王；介者澤處，而靈龜爲王；百川並流，而江海爲王。凡此九王，不爲物主而物自歸之，不施法式而物自理之，不爲信義而物自附之，不爲仁愛而物自親之，不任智力而物自畏之。其何故哉？體道合德，委任自然，而物自宗之。江海所以爲王者，無智巧以悦之，無慈惠以懷之，無威令以束之，無刑法以勸之，無機權以制之。百川所以朝宗者，以其處下，物自順之。由是而言，人之處謙遜、志恭恕不争者，有國聚人，斯爲要矣。「地道變盈而流謙」者，易謙卦彖詞言。丘陵川谷，高者漸下，下者益高，改變其盈而流布，其謙也。子來者，春秋昭公十年〔一〕：「叔孫昭子曰：『詩大雅云：經始勿亟，庶人子來。』」言文王經始靈臺，作有急疾之意，衆人自以子義來，歡樂爲之也〔二〕。

〔一〕「春秋昭公十年」，按此處所引文字在傳世左傳昭公九年。

〔二〕「言文王經始靈臺，作有急疾之意，衆人自以子義來，歡樂爲之」，乃杜光庭轉述「經始勿亟，庶人子來」之杜預注，然杜預注中「作有急疾之意」作「非急疾之」，疑「作」乃「非」訛。

是以聖人欲上人，以其言下之。

【疏】此合喻也。此〔一〕聖人欲上於人，則以其言謙下之。夫聖人豈欲居人上，而以其言下之？聖人知滿必招損，故言則謙柔，名則孤寡，以下於物，而盛德鴻業自然爲物所推尚爾。

【義曰】聖人謙己，固無飾詞，所以孤、寡、不穀之名，彰其以下爲本，罪己納隍之志，明其刻責之心。故盛德日崇，大業彌固。鴻，大也。

欲先人，以其身後之。

【疏】聖人亦不欲先人，直爲撝謙，後己先物，物自先之爾。

【義曰】聖人豈欲先於人，而曲爲之後？以其謹身順道，不以物先，故能爲萬物推之於先耳。

是以處上而人不重，處前而人不害。

【注】謙爲德柄，尊用彌光。以言謙下之，百姓欣戴，故處其上而人不以爲重；以身退後之，百姓子來，故處其前而人不以爲害。

〔一〕「此」，唐玄宗御製道德真經疏卷九、道德真經玄德纂疏卷十七作「言」。

【疏】此結前也。聖人臨大寶之位，居至極之尊，勞身而逸人，薄己而厚物，在上人得以生，故不以爲重，處前人得以理，故不以爲害也。

【義曰】君德謙虛，人所翼戴，故居上不重；君德欽明，人共瞻奉，故處前而人不害。夫勛華〔一〕在上，人皆戴之，仰之如天；辛癸〔二〕在前，人皆棄之，視之若冤。謂有道則昌，無道則亡是也。

是以天下樂推而不猒。

【注】以是不重不害之故，故天下之人樂推崇爲之主而不猒倦也。

【疏】聖人之德，弘濟無私，與物爲春，望之如日，既不爲重爲害，是以天下之人樂推崇而無猒倦也。

【義曰】堯之理天下也，六合群生就之如雲，望之如日，推崇爲主而無猒倦。及其棄世也，天下之人如喪考妣，三載遏密八音。其何故耶？德以撝謙，化以無爲也。

〔一〕「勛華」，堯舜的並稱。勳，放勳，堯名；華，重華，舜名。漢馬融忠經序：「今皇上含庖軒之姿，韞勛華之德。」

〔二〕「辛癸」，商紂、夏桀的並稱。商紂名帝辛，夏桀名履癸，兩人均爲有名的暴君。唐劉知幾史通：「觀其政令，則辛癸不如；讀其詔誥，則勳華再出。」

以其不争，故天下莫能與之争。

【注】聖人謙退，不與物争，天下樂推，誰與争者？

【疏】今天下樂推聖人而不猒者，豈不以聖人言則下之，身則後之，以其不與物争先，故天下之人莫能與聖人争先者矣。

【義曰】聖人御天下，德化周普，明並六合，惠覃九圍，以謙抑不爲物先，以柔遜不居物上，人自推戴，誰與之争？如此，則祚曆遐長，弈葉繁茂。若巨海之納百谷，不溢不盈；若太上之持三寶，以慈以儉。故下章以三寶次之。

道德真經廣聖義卷之四十五

唐　廣成先生杜光庭　述

天下皆謂我道大章第六十七

【疏】前章明善下爲王，標聖人不争之德；此章明喻大不肖，示三寶以慈之行。初六句標道大所以不肖，次五句示三寶，勸其用慈，又八句覆釋以慈之利、捨慈之害，又四句結歎以慈之德。

【義曰】太上以慈訓人，聖人以謙守位。既善下成不争之德，即道大生不肖之疑。以三寶彰儉退之功，用慈宣救衛之利，然後不武不怒，用人得人。此章通前後之旨。

天下皆謂我道大，似不肖。

【注】肖，似也。老君云：天下之人皆謂我道大，無所象似。我則答云。

【疏】肖，似也。老君曰：天下後世之人皆謂我道虚無廣大，似無所象，故下文答之。

【義曰】天地大也，有清濁之形；日月大也，有照灼之明。道之爲大，無臭無聲，無形無象，故不可得而擬議之，所以天下之人皆言道無所似爾。

夫惟大，故似不肖。若肖，久矣其細也夫。

【注】夫唯我道至大，故無所象似。若如代間諸法有所象似，則不得稱大久已，微細也夫。

【疏】此答不肖之所由也。夫唯我道廣大，迥超物表，固非凡情探賾所知，故得稱大。若其有所象似，如代間法者，則失其所以爲大久矣。是微細麤淺之法與俗不殊，何足稱大乎？夫者，語助也。

【義曰】以大道包容，廣無所似，故稱爲大。若如天地之有形位，日月之有光華，可稱可謂，可筭可度，則不得名爲大道，其爲循常之狀，亦已久矣。

我有三寶，保而持之：

【注】我道雖大，無所象似，然有此三行，甚可珍貴，能常保倚執持，可以理身理國也。

【疏】此明所以不肖者，正以有此三行，與俗不同。故老君言我道雖大，無所象似，然有此三寶，甚可珍貴。於汝代人，當須保持執守，以修身理國爾。

【義曰】道雖籠羅衆法，兼包萬行，化周天地，功洽無垠。其於太上所寶以教於世者，有三寶焉。若保而持之，爲國則昇平，理身則貞静。故爲修身理國之要也。

一曰慈，二曰儉，三曰不敢爲天下先。

【注】慈則廣救，儉則足用，不敢爲天下先，故樂推不猒。

【疏】此列三寶之數也。體仁博施，愛育群生，慈也；節用厚〔一〕人，不耗於物，儉也；不爲事始，和而不唱，不敢爲天下先也。弘益之義，具如下文。

【義曰】道存愛育，以慈爲先；養人惜費，以儉爲次；先人後己，以讓爲終。慈以法天，澤無不被也；儉以法地，大信不欺也；讓以法人，恭謙不争也。此三者理國之本，立身之基，寶而貴之，故曰三寶。夫三寶者，道之用也。夫唯大故似不肖者，道之體也。抱道之體，運道之用，理身理國，以兹爲先矣。

夫慈故能勇，

【注】慈仁憫惠則德有餘，故勇於救濟。

【疏】此覆述三寶之功也。凡人貪競不慈，勇於果敢，致有窮屈。今聖人以慈爲行，故能勇於濟度。論語曰：「仁者必有勇。」

〔一〕「厚」，原作「後」，據唐玄宗御製道德真經疏卷九改。

【義曰】布仁施惠，博愛含生者，慈也。以慈濟物，物無不周；以慈立功，功無不被；以慈理國，恩浹華夷；以慈潤身，善均動植。故慈之爲利也，强暴不能侵，威武不能害，讒邪不能間，諛佞不能誣。行之於中，而功宣於外，斯可謂勇矣。言人貪競則不慈，豈能果敢於濟物？善功不立，遂有窮屈之時。今聖人既果於行慈，必勇於濟度，故曰勇也。仁者必有勇，論語憲問篇孔子曰「有德者必有言，有言者不必有德；仁者必有勇，勇者不必有仁」是也。

儉故能廣，

【注】節儉愛費，故財用有餘，而功施益廣也。

【疏】以其節儉愛費，不傷財，不害人，故功施益廣矣。

【義曰】儉嗇則財豐，財豐則惠普，普施其惠，可謂廣矣。人君儉以臨御，則朝無雕麗之奢，野無箕斂之弊，恩惠日以廣，德教日以彰，固無民饑力匱之患矣。

不敢爲天下先，故能成器長。

【注】慈儉之德，謙撝益先〔一〕，推先與人，人必不猒，故能爲神器之長。

〔一〕「先」，唐玄宗御注道德真經卷四、易縣唐碑本、道德真經玄德纂疏卷十七作「光」。

【疏】損己益人，退身進物，是不敢爲天下先也。以〔一〕物樂推而成神器之長。

【義曰】聖人大寶者，神明之器也，言非人力所能成，乃天地之大寶爾。主此神器，爲民之長，必退身讓物，謙己先人者。人所樂推，必居此位，乃爲四海兆庶之長也。此三寶者，修道理國能行之者，即於身爲行。所言行者，慈、儉、不敢爲天下先是也；所言果者，行而獲報，則爲果，勇、廣、成器長，三者所得之果也。

今捨其慈且勇，捨其儉且廣，捨其後且先，死矣。

【注】今捨慈且勇，勇則害物；捨儉且廣，廣則傷財；捨後且先，先則人怨。傷財害物，聚怨於人，是必死之道，故云死矣。

【疏】且，苟且也。世情多欲，動與道違。捨其利物之慈，苟且害人之勇；捨其節用之儉，苟且奢泰之廣；捨其謙退之後，苟且矜伐之先。如此之行，有違慈儉。以之理國則國亡，以之修身則身喪，故云死矣。

【義曰】言常俗之夫違聖人之行，捨此三寶，肆其愚心，强勇而不顧其慈，奢侈而不崇其儉，力争求勝，無讓於人，故皆喪身敗國之資，取怨傷生之本，謂之死矣，不亦然

〔一〕「以」，唐玄宗御製道德真經疏卷九、道德真經玄德纂疏卷十七作「故」。

乎？夫行慈不已，則得勇於濟物之功；行儉不已，則得廣於利物之惠；行讓不已，則成厚德長民之美。苟或捨之，失道遠矣。所以成三果者，謂慈則濟物，成其功也；儉則利物，成其惠也；讓則先物，成其德也。詎可輕而捨之哉？

夫慈，以戰則勝，以守則固。

【注】用慈以戰，利在全衆；用慈以守，利在安人。各保安全，故能勝〔一〕固爾。

【疏】慈爲三寶之首，故偏歎美也。夫用慈以拒戰，則能全衆；用慈以捍守，可以安人。皆不失慈，故能勝固也。

【義曰】戰者，主客交兵之謂也。陳兵於野，白刃争鋒，此爲戰也。若勇於殺獲，不務哀傷，勝負之勢固未可保。若以慈爲先，戰則勝矣。勝在慈勝，豈在於殺人乎？閉門堅拒曰守。夫守者，以慈爲先，衆心固矣。若以溝隍爲險，城雉爲固，守之堅勝，未可知也。故慈之所利，不亦廣乎？

天將救之，以慈衛之。

【注】以慈戰守，豈但人和，天道孔明，亦將救衛。戰勝，天救也；守固，天衛也。是皆

〔一〕「勝」，易縣唐碑本作「守」。

以慈，故云「天將救之，以慈衛之」也。

【疏】救，助也；衛，護也。天道福善，善人則吉無不利。故以慈戰者，天將助之；以慈守者，天將護之。戰勝守固，始賴用慈之功；救之衛之，終獲孔明之助爾。

【義曰】天道無親，常與善人。善人謂行慈之人也。善以慈惠爲本，慈以拯救爲功。故行慈之人，物不能敵。以戰，則慈者勝；以守，則慈者固。上合天道，旁感物心，物不能傷，是爲天所救衛矣。此以三寶垂訓，慈儉著救衛之功。前彰大道無方，後繼爲士不武，不以强武之理，亦猶慈以捍敵，而能配天成功矣。

古之善爲士者章第六十八

【疏】前章明惟大不肖，示三寶以慈之行；此章明爲士不武，標四善配天之極。首標四善之行，次歎是謂不争，結善可以配天，將明古之要道。

【義曰】大聖之德，與道玄同，非言理可窮，非贊美所及，而演法救代，發昏擊蒙，廣示因修，旁明證報，所以叙三寶爲可保之行，敷四善爲積善之階。功可配天，何争之有？次明進寸退尺，不離謙戒之規也。

古之善爲士者不武；

【注】士，事也。善以道爲理國之事者尚德，故云不武。

【疏】士，事也；武，威也。明德之君用道爲理，行慈儉而育物，不威武以御人，所尚以慈，故云不武。

【義曰】有道之君，其理國也，先以道化之，次以德教之，復以文撫之，示以淳和，兼以仁育和，故不尚於威武也。所謂以武爲備，蓋備豫不虞，非專用之事。故曰不武，言不用武也。易曰：「重門擊柝，以待暴客。」

善戰者不怒；

【注】事不得已，必須應敵，以慈爲善，故不憑怒。

【疏】師出應敵，事在慈哀。蚊蚋致螫，驅除而已。是知善戰在乎止敵，不在乎憑怒。故云善戰不怒。

【義曰】哲后臨人，固無兵革。設有戈甲，必不得已而用之，所以高智善謀，有征無戰。苟在勝敵，非樂殺人，或以悲哀泣之，喪禮處之，豈憑怒而求殺獲也？

善勝敵者不争；

【注】師克在和，和則善勝。全勝之善，故不交争。

【疏】善勝在夫以慈，不争由乎尚德。若用力争勝，非善勝也。今柔遠能邇，盡暢慈和，不與敵争，敵人自伏。故云善勝不争。

【義曰】既不廣求殺獲，又不憑怒陵人，服之以慈，柔之以德，或射戟以和其敵〔一〕，或倒戈自攻其徒〔二〕，或解圍於吟嘯之間〔三〕，或悛逆於干羽之際〔四〕，斯謂善勝矣。

〔一〕「射戟以和其敵」，指呂布。三國志呂布傳：「布令門候于營門中舉一隻戟，布言：『諸君觀布射戟小支，一發中者諸軍當解去，不中可留決鬥。』布舉弓射戟，正中小支。諸將皆驚，言『將軍天威也』！明日復歡會，然後各罷。」

〔二〕「倒戈自攻其徒」，當指武王伐紂時，商朝軍隊陣前倒戈向己方攻擊。

〔三〕「解圍於吟嘯之間」，當指孔子被圍于匡。琴操卷下：「孔子使顏淵執轡，到匡郭外，顏淵舉策指匡穿垣曰：『往與陽虎正從此入。』匡人聞其言，孔子貌似陽虎，告匡君曰：『往者陽虎，今復來至。』乃率衆圍孔子，數日不解，弟子皆有飢色。孔子仰天而歎曰：『君子固亦窮乎？』子路聞孔子之言悲感，悖然大怒，張目奮劍，聲如鐘鼓，顧謂二三子曰：『使吾有此厄也！』孔子曰：『由來！今汝欲鬥名，爲戮我於天下。爲汝悲歌而感之，汝皆和我。』由等唯唯。孔子乃引琴而歌，音曲甚哀，有暴風擊拒，軍士僵僕。於是匡人乃知孔子聖人，瓦解而去。」

〔四〕「悛逆於干羽之際」，當指禹服有苗，同書卷二十五「以道佐人主者，不以兵强天下」有述。書大禹謨：「帝乃誕敷文德，舞干羽于兩階。」

善用人者爲之下。

【注】悦以使人，人〔一〕盡其力，必先下之，是謂善用。

【疏】夫善用其人，以言謙下，人必盡力，可以成功。故易曰：「以貴下賤，大得人也。」

【義曰】握髮禮賢〔二〕，賢必致用；吮癰撫士〔三〕，士必相驅。既感衆心，必能盡力。善用之道，其在兹乎？以貴下賤者，易屯卦初九：「盤桓，利居貞，利建侯。」象曰：「雖盤桓，志行正也。以貴下賤，大得民也。」此謂處屯之初，動則難生，不可以進，故盤桓也。利建侯者，息亂以静，守静以侯，安民在正，弘正在謙。民思其主之時，初處其首，而又下之。陽貴而陰賤，以貴下賤，宜得其人。此喻人君以謙爲本，以下爲基，而得民心也。

〔一〕「人」，唐玄宗御注道德真經卷四、易縣唐碑本作「令」。

〔二〕「握髮禮賢」，指周公。韓詩外傳卷三：「成王封伯禽於魯，周公誡之曰：『往矣！子無以魯國驕士。吾文王之子，武王之弟，成王之叔父也，又相天下，吾於天下亦不輕矣，然一沐三握髮，一飯三吐哺，猶恐失天下之士。』」

〔三〕「吮癰撫士」，指吴起。史記孫子吴起列傳：「起之爲將，與士卒最下者同衣食。卧不設席，行不騎乘，親裹贏糧，與士卒分勞苦。卒有病疽者，起爲吮之。」

是謂不争之德，

【疏】此結上文。善士者常柔而不武，善戰者常慈而不怒，善勝者常讓而不争，善用人者常謙而爲下。如是者，物竭其能，人盡其用，皆由謙下之所致，豈非不争之德乎？

【義曰】禮而下士，士得竭其能；悦以使人，人得宣其力。不憑怒以傷物，不矜武以伐功，以慈爲先，以謙爲本，不力争求勝，不尊己侮人。以此用材，人效其命，以守以戰，則固而且勝。理身理國，則壽而求寧，所向無前。是不争之德也。

是謂用人之力，

【疏】夫玄默恭己，謙虚下人，人皆歡心，思竭其力，故易曰：「悦以使〔一〕民，民忘其勞。」是用人之力也。

【義曰】聖人所教，理國修身，柔遜則德彰，謙和則人服，使人則人盡其力，弘化則化洽無疆。故曰用人之力也。悦以使人者，兑卦辭曰：「兑，悦也。順乎天而應乎人，

〔一〕「使」，傳世周易作「先」。

悦以使人，人忘其勞；悦以犯難，人忘其死。」此歎美悦之所致，亦申明應人之德也。先以悦撫民，然後使之從事，民皆竭力，忘其從事之勞。施悦於人，所致如此，豈非悦義及人，能使人勸勉矣。是則怒而戰者危事也，武爲己任者凶德也，争而勝者强梁也，虐以使人者召禍也。於身於國，何所利哉？

是謂配天，古之極。

【注】善勝是不争之德，爲下是用人之力。能如此者，可以配天稱帝，是古之至極要道也。

【疏】此總結上來四善之行，不争之德，能行之者，可以配天稱帝，是古之至極要道。

【義曰】惟后配天，代天理物，必資睿德，以致人和，且三寶以慈儉爲先，四善以謙讓爲要，不伐功於武勇。自叶止戈，不求勝於戰争，果能合道，然繼以爲客退尺之義，是懼輕敵罹殃，兵刃將交則哀者獲勝矣。

用兵有言章第六十九

【疏】前章明善士爲行不争，故可以配天；此章明用兵有言，輕敵則幾亡吾寶。初一句標宗以設問，次六句示行以辨明，後四句申戒用兵，知慈哀者必勝。

【義曰】致理之君，弘慈爲本，執謙守己，以禮下人。三寶四善之功，戒之至矣；讓王爲客之義，慎亦審焉。既躁進而不能，在勇退而爲可，無攘無執，何禍何憂？所寶克全，用哀爲勝，斯言顯矣。而孰知孰行，知者甚希，則者爲貴。此兼通前後章之旨也。

用兵有言：

【注】老君傷時王〔一〕殘人於兵，故託古以陳戒。有言者，謂下句也。

【疏】老君疾時輕敵致禍，樂戰殺人，故託古以申誡。所稱有言，謂下句也。

【義曰】大道以好生惡殺，代人以樂戰傷民。爲君則貪利土疆，鏖兵絶域；爲臣則圖

〔一〕「王」，唐玄宗御注道德真經卷四、道德真經玄德纂疏卷十八作「輕」。

懋功賞，轉戰窮荒，骨糞丘原，血塗草莽。老君憫其赤子，念彼無辜，演法垂文，以陳至戒。是知兵者非盛德之器，戰者是凶危之機，好生之君不得已而方用。用而不戒，斯暴也哉！

「吾不敢爲主而爲客；

【疏】吾者，用兵之人也。先唱爲主，後應爲客。主先唱示生事而貪，客後應示以慈自守。欲明古者用兵常有戒令，當須以慈自守，不可生事而貪。故云不敢爲主而爲客。

【義曰】夫安居之世，先動者爲主，後應者爲客。陳兵於野，先動者爲客，後應者爲主，斯用兵主客之定分也。兵法言之，反有先後。然客主之道，勝負之宜，決於善謀，不尚武力。若殺人而取勝，輕敵而立功，禍福不預萌，存亡安可保？故曰「將者，人之司命也〔一〕」。生死猶轉機，得失如反掌，可不慎乎？老君戒令守柔，使之揣敵，不敢先唱以始禍，固在應敵而不争。苟在愛人，豈欲求勝？以慈以讓，庶必保全者，體此而用之，必天救而慈衛矣。

〔一〕「將者，人之司命也」，見六韜奇兵第二十七。

不敢進寸而退尺。」

【注】主有動作則生事而貪，客無營爲則以慈自守。自守則全勝，生事則敗亡。進雖少，不能無事；退雖多，不失謙讓。故不敢進於寸，而退於尺也。

【疏】夫以道退守則善勝，進兵取强則敗亡。故進雖少猶傷於貪，退雖多愈得謙讓。今鄙其競争，則云不敢進寸；尚其慈讓，故云退尺。

【義曰】夫以道爲國，不恃軍功，用德牧人，寧勞武力。且兵者，凶器也；戰者，危事也。驅彼蒸人，執持凶器，深入敵境，自掇危亡，豈爲理國之務也？且貪進必樂殺，樂殺則殘人；勇退必懷慈，懷慈則體道。能體道而退尺者，可謂萬勝萬全矣。

是謂行無行，

【注】爲客退尺，不與物争。雖行應敵，與無行同也。

【疏】夫行師在乎止敵，止敵貴乎不争。今爲客退尺，善勝不争，雖行應敵，與無行同矣。

【義曰】應敵出師，蓋不得已，豈果敢於行師乎？以慈守衆，以德撫人，既不鋭於争鋒，復無心於克敵，自然德勝也。靈寶經云：「守道之士，以戒檢心，彼來加我，志在不報〔一〕。」此其謂歟？

攘無臂，

【注】攘臂所以表怒，今善戰〔二〕不怒，故若無臂可攘。

【疏】注云：攘臂所以表怒，善戰不怒，故若無臂可攘。故曰攘無臂。

【義曰】夫士之怒也，裂眥衝冠，奮衣攘臂，將鋭於争戰矣。道之爲理，惡殺尚慈，既已不争，固當無敵。設有應敵，不得已而出師，非務力争，故若不攘臂矣。

仍無敵，

【注】仍，引也。引敵者欲争不争，故若無敵可引。

【疏】仍，謂引也。夫引敵，欲有所争。今以不争爲德，是若無敵可引，故曰仍無敵也。

【義曰】既無仍引，非在戰争，有敵不争，固若無敵矣。

〔一〕「彼來加我，志在不報」，乃靈寶十戒之第九戒，見於太上洞玄靈寶智慧定志通微經、洞玄靈寶三洞奉道科戒營始卷六、洞玄靈寶天尊説十戒經等。

〔二〕「善戰」，道德真經取善集卷十一引唐明皇注作「善戰者」。

執無兵。

【注】執兵所以表殺。今以慈〔一〕爲主，故雖執，與無兵同。

【疏】執，猶持也。兵者，五兵戈矛之屬也。夫執兵者，將欲殺敵，以慈爲主，自戢干戈，則雖有兵，本無殺意，是則與無兵同也。

【義曰】法道爲君，不務兵戰，既非獲已，應敵帥師，兵克在和，師出以律。無拓土開邊之志，無争鋒斂怨之心，行若無行，敵若無敵，攘若無臂，執若無兵。推此四無，叶夫三寶，則射軛夾脰之矢，烏號繁弱〔二〕之弓，魚腸昆吾〔三〕之刀，太阿巨闕〔四〕之劍，吴

〔一〕「慈」，唐玄宗御注道德真經卷四、道德真經取善集卷十一引唐明皇注作「慈和」。

〔二〕「烏號」、「繁弱」，均爲良弓名。淮南子原道訓：「射者扜烏號之弓，彎棊衛之箭。」高誘注：「烏號，桑柘，其材堅勁，烏峙其上，及其將飛，枝必橈下，勁能復巢，烏隨之，烏不敢飛，號呼其上。伐其枝以爲弓，因曰烏號之弓也。一説黄帝鑄鼎于荆山鼎湖，得道而仙，乘龍而上，其臣援弓射龍，欲下黄帝，不能也。烏，於也；號，呼也。於是抱弓而號。因名其弓爲烏號之弓也。」左傳定公四年：「分魯公以大路、大旂，夏后氏之璜，封父之繁弱。」杜預注：「繁弱，大弓名。」

〔三〕「魚腸」、「昆吾」，均爲古寶刀名。漢袁康越絶書之外傳記寶劍：「歐冶乃因天之精神，悉其伎巧，造爲大刑三、小刑二。一曰湛盧，二曰純鈞，三曰勝邪，四曰魚腸，五曰巨闕。」元關漢卿單刀會第二折：「他輕舉龍泉殺車胄，怒拔昆吾壞文醜。」

〔四〕「太阿」、「巨闕」，均爲古寶劍名。戰國策韓策一：「韓卒之劍戟……龍淵、太阿，皆陸斷馬牛，水擊鵠雁，當敵即斬堅。」曹植寶刀賦：「踰南越之巨闕，超西楚之太阿。」

鉤楚矛，蜀弩孟勞〔一〕，豈假執持，無所用矣。五兵者，戈矛殳戟干，言有五等也。周禮：廬人爲廬器，凡柲過三，其身不能用也。柲，柄也。戈柲長六尺六寸；殳長尋有四尺，八尺曰尋，言一丈二尺也。矛常有四尺，夷矛三尋；夷，長也，長二丈四尺。平野之兵欲長，山林之兵欲短。執欲其鋭，被欲其堅。矛戈戟爲鉤兵，欲無掉；刺兵欲無撓；戈殳爲擊兵，欲上下强弱均，用之欲其疾速也。兵有鼓角金革、牙旗斧鉞、甲冑旌節、旗旟旐旐、弓弩弧矢，各有制度，其大約分爲五等，三制九章之法。短兵有刀劍匕首之異，皆所以禦敵制勝也。既以慈制敵，以德行師，雖執其兵，執而不用，故若無兵也。説文曰：「拱手執斤曰兵。」

禍莫大於輕敵，輕敵幾喪吾寶。

【注】爲禍之大，莫大輕侮敵人。輕侮敵人，則殆喪吾以慈之寶矣。

【疏】幾，近也；喪，失也；寶，謂慈也。夫爲禍之大，莫大於輕侮前敵，好事交争如此，則近喪失吾以慈之寶矣。且失慈，以戰則敗亡，以守則離散。代間之禍，雖非一途，離散敗亡，禍之大者也。

〔一〕「孟勞」，寶刀名。穀梁傳僖公元年：「孟勞者，魯之寶刀也。」

【義曰】用兵之道，敵國在前，先伐〔一〕其謀，次料其敵。勇怯既等，衆寡復均，然猶得天之時，假地之利，揣理之曲直，因人之協和。或高壘深溝，挫孔明之鋭氣〔二〕；焚舟示死，雪秦繆之前羞，殞長星而告終，封殽尸而歸國〔三〕。若不然者，則五千深入，永悲於雁塞龍堆〔四〕；百萬横行，竟怯於風驚鶴唳〔五〕。晋山草木，盡變人形；昆陽犀象，寧爲我用〔六〕。則謙慈之寶，於兹喪矣。

〔一〕「伐」，原作「代」，據道德真經廣聖義節略卷四改。

〔二〕「或高壘深溝，挫孔明之鋭氣」，當爲鄭度説劉璋以禦劉備之計謀，三國志蜀書法正傳：「鄭度説璋曰：『左將軍縣軍襲我，兵不滿萬，士衆未附，野穀是資，軍無輜重。其計莫若盡驅巴西、梓潼民内涪水以西，其倉廩野穀，一皆燒除，高壘深溝，静以待之。彼至，請戰，勿許，久無所資，不過百日，必將自走。走而擊之，則必禽耳。』」

〔三〕「焚舟示死……封殽尸而歸國」，指秦穆公殽之戰失敗後終伐晉勝利。左傳文公三年：「秦伯伐晉，濟河焚舟，取王官及郊。晉人不出。遂自茅津濟，封殽尸而還，遂霸西戎。用孟明也。」

〔四〕「五千深入，永悲於雁塞龍堆」，指西漢李陵事件。

〔五〕「百萬横行，竟怯於風驚鶴唳」，當指前秦與東晉淝水之戰，事見晉書謝玄傳。後「晋山草木，盡變人形」，也與淝水之戰有關。

〔六〕「昆陽犀象，寧爲我用」，指劉秀率緑林軍大敗王莽之昆陽大戰，見後漢書光武帝紀上。

故抗兵相加，哀者勝矣。

【注】抗，舉也。兩國舉兵以相加，則慈哀於人者勝也。

【疏】抗，舉也。夫兩國抗兵以相加，則由其君用道，其將以慈矜哀於人，不求多殺者獲勝矣。

【義曰】夫雖戎狄侵邊，豺狼害國，奸凶肆孽，妖逆亂常，推轂命師，鑿門授律〔一〕，與民除害，不得已而征之，猶慮强抗則乖仁。故哀慈則合道，合道者必勝，乖仁者必亡。此天理之常然，詎可誣而蔽也？以慈之感，無或忽諸？

〔一〕「鑿門授律」，古代將軍出征時，鑿一北向門而出，以示必死的決心。語本淮南子兵略訓：「鑿凶門而出。」高誘注：「凶門，北向門也。將軍之出，以喪禮處之，以其必死也。」唐太宗傷遼東戰亡詩：「鑿門初奉律，仗戰始臨戎。」

道德真經廣聖義卷之四十六

唐　廣成先生杜光庭　述

吾言甚易知章第七十

【疏】前章明用兵之言，戒其輕敵；此章明暢理之教，示其易知。易知則必有宗，君輕敵則喪其慈善。初標聖教易知，次明迷途不曉，「言有宗」下解釋易知之意，「夫唯」下辯説不曉之由，後歎聖〔一〕之懷玉，以勗勤行之上士爾。

【義曰】既明行慈者勝，輕敵者亡。此言易知易行，而迷者不知不曉，以其不知於至道，不能深了於戒言，瞢彼君宗，尚拘昏滯，是知我者少也。苟能法則於道，信爲貴乎！若披褐而懷玉，非常徒之可識。夫道易知也，而不知者信爲愚矣。不知而强知

〔一〕「聖」，唐玄宗御製道德真經疏卷九作「聖人」。

者，聖人不取。放下章次而明之也。

吾言甚易知，甚易行。

【注】老君云：吾所説言契理，故易知；簡事，故易行。

【疏】老君言：我所言者以暢於理，理暢則言忘，故易知也；吾所事者〔一〕事於無事，事簡則無爲，故易行也。

【義曰】吾者，老君也。明此二經老君言教三寶四善，儉讓謙慈，皆實易知易行，可以理身理國。以無爲爲本，以清静爲基，清静無爲，事簡理暢，知之甚易，行之豈難？

天下莫能知，莫能行。

【注】天下之人，滯言而不悟，煩事而不約，故莫能知，莫能行。

【疏】此歎衆生不能了言無言，執言而滯教，惑於言教，故莫能知也；不能悟事無事，煩事而不約，迷於塵事，故莫能行也。

【義曰】代人惑於圖功輕敵，不能儉讓謙慈，既莫知之，豈能行也？且夫五千垂教，雖深契重玄，而導世引凡，且事唯簡要，無爲則易悟，無事則易行。而棄無爲無事之

〔一〕「吾所事者」，唐玄宗御製道德真經疏卷九作「吾所言事者」。

門，趨執教滯言之路，以斯致惑，故莫能知。勉話君宗，早期了悟，此老君所以戒勸也。

言有宗，事有君。

【注】言者在理，得理而言忘，故言以無言爲宗；事者在功，功成而不宰，故事以無事爲君。

【疏】此覆釋易知易行所由宗本也。君，主也。夫言者所以在理，得理而忘言，故言以不言而爲宗本；事者所以在功，功成而遺事，故事以無事爲君主。此豈不易知易行耶？

【義曰】了言無言，有宗則易知也；於事無事，有君則易行也。滯言執教，則不知其宗；局守迷事，則不知其君。在乎捨執棄迷，漸悟於道爾。

夫唯無知，是以不我知。

【注】夫唯代人無了悟之知，是以不知我無言無事之教也。

【疏】不我知者，謂不知我也。夫唯代人迷惑，無了悟之知，封著名相，不能暢理，於事執事，於言滯言，是以不知吾教以無言無事之意。又解云：老君言夫唯我所知，惟在無知，而天下之人用知求知，是以不知我也。

【義曰】無言爲了言之宗，歸於至理；無事爲遣事之主，契彼無爲。以世人不能知故難知，不能行故難行爾。

知我者希，則我者貴。

【注】了知我忘知之意者希少，法則我不言之教者至貴也。

【疏】希，少也；則，法也。老君言知我忘言契理之意者至希少也。若能法則我言而行之者，則可尊貴矣。

【義曰】知無言之宗，固已少矣。能體我無言爲法，斯可貴焉。然教本無言，固言方能辯理；教本無事，固事方可探玄。辯理則言自忘，探玄則事自簡。言忘事簡，可與言道矣。

是以聖人披褐懷玉。

【注】披褐者晦其外，懷玉者明其內，故知我者希〔一〕爾。

【疏】褐，裘也，賤者之服。襲裘褐者，所以蔽下之麤衣也。玉者潔潤，而可比德君子，言此者欲明聖人内心慧了，外狀如愚。以如愚之狀，故云披褐；以慧了之心，故云

〔一〕「希」，唐玄宗御注道德真經卷四作「希少」。

懷玉。

【義曰】聖人之於道也，隱顯同途，出處同跡，語默皆契，斯須不遺。但代人不能窺聖人之閫奧爾。智周萬行，德冠九清，御無爲之宗，了兼忘之旨，外晦其用，委跡和光，内瑩其明，鑒窮識遠。故河上公注曰：「内雖昭昭，外如愚頑。明珠在蚌中，美玉處石間。」是披褐懷玉之旨也。夫道至明矣，而凡愚昧之。又莊子曰：「無門無傍，四達皇皇。」非明也哉？道心惟微，何往不達，而下士惑之。披褐者，聖人混其外，褐者賤衣，與衆同也。懷玉者，聖人明其内也。玉者，石中之美，有五德焉：潤澤而温，人之方也；䚡理自外，可以知中，義之方也；其聲舒揚，專以遠聞，智之方也；不撓而折，勇之方也；鋭廉而不伎，潔之方也。玉比德者，禮記玉藻篇云：「古之君子必佩玉焉。右徵角，（聲中民與物也。）左宮羽，（聲主君與事也。）趍以采薺，（門外之行也。）行以肆夏。（登堂之樂也。）周旋〔一〕中規，（反行也。）折旋中矩，（曲行也。）進則揖之，（謂小俛也。）退則揚之，（謂小仰也。）然後玉鏘鳴也。故君子在車則聞鑾和之聲，行則鳴佩

〔一〕此處「周旋」及後「折旋」之「旋」，傳世禮記作「還」。

玉，是以非僻之心無自入也。世子〔一〕，君在不佩玉，左結佩，（不使鳴也。）右設佩，（去之也。）居則設佩，朝則結佩，（朝於君，不敢使鳴也。）齊則䌫結佩，（屈之也。）凡帶必有佩玉，唯喪則否。（言王喪事也。）佩玉有衝牙。君子無故，玉不去身，比德於玉焉。（喪與災眚，謂之故也。）天子佩白玉而玄組綬，公侯佩山玄玉而朱組綬，大夫佩水蒼玉而純組綬，世子佩瑜玉而綦組綬，士佩瓀玟玉而緼組綬。孔子佩象環五寸而綦組〔二〕綬。（謙不比德，示不仕也，環取其循而無窮也。）」

知不知上章第七十一

【疏】前章明暢理之教，示其易知；此章明了心之知〔三〕，虚忘爲上。首標迷悟有異，執迷成病；「夫唯」下結歎聖人了知是病，故不强知。

〔一〕「世子」，也爲杜光庭引用鄭玄注，但由於在此句中作主語，故不用括號標出。
〔二〕「組」，原作「細」，據禮記及上下文改。
〔三〕「了心之知」，唐玄宗御製道德真經疏卷九作「了悟之心」。

【義曰】前以知道既貴，要隱跡藏光；此乃强知爲非，要忘知契道。聖人强知之病不爲之，故無病焉。行人能了此聖心，復何病之有？

知不知，上。不知知，病。

【注】了法性空，本非知法；於知忘知，是德之上。不知知法，本性是空；於知强知，是行之病。

【疏】夫法性本空，而非知法。聖人悟此，有不〔一〕取相之知，於知不著，故云不知是德之上。此釋悟也。「不知知，病」者，言常俗之人不知知法，本非真實，於此無知之理强謂有知，有取著之縛，所以爲行之病。此辯迷也。

【義曰】了知非知，是謂真知；知而不知，是以爲上。不知真知而强知之，是以爲病。聖人了知皆妄，成彼修真，於知忘知，自息强知之病。

夫唯病病，是以不病。

【注】夫唯能病强〔二〕知之病，是以不爲强知所病。

〔一〕「有不」，唐玄宗御製道德真經疏卷九、道德真經玄德纂疏卷十八作「不有」。

〔二〕「强」，唐玄宗御注道德真經卷四作「能」。

【疏】衆生强知，妄生見著而爲病惱。夫唯能病强知之病，於知忘知，則不爲强知所病，故云是以不病。

【義曰】知强知之病而能病之，是以不病者，無强知之病。

聖人不病，以其病病，是以不病。

【注】唯聖人所以不病者，以其病衆生强知之病，是以不病。

【疏】聖人正智圓明，了悟實相，於知忘知，故不爲知之所病。所以者〔一〕，以其病凡夫有强知之病，故説真知〔二〕以破之。妄知之病既除，真知之藥亦遺，故云不病。

【義曰】凡代之人，識因淺劣，未了知真之理，乃執强知之非，以此循環，迷失正智。聖智圓備，不執强知之知，又了真知之理，能病强知之病，不惑强知之知。以其病病，是以不病。如惑者説大道，是有執有爲；是一人言道，爲無執無爲。是執無者則病於有，執有者復病於無。聖人知道非有非無，兩無所執，能病所執，是以不病。義亦然

〔一〕「者」，唐玄宗御製道德真經疏卷九、道德真經玄德纂疏卷十八該字後有「何」字。
〔二〕「知」，唐玄宗御製道德真經疏卷九作「智」。

矣。所以大辯若訥，至知忘知。顔子如愚，孔光温樹〔一〕，三緘戒慎，其斯謂乎？西昇經曰：「能知無知，道之樞機〔二〕也。」

人不畏威章第七十二

【疏】前章明了心之知〔三〕以虚忘爲上，此章明迷妄之病有可畏之威。初標人不畏威，則禍累所〔四〕及；次「無狹」下勸人虚心静欲，神不猒人；後舉聖行證成，示其去取。

【義曰】聖人於知忘知，既顯强知爲病；又舉威之可畏，不畏則大威及之。俾其滌慮

〔一〕「孔光温樹」，比喻居官謹慎。漢書孔光傳：「凡典樞機十餘年，守法度，修故事。上有所問，據經法以心所安而對，不希指苟合；如或不從，不敢强諫争，以是久而安。時有所言，輒削草稿，以爲章主之過，以奸忠直，人臣大罪也。有所薦舉，唯恐其人之聞知。沐日歸休，兄弟妻子燕語，終不及朝省政事。或問光：『温室省中樹皆何木也？』光嘿不應，更答以它語，其不泄如是。」

〔二〕「能知無知，道之樞機」，見西昇經卷中經誡章第十三。

〔三〕「知」，唐玄宗御製道德真經疏卷九作「智」。

〔四〕「所」，唐玄宗御製道德真經疏卷九作「斯」。

虚心，栖神於絳闕，恬和養氣，味道於玄虚，人神相須，貴見皆遺，去猒狹之爲累，取知愛以爲資。然後勇於謙柔，挫其剛果，以爲修真之徑爾。

民不畏威，則大威至。

【注】有威而可畏謂之威。言人於小不畏，拙於慎微，則至大可畏也。

【疏】有威可畏謂之威。夫欲惡之來，起於微末，積成病累，爲彼大威。人不能慎其細微，則至於大可畏也。

【義曰】君子有三畏，畏天命，畏大人，畏聖人之言。又人之立身，以憂畏爲本。理國而有憂畏，四時順焉，六氣序焉，神明交焉，邦國泰焉。其無憂畏者，神明不交，災害爲生。理身而憂畏，官以之理，家以之寧，疾疹不作而志氣和平。其無憂畏者反是，則大威至，其可逭也？

無狹其所居，

【注】神所居者，心也。無狹者，除情去欲，使虚而生白。

【疏】神所居者，心也。人當忘情去欲，寬柔其懷，使靈府閑豫，神栖於心，身乃存也。

【義曰】神者身之主，心者靈之府。嗜欲不入，物我都忘，是非不汩於胸中，則神栖於靈府也。西昇經曰：「謀思危之首，危者將不久〔一〕。」此使人思謀絶慮，少私寡欲。又曰：「身者，神之車也，神之舍也，神之主人也。主人安静，神則居之；躁動，神則去之〔二〕。」以心能動静變化，故謂之神。神能飛行，並能移山，此則神爲靈妙之稱也。神力之大，不可思而議之，故修三奔〔三〕，行大洞〔四〕，則雲車龍駕，出有入無，飛昇三清，嘯吒水火，移山陷地，何所不爲？若用之非道，則敗國喪身，淪滯六欲，飄零苦趣，往反生死。善惡吉凶，皆由於心矣，故心爲靈府也。

無猒其所生。

【注】身所生者，神也。無猒者，少私寡欲，使不勞倦。

【疏】身所生者，神也；猒，惡也。人由神而生，故謂神爲所生也。神明託虚好静，人

〔一〕「謀思危之首，危者將不久」，見西昇經卷中觀諸章第十二。

〔二〕「身者，神之車也……神則去之」，見西昇經卷中生置章第十七。

〔三〕「三奔」，指飛奔日月星之法。上清洞真天寶大洞三景寶籙卷上：「凡欲奉修登真隱道、三奔之術，一依前文，嚴潔修行。」太上玉晨鬱儀結璘奔日月圖、太上五星七元空常訣、上清五常變通萬化郁冥經均爲其道。

〔四〕「大洞」，指以大洞真經、洞真高上玉帝大洞雌一玉檢五老寶經等爲代表的上清經法。

當洗心息慮，神自歸之。若嗜欲瀆〔一〕神，營爲滑性，則精氣散越，散越則生欲〔二〕，故勸云無猒所生之神，以存長久之道。

【義曰】身之生也，因道禀神而生其形。夫神者，陰陽之妙也；形者，陰之體也；氣者，陽之靈也。人身既生，假神以運，因氣以屈伸。神氣全則生，神氣亡則死。故形爲神之宅，神爲形之主。豈可猒而去之耶？且所生我身，大約有三：一曰精，二曰神，三曰氣。受生之始，道付之以氣，天付之以神，地付之以精。三者相合而生其形，人當受精、養氣、存神，則能長生若一者。散越則錯亂而成疾，耗竭而致亡。不愛此三者，是散而棄之也。氣散神往，身其死矣，得不戒而保之哉？此三者能生其身，故曰所生也。

夫唯不猒，是以不猒。

【注】夫唯人不猒神，是以神亦不猒人也。

【疏】善貸曰道，資形曰神。人能愛道存神，故云夫唯不猒。除垢止念，惟精惟一，神

〔一〕「瀆」，唐玄宗御製道德真經疏卷九、道德真經玄德纂疏卷十八作「黷」。

〔二〕「欲」，唐玄宗御製道德真經疏卷九作「忘」，道德真經玄德纂疏卷十八作「亡」。

不猒人，故云是以不猒。

【義曰】貸，假也；資，稟也；垢，惡也。夫惟修道之人，養神愛氣，冥懷虚寂，神則常存。神不猒人，人可長久。除垢止念者，西昇經老君將昇太微，戒尹喜之詞也，曰：「除垢止念，静心守一；衆垢除，萬事畢。吾道之要也。」惟精惟一者，尚書大禹謨篇舜命禹踐位之詞也，曰：「人心惟危，道心惟微。危則難安，微則難明。惟精惟一，可以允執厥中也。」

是以聖人自知不自見，

【疏】自知者反照内省，防害於微，令無可畏之事。不自見者，不自彰見其材〔一〕能，炫耀於物，違理失常〔二〕以招患也。

【義曰】夫人不炫己能，不彰己行。故尚書曰：「惟不伐，天下莫與汝争功；惟不矜，天下莫與汝争能。」但内照含光，周鑒四海，固無可畏之事矣。理身及此，則功名顯而道德充也。

〔一〕「材」，唐玄宗御製道德真經疏卷九、道德真經玄德纂疏卷十八作「才」。

〔二〕「常」，道德真經玄德纂疏卷十八作「當」。

自愛不自貴。

【注】自知其身，防所畏之事；自愛其身，無猒神之咎。不自見其能以犯患，不自貴其身以聚怨也。

【疏】聖人自保愛其身，絕去嗜欲，令神不猒。身不自貴者，不自矜貴其身，凌虐於物，以聚怨爾。

【義曰】葆和谷神，希言養氣，絕嗜禁欲，抑非損惡，此自愛也。輕裘肥馬，甘食美衣，華宇文階，崇軒大厦，自貴也。自愛則神安心泰，自貴則奉己害民，傷財斂怨。故曰有道之君以樂樂人，無道之君以樂樂身。樂人則人從，樂身則人叛也。

故去彼取此。

【注】去彼見貴，取此知愛。

【疏】去彼自見自貴，取此自知自愛。聖人得平〔一〕等智，了法性空，理無去取，開教引凡〔二〕，寓言之爾。

〔一〕「平」，原作「年」，據唐玄宗御製道德真經疏卷九改。

〔二〕「開教引凡」，唐玄宗御製道德真經疏卷九作「開教化引凡愚」。

【義曰】自見者不明，自貴者不長，故貴以身爲天下，若可寄天下。故聖人去之而不取。自知者明，自愛者寧，故曰愛以身爲天下，若可託天下。言聖人内愛其神，外愛其民也。寓言者，寄寓立言，以教神俗。言聖人非有去彼取此之行，立理以勸人爾。

道德真經廣聖義卷之四十七

唐　廣成先生杜光庭　述

勇於敢章第七十三

【疏】前章明迷妄之病，有可畏之威；此章明勇敢之爲，成殺身之咎。初標敢與不敢，利害之殊；次明天道謙柔，戒人勇敢；後歎天網之報，以勸善士之修。

【義曰】前明去見貴之外行，取知愛之内修。此乃勸勇退以謹身，戒勇進以傷德，用明利害，遣復謙柔，成善勝善應之功，弘不言不争之旨。示以天網，俾之競修，然標以死懼之，令畏司殺之咎。

勇於敢則殺，勇於不敢則活。

【注】敢謂果敢，言人勇於果敢從事，失於謙柔退讓，必害於身，故云則殺。不敢者則可以理身矣。

【疏】剛決爲勇，必果爲敢。言强梁之人無所畏忌，失於謙柔，決於果敢犯上作亂者，則是殺身之道也。故云勇於敢則殺。勇於不敢則活者，人若於事静慎，斂身知退，所決在於不敢强梁犯患，則是活身之道也。故云勇於不敢則活。

【義曰】强梁者鋭志而前，自投禍患；謙慎者奉身而退，必保安真。殺活二途，昭然可驗矣。犯上作亂者，論語學而篇云：「不好犯上而好作亂者，未之有也。」言强梁之人干犯己之上者，而孝悌之人必恭順，好欲犯其上者少也。

知此兩者或利或害。

【疏】兩者，敢與不敢也。言人能知勇敢則殺而有害，不敢則活而有利，當須勇於不敢。此兩者在勇雖同，所施則異，故云或利或害。

【義曰】剛決於心，俱謂之勇。勇强梁而進則害至，勇謙柔而退則利來。利來則生，害至則死。生死起乎心感，利害歸乎妄情。若能勇退葆身，謙光約修，道之要也。雖妄情所起，而吉凶利害不常，故皆云或爾。

天之所惡，孰知其故？

【注】兩者，敢與不敢；或，有也。能知不敢者有利，敢者有害，當須勇於不敢。此勇敢之人動有災害，天之所惡，孰能知其故哉？

【疏】孰，誰也；故，猶意〔一〕故也。勇敢於有爲之人，動則有害，乃天道之所惡。而代俗之人，誰能知其意故者乎？

【義曰】天之道惡殺而好生，惡惡而好善。勇於進則有殃而必殺，勇於退則有利而必生。自然而然，豈知其故？此戒人當勇於謙退，以保其生也。夫王赫斯怒以整其旅，此文王之勇以安天下也。逸書曰：「惟我在天下，曷敢有越厥志。」此武王之勇，亦以安天下也〔二〕。匹夫勇敢傷於人而喪其身，何足貴乎？

是以聖人猶難之。

【注】聖人猶難爲勇敢之事。

〔一〕「意」，原作「竟」，據唐玄宗御製道德真經疏卷九、道德真經玄德纂疏卷十九改。

〔二〕「夫王赫斯怒以整其旅……此武王之勇，亦以安天下也」，孟子梁惠王下：「王曰：『大哉言矣！寡人有疾，寡人好勇。』對曰：『王請無好小勇。夫撫劍疾視曰：「彼惡敢當我哉！」此匹夫之勇，敵一人者也。王請大之！詩云：「王赫斯怒，爰整其旅，以遏徂莒，以篤周祜，以對於天下。」此文王之勇也。文王一怒而安天下之民。書曰：「天降下民，作之君，作之師。惟曰其助上帝，寵之四方。有罪無罪，惟我在，天下曷敢有越厥志？」一人衡行于天下，武王耻之。此武王之勇也。而武王亦一怒而安天下之民。今王亦一怒而安天下之民，民惟恐王之不好勇也。』」

【疏】此舉聖以勵凡也。夫以聖人之明，猶難於勇敢，懼其爲害，況於凡人欲爲勇敢，焉得無害乎？

【義曰】聖人不爲勇敢之事，此約聖人以戒代人爾。言聖人尚慮有害，不爲此勇敢强梁之事，況於凡俗乎？此愛人之心，戒之至矣。

天之道，不争而善勝，

【注】此下言天道謙虛，以戒人事勇敢。天不與物争，四時盈虛，物無違者，故善於勝。

【疏】因上言天之所惡，故此下四句廣明天道謙虛，以戒人事勇敢。人懷勝負〔一〕，所以有争。天道平施，唯善是與，物莫之違，故云善勝。

【義曰】天道任於自然，因無勝負，四時代謝，不令而行，六氣推遷，不言而信，物不違天，則爲善勝也。惟善是與者，此經第四十三章云「天道無親，常與善人」也。天道平施者，易謙卦云「君子以裒多益寡，稱物平施」是也。

〔一〕「負」，原作「勇」，據唐玄宗御製道德真經疏卷九、道德真經玄德纂疏卷十九改。

不言而善應，

【注】天何言哉？福善禍淫，曾無差忒，故云善應也。

【疏】天何言哉？但福善禍淫，吉凶感應，故曰不言而善應也。

【義曰】天無言而四時行，地無言而萬物生。得時而興，感物而應，此自然之理也。西昇經曰：「爲善，善氣至；爲惡，惡氣至〔一〕。」自然之勢，影響不差也。福善禍淫者，尚書湯誥曰「福善禍淫〔二〕」，言國之政教，人之所修有善有惡，善者天福之，惡者天禍之。天降譴以告之，謫見以警之，而不寤者，禍乃及之。此吉凶所應，人所召也。

不召而自來，

【注】天道不召〔三〕物使從己，物不能違，自來順天爾。

【疏】凡物之來，皆由命召。今天不召於物而使從己，而萬物自來而順之，則負陰抱陽，春生夏長，皆非召而來也。

〔一〕「爲善，善氣至；爲惡，惡氣至」，西昇經卷下善惡章第三十七：「老君曰：百姓行善者，我不知也；行惡者，我不知也；行忠信者，我不知也。是以積善善氣至，積惡惡氣至。」

〔二〕「福善禍淫」，尚書湯誥：「天道福善禍淫，降災于夏，以彰厥罪。」

〔三〕「召」，原作「乃」，據唐玄宗御注道德真經卷四、易縣唐碑本改。

【義曰】春秋左傳曰：「禍福無門，惟人所召。」爲惡召禍，爲善致福，理之常也。今言天道不言而自應，不召而自來，言萬物自順於天也。負陰抱陽者，此經第五章之詞也。

繟然而善謀。

【注】〔一〕天道玄遠，繟然寬大，垂象示變，人可則之，故云善謀也。

【義曰】天道運四時，垂曆象，循環順氣以示於人，曆象不愆其常，四時不爽其應，寒暑晦明，罔有差忒。此寬緩而善謀。繟，寬大也，緩也；謀，度也；曆，數也；象，法也；變星辰，差忒也。天以運度之數，垂文之象，顯示於人，聖人則天象而立教化。故禮經序曰「昔在唐堯，曆象日月，敬授人時」是也。

天網恢恢，疏而不失。

【注】天之網羅，雖恢恢疏遠，刑淫賞善，毫分不失。

〔一〕按，「繟然而善謀」後無疏文，據唐玄宗御製道德真經疏卷九、道德真經玄德纂疏卷十九，疏文與注文完全相同，故省。

【疏】恢恢，寬大也。此覆釋上天道等義也。天道網羅雖復寬大，疏〔一〕而且遠，賞善罰惡，不失分毫〔二〕也。

【義曰】古人結繩爲網爲羅，以捕飛走之物。網，取其籠罩廣大之義也。天道以吉凶之應、陰陽之數、善惡之報，以平籠萬物，物在其中，無所逃隱。爲善善報之，爲惡惡酬之，故謂之天網。天道無傷於物，是故網羅籠罩，掩獲於物乎。此約體爲喻爾。夫天以氣稟之於物，物則受氣於天，生形於地，是則天地爲萬物之本。物之善惡生死，皆受命於天。天無網羅機械以制於物，但恢恢廣遠，無不包容。飛行動植，風雲氣象，陰陽寒暑，晝夜生死，皆在包羅之内，無所逃失，故若網之所籠爾。其氣之所應，時之所推，曆數昭然，不差毫末。毫者，毛之細者也；分者，數之微者也。天網所羅，微細無隱矣。

〔一〕「疏」，原無，據唐玄宗御製道德真經疏卷九、道德真經玄德纂疏卷十九補。

〔二〕「分毫」，唐玄宗御製道德真經疏卷九、道德真經玄德纂疏卷十九作「毫分」。

民常不畏死章第七十四

【疏】前章明勇敢於有爲，自成殺身之咎；此章明有爲則輕死，必犯司殺之誅。首五句陳戒用刑，次一句指明司殺，後四句舉用刑代殺，必有愆咎。

【義曰】夫賞善以德，罰惡以刑，猶寒暑以無私，譬陰陽之必應，此天之道也。人君無爲御極，民知自勸之方。有道修身，天錫無疆之壽，各安素分，必享大年，在乎畏慎於心，戒懼於禍，不觸陷身之網，豈罹司殺之殃。於國則寬宥用刑，哀矜察獄。不施代殺之法，必無傷平之非；不行代斲之權，必無傷和之怨。然後去厚斂有爲之事，循不争勇退之規，以繼前後章之大旨，福於人也。

民常不畏死，奈何以死懼之？

【注】縱放情欲，動之死地，習以爲常曾無畏者，人君當以清静化之，奈何更立刑法以誅殺恐懼之乎？

【疏】言人不能守道清静，而放縱情欲，動之死地，積習爲常曾無畏者，人君當以清静爲化而教導之，奈何更以刑法誅殺而恐懼之？

【義曰】人君雖懸象順天，垂法御極，在於開物成務，用道教人。若民侮法亂常，冒刑于禁，自投于網，不慎其身，亦當悟之以革慮洗心，捨惡從善，使其悛省，許以自新，不當遽用五刑，不開三面〔一〕。此恐失於慈恕也。

若使民常畏死，而爲奇者，吾得執而殺之，孰敢？

【注】若使代人皆從清静之化，不敢溺情縱欲，常畏於死。而有獨爲奇詐者，假令吾勢得執殺此奇詐之人，孰敢即殺？故下文云。

【疏】此明人君化以無爲，而人皆少欲，各全其生，常畏於死。而獨有爲於奇詐不善之行者，適令吾勢得執而殺之，亦誰敢即殺？所以不殺，爲自有天網司殺之也。故下文云。

【義曰】既以慈恕教人，人知其教，謹身畏法，潔行修生，盡祛欲情，俱畏於死。而或獨有肆懷從欲，干法犯刑，人君亦當戒以自新，使之悔過，而開道之。若之若迷而不返者，亦不遽執而殺之，以俟天之司殺。此所以示其善誘也。

〔一〕「開三面」，史記殷本紀：「湯出，見野張網四面，祝曰：『自天下四方，皆入吾網。』湯曰：『嘻，盡之矣！』乃去其三面，祝曰：『欲左，左；欲右，右。不用命，乃入吾網。』諸侯聞之，曰：『湯德至矣，及禽獸。』」後因以「網開三面」喻法令寬大，恩澤遍施。

常有司殺者殺。

【注】如此奇詐之人，天網不失，是常有天之司殺者殺之。

【疏】司，主也。天鑒孔明，無所不察。奇詐之人不得其死，是有天之司殺者殺之矣。

【義曰】天之養人也厚矣，愛人也至矣。南宮丹籙賞善而司生，北宮黑簿紀過而主死，天地萬神司察善惡，以懲以勸，俾其革惡而遷善也。故有功者延年，有罪者奪筭，毫分無失，如陽官之考校焉。天有司命四司之星，在虛危之間、人星之側，以司於人。司命二星主人之功過、年壽賞奪，司禄二星主人之禄秩衣食，司危二星主人之憍佚不正，司非二星主人之邪忒多私。此四星者，三元經所謂天之司殺也。糺察罪福，使世人知修善戒惡焉。人君以善教人，動懷慈恕。其獨不善者，天之司殺當自殺之。言天之照鑒甚明，無有不察。天網寬大，疏而不漏，違天反道，何逃其辜？孔，甚也。

夫代司殺者殺，是謂代大匠斲。

【注】人君好自執殺，必不得天理，猶如拙夫代大匠斲木矣。

【疏】言不善之人司殺自殺，人君若勢得執殺而便〔一〕殺之，是代殺者殺人，不得天理，

〔一〕「便」，原作「使」，據唐玄宗御製道德真經疏卷十、道德真經玄德纂疏卷十九改。

猶如拙夫代大匠斲木矣。

【義曰】設有不善之人，必俟天之所殺，人君執而便殺，是代天殺之權，下爽哀矜，上乖天理，若拙夫代大匠斲木，所失當如下文。

代大匠斲，希有不傷其手矣。

【注】拙夫代斲，豈但傷材，亦自傷其手。人君任刑，代彼司殺，豈唯殘害百姓，抑亦自喪天和。

【疏】大匠斲木，動合方圓。拙夫代之，必失繩約，惡得不損其材而傷其手乎？大綱不失，神理昭明。人君任刑，代彼司殺，惡得不害其人而喪天和乎？「奈何以死懼之」，斯之謂也。

【義曰】大匠之巧也，運斤成風，所斲無失。拙夫代斲，材手俱傷，亦猶人君執得不善之人，輕肆刑殺，雖云用鉞，實慮傷和。故首文之意，有不畏死者當開之以善，教之以道，豈得以死而懼之乎？尚書曰「與其殺不辜，寧失不經。好生之德，洽于民心」是也。

道德真經廣聖義卷之四十八

唐　廣成先生杜光庭　述

民之饑章第七十五

【疏】前章明有爲則輕死，必犯司殺之誅；此章明厚斂則人貧，是生有爲之弊。初三段迭明所以爲弊，「夫唯」下結歎令其貴生。

【義曰】致理者何？道德爲本，任道則無爲澄静，用德則有裕和寧，素一臺而不爲，惜十家而屬念，以儉以約，俗人阜豐。奈何聚飲無厭，誅求莫已，男力耕而腹歉，女勤織而身寒。若彼有爲，使其輕死，一至於此，夫何痛哉？惟能不厚其生，各全其分，天和不喪，是曰貴生。示以柔弱堅强，俾體之而修勵爾。

民之饑，以其上食稅之多，是以饑。

【注】天下之[一]所以饑乏不足，以其君上食用賦稅之太多故爾。

【疏】夫人，國之本也。若政煩賦重而人貧乏，則國本斯弊，弊則危矣。是以下人不足，由君上食用賦稅之太多，是以令其饑乏爾。

【義曰】立法垂憲，古有明文。食也充君之庖，稅也輸國之賦。什一之稅，務在其輕。賦重則人貧，賦輕則人足；人足則國泰，人貧則國危。理在酌中，法無太酷，所以鑄刑書而物怨，作兵賦而邦貧。齊侯以重斂致亡，田氏以厚施威[二]霸。皎然在目，居之鑒焉。

民之難治，以其上之有爲，是以難治。

【注】天下之人所以難化[三]者，以其君上之有爲。有爲則多難[四]，多難則詐興，是以

〔一〕「天下之」，唐玄宗御注道德真經卷四作「天下之民」，易縣唐碑本作「天下之人」。

〔二〕「威」，道德真經藏室纂微卷六引杜光庭廣聖義作「成」，更恰。

〔三〕「化」，唐玄宗御注道德真經卷四、唐玄宗御製道德真經疏卷九、道德真經玄德纂疏卷十九作「治化」，易縣唐碑本作「理化」。

〔四〕此處及後文兩「難」字，原作「雜」，據唐玄宗御注道德真經卷四、易縣唐碑本改。

難理〔一〕。

【疏】蠢爾蒼生，資君以理；爲理之本，諒在無爲。故我無爲而人自化。今人所以難理者，由君上之有爲。有爲則政煩而人擾，動生大僞，是以難理。

【義曰】君之理人，本乎清静，不作無益之事，不興無用之功，不矜威武之能，不尚淫奢之巧，無爲自化，恬澹居先，則詐僞不生，禍亂不作。法作而人去之，殷人作誓而民始叛，周人作盟而人始疑〔二〕。今其外施威武，有輓運之勞，内事淫奢，有誅求之苦，上有玉食繁華之猒，下有糟糠不足之悲，綱密令苛，求理難矣。

人之輕死，以其求生之厚，是以輕死。

【注】天下之人所以輕死者，以其違分求生太厚之故，是以輕死。

【疏】人之所以輕入死地，喪其生者，皆以其違分求生，養生太厚，不顧刑網，以徇所求，是以輕死。

【義曰】皇天育人，生有定分，降年有永有不求，必在養之得所，任以自然，但虚心則

〔一〕「理」，唐玄宗御注道德真經卷四作「治」。

〔二〕「殷人作誓而民始叛，周人作盟而人始疑」，見禮記檀弓下。

道臻，窒欲則心守泰定，然後發乎天光，則不求其永自延永矣。若厚於奉養，力以求生，或餌金石以毒其中，或因鼓怒而傷其氣，但營難得之貨，或求過分之能，本欲希生，反之於死，是生生之厚也。所以栖鳥於火林之上，未念其寒；養魚於沸鼎之中，本哀其冷〔一〕。養之失理，及以傷生。世愚之情，斯可哀矣。聖人欲去其厚而適其分，則道可得矣。

夫唯無以生爲者，是賢於貴生。

【注】自然之分足〔二〕則生全。若養過〔三〕其分，分過則生亡。故夫唯無以厚其生爲者，是賢於矜貴其生也。

【疏】夫生也有涯，安分則足。既不可違，亦不可加。若營生於至當〔四〕之外，則惑矣。

〔一〕「所以栖鳥於火林之上，未念其寒；養魚於沸鼎之中，本哀其冷」，北齊劉晝新論防欲：「譬由愚者之養魚鳥也，見天之寒，則内魚於温湯之中，而棲鳥於火林之上。」

〔二〕「足」，唐玄宗御注道德真經卷四作「定」，易縣唐碑本也作「足」。

〔三〕「養過」，原作「過養」，據唐玄宗御注道德真經卷四、唐玄宗御製道德真經疏卷九、易縣唐碑本、道德真經玄德纂疏卷十九改。

〔四〕「當」，原作「富」，據唐玄宗御製道德真經疏卷十改。

故不厚其生而生全，求厚其生而生喪。故知夫無以生爲憂者，是賢勝於矜貴其生之人。

【義曰】稟生有分，賦命有常。守其分則可以永全，失其常必之死地。是以聖人垂戒，不欲厚以求生。賢士知微，自可任於天授。此所以戒人君，違分則國傷人弊，守文則物泰時康，順道循常，斯爲當矣。可謂賢於貴生，明於用道也。

民之生章第七十六

【疏】前章明厚斂則人貧，是生有爲之弊；此章明有爲則心欲，故喪和氣之柔。初標生死之二徒，次舉草木之兩喻，結以强大處下，戒令必守和柔。

【義曰】前以賢於貴生，不爲過分之養；此乃資於用弱，可以保其和柔。明堅强不可以執持，謙下所宜於從事；兵强必爲國害，木槁由其氣衰。勸守沖和，戒爲强大，示以張弓之喻，欲明舉下抑高，此其旨也。

人之生也柔弱，其死也堅强。

【疏】人之生也，和氣流行，百骸〔一〕以之柔弱；人之死也，和氣流散〔二〕，四支以之堅强。言此者示柔弱堅强爲生死之戒。

【義曰】人禀沖氣，百骸以之和柔，百神衛於百關，六氣行於六府。所貴者存神養氣，體道懷柔。著生品於南宫，削死名於北府，延生久視，其在兹乎？如其神魄潛飛，沖和稍散，遽同草木，委化泥沙。失彼至柔，斯爲痛矣。

萬物草木生也柔脆，其死也枯槁。

【疏】此舉喻也。萬物草木氣聚而生，故枝葉敷榮而柔脆；氣竭而死，則條榦變衰而枯槁。前明有識，此舉無情。無情者以氣聚散爲榮枯，有識者以道存亡爲生死。

【義曰】萬物與人同資於道，道以運氣，氣以致和，雖有識無情肖形各異，生之與死禀受不殊，而道在則能生，道去則爲死。故經冬之草，覆之可以延期；夭脆之年，修之何妨降永。所要服勤於鍊餌，豈宜甘委於幽泉。違道强梁，可爲之戒。

〔一〕「百骸」，唐玄宗御製道德真經疏卷十作「自然」，道德真經玄德纂疏卷十九作「百骸」。

〔二〕「流散」，唐玄宗御製道德真經疏卷十、道德真經玄德纂疏卷十九作「離散」。

故堅强者死之徒，柔弱者生之徒。

【注】生之柔弱，和氣全也；死之堅强，和氣散也。欲明守柔弱者全生保年，爲强梁者亡身失性。

【疏】此結前義也。言草木生則柔脆，死則堅强。知人爲堅强之行者，是入死之徒；爲柔弱之行者，是出生之類。

【義曰】聖人念彼强梁，重爲戒訓。舉草木生死之喻，爲人倫强弱之規。强梁爲入死之階，所宜授革；柔弱爲出生之要，必務堅持。無曠精修，自投死地。

是以兵强則不勝，

【注】見哀者勝，故知恃强者必敗。

【疏】此下轉結前義也。用兵有言，以慈爲主。故云兵〔一〕恃强則敗，欲明人恃强則死矣。

【義曰】夫興師問罪，薄伐禦戎，先之以三令五申，教之以六弢金版。既定前偏後伍，仍資地利人和，蓋不獲已而行，豈欲矜於剿戮？符堅百萬、秦繆一崤，疋馬不迴，隻

〔一〕「兵」，原無，據唐玄宗御製道德真經疏卷十及文意補。

輪莫返，此兵强侮敵，敗也宜乎。

木强則共。

【注】木本强大，故處於下；枝條柔弱，共生於上。蓋取其柔弱者在上，强梁者在下也〔一〕。

【疏】木本强大，故處於下；枝條柔弱，共生於上。蓋取其柔弱者在上，强梁者在下也。

【義曰】木以本大居下，固其宜然；末大於本，固非其稱。諺曰「尾大不掉」，國之所戒。趙氏以之傾晉，田氏以之易齊。子之致疑於燕〔二〕，太叔見敗於鄭〔三〕，豈非末大於本，臣强於君乎〔四〕？理非順也。合手曰拱。昔桑穀生於殷朝，七日大拱〔五〕，秦伯

〔一〕「也」，唐玄宗御注道德真經卷四、易縣唐碑本該字後還有「故下文云」。

〔二〕「子之致疑於燕」，指戰國時燕王噲在蘇代、鹿毛壽的慫慂下，禪讓國政於國相子之，致燕國大亂，後又被齊、中山攻破，幾亡國。見史記燕召公世家。

〔三〕「太叔見敗於鄭」，指鄭莊公與其弟太叔段和其母親武姜之間争權的事。見左傳隱公元年。

〔四〕「乎」，原作「守」，據道德真經廣聖義節略卷四改。

〔五〕「昔桑穀生於殷朝，七日大拱」，孔子家語卷一五儀解：「又其先世殷王太戊之時，道缺法圮，以致夭櫱、桑穀於朝，七日大拱，占之者曰：『桑穀，野木，而不合生朝，意者國亡乎！』太戊恐駭，側身修行，思先王之政，明養民之道，三年之後，遠方慕義重譯至者十有六國，此即以己逆天時，得禍爲福者也。」

怒於蹇叔，墓木拱矣[一]，皆木大合拱之謂也。

强大處下，柔弱處上。

【疏】結上文木根本强大，則枝葉共生其上之義。欲明强梁之人，常在柔弱之下矣。

【義曰】人以謙讓能制猛毅之夫，枝惟纖柔遂居大本之上。所宜克崇謙静，深戒剛强。吞七國之嬴秦，竟亡匕鬯[二]；統千夫之盗跖，終喪形軀。然後止水瑩心，清恬養性，處不争之地，居自得之鄉。翥景乘風，斯可得矣。

天之道章第七十七

【疏】前章明有爲則心欲，是喪和氣之柔；此章明强梁必招損，故舉[三]天道之喻。初

[一]「秦伯怒於蹇叔，墓木拱矣」，左傳僖公三十二年：「蹇叔哭之曰：『孟子，吾見師之出，而不見其入也。』（秦穆）公使謂之曰：『爾何知？中壽，爾墓之木拱矣。』」

[二]「匕鬯」，易震：「震驚百里，不喪匕鬯。」王弼注：「匕，所以載鼎實；鬯，香酒。奉宗廟之盛也。」後因代指宗廟祭祀。

[三]「舉」，唐玄宗御製道德真經疏卷十作「示」。

一句標天以申戒，次五句舉喻以明天，又八句總合前義，「是以」下舉聖德以結勸爾。

【義曰】共木垂喻，以柔是而强，非張弓之道。蓋抑高而舉下，是則有餘招損，虧盈益謙，終以慎静爲基，不尚高强爲勝。續以攻堅之理，益明顯戒之文。

天之道，其猶張弓乎？

【注】天道玄遠，非喻不明。故舉張弓，以彰其用。

【疏】此法喻雙舉也。夫天道玄遠，非喻不明，故舉張弓以昭天德。張弓之法，其如下文。

【義曰】夫蒼旻在上，廣覆原缺七字。虚無之氣，指喻斯見，可明高下之規。蓋以人道乖真，減不足而爲事；天道惟正，損有餘而表均。所以舉下抑高，類彼遏强撫弱，不居不恃，晦智韜賢，法喻雙標。此其旨矣。「天道遠，人道邇」者，子産語禆竈欲禳火之詞也〔一〕。且天道雖遠而曆象可觀，將戒於人。舉天道以爲喻，蓋欲世人遵仰上玄，稽

〔一〕「『天道遠，人道邇』者，子産語禆竈欲禳火之詞也」，左傳昭公十八年：「禆竈曰：『不用吾言，鄭又將火。』鄭人請用之。子産不可。子大叔曰：『寶以保民也，若有火，國幾亡。可以救亡，子何愛焉？』子産曰：『天道遠，人道邇，非所及也。何以知之？竈焉知天道，是亦多言矣。豈不或信？』遂不與。亦不復火，鄭之未災也。」

考天意，稟而爲戒，理在必行爾。

高者抑之，下者舉之，有餘者損之，不足者與之。

【注】張弓如此，乃能命中。是猶天道虧盈益謙，欲令人君法天字人，故示舉下抑高之道。

【疏】夫弓之爲用，當合材定體，弛張調利。高者抑之，下者舉之者，爲架箭之時準的也；有餘者損之，不足者與之，爲發矢之時遠近也。如此則能命中矣。天道亦然。日月寒暑，一往一來，來者損其有餘，往者與其不足，則成歲功矣。人君者當法於天道，抑强扶弱，損有利無，故舉虧盈益謙，欲令稱物平施爾。

【義曰】天道玄微也，而陰陽自運，清濁皎分。寒暑晦明，靡差於晷度；緯候躔次，無爽於洪纖。大則橐籥萬殊，牢籠海嶽；細則推遷黍累，通貫毫氂。誠哉信哉，不忝不忒。其比喻也，以天道惡盈滿，張弓之抑高，人道好謙和，若張弓之舉下。欲使人挫減高亢，執守謙卑爾。夫爲弓者必品乎木性，審以騂文，合輕重之宜，無偏邪之失。然後貞金鏃矢，神膠拂弦，中則主皮，射無虚發，所謂舉下抑高爲準也。天道君德，上下相應，故當法天之用，如弓之法焉。人君所以振滯燭幽，興滅繼絶者，舉下也；遏强禁暴，挫鋭摧兇者，抑高也。如此則賞刑允當，名器不愆，下無偏黨之非，上叶太平之化矣。周禮：「弓人爲弓，聚榦、角、筋、膠、絲、漆六材以其時。六材既聚，巧者和之。相榦欲赤黑而陽聲，射遠者用勢，射深者用直。相角欲青白而豐末，凡角秋殺者厚，春殺者薄，穉牛之角直而澤，老牛之角獮而䃳。三色既具，戴者爲良，則可以冬抒榦，夏理筋，春液角，秋合絲、膠、漆，寒定體則張之不流。材美工巧，爲之以時，謂之三均。均三謂之九和。上制六尺六寸，中制六尺三寸，下制六尺〔一〕。於是控引有往來之體，遲速有安危之名。故有危弓安矢、安弓危矢焉。荆榦燕角，材之美也；和弓垂矢，古之寶也。矢之法，凡矢人爲矢，兵矢田矢，二前三後。三分其長而殺其一，五分其長而羽其一。水之以辯陰陽，夾陰陽以設其比，夾其比以設其羽，三分其羽以設其刃。夾而摇之，視其豐殺之節，撓之視其鴻殺之稱。茀矢三分，一前二後；殺矢七分，三前四後。前弱則勉，後弱則翔，中弱則紆，中强則揚，羽豐則遲，殺則趮。笴欲生而摶，材美工巧，雖疾風亦不之憚矣。」弓矢之製，選材俟時，因工施巧，乃能命中，況於人乎？虧盈益謙者，易謙卦云「天道虧盈而益謙」，謂減損盈滿，增益謙退，亦如日昃月虧，是抑高舉下之義也。又「稱物平施」，亦謙卦之詞，言物之先多者而得其施，物

〔一〕「尺」，原作「尽」，據傳世周禮改。「尽」當爲「尺」之訛。

之先者亦得其施，多之與少皆得其益；亦云多者用謙以裒之，少者因謙以益之。謙之施與，皆不失平也。

天之道，損有餘補不足。人之道則不然，損不足以奉有餘。

【注】天道平施，裒多益寡。人則違天，翻損不足也。

【疏】此明人道不能同天損益，注云裒多益寡者，易謙卦之詞也。

【義曰】天道均平有餘，必損不足，必與人道反。此減[一]不足而奉有餘，所以富室飫其珍鮮，貧者歉其藜藿，則違於道矣。裒多益寡者，易謙卦之象：「地中有山，謙，君子裒多益寡。」裒，聚也；寡，少也；益，與也。多者得謙，物更裒聚，彌益其多；寡者用謙，物更進益，是謂均平之道。亦云：裒，取也。減取多者，益於寡者，乃合舉下抑高、虧盈益謙之義。理國和民之要，修身合道之規，此其特也。

孰能以有餘奉天下？惟有道者。

【注】誰能以己之有餘以奉天下之不足者乎？獨有道者能也。

【疏】孰，誰也。老君疾時不能同天道下濟，以卹於人，光大其德，故舉天道以勸云：

[一]「減」，原作「滅」，據前後文及文意改。

誰能同天之道，損其有餘以賙奉不足者乎？惟有道之君乃能然爾。

【義曰】卹，賑救也；損，抑減也；賙，贍也。天道下濟者，易謙卦彖詞也。世人所行，反於天道，減其不足，奉彼有餘，豈獨害人？況乃違道。誅斂無已，凍餒莫哀。老君涣發聖言，愍其無告，曰孰能減己有餘卹人不足，順天育物者，惟有道之君乎。

是以聖人爲而不恃，

【注】聖人法天，稱物均施，施平於物，而不恃其功。

【疏】此引聖人以證上有道之義。恃，猶矜恃也。聖人法天平施，德被於物，不見其功，故云不恃。

【義曰】聖人圓通智慧，因物爲心，猶天地之發生，不言其德；類陽和之煦嫗，不恃其恩。雖不恃不處，而其道愈廣矣。稱物平施，已見上解也。

功成不處，

【注】推功於物，不恃其成者，賢能也〔一〕。

【疏】聖人知功成而處，天必損之，故雖道洽寰區，功濟天下，歸美名於群材，而不處

〔一〕「推功於物，不恃其成者，賢能也」，唐玄宗御注道德真經卷四、易縣唐碑本作「推功於物，不處其成」。

其功勳爾。

【義曰】舉聖人之德，況有道之君，皆以法道爲順天平施，澤及物而不恃功，配天而不居，道德巍巍，與天並矣。

其不欲見賢。

【注】聖人所以推功不處者，不欲令物見其賢能也。

【疏】此結釋不恃不處之意也。其不欲見賢者，聖人雖盛德内充，而嘉聲外隱，所以不恃爲、不處功者，正欲隱德晦名，不欲令物見其賢能爾。此亦損有餘之意也。

【義曰】大聖之德，冥合玄功，而内照應微，外混於物。蓋恐德彰則慈愛立，慈著則功用存，將欲隱功行於已成，潛德化於不宰，符舉下抑高之旨，契正言若反之文也。

道德真經廣聖義卷之四十九

唐　廣成先生杜光庭　述

天下柔弱章第七十八

【疏】前章明强梁必招損，以示天道之喻；此章明柔弱則受益，故贊水德之能。初五句標水之勝功，次四句歎莫能行者，又五句證釋前義，後一句轉結上文。

【義曰】前明聖人不恃不處之行，此舉水德勝剛勝强之能。守柔弱則謙光，爲强梁則屈抑，所以國君以含垢爲大，立名以不祥爲先，配聖德乃允叶厥中，聞俗耳則雖正若反，嗣以執契之理，更彰與善之方爾。

天下柔弱莫過於水，而攻堅强者莫之能勝。

【疏】水之爲性，善下不争，動静因時，方圓隨器。故舉天下之柔弱者，莫過於水矣。而攻堅强莫之能勝者，夫水雖柔而能穴石，石雖堅而不能損水。若以堅攻堅，則彼此而俱損；以水攻石，則石損而水全。故知攻堅伐强，無先水者，故云莫之能勝。

【義曰】水之爲用，其體至柔，其性善下，萬川委輸，百谷朝宗，霏湛露以淩虚〔一〕，貫昭回而上漢。言其大也，古今注海而不盈；言其細也，毫末稟生而有潤。故老君配之於道焉。三能不讓，七德備周，包裹造化，貫穿形兆，處濁受汙，隨方任〔二〕圓，此其至柔也，故物莫能傷焉。及其汎十洲，浮八極，淪藏日月，涵貯乾坤，陵谷由之而革遷，鯤鵬託之而變化，摧山穴石，無所不能，此其至强也，故物莫能制焉。然而强柔相制，强者必損，亦由六欲纏性，三業縈身，結搆日增，堅固難解。以至柔之道、至静之真銷而解之，漸除堅執，久久行之，則廓然清浄，虚室生白矣。此所謂至柔攻堅，莫之能勝也。

其無以易之。

【注】以堅攻堅，故兩堅俱損；以柔制强者，則强損柔全。故用攻堅者，無以易於水矣。

〔一〕「霏湛露以淩虚」，道德真經衍義手鈔卷十四引杜光庭廣聖義作「霏霧露以淩雲」。

〔二〕「任」，道德真經衍義手鈔卷十四引杜光庭廣聖義作「受」。

【疏】夫水雖至柔，用攻堅强之物無能易之者，豈不以其有不争之德而無守勝之心乎？理國修身，亦當如此。

【義曰】不争處下，攻於堅强，萬物之中無易於水。沖和之氣，澹寂之心，攻除嗜欲，莫先於道。所以道之於身則却塵除垢，於國則納汙蕩瑕，萬有所以歸仁，六欲所以銷滌者矣。

故柔勝剛，弱勝强，天下莫不知，莫能行。

【注】柔弱之道勝於剛强，天下之人無不知有此道，而不能行。

【疏】柔弱之道勝於剛强，天下之人皆知此義。但惑於自賢，以己爲尚，無能行其所知者，故云莫能行。

【義曰】柔弱之勝剛强，人皆知矣。雖知其事，誰能體柔修性，用道修心，挫其剛强，習其虚寂耶？有能體而修者，道何遠哉？

是以聖人言："受國之垢，是謂社稷主；受國不祥，是謂天下王。

【注】引萬方之罪，是受國之垢濁；稱孤、寡、不穀，是受國之不祥。其德如此，則社稷有奉，故天下之人歸往矣。

【疏】舉聖人之言，證成上義。此即能行以柔勝剛之行者。垢，穢辱也，言人君能含受垢穢，引萬方之罪在己，則人仰德美而不離散，社稷有奉。故云是謂社稷之主也。「受國不祥，是謂天下王」者，祥，善也，人君能謙虚用柔，受國之不善〔一〕，稱孤、寡、不穀，則四海歸仁，是謂天下王矣。

【義曰】惟水之德上配於道，次配於王。道以化育無私，王以君臨有德。夫有德之主用道，居尊罪己，撝謙責躬，引咎罪己，即是受國之垢也。受國不祥也，四方向化，六合宅心，可以常奉社稷而爲王矣。社稷者，帝王立國，左宗廟而右社稷。宗廟者，尊祖配天之位也；社稷者，尊稼穡，備粢盛，爲生民粒食之本也。言人以食爲天，故有國必先社稷，故王者社稷主也。引萬方之罪者，尚書湯誥云「萬方有罪，在余一人。余一人有罪，無以汝〔二〕萬方」是也。孤、寡、不穀，已具此經第三十九章解矣。

正言若反。

【注】受國之垢，爲社稷主；受國不祥，爲天下王。是必正言，初若反俗。故云正言若反。

〔一〕「善」，唐玄宗御製道德真經疏卷十作「祥」。

〔二〕「汝」，傳世尚書作「爾」。

【疏】此一句結上文也。夫受國垢濁，卻爲社稷主；受國不祥，卻爲天下王。其言乖背不同於俗，故老君詳質〔一〕云：是必真正之言，行之而信，但常俗聞之，初若乖反爾。

【義曰】聞之若反於俗，行之則合於道。故俗耳所聞，是正言若反也。靈寶經云：「修道之士捨富樂，棄榮華，栖遁山林，備受勞頓。及其功成證道，羽駕雲車，享年長久，自苦而得其樂也。」帝王孤、寡、不穀以爲其名，引罪責躬以化於俗。此受其不祥凶惡之事，而人樂推，故能長主社稷。此正言若反，斯之謂乎？

和大怨章第七十九

【疏】前章明柔弱則受益，故贊水德之能；此章明法令即生弊，必爲餘怨之跡。初明立教和怨未足爲善〔二〕，次「是以」下明有德執契，其怨不生，後「天道」下明天道無親，惟善是與。

〔一〕「質」，唐玄宗御製道德真經疏卷十作「贊」。

〔二〕「善」，唐玄宗御製道德真經疏卷十作「義」。

【義曰】前以聖人體彼虛玄，法兹上善，以奉社稷，臨御配天。此則執契乘時，和怨爲美，乃明惟善是與，以表天道無親。至於棄舟輿而不乘，除甲兵而不用，玄契大道，此其旨乎？

和大怨，必有餘怨，

【注】與身爲怨對之大者，情欲也。和謂調和也。此言人君欲以言教調和百姓，使無情欲，故云和大怨。立教化人，不能無迹，斯迹之弊，還與爲怨，故曰必有餘怨〔一〕。

【疏】厥初生人，身心清淨。而今耽染塵境，失道淪胥者，情欲之所爲也。則知與身爲怨之大者，其惟情欲乎？和，調和也。此言百姓已困於情欲而生矯僞，人君不能以我無爲令其自化，方欲設教立法，制其奸詐而和之，故曰和大怨。必有餘怨者，設教立法不能無迹，斯迹之弊還與爲怨，故云必有餘怨。

【義曰】語之於身則情欲爲怨，禮記樂記篇曰：「人生而静，天之性；感物而動，性之

〔一〕「立教化人，不能無迹，斯迹之弊，還與爲怨。故曰必有餘怨」，原無，據唐玄宗御製道德真經疏卷十、易縣唐碑本、道德真經玄德纂疏卷二十補。或當因與後疏文相似而省，然注文實與疏文僅部分相似，故補出。

欲。物至知知〔一〕，然後好惡形焉。好惡無節於内，智誘於外，不能反窮，天理滅矣。物之感人無窮，故不可節矣。」且夫受生之始，情欲已興，積習既深，難於除絶。若凝玄守素，尚虞試難之侵，或混世隨流，未達恬愉之趣，未能盡遣，是有餘怨也。語之於國，則興滅繼絶，是曰至公。推亡固存，亦爲巨惠。而武庚起禍，幾覆周宗，是有餘怨也。

安可以爲善？

【注】既有餘怨，則不可以爲善。

【疏】設教立法，其迹生弊。既有餘怨，則安可以爲善？是知善性於俗學，以求復其初者爾。若能上化清静，無事無爲，人有淳樸之風迹，無餘怨之弊，方可爲善矣。

【義曰】立教繩人，欲除積習之弊，胡可得哉？惟陶以無爲，率以虚寂，飲以淳和之氣，混其沖漠之心，與道相冥，反覆爲一者，可無餘怨之弊，洞合重玄之趣爾。俗學以求復其初者，莊子繕性篇云。俗學是仁義之門，初者是不生之本。今人既學仁義，已亂其心，而求不生其欲，將復内明之照，不可得也。

〔一〕「知」，原無，據傳世禮記補。

是以聖人執左契，不責於人。

【注】〔一〕左契者，心也。心爲陽藏，與前境契合，故謂之左契爾。聖人〔二〕立教則必有迹，有迹則是餘怨。故執持此心，使令清静，下以化人〔三〕，則無情欲，不煩誅責，自契無爲也。

【義曰】聖人以立教誘人，未能澄其情欲，執心虚室，可以契彼清玄。心契則無爲，無爲則人化，不煩設法，混合真修，固無餘怨之迹矣。修心之法，執之則滯著，忘之則失歸宗，在於不執不忘，惟精惟一爾。心法之中，唯定觀經得其旨矣。經曰：「夫欲修道，先能捨事，外事都絶，無起於心〔四〕，然後安坐，内觀心起。若覺一念心起，即須除滅，隨動隨滅〔五〕，務令安静。惟滅動心，不滅照心。於此修之，務其長久。久而習者，

〔一〕按，據唐玄宗御製道德真經疏卷十、道德真經玄德纂疏卷二十，「是以聖人執左契，不責於人」句的疏文與注文相同，故省略了疏文。然按全書體例，也可補疏文。

〔二〕「人」，唐玄宗御注道德真經卷四、易縣唐碑本該字後有「知」字。

〔三〕「下以化人」，唐玄宗御注道德真經卷四作「下人化之」。

〔四〕「無起於心」，洞玄靈寶定觀經注、雲笈七籤卷十七三洞經教部引洞玄靈寶定觀經均作「無與忤心」。

〔五〕「隨動隨滅」，洞玄靈寶定觀經注、雲笈七籤卷十七無。

則心有五時，身有七候。心五時者，第一時，心動多靜少；第二時，心動靜相半；第三時，心靜多動少；第四時，心無事時靜，事觸還動；第五時，心與道冥，觸亦不動。心至於此，始得安樂，罪垢滅盡，無復煩惱。此五者於所修之中，即爲行相。其七候者，即爲修行所得之果身。七候者，心得定已，覺無諸塵漏〔一〕，舉動順時，容色和悅，一也；宿病普消，身心輕爽，二也；填補夭〔二〕損，迴年復命，三也；延數千〔三〕歲，名曰仙人，四也；鍊形爲氣，名曰真人，五也；鍊氣成神，名曰神人，六也；鍊神合道，名曰聖人〔四〕，七也。」聖人設教，本爲衆生，爲其生死輪迴，展轉繫縛，流浪惡趣，永失真常，故出我心，以滅他心。上士若能法聖人之心，去住任運，不貪物色，不著有無，能滅動心，了契於道，既契道已，復忘照心，動照俱忘，然可謂長生久視、昇玄之道爾。夫仙果雖證，而有氣象所拘，年運所主。自初天證位，壽九百萬歲，每進一天即壽加一倍，凡二十七倍至無色界，極上秀樂天，合壽一千二百七萬九千七百七十五萬五千二百

〔一〕「心得定已，覺無諸塵漏」，洞玄靈寶定觀經注、雲笈七籤卷十七作「心得定易，覺諸塵漏」。

〔二〕「夭」，原作「天」，據洞玄靈寶定觀經注、雲笈七籤卷十七改。

〔三〕「千」，洞玄靈寶定觀經注、雲笈七籤卷十七作「萬」。

〔四〕「聖人」，洞玄靈寶定觀經注、雲笈七籤卷十七作「至人」。

萬歲。此其所以有年歲之數者。在陰陽二氣之内、三界遷變之中，其人有形有氣有神，三者周備，雖變化不測，坐在立亡，隱顯自由，神通無礙，須待鍊形爲氣，方出三界之外，然無年壽之數爾。其鍊神成氣已爲真人，鍊氣成神即爲聖人。其真人聖人永超數運，無復變遷，以億劫爲斯須，以萬天爲指掌。道果所極，皆起於鍊心。故西昇經云：「生我者神，殺我者心。」以其心有人我，故形有生死。無心者可階道矣，靈寶經云「道爲無心宗〔一〕」是也。

故有德司契，無德司徹。

【注】司，主也；徹，通也。言有德之君，主司心契，則人自化。無德之主，將立法以通於人，爲法之弊，故未爲善也。

【疏】司，主也；徹，通也。言有德之君主司心契，人將自化。無德之主不能虚心而忘己，唯欲作法以通人；作法則弊生，故爲無德爾。

【義曰】執心契則易化，立法教則難通。執契爲有德之君，可至於道；立法乃無德之

〔一〕「道爲無心宗」，太上洞玄靈寶授度儀、太上洞玄靈寶本行宿緣經均有「道爲無心宗，一切作福田。立功無定准，本願各由人。虚己應衆生，注心莫不均。大聖崇正教，亦由雨降天」辭訣。

主，未始通玄矣。此聖主所解也。今竊謂有德者，下古之君也；無德者，玄古之君也。有德之君德既有名，以心契理物，物雖化善，不能得道。玄古之君德大無名，化民於道，朝徹而後能見獨，無思無爲，玄契大道，故能臻於定觀，忘心之要，證超真入聖之階也。

天道無親，常與善人。

【注】司契則清浄，立法則凋殘。皇天無親，惟德是輔。故人君者，常思淳化於〔一〕無爲，不可立法而生事。

【疏】雖天道平施，與善不欺。司契清静者天福其善，則吉無不利；立法殘傷者天降以殃，則孽不可逭〔二〕。豈非「皇天無親，惟德是輔」者乎？

【義曰】司契之道，由中以明，故清静而易化；立法之本，自外而制，故凋弊而難通。立法方爲弊源，去善彌遠；司契潛諧道要，乃善之宗。降福降殃，可以明矣。降殃者，尚書伊訓曰「聖謨洋洋，嘉言孔彰。惟上帝不常，作善降之百祥，作不善降之百殃」是

〔一〕「於」，原作「放」，據唐玄宗御注道德真經卷四、道德真經玄德纂疏卷二十改。

〔二〕「逭」，道德真經玄德纂疏卷二十作「逃」。

矣。「皇天無親，惟德是輔」，尚書蔡仲篇云。天之於民無有親疏，惟有德者則輔祐之；民心於上無有常主，惟愛己者則歸之。所謂「撫我則后，虐我則讎〔一〕」是也。

〔一〕「撫我則后，虐我則讎」，見尚書泰誓下。

道德真經廣聖義卷之五十

唐　廣成先生杜光庭　述

小國寡民章第八十

【疏】前章明法令則生弊，必有〔一〕餘怨之跡；此章明淳樸則至理，自無矜徇之求。初標無爲之風以勸勉〔二〕，示人從君化則理；後明家給人足，無所企求。

【義曰】前以司契立法，勝負有殊；此乃重死化醇，樸素爲本。將復結繩之理，自無兵乘之興，甘食美衣，各全其分，安居樂俗，無喪其和。雖云雞犬相聞，豈尚往來爲禮。美信雙遣，知博亦忘，無事無勞，洞達聖人之道爾。

〔一〕「有」，唐玄宗御製道德真經疏卷十作「爲」。
〔二〕「勉」，原作「次」，據唐玄宗御製道德真經疏卷十改。

小國寡民。使有什伯之器而不用，

【注】什，伍也；伯，長也。此明君含淳和，什伍伯長無所求及，適有人材器堪爲什伍伯長者，亦無所用之矣。

【疏】寡，少也；什，伍也；伯，長也；器，材器也。此論淳古之代也。言國小者，明不求大；言人少者，明不求多。不求大則心無貪競，不求多則事必易簡〔一〕。易簡之道立，則淳樸之風著。適使有出人材器堪爲什伍之伯長以統於人者，亦無所用之矣。

【義曰】國小則易理，民寡則易寧。雖設官司亦無宰執，君臣循分，外無貪益之求，人庶懷淳，俱臻易簡之道。若大國能徇斯法，自然天下無爲矣。

使民重死而不遠徙；

【注】少私寡欲，不輕用其生，敦本無求，故不遠遷徙。

【疏】徙，遷移也。化歸淳樸，政不煩苛，人懷其生，所以重死。敦本樂業，無所外求，各安其居，故不遠遷移也。

【義曰】易理之境，易寧之民，懷淳素之風，各全其性命，無貪求之志，肯慕於播遷

〔一〕此處及後文兩「易簡」，唐玄宗御製道德真經疏卷十作「簡易」。

乎？所謂安其居，樂其俗，人至老死不相往來。斯大道云至矣。

雖有舟輿，無所乘之：

【疏】舟輿之設，本以通水〔一〕陸，濟有無。既無往來，則舟輿棄捨，無所乘用矣。莊子云：「至德之代，山無蹊隧，澤無舟梁。」

【義曰】刳木爲舟，以濟於水，斲輪爲輿，以通於陸，蓋適遠之所用也。國小地狹，既無乘汎之勞；遂性端居，豈有盤遊之事。固無所乘之矣。山無蹊隧者，蹊，徑也，隧，穴道也。莊子馬蹄篇曰：「至德之世，其行填填，其視顛顛，山無蹊隧，澤無舟梁。萬物群生，連屬其鄉，禽獸成群，草木遂長。是故禽獸可繫羈而遊，鳥鵲之巢可攀而窺。」惡乎知君子小人哉？是謂素樸之代矣。

雖有甲兵，無所陳之。

【疏】甲兵所陳，本以討不服，禦寇敵。上行道德，下無離異。既却攻戰之事，甲兵韜戢而無所陳也。

【義曰】君既無爲，臣惟樸素，内無離叛，外絶寇讎，雖有甲兵，復何陳用？行人心通

〔一〕「水」，原在「通」前，據唐玄宗御製道德真經疏卷十改。

玄默，道合正真，嗜好不惑於心，繁華不亂於目。雖有科戒，詎假研尋？斯固洞達生知，不在修而後得。亦猶民化淳和，無煩武備爾。

使民復結繩而用之。

【注】舟輿所以利遷徙，甲兵所以徇攻戰，兩者無欲，故無所乘所〔一〕陳。反樸還淳，歸復三皇結繩之用矣。

【疏】古者書契未興，結繩紀事，故繫辭云：「上古結繩而理，後代聖人易之以書契。」欲明結繩之代，人人淳樸，文字既興，是生詐僞。今將使民忘情去欲，歸於淳古，故云使人復結繩而用之。

【義曰】以道德之主，牧淳素之人，無水陸遷徙之勞，無甲兵攻取之事，則結繩之理，猶謂其煩。繫辭之文，具如疏解。夫上古未有書契，先於結繩。書契既興，結繩遂息。今使有爲之代多事之民，懷道淪和，却歸淳素，故云復結繩爾。

〔一〕「所」，唐玄宗御注道德真經卷四、道德真經取善集卷十二引唐明皇注均無，易縣唐碑本此句作「無所以乘陳之」，更恰。

甘其食，

【注】不貪滋味，故所食嘗[一]甘。

美其服，

【注】不事文繡，故所服皆美。

【疏】食之甘者在於適，適則所食皆甘；服之美者在於當，當則所服皆美。苟不適當，雖玉食錦衣，不足稱甘美也。

【義曰】充身適口，不尚珍華也。尚書天子王公皆有玉食。夫錦者，五彩相鮮，女工精巧，服之則過當，製之則勞人。況衣在蔽形，所以禦寒燠也；食則充口，所以濟飢乏也。温飽既適，凍餒不侵，足以安其身而樂其性，何在綺麗珍羞乎？

安其居，

【注】不飾[二]棟宇，故所居則安。

[一]「嘗」，唐玄宗御注道德真經卷四、易縣唐碑本、道德真經取善集卷十二引唐明皇注作「常」，二字通，「常」爲本字。

[二]「飾」，原作「餘」，據唐玄宗御注道德真經卷四、道德真經取善集卷十二引唐明皇注改。

樂其俗。

【注】不澆淳樸，故其俗可樂。

【疏】無欲〔一〕所居則安，化淳故其俗可樂。若逐欲無節，將自不安其居；苛政且煩〔二〕，焉得復樂其俗爾？

【義曰】普洽淳和，故安其居而樂其俗也。

鄰國相望，雞犬之音相聞，

【注】言其近也。

使民至老死不相往來。

【注】無〔三〕求之至也。

【疏】列國相望，雞犬相聞，蓋言其近也。人至老死不相往來，由彼此俱足，無所求及故爾。

【義曰】君無境上之會，民無身外之求，雖接風煙，何煩來往。在身則各安其分，外絶

〔一〕「欲」，唐玄宗御製道德真經疏卷十、道德真經玄德纂疏卷二十該字後有「故」字，於上下文更恰。

〔二〕「苛政且煩」，唐玄宗御製道德真經疏卷十作「政苛日煩」。

〔三〕「無」，唐玄宗御注道德真經卷四該字前還有「彼此俱足」。

貪求；於國則各暢其生，民無勞役。樂道順性，道之至乎。

信言不美章第八十一

【疏】上下二篇通明道德。始標宗旨，以開衆妙之門；終結會歸，將通得意之路。故寄信美以彰言教，論辯善以戒修行，書知博以示迷悟〔一〕，陳不積以教忘遺，假有多以暢法性，結不争以明聖人。將令學者造精微於言象之中，道〔二〕筌蹄於性命之外。悟教而能忘教，何必杜口於毗耶〔三〕；因言以明無言，自可了心於柱下爾。

〔一〕「悟」，唐玄宗御製道德真經疏卷十作「悮」。

〔二〕「道」，唐玄宗御製道德真經疏卷十作「導」。

〔三〕「毗耶」，佛教語，爲梵語的音譯，又譯作「毗耶離」、「毘舍離」、「吠舍離」，古印度城名。「杜口於毗耶」，維摩經説，維摩詰（意譯爲浄名）居士住毗耶城（在今印度比哈爾邦南部），釋迦牟尼於該地説法時，維摩詰稱病不去。釋迦派文殊師利前往問疾。文殊師利問維摩詰：「何等是菩薩入不二法門？」維摩詰默然不對。文殊師利歎曰：「乃至無有文字語言，是真入不二法門。」古代詩文中，多以此佛教傳説故事爲杜口不言而深得妙諦的典故。南朝齊王中頭陀寺碑文：「掩室摩竭，用啓息言之津；杜口毗邪，以通得意之路。」

【義曰】此章首目結二經之終始也。自可道可名之始，訖不害不爭之終，八十一章，配天法地。其此篇美信辯善之理，較華實之可忘，知博有多之詞，定文質之可捨，忘言忘象，得玄遺玄，深入兼忘之樞，混融至道之域矣。衆妙之門者，上經第一章之詞也。言象者，易繫云「得意而忘象，得象而忘言」也。筌蹄者，易繫云「得兔而忘蹄，得魚而忘筌〔一〕」也。並具經中已解。若彼毗耶杜口，自昧於真宗；靈山拂席，竟迷於正見。豈若茲文演暢，體用兼明。語之修身理家，則百關和而六親睦；奠邦御寓，率土靜而九有清。弈代宗師，百王規稟者矣。柱下者，老君當周武王之時，居於岐，佐武王爲柱下史，即今之御史也。

信言不美，

【注】信言者，聖教也。信實之言〔二〕，不韻於俗，故不美也。

【疏】信言者，聖教信實之言也。老君欲以自明所演言教，化導衆生，實爲精信，故與

〔一〕「得兔而忘蹄，得魚而忘筌」，乃莊子雜篇外物篇文，本書卷二十希言自然章即述如此，此處説出自易繫，當誤記。

〔二〕「信實之言」，唐玄宗御注道德真經卷四作「信，實也。言」，故前後點斷爲「信言者，聖教也；信，實也。言不韻於俗」，然易縣唐碑本也作「信實之言」。

俗相違，代人以爲不美。

【義曰】大聖垂訓，以暢道爲先，無華詞可悦於人，無曲説可誣於衆。真理直致，質而不文，故代俗所窺，以爲不美。然而循理屬念，依經宅心，不唯霸國和民，抑乃長生輕舉，可謂精信矣。

美言不信。

【注】美言者，代教也。甘美之言，動合於俗，故不信也。

【疏】美言謂代教甘美之言也。言多浮華，動合於俗，既非信實，不可化人，所以不美，正以代教美言不信故爾。

【義曰】代間教旨，以華藻爲先，無至理可依，無玄譚可採，但以綺美爲富贍，煩博爲奇能，俗耳所樂聞，常情所甘愛，不可行化於世，但可娱適於情，故美而不信也。

善者不辯，

【注】善者在行，無辯説也。

【疏】悟教之善，在於修行，行而忘之，曾不執滯，故不辯説也。

【義曰】知道能行，不勞言辯，故經曰「知者不言」是也。夫辯者理闊而詞煩，虚多而實寡，但可誇誕於俗，不能徑了於玄。故善言於道者，臻乎無言，非假辯説，西昇經曰

「道在勤行，不在能言〔一〕」是也。

辯者不善。

【注】空滯辯說，故不善也。

【疏】但能辯說言教，曾不悟了修行。惑滯既多，故爲不善。

【義曰】夫懸河縱辯，炙輠與詞，其於言也亦以富矣。但夫滯言則迷於了悟，執理則瞢於真修。詞多惑人，故非善矣，經曰「言者不知」是也。能辯而不能行者，西昇經云「言出飛龍前，行在跛鱉後〔二〕」是也。

知者不博，

【疏】知，了悟也；博，多聞也。言體道了悟之人，在乎精一，不在多聞。故莊子云「博溺心」者〔三〕。

【義曰】道在乎知，不在乎博。知而行之者，至道不煩，一言了悟，悟而勤久，久而彌

〔一〕「道在勤行，不在能言」，西昇經卷上西昇章第一「談以言相然」注：「自然之道，行之爲上，不行則不至也。道不可聞，聞之不若行之，聞之徒能言爾。可以言論者，物之粗也，道無問，問無應，則弗知乃知，知乃不知也。」

〔二〕「言出飛龍前，行在跛鱉後」，見西昇經卷中重告章第十。

〔三〕「者」，唐玄宗御製道德真經疏卷十作「也」。

堅，則得道矣。知而求博，博而不修，言之於前，行之不逮，則失道矣。博溺心者，莊子繕性篇云：「古者淳樸既散，德又下衰。唐虞之世，智不足以定天下。然後附之以文，益之以博。文滅質，博溺心，然後民始惑亂，無能以反其性而復其初。由是觀之，世喪道矣，道喪世矣，世與道交相喪也。道之人何由興乎世，世亦何由興乎道哉！」此疾其捨無爲循有作也。所以鍾鼓作荒淫之具，玉帛爲傾奪之資，亂生於此矣。人君理國，若能去琱琢，息奢淫，削繁文，薄禮樂，化以真素，無事無爲，豈患其溺心之博也？

博者不知。

【注】知，了悟也；博，多聞也。

【疏】夫多聞則滯於言教，滯教則終日言而盡物〔一〕。既非了悟，故曰不知。

【義曰】道之要者，在乎得言而忘言，知道而行道。行之既得，教亦俱忘。守一則不煩，無爲則不亂。故博於言教者去道遠矣，豈能得玄妙之道哉？

聖人不積，

【注】積者，執言滯教，有所積聚也。聖人了言忘言，悟教遺教，一無執滯，故云不積。

〔一〕「盡物」，唐玄宗御製道德真經疏卷十作「不盡」。

【疏】積，滯聚也。聖人達妙〔一〕理源，深明法性，悟文字虛假，了言教空無。所説之理既明，能説之言亦遣，則於彼言教一無積滯〔二〕，故云聖人不積爾。

【義曰】聖人無爲，無爲之爲亦遣；聖人忘教，滯言之教俱忘。了達希微，宗尚虛漠，故不積滯於俗教矣。修真之士，亦當悟此忘言，了兹妙道也。

既已與人己愈有，既以與人己愈多。

【注】此明法性無盡也。言聖人雖不積滯言教，然以法味誘導凡愚，盡以與人，於聖人清净法〔三〕性曾無減耗，唯益明了，故云愈有愈多。有明自性，多明外益。

【疏】既，盡也。言聖人雖不積滯言教，然衆生發明慧心，必資聖人誘導，故聖人以清净理性盡與凡愚而教導之，於聖人慧解之性曾不減耗，故云愈有愈多。注云「有明自性，多明外益」者，悟理之性既非他有，故云自性，因教之益不自中來，故云外益。明聖人教導凡愚，心彌慧解，故云愈有；惟斆學半，理益精暢，故云愈多爾。

〔一〕「達妙」，唐玄宗御製道德真經疏卷十、道德真經玄德纂疏卷二十作「妙達」。

〔二〕「積滯」，唐玄宗御製道德真經疏卷十、道德真經玄德纂疏卷二十作「滯積」。

〔三〕「法」，唐玄宗御注道德真經卷四、易縣唐碑本作「之」。

【義曰】聖人清静，理性光明，慧心外無所因，内無所滯，和之愈響，如鍾在懸矣。夫天地之生化不窮，而天地之用未嘗倦矣；日月之照灼而不息，而日月之明未嘗竭矣；江海之注不極，而江海之流未嘗耗矣；薪火之傳不絶，而薪火之力未嘗盡矣。亦猶聖人之慧解浩蕩而無涯，隨悟立言，隨方設教，因機誘導，稱彼物情。物情高下，俱得法味，而言教塞於天下，而理性慧解愈有愈多矣。惟斆學半者，尚書説命下〔一〕篇云：「斆，教也，教然後知所困。是學之半也。」終始常念學，則其德之修無能自覺，其惟學乎！

天之道，利而不害。

【疏】天道施生，長養萬物，利也；無所宰割，不害也。此舉喻欲明聖人之道弘益也。

【義曰】舉天道以喻聖人之道利於萬物，物遂其生，而無所害也。

聖人之道，爲而不争。

【注】舉天道利物不害者，將明聖人之道施爲弘益，常以與人，故不争也。

【疏】聖人之道，凡所作爲而與物不争者，爲聖人無所積滯，與人愈有，是以不争爾。

〔一〕「尚書説命下」，按此處所引文字非尚書原文，乃孔安國傳文。

【義曰】天授聖人之道以利於萬物，聖人體道應天以濟於群生。澤愈廣而志愈謙，化愈彰而功愈晦，故利物而不害，應物而不爭。且夫上下二經論道叙德，首明可道常道，爲設教之宗源；次標有德無德，述因時之澆樸。此陳愈多愈有，表聖澤之無窮。斯信可以垂表萬天，程式千古，革漓〔一〕敗而復樸，滌邪弊而歸真，貫天地而燭幽明。二經之大旨也。

〔一〕「漓」，當通「離」，「離敗」乃敗壞、頹敗義。

附録一

進道德經廣聖義狀

廣德先生　臣　杜光庭

右臣光庭伏以道德二經五千奥旨爲致理興邦之本，修身久視之門，降於虞舜之朝，弘自周昭之日，體之則無爲清簡，行之則復樸還淳，歷代所宗。諸家詮解，各探要義，互有指歸。暨開元年中，玄宗製疏，備詳隱秘，迴立宗途，通貫六經，兼該百氏，遵行於代，綿歷歲年。臣輒依疏鈔之，科裁爲廣聖義三十卷。學慚孤陋，文乏英華，貴於披讀之時，易見引證之事，將令後學免倦討尋。纂述既成，曾具上獻，冒塵睿鑒，常負兢惶。尚以篇軸稍多，難於傳寫，或勞揮翰，莫遂流行。内樞密使檢校太保任安玄，早奉真經，思弘大教，起武成〔一〕己巳之歲，至永平癸酉之春，自出俸錢，剞雕印版，于兹五載，方畢鉅功。共成四百六十餘版，便於臣本院經藏堂内收掌供養。旋期印造，俾獲傳弘，無煩紫筆金膏，可比風馳景散。善因勝力，允屬天朝。伏惟英武睿聖神功文德光孝皇帝陛下，道邁五龍，德超十紀。承軒臺之聖緒，化叶帝先；襲緱嶺〔二〕之仙宗，功參氣母。體乾握紀，覩華夷之欣戴樂推；執契垂裳，致遠近之航深梯嶮。民懽愷悌，俗美雍熙。武廓氛埃，文懷荒徼。況復天垂寶牒，乃玄元太上之書；地出珍符，實靈觀神仙之篆。益彰道化，欽贊聖朝，願於誕睿之辰，虔表祝堯之禮。期聖年之延永，與道德以無窮。所印成廣義六帙謹進，兼乞永許施行。冒犯辰嚴，無任戰越兢惶之至。謹録奏聞，伏候敕旨。

永平三年二月五日　廣德先生臣杜光庭狀奏

〔一〕「武成」及後「永平」，均爲前蜀皇帝王建的年號。

〔二〕「緱嶺」，即緱氏山，在河南省偃師縣。漢劉向列仙傳王子喬：「王子喬者，周靈王太子晉也。好吹笙，作鳳凰鳴。游伊洛之間，道士浮丘公接以上嵩高山。三十餘年後，求之於山上，見桓良曰：『告我家：七月七日待我於緱氏山巔。』至時，果乘白鶴駐山頭，望之不得到，舉手謝時人，數日而去。」後因以爲修道成仙之典。唐崔湜寄天臺司馬先生詩：「何年緱嶺上，一謝洛陽城。」

省奏具之師，學富天人，名彰寰海。識安世之三篋〔一〕，侔惠子之五車〔二〕。詩排綺繡之文，才涌江河之思。星冠月帔，既諧高尚之風；駕鶴驂鸞，了謝軒裳之趣。而乃廣陳奥義，深究玄言。演五千文，成三十卷。盡理國理家之術，皆修身修心之要。傲吏未測於指歸，關令空傳於望氣。益彰獨步，寧愧二賢。載省封章，兼知是内樞密使任知玄，自武成二年即出俸錢雕造，共成四百六十餘版。首尾五載，方始畢功。覩近臣贊道之心，成羽客廣經之旨。合爲巨績，有光我朝。方屬壽春，同兹獻祝。表域中四大之説，示太上三寶之言。並屬朕躬，良爲勝會。再三省閲，欽尚殊深。方將著述之能，普示流傳之盛。不朽之事，深叶至懷。所請施行，宜允。

〔一〕「識安世之三篋」，漢書張安世傳：「安世字子孺，少以父任爲郎。用善書給事尚書，精力於職，休沐未嘗出。上行幸河東，嘗亡書三篋，詔問莫能知，唯安世識之，具作其事。後購求得書以相校，無所遺失。上奇其材，擢爲尚書令，遷光禄大夫。」

〔二〕「侔惠子之五車」，莊子天下：「惠施多方，其書五車。」後用以形容讀書多，學問淵博。

太上老君道德經廣聖義序〔一〕

廣德先生　杜光庭　上

若夫運大道、敷重玄者，老君綜其本；子兩儀、孫萬物者，大道擅其功。道資聖而立名，聖演道而成教。妙無生有，巍乎大哉！欽惟太上老君玄元皇帝，融真化表，誕聖帝先。握希夷澹泊之樞，暢清簡無爲之理。九皇之始，八帝以還，代代爲師，方方布訓。淳源未撓，酌之者自然而然；妙本猶存，體之者道非常道。莫不君懷顒厚，臣抱中和。化任天功，人忘帝力。洎卦分大易，氣散天倪，春后登真，炎皇御曆。諸侯俶亂，混沌萌視聽之端；大象淪胥，玄默起交爭之釁〔二〕。攘臂仍敵，揭林爲兵。剡木弦弧，重門擊柝。煙埃氛涌，三景爲之昏霾；海嶽振摇，九土以之刲裂。由是黄軒受

〔一〕以下五篇日藏手鈔本序言，皆從島田翰古文舊書考中迻録。

〔二〕「釁」，古文舊書考原注：「原作『璺』。」

命，玄女降符。風后推勝負之機，大鴻執盈虚之律。蚩尤焚於涿鹿，姜族敗於阪泉。懷柔無草偃之甿，干戈有日尋之寇。至德中圮，大道不行。智詐相高，矛盾生惑。詭譎欺紿，詎可勝言。老君愍世主之棄道肆兵，念生民之迷真喪本。述二經秘要，陳二寶指歸。以恭儉爲先，以謙虚爲主。復陵夷於大朴，返嚚競於忘言。八十一章丁寧懇惻，絶言詞於枝葉，示汲引於筌蹄。旨約義豐，文簡理富。或玄或諭，或實或權。益以道爲上德之宗，德爲五常之表。道苞於德，道存而德用自彰；德統五常，德全而仁智自舉。所以絶仁棄義，家慈孝而民和；絶聖棄智，政優豫而國家。其民自化，其鬼不神。至哉玄功，二經之力也！首傳虞舜，北止河濱。後授尹真，西過函谷。孝文、孝景，勤而行之，西漢之初，幾致刑措。簡文、梁武，誤爲因果之書，政理之體固亦遠矣。北蕀適越，人無則焉。玄宗明皇帝，命以家藏，尊我祖訓。探微索隱，允執厥中。事天理國之規，保家修身之範。四者備極，百度以卓。事簡刑寬，文興武戢。四十餘載，端拱穆清。泰階可平，淳古可復。斯所謂得真經之要也。故先爲注解，嗣以疏文。焕乎哉日麗太虚，曠乎哉風行大陸。浩浩蕩蕩，無得而名焉。頃以講討之餘，服勤之暇，輒爲廣義，載述聖文。測海量天，自速其過。蓋欲示諸同志，豈敢列於簡編。天復元年辛酉，箋述云畢。今值堯曦燭物，舜海涵和。道德宣敭，難自緘隱。伏惟英武睿聖神功文德光孝皇帝陛下，軒轅肇緒，少皞垂休，后稷宏圖，古公聖德。纂文武之休烈，紹簡靈之耿光。襲峒丘道德之基，承緱嶺神仙之間。九清誕睿，八景降神。拯甲申百六之災，秉壬辰太平之籙。登庸歷試，成扶危定亂之勳；胙土開邦，得井絡坤維之國。水滔南紀，嶺控西崑。岷江爲四瀆之尊，青城居五嶽之長。仰臨九有，俯看八區。表裏河山，周迴險固。七十州之沃壞〔一〕，一萬里之堤封。杞梓如林，桑麻如織。風教昭著，禮樂興行。在中原鼎沸之秋，爲萬世晏安之地。旋以潛移土運，明啓金行。洛濱難問於膠船，渭渚全銷於王氣。民思真主，神縱休期。億兆樂推，華夷傒望。朝章夕表，希觀授禹之儀；擁闔祈天，願覩讚堯之禮。連月不已，駈出復來。而又景貺繽紛，禎休繁委。鱗介羽毛之瑞，雲霞草木之祥。貢必充庭，至無虛日。榮光照地，嘉氣凝空。感動神明，充塞宇宙。撝挹不獲，曆數攸歸。然後燔燎配天，體元立極。遵前王之盛典，考遐聖之鴻猷。光遂古之文，表大君之德。儼珠旒而乾乾夕惕，攬金鏡而翼翼宵勤。讓德推功，覃恩示信。故得須池瀚海，遠徼窮荒。稽顙懷仁，宅心貢贐。風恒雨若，歲稔時和。飛矛指而妖孼平，薰琴奏而氛埃息。四皇

〔一〕「壞」，原注：「疑當作『壤』。」

六帝，掩漢超周。皇太子睿喆欽明，温恭孝敬。文功武德，叔誦季盈。成章則焕耀九芒，運策則折衝千里。聖王良弼，内輔外藩。巍巍堂堂，皆經國致君之傑；礌礌硌硌，盡禀星降嶽之神。多士盈朝，雄師萬旅。我皇帝執謙恭己，播惠宣慈。務穡勸分，睦鄰敦好。今則玄穹睦祐，太上錫符。命屬日時，先〔一〕□於九天之上；御名國姓，預定於千載之前。覩寶篆呈文，證瑶圖啓運。驗天錫延洪之祚，見老君協贊之徵。則明歷代爲師，惟德是輔；隨方設教，惟道是先。契乾坤一統之時，乃華裔同文之日。行道顯教，宜在聖朝。但以篇軸既多，繕寫難備，爰由雕刻，冀速流傳。不煩染翰之勞，可遍普天之内。庶使人皆持誦，常懽有道之風；化溢寰區，永奉無疆之壽。

大蜀永平三年龍集癸酉正月日謹叙

廣聖義印板後序

夫道德真經，鬱爲群教之本；重玄奥義，寔曰衆妙之門。道恍惚而窈冥，朴甚真

〔一〕「先」，古文舊書考原注：「『先』下疑脱一字。」

而甚信。知白守黑，至聖至靈。隨迎不知，變化則莫窮莫測；視聽不得，品彙則廣生廣成。本固流長，體虚用實。知乎謂乎智，愚乎謂乎愚。非神會理冥，莫之能識。然則有爲雖假捨之則，衆教無聲；無爲雖真滯之則，解行斯泯。安得不憑言指象，博示夫强名哉？是以千聖不能息乎言，百谷不能停其注。故朱輪拱璧，不若坐進斯文；避影棲雲，寧如闡弘至教。利生贊國，履德酬恩，微乎大哉，玄聖之妙旨也。前代注疏，作者誠多。理事兼融，未爲通貫。有大蜀廣德先生，天授英才，神與玄鑒。三皇五帝之道，括覽無遺；九流百氏之言，罔不窮賾。念兹道德真經老聖格言，以在敷揚，顯仁利物，因閲明皇注疏，輝焕古先。多引前言，以爲後比。恐將來之學者困於搜聞，遂入青城，深居巖藪。想夫述作，何代無人。乃精博研機，潤色洪業；探微索隱，翼彖玄文。頓漸偏圓，隨義箋解。無幽而不顯，觸類而長之。細思十秋，編成三十卷，題曰廣聖義焉。雖子夏言詩，丘明續傳，不足先後。世方今天皇御，曆德日新，聲教恢弘，英風振古。顧惟盛作宜播盛時，蓋章軸既多，卒難繕寫，知玄遂月抽職俸，旋賃良工。雕刻印文，成四百六十餘板，永鎮龍興大觀，隨緣印造流行。庶夫百辟四人，盡仰明君之淳化；九夷八狄，咸欽中國之風猷耳。

特進檢校太保、前守眉州保勝軍團練使、上柱國樂安縣開國子、食邑五百户任知

玄叙　永平三年太歲癸酉二月甲戌朔八日辛巳

左街天長觀内殿講論大德賜紫張延光

右街内殿講論首座鑒微大師賜紫唐洞卿

左街内殿講論首座得一大師賜紫張茂卿

右街道門威儀弘微大師賜紫何沖微

左街道門威儀紫虚大師賜紫任可言

再雕道德經廣聖義疏後序

竊以大道惟奥，本一氣以開先；至人立言，垂千古而不泯。洪惟教父，屬彼東周。上以述治國之規，下以陳修身之式。賾乎大象，斯謂真筌；根彼希夷，寔曰道德。其妙也不可致詰，其用也是顯龔常。唐明皇注疏昭明，河上公詮解允著。詳窮奥秘，洞洽深淵。迨永平中，廣德先生性合虛無，言探妙有，撮其機要，用以發揮，重爲廣聖義疏三十卷。折理精微，曲從義訓。既成板刻，尋進冕旒。上意嘉稱，俾成悠永。暨五代之離亂，且斯文之寖衰。墜散尤多，傳聞蓋寡。凡諸宗尚，莫得討論。洞應忝從事於教門，抑有年矣，嘗念真風方興，昌代欲茲聖疏，再遂流行。一日因謁休官，入道崇真大師舒知雄先生，首叙夙心，冀成喜志。罄其剖露，冥契會緣。先生本睢陽人，毓性沖和，歸真恬淡。素由戎略，歷事皇朝。拂身簪組之榮，抗意雲霞之趣。乃言曰：昔杜先生所著文疏，恢張道要，實妙指歸。亦粗披尋，頗開引證。繇是樂聞茲意，勉重前謀。仍捨羡財，共成板志。迨諸好事，乃繕成一則，庶助皇風，大闡無爲之化；聿俾真教，永傳不朽之文。豈止石室藏書，惟聞於往躅；金臺秘籙，但貴於仙宗者也。

報願布衣道士王洞應後序

道德經廣聖義序

夫以大道難名，先天地而垂極；元聖挺出，慮後世而立言。所以啓至理之關鑰，而示千古之軌範也。然莫爲之前，無以詔乎後；莫爲之後，無以昭乎前。此吾太上老君五千言之所由作，而廣成先生廣聖義之所由述也。夫道爲上德之宗，德爲五常之表，道包乎德，德原乎道。故混元以之而判，乾坤以之而定，日月星辰以之而昭布森列，山川動植以之而淳峙生遂。其太虚乎？其元氣乎？此則包太虚而孕元氣者也。赤明龍漢之劫既終，渾淪磅礴之氣日散，萬生紛綸，機變膠轕，情竇開而本真迷矣。

太上老君誕降億劫之前，示跡歷代之遠。至周昭王時，世道日降，於是以道德二經授之尹喜，微辭奥義，爲言五千。闢邪以爲正，振亂以爲理，化僞以爲樸，約而修身齊家，大而治國平天下，蓋羲黄堯舜、三代聖人所不能外此，淵乎妙哉！然而其文至簡，其理至博，讀其書者千萬，而通其義者什一。故自尹喜親見聖人，已有内解上下篇，繼是如河上公、嚴君平、天師張君皆爲詮釋，由漢迄唐，無慮六十家。至明皇既爲之注，又述講疏六卷，頗爲詳備。逮廣成杜先生，體元聖立言之旨，搜羅諸家，芟繁撮要，輯爲廣聖義三十卷，文理瞻蔚，事辭諺啚。盡究道修身之門，備齊家治國之理，鉅篇累牘，本末不遺，蓋焕乎其集大成也。按此書成於永平三年，而内臣任知玄爲之鋟造。中更五季，或隱或顯，漠乎無考。至皇朝布衣道士王洞應乃克再刊，歷歲滋久，流傳殆絶，仰惟國家以慈儉傳序，以清浄化邦，尊道貴德，前後一轍，祈天永命，蓋本於是斯。

聖皇在宥，必世後仁，無爲無欲。是經妙用，心會躬行，固已陶鑄一世而秕糠太古。獨廣聖義一書僅存如綫，版行莫續，俱抱積年未見之恨。觀復羽服下士，昔年於句曲山親受於先師虛静真人王景温，篋藏久矣。顧其版本尚多訛舛，今討論按據，悉行校正，敬集同志，刻之堅梓。而左右街衛都道録通妙葆真先生易君如剛，驩然勰贊，遂克登兹，而今而後，俾學道者皆有此書，潛心而湛思焉。庶幾聖賢之志昭若日星，不爲虛文。悉詣妙趣，皆可措之日用，于以返真淳之習，裨聖治之盛，不其韙歟？若夫縹囊緗帙，誇插架之多，誦説句讀，事口耳之學，則非觀復所以刊此書之意也。

時嘉定甲申四月丁卯朔 二茅山華陽洞天白雲崇福觀保寧大師賜紫周觀復序

附録二

日藏嘉定手鈔本與道藏本卷次分合對照表〔一〕

日藏嘉定手鈔本		道藏本	
卷次	内容	卷次	内容
卷一	叙經大意解疏序引	卷一	叙經大意解疏序引
卷二	釋老君事跡氏族降生年代	卷二	釋老君事跡氏族降生年代
卷三	釋御疏序上	卷三	釋御疏序上
卷四	釋御疏序下 釋疏題明道德義	卷四	釋御疏序下
		卷五	釋疏題明道德義

〔一〕此表日鈔本卷次據島田翰古文舊書考，上海古籍出版社二〇一四年，第一〇三至一〇五頁。

續表

日藏嘉定手鈔本		道藏本	
卷五	道可道章第一	卷六	道可道章第一
	天下皆知章第二	卷七	天下皆知章第二
卷六	不尚賢章第三	卷八	不尚賢章第三
	道沖而用之章第四		道沖而用之章第四
卷七	天地不仁章第五	卷九	天地不仁章第五
	谷神不死章第六		谷神不死章第六
	天長地久章第七		天長地久章第七
	上善若水章第八	卷十	上善若水章第八
卷八	持而盈之章第九		持而盈之章第九
	載營魄章第十	卷十一	載營魄章第十
	三十輻章第十一		三十輻章第十一
卷九	五色令人目盲章第十二	卷十二	五色令人目盲章第十二
	寵辱若驚章第十三	卷十三	寵辱若驚章第十三

續表

日藏嘉定手鈔本		道藏本	
卷十	視之不見章第十四 古之善爲士章第十五 致虚極章第十六	卷十四	視之不見章第十四 古之善爲士章第十五
		卷十五	致虚極章第十六
卷十一	太上下知章第十七 大道廢章第十八 絶聖棄智章第十九	卷十六	太上下知章第十七
		卷十七	大道廢章第十八 絶聖棄智章第十九
卷十二	絶學無憂章第二十 孔德之容章第二十一 曲則全章第二十二	卷十八	絶學無憂章第二十
		卷十九	孔德之容章第二十一 曲則全章第二十二
卷十三	希言自然章第二十三 跂者不立章第二十四 有物混成章第二十五	卷二十	希言自然章第二十三 跂者不立章第二十四
		卷二十一	有物混成章第二十五
卷十四	重爲輕根章第二十六 善行無轍跡章第二十七	卷之二十二	重爲輕根章第二十六
		卷之二十三	善行無轍跡章第二十七

續表

日藏嘉定手鈔本		道藏本	
卷十五	知其雄章第二十八 將欲取天下章第二十九 以道佐人主章第三十	卷二十四	知其雄章第二十八 將欲取天下章第二十九
		卷二十五	以道佐人主章第三十
卷十六	夫佳兵章第三十一 道常無名章第三十二 知人者智章第三十三	卷二十六	夫佳兵章第三十一
		卷二十七	道常無名章第三十二 知人者智章第三十三
卷十七	大道汎兮章第三十四 執大象章第三十五 將欲歙之章第三十六 道常無爲章第三十七	卷二十八	大道汎兮章第三十四 執大象章第三十五
		卷二十九	將欲歙之章第三十六 道常無爲章第三十七
卷十八	上德不德章第三十八	卷三十	上德不德章第三十八
卷十九	昔之得一章第三十九 反者道之動章第四十	卷三十一	昔之得一章第三十九
		卷三十二	反者道之動章第四十 上士聞道章第四十一

續表

日藏嘉定手鈔本		道藏本	
卷二十	上士聞道章第四十一 道生一章第四十二	卷三十三	道生一章第四十二
卷二十一	天下之至柔章第四十三 名與身孰親章第四十四 大成若缺章第四十五 天下有道章第四十六 不出户章第四十七	卷三十四	天下之至柔章第四十三 名與身孰親章第四十四 大成若缺章第四十五
		卷三十五	天下有道章第四十六 不出户章第四十七
卷二十二	爲學日益章第四十八 聖人無常心章第四十九 出生入死章第五十 道生之章第五十一	卷三十六	爲學日益章第四十八 聖人無常心章第四十九 出生入死章第五十
		卷三十六	道生之章第五十一 天下有始章第五十二
卷二十三	天下有始章第五十二 使我介然章第五十三 善建不拔章第五十四	卷三十八	使我介然章第五十三 善建不拔章第五十四

續表

日藏嘉定手鈔本		道藏本	
卷二十四	含德之厚章第五十五 知者不言章第五十六 以政治國章第五十七 其政悶悶章第五十八	卷三十九	含德之厚章第五十五 知者不言章第五十六
		卷四十	以政治國章第五十七 其政悶悶章第五十八
卷二十五	治人事天章第五十九 治大國章第六十 大國者下流章第六十一 道者萬物之奧章第六十二	卷四十一	治人事天章第五十九 治大國章第六十
		卷四十二	大國者下流章第六十一 道者萬物之奧章第六十二
卷二十六	爲無爲章第六十三 其安易持章第六十四 古之善爲道章第六十五 江海爲百谷王章第六十六	卷四十三	爲無爲章第六十三 其安易持章第六十四
		卷四十四	古之善爲道章第六十五 江海爲百谷王章第六十六
卷二十七	天下皆謂我道大章第六十七 古之善爲士者章第六十八 用兵有言章第六十九	卷四十五	天下皆謂我道大章第六十七 古之善爲士者章第六十八 用兵有言章第六十九

續表

日藏嘉定手鈔本		道藏本	
卷二十八	吾言甚易知章第七十 知不知上章第七十一 人不畏威章第七十二 勇於敢章第七十三	卷四十六	吾言甚易知章第七十 知不知上章第七十一 人不畏威章第七十二
		卷四十七	勇於敢章第七十三 民常不畏死章第七十四
卷二十九	民常不畏死章第七十四 民之饑章第七十五 民之生章第七十六 天之道章第七十七	卷四十八	民之饑章第七十五 民之生章第七十六 天之道章第七十七
卷三十	天下柔弱章第七十八 和大怨章第七十九 小國寡民章第八十 信言不美章第八十一	卷四十九	天下柔弱章第七十八 和大怨章第七十九
		卷五十	小國寡民章第八十 信言不美章第八十一